W9-BBK-393

## Date Loaned

| | | | |
|---|---|---|---|
| DEC 1 0 | | | |
| DEC 1 8 | | | |
| FEB 21 | | | |
| OCT _ 6 | | | |
| | | | |
| | | | |
| | | | |
| | | | |
| | | | |
| | | | |
| | | | |
| | | | |
| | | | |
| | | | |
| | | | |
| | | | |
| | | | |

SOCRATES

From a bust in the Museum at Naples

8721

COLLEGE SERIES OF GREEK AUTHORS

JOHN WILLIAMS WHITE AND THOMAS DAY SEYMOUR, EDITORS

CHARLES BURTON GULICK, ASSOCIATE EDITOR

# XENOPHON

# MEMORABILIA

EDITED

## ON THE BASIS OF THE BREITENBACH–MÜCKE EDITION

BY

## JOSIAH RENICK SMITH

PROFESSOR OF GREEK IN OHIO STATE UNIVERSITY

———▶◀———

GINN & COMPANY

BOSTON · NEW YORK · CHICAGO · LONDON

Entered at Stationers' Hall

————

Copyright, 1903, by
John Williams White, Thomas Day Seymour, and Charles Burton Gulick

————

All Rights Reserved

56.9

The Athenæum Press
GINN & COMPANY · PRO-
PRIETORS · BOSTON · U.S.A.

TO THE MEMORY

OF

WILLIAM SEYMOUR TYLER

# PREFACE

THIS edition of the *Memorabilia* is based upon the sixth (German) edition of Ludwig Breitenbach's *Xenophons Memorabilien*, revised by Dr. Rudolf Mücke, *Oberlehrer* in the *Königliche Klosterschule* at Ilfeld; Berlin, 1889.

The preparation of this book for the College Series was originally undertaken by Professor William Goodell Frost, of Oberlin College; but on his assuming the presidency of Berea College, Kentucky, the present editor was requested, with the cordial concurrence of President Frost, to undertake the work.

The text is substantially that approved by Breitenbach, chiefly with such modifications as have met the consensus of Dindorf, Sauppe, and Gilbert; and with a few changes in orthography, to conform to what is believed to be the best Attic usage (*e.g.*, such forms as μείγνυσθαι [μίγνυσθαι], ἀποτεῖσαι [ἀποτῖσαι], σῴζειν, ἀποθνῄσκειν).

In the Introduction and Commentary, both of which are freely adapted from the German edition, the editor has endeavored constantly to keep in mind the needs of college students who may read Xenophon, and references to the grammars of Goodwin and Hadley-Allen are accordingly supplied in abundance. The notes are especially full on those portions of the work which may profitably be selected when it is not feasible to take the class through the entire *Memorabilia*. For the convenience of instructors who may wish to make such selections, the editor suggests the following passages as characteristic and as repaying study from different points of view: book i, chapters 1, 4, 6; book ii, chapters 1, 2, 6; book iii, chapters 1, 4, 5, 9, 10; book iv, chapters 2, 6, 8.

The editor desires to express his grateful acknowledgments to Professor Seymour, whose watchful supervision and keen but friendly criticism have been effectively present at every stage of the work; to Dr. Rudolf Mücke for his courteous permission to make use of the German edition; and to the editor's colleague, Dr. Arthur W. Hodgman, who has been kind enough to read all the proofs.

JOSIAH R. SMITH.

OHIO STATE UNIVERSITY,
    January, 1903.

# INTRODUCTION

## I. LIFE OF SOCRATES (469–399 B.C.)

**1.** Socrates, the son of Sophroniscus, a sculptor, was born at Athens in 469 B.C. His mother was Phaenarĕte, a midwife. He is said to have been brought up to his father's calling, and to have obtained some proficiency therein : Pausanias mentions (i. 22. 8) having seen near the entrance to the Acropolis a marble group of Hermes and the three Graces, said to be from the hand of Socrates. He soon, however, abandoned art, and gave himself to the study of his fellow-men, with the desire to assist in their moral and intellectual improvement. The peculiarity of his personal appearance,[1] his straightforward honesty, and the pungency of his criticisms, soon made this street preacher of righteousness perhaps the best-known citizen of Athens. Young men, especially, listened eagerly to his sayings, and became his devoted friends and followers : among these Plato, Xenophon, and Alcibiades were the most distinguished.

**2.** Socrates had no liking for public life, but did not refuse public service. He took part as a hoplite in the siege of Potidaea (432–430 B.C.) ; also in the battles of Delium (424 B.C.) and Amphipolis (422 B.C.). On all these occasions he showed conspicuous courage and endurance. In 406 B.C., when a member of the *Boulé*, he strenuously resisted the illegal proposition of Callixenus to decide in one vote the fate of the generals who had

---

[1] Socrates's features were in strong contrast to the accepted type of ' classical ' beauty. His snub nose and bulging eyes are mentioned by Theodorus in the *Theaetetus* of Plato (143 E) ; and in Plato's *Symposium* (215 A, B) Alcibiades says that Socrates resembles nothing more than the carved figures of Silenus or the satyr Marsyas.

fought at Arginusae. Again, in 404 B.C., when commanded by the Thirty to go with four others to Salamis and arrest Leon, a citizen whose wealth was coveted by the tyrants, Socrates alone had the courage to disobey. "For this," as he says, "I should probably have been punished, had not the government soon thereafter fallen."

**3.** Socrates was married, probably in middle life, to Xanthippe, by whom he had three sons — Sophroniscus, Menexenus, and Lamprocles. His domestic life is said to have been unhappy; and the name of Xanthippe has become proverbial for shrewishness. Probably there were faults on both sides. The philosopher's eccentricities and his absorption in his work for men hardly fitted him to make any woman happy; and Xanthippe's grief when visiting her husband in his prison cell, as described by Plato (*Phaedo* 60 A) contrasts favorably with his rather cold-blooded dismissal of her. On the other hand, we may recall the conversation between Socrates and his son Lamprocles (*Mem.* ii. 2. 1), in which he reproves the latter for disrespect towards his mother, and enlarges on the heinousness of filial ingratitude.

**4.** In his discussions Socrates busied himself mainly with ethics (in distinction from physics and metaphysics), regarding man and his relations as the only proper objects of study. Although he was able, by his great intellectual powers, to win brilliant dialectic victories over the most expert sophists, he was before all a practical philosopher, whose ultimate aim was not abstract speculation, but true wisdom of life and true happiness.[1] As he believed in knowledge as the foundation of all virtue, he sought to establish in his hearer's mind a thorough knowledge of self as the indispensable basis of character. By a skillful application of the question-and-answer method, along essentially inductive lines of reasoning, he proceeded from common and well-known things to the general idea; and then, showing

---

[1] *Cf.* Cicero's statement that Socrates was the first thinker who brought philosophy down from the clouds to dwell in the cities and houses of men (*Tusc. Disp.* v. 4. 10).

what in this general idea was applicable to the case in hand, he brought home to his interlocutor's head and heart both conviction of the truth and the desire to embrace it. Thus, though he gave no formal instruction, he was one of the greatest of teachers.

5. It was inevitable that a man who fearlessly exposed ignorance and resisted injustice should arouse opposition. As early as 423 B.C. Aristophanes, the stout upholder of the good old ways in politics and education, found it easy to ridicule, in the *Clouds*, the person and teachings of Socrates; but the popular prejudice and calumnies received their first direct expression in 399 B.C., when the philosopher was formally accused of impiety and of corrupting the morals of youth. The charge was brought by three accusers — Melētus, an inferior poet, Anȳtus, a leather seller, and Lycon, a professional speechmaker; of whom Meletus seems to have been the leader and chief spokesman. Socratēs defended himself in a characteristic speech, the substance of which probably is preserved for us in Plato's *Apology;* but he was pronounced guilty, by a majority of some sixty votes. Asked to name his own punishment, he said that public entertainment in the Prytaneum for the rest of his days would be a fitting return for services such as his; but finally named a fine of thirty minae : which so irritated the judges that by an increased majority they condemned him to death. The month[1] preceding his execution was spent in tranquil conversations with the friends who had access to his cell; and when the fatal hour arrived, he drank the poison hemlock with perfect serenity. " Such was the end," as Plato makes Phaedo say, " of the noblest, wisest, and most upright man that we had ever known."

---

[1] On the day before his trial the sacred ship was crowned, which was the beginning of the embassy sent yearly from Athens to the shrine of Apollo at Delos, in commemoration of the victory of Theseus over the Minotaur. During the absence of this vessel, the city was kept ceremonially clean, and it was unlawful to put condemned criminals to death. In the case of Socrates, this respite lasted thirty days. *Cf. Mem.* iv. 8. 2 ; Plato *Phaedo* 58 A ff.

## II.  LIFE OF XENOPHON

**6**. Xenophon, the son of Gryllus, was born, probably in
431 B.C.,[1] at Erchia (the modern Spata), a deme of Attica, lying
east of Mt. Hymettus, and near the home of Demosthenes at
Paeania.  His mother's name was perhaps Diodōra.  His edu-
cation may be supposed to have been that of a freeborn Greek
boy, including instruction in μουσική, γραμματική, and γυμναστική.
According to Diogenes Laertius (*Life of Xenophon* ii), he early
came under the influence of Socrates, and remained his loyal
friend and disciple until the philosopher's death in 399 B.C.  Of
this intercourse the *Memorabilia*, written many years later, is
the record.

**7**. Xenophon was of good birth, and both his natural tastes
and the results of his studies and observations inclined him to
sympathize with aristocratic rather than with democratic insti-
tutions.  Hence the 'philolaconian' feeling which is noticeable
throughout his writings.  Whether this carried him to the
point of sharing in the establishment of the Thirty Tyrants
(404 B.C.) is uncertain.  In 401 B.C., at the invitation of his
friend Proxenus the Boeotian, he left Athens and attached him-
self to the expedition of Cyrus the Younger.  After the battle

---

[1] The traditional date, 444 B.C., rests upon a story told by Strabo the
geographer (*circa* 10 B.C.), to the effect that Socrates saved Xenophon's life
at the battle of Delium (424 B.C.), at which time Xenophon, to be liable to
military service beyond the frontier, must have been at least twenty years of
age.  The story is repeated by Diogenes Laertius (*circa* 220 A.D.) in his *Life
of Socrates* (ii. 22) ; it is perhaps a reminiscence and extension of Plato
*Sym.* 220, 221, where Alcibiades says that Socrates saved *his* life at Potidaea
(430 B.C.) and at Delium showed great bravery during the retreat.  But
neither Plato nor Xenophon anywhere mentions the latter's name in con-
nection with this story.

On the other hand, the internal evidence of the *Anabasis* goes to show
that Xenophon was a young man — not over thirty — when he joined the
expedition of Cyrus.  See *An.* iii. 1. 14, 25, 4. 42 ; v. 3. 1 ; vii. 2. 38, 3. 46,
6. 34.  For a discussion of the question, see Dakyns, *The Works of Xen-
ophon*, Introduction, p. xlix ff., and C. D. Morris, *On the Age of Xenophon
at the Time of the Anabasis*, in the *Trans. of the Am. Philol. Assn.*, v. p. 82.

at Cunaxa and the treacherous massacre of the five generals, Xenophon by common consent became the leader of the Ten Thousand Greeks; and by his tact, patience, and readiness of resource brought them through the dangers and hardships of a five months' march to the Black Sea. The *Anabasis* is the vivid and convincing narrative of this expedition.

**8.** After returning to Greece, Xenophon served under the Spartan king Agesilaus, whom he greatly admired and of whom he has left a eulogistic sketch. At the battle of Coronēa (394 B.C.) he fought with the Spartans against the Athenians and Thebans. For this his banishment was decreed by the Athenians; and he found a home at Scillus in Elis, near Olympia, where he settled down to the quiet life of a country gentleman, devoting himself to literature, farming, and hunting. His treatises on the breeding and training of horses and dogs are suggestive of his pursuits during this period. After the crushing defeat of the Spartans at Leuctra (371 B.C.), and possibly because of it, Xenophon was driven from his home by the Elēans, and is said to have taken refuge at Corinth; somewhat later, when the Spartans and Athenians had become allies, the latter repealed their decree of banishment against Xenophon. It is uncertain whether he accepted the permission to return to Athens, or continued to reside in the hospitable Corinth, which had received him in his hour of need; his two sons, at all events, availed themselves of the amnesty to enter the Athenian service.

**9.** At the battle of Mantinēa (362 B.C.), or rather in the cavalry skirmish preceding it, Gryllus, one of Xenophon's two sons, was slain. The Laconian composure with which Xenophon received the news is thus described by Diogenes Laertius : " Gryllus was serving in the (Athenian) cavalry; it was the battle of Mantinea, and he fought valorously and was slain. Meanwhile, as the story goes, Xenophon was engaged in offering sacrifice; the chaplet was on his brow when they brought him news, saying, 'Your son has fallen,' whereupon he removed the chaplet; but as the messengers added 'nobly' he replaced it on his head,

shedding, as others have mentioned, no tear, but only uttering
the words ἤδειν θνητὸν γεγεννηκώς (*I knew my child was mortal*)."[1]

**10.** The date of Xenophon's death is unknown; but it is
certain that he lived to a good old age. Ancient authorities
agree in this; and one of them fixes his age at ninety, while
another says that he died Ol. 105, 1 (360–359 B.C.). The general
belief of modern scholars is that he lived till about 354 B.C.

**11.** To young readers of the *Anabasis* Xenophon's character
is commended as worthy of imitation in the qualities disclosed
by that spirited narrative. He is there shown to have been
pious, temperate, a lover of nature, and a good judge of men;
fertile of device in emergencies, patient and cheery under hard-
ship, and capable of both persuading and commanding his
comrades. The simplicity and practical cast of his mind
made him a good objective reporter of the Socratic conversa-
tions; the *Memorabilia* is thus probably a more accurate pre-
sentment of Socrates as he appeared to the ordinary man than
the Platonic dialogues, in which Socrates is often only the
mouthpiece for his great successor.

**12.** Xenophon's writings are like the nature of the man : clear,
straightforward, and generally unaffected. He lacks higher
imaginative qualities; he is occasionally humorous but not genial.
Dionysius of Halicarnassus, in his *Epistle to Cn. Pompeius*, thus
compares the style of Xenophon with that of Herodotus : "As
to diction, he is partly his equal, partly his inferior. He is
equal to him in his choice of words familiar and natural to the
things described; he frames his sentences with no less grace
and sweetness. Yet to Herodotus alone belong sublimity, beauty,
stateliness, and that peculiar historic style of his."

**13.** In the list of Xenophon's writings quoted by Diogenes
Laertius from Demetrius Magnes we find the following titles :
The *Anabasis* (Ἀνάβασις), 7 books; the *Cyropaedia* (Κυροπαιδεία),
8 books; the *Hellenica* (Ἑλληνικά), 7 books; the *Memorabilia*
(Ἀπομνημονεύματα), 4 books; the *Symposium* (Συμπόσιον), 1 book;
the *Economist* (Οἰκονομικός), 1 book; the tract on *Horsemanship*

---
[1] (Dakyns's transl.)

(περὶ Ἱππικῆς), 1 book; the *Sportsman* (Κυνηγετικός), 1 book; the *Cavalry General* (Ἱππαρχικός), 1 book; the *Defense of Socrates* (Ἀπολογία Σωκράτους), 1 book; *Revenues* (Πόροι), 1 book; *Hiero* (Ἱέρων), 1 book; *Agesilaus* (Ἀγεσίλαος), 1 book; the *Polity of the Lacedaemonians* (Πολιτεία τῶν Λακεδαιμονίων), 1 book; the *Polity of the Athenians* (Πολιτεία τῶν Ἀθηναίων), 1 book; in all, 37 books. Some of these minor works are now not considered Xenophontic, *e.g.*, the *Apology* and the *Polity of the Athenians*, which latter treatise was probably written at or near the time of Xenophon's birth.

## III. THE *MEMORABILIA* (ΑΠΟΜΝΗΜΟΝΕΎΜΑΤΑ)

**14.** This collection of reminiscences is the record of various conversations in which Socrates took the leading part, together with Xenophon's comments on these and his general estimate of the philosopher's character; the whole being manifestly published as a defense against the charges of impiety and pernicious teaching which had already cost Socrates his life. It belongs, with the *Oeconomicus, Symposium*, and *Apologia Socratis*, to the class of 'Socratic' writings, which probably were composed during Xenophon's residence at Scillus, *i.e.* between 387 and 371 B.C. He probably had kept notes of his friend's utterances during their years of companionship, of course without anticipating the occasion for their publication; and we have little reason to doubt their general authenticity and sincerity.

**15.** Still, the *Memorabilia* contains many irregularities of style, incoherences in statement, and perplexing repetitions of the same topic (especially noticeable in book iv). These have given rise to suspicions that the work as we have it is not in the condition in which it left the author's hands. Some scholars (as Bergk, Schenkl, and Hartman) have regarded it as an epitomized fragment of an original which included the *Oeconomicus* and the *Symposium*. Others have thought that the original work has been largely added to by various editors and copyists, Krohn going so far as to repudiate all but four chapters and fragments of three others, and Lincke recognizing only three chapters out of the thirty-nine as genuine. A still later school of criticism (represented by Schanz, F. Dümmler, and K. Joel) shows a tendency towards reaction from these extreme views; and the *Memorabilia* seems to be regaining its former position of acceptance as a fairly trustworthy portrait, though somewhat colored by affection, from the hand of one who knew and loved his master and friend.

**16.** In the first two chapters of book i, Xenophon defends Socrates against his accusers by refuting the principal counts in the indictment; in what follows, chiefly by reporting conversations, he brings out in detail various aspects of the teachings and character of Socrates. The first and second books are more closely connected than the third and fourth. From i. 3 to ii. 1, the virtues chiefly considered are εὐσέβεια and ἐγκράτεια. From ii. 2 to ii. 10, gratitude and duties to relatives and friends are discussed. The third book shows us Socrates in conversation with different individuals in regard to their specific occupations or professions, such as generalship, statesmanship, the art of the orator, of the painter and sculptor, and even of the lover; or discussing proper behavior in certain situations of everyday life. In the fourth book, finally (with the exception of chap. 4, which forms a surprising interruption to the series of dialogues with Euthydēmus), we see how Socrates proceeded in different ways with different natures, in order to lead them to higher things. In particular, his four conversations with Euthydēmus (iv. 2, 3, 5, 6) show how fully he understood the process of bringing young men, vain of their knowledge, to the confession that they knew nothing; as well as the skill with which, after winning their confidence, he led them to a right conception of their life problems. The last chapter is an epilogue which sums up and concludes the whole.[1]

---

[1] Dindorf rejects the last chapter as going beyond the plan marked out in i. 1. 1. But the epilogue seems to agree well enough with the author's purpose, as set forth above. *Cf.* E. Pohle, *Die angebliche Xenophontische Apologie in ihrem Verhältnis zum letzten Kapitel der Memorabilien.*

**17.** What, now, does the *Memorabilia* really contain, and how far does it afford us a true picture of the personality of Socrates ?

The pre-Socratic philosophy had dealt chiefly with the universe external to man — the κόσμος. It asked how the world had come into being and from what; whether the original substance was one or many, and whether it was to be conceived of as in motion or motionless, *etc.* (i. 1. 14). It was owing to the Sophists, and to Socrates contemporaneously with them, that men were recalled from the world of material phenomena to the contemplation of their own inner nature ; and in such a way that with them the thought and the intellect appeared superior to things and to Nature.

**18.** But the Sophists made man's mind the measure of all things ; thus installing the individual as judge of everything, and dismissing all previously accepted principles in reference to the family, the state, and religion, while offering nothing better in their place. Socrates, on the other hand, who knew well the limits of human knowledge, used the individual mind as a means to a higher end, and sought to lead men to 'true knowledge.' By this term he meant that everything, to be really understood, must be looked at according to its various kinds and relationships, and traced back to its original conception (i. 1. 16), and that in everything the unessential must be separated from the essential (iv. 5. 12, 6. 1, 13 ; *cf.* i. 2. 41, 50).

**19.** Now this true knowledge is the highest good of man (iv. 5. 6) ; for, as no man may act otherwise than as he knows is good for him (iii. 9. 4 ; iv. 6. 6), the highest knowledge is also the highest virtue, because it is necessary to all other virtues (iii. 9. 4, 5).

**20.** Since virtue is a form of knowledge, it can and must be learned ; but, if it is to be permanent, it must be continually practiced (i. 2. 19, 23 ; ii. 6. 39 ; iii. 9. 1 ff.). Only he who has knowledge recognizes that self-restraint is better than license (i. 5. 5 ; ii. 1. 19, 33 ; iv. 5. 9) ; he will be able to distinguish the apparent danger from the real one (iv. 6. 11), and will

therefore have truer courage than the one who lacks that ability
(iii. 9. 2) ; he will clearly see that integrity brings more security
and prosperity than does iniquity. On this basis of clear insight
rests also the virtue of piety, which can be neglected only by the
man who does not know that the gods watch over individual men
and the race in general (i. 1. 19, *cf.* i. 4. 5 ff.), and how many
blessings are daily received from them (i. 4. 10 ff.); while he
who knows how much he owes the gods is εὐσεβής (iv. 6. 4). The
thoughtfulness resting on such insight, and gradually developed
into a morality which everywhere and always decides for virtue,
is called σωφροσύνη (iii. 9. 4 ; iv. 3. 1). This σωφροσύνη (not
essentially different from σοφία, according to the Xenophontic
Socrates) is unthinkable without self-knowledge. The under-
standing of our own situation and powers enables us to dis-
tinguish real from apparent knowledge, and preserves us from
perverted actions and from failure (iv. 2. 24 ff., *cf.* iii. 9. 6 ff.).

**21.** Thus all virtue is identified with the right knowledge of
that which subserves true utility ; and the good (ἀγαθόν) and
beautiful (καλόν) appear as synonymous with the useful (ὠφέλι-
μον, λυσιτελές). The Good in itself, the *idea* of goodness, is thus
unknown to the Socrates of Xenophon. To him it is always
something relative, which receives its specific application from
the prevailing circumstances (iii. 8. 2, 3; iv. 2. 13 ff.).

**22.** As human action, however, cannot dispense with all
rules, these are provided for : on the one hand, by the νόμοι τῶν
θεῶν (iv. 4. 19, 6. 3 ff.), which, although unwritten, clearly
show to mortals what they are to do and to avoid with ref-
erence to the gods. On the other hand we have the νόμοι τῆς
πόλεως, which regulate the action of man toward man (iv. 6. 6 ff.;
iv. 4. 16). These not only impose on us specific duties, but pro-
vide for us ample protection ; so that it is folly to become a citi-
zen of the world and to decline to belong to any one state (ii. 1.
14 ff.). In so far as the νόμοι furnish the standard for right
action, τὸ δίκαιον is synonymous with τὸ νόμιμον (iv. 4. 12, 6. 6).
The ultimate end, however, of all striving for virtue is εὐδαιμονία
(happiness) (ii. 1. 33). As every individual virtue is simply the

doing of ιat which in every situation is the most appropriate, most reasonable, *best* thing, so the reward of an industrious and virtuous life is the attainment of true happiness. This, so far as it is the result of intelligent and upright effort, is called by Socrates εὐπραξία, in distinction from εὐτυχία (iii. 9. 14).

**23.** Such, in its essential features, is the Socratic ethics. If it did not attain to the Platonic idea of the good, that is not more wonderful than that the Aeginetan sculptures do not show the artistic perfection of those wrought by a Phidias. Socrates laid the foundation, and that a solid one, on which later structures could be reared, and it was by virtue of this that he became the introducer of a new epoch in the annals of human civilization. He furnished, as it were, the leaven which worked unceasingly and irresistibly, for many years, in the Athenian people; and which made itself effective, not so much in the select circles of philosophers, as in the streets and markets, the gymnasia and palaestrae, the stalls and workshops of artisans — in short, wherever he could gain entrance with his formative powers (i. 1. 10).

**24.** To the students in our colleges the *Memorabilia* is of value as presenting a faithful though incomplete picture of the man whose character and teaching meant so much to Athens. We see him temperate and self-contained in all that concerns external life, discharging his duties as a citizen according to his best knowledge and ability, hearkening to the divine inner voice when human wisdom failed, and striving always to lead his fellow-citizens to the same knowledge, virtue, and happiness that he himself had attained.

**25.** The *Memorabilia* has a further value for students in the simplicity and truth with which it transmits the Socratic ethics. In this mirror of virtues, as it was held up to antique youth, the 'sweet reasonableness' of integrity, modesty, temperance, love of relatives, piety, is contrasted with the unreasoning and destructive nature of intemperance, sciolism, boastfulness, ingratitude, atheism; and all in a luminous and convincing manner, everywhere adapted to the nature of the subject.

**26.** Finally, the *Memorabilia* is to be recommended as an admirable preparation for the reading of Plato. The conversations are of moderate length, and are conducted on an easily recognized plan ; and thus afford a suitable transition to the more extended Platonic dialogues. The teaching of Socrates, moreover, was the fruitful germ of much of the later philosophy, especially and immediately that of Plato. Whoever would turn to the latter should first learn to know Socrates as he presented himself to the cultivated but simple and practical mind of Xenophon.

## IV.  THE ΔΑΙΜΌΝΙΟΝ OF SOCRATES [1]

**27.** The word δαιμόνιον generally means the same as θεῖον *divine*. Hence τὸ δαιμόνιον is equivalent to τὸ θεῖον *the divine being* (*cf.* i. 4. 2, 10; iv. 3. 14) ; and τὰ δαιμόνια is almost equivalent to οἱ θεοί, as we say ' the deities ' for ' the gods.' *Cf.* οὓς μὲν ἡ πόλις νομίζει θεοὺς οὐ νομίζων, ἕτερα δὲ καινὰ δαιμόνια εἰσφέρων i. 1. 1.

**28.** But Socrates, although he thus recognized this general meaning, usually identified the δαιμόνιον with its utterance, *i.e.* with that inner voice which urged him on or held him back when he contemplated any course of action. This ' still small voice,' a kind of practical conscience, directed him both in his own affairs and in giving advice to his friends ; and so, for him at least, largely replaced the usual forms of divination, such as augury, oracles, *etc.* (i. 1. 2–5), although he recommended these to his friends on occasion.

**29.** It should be noted, however, that the δαιμόνιον concerned itself only with action as contemplated, and thus performed the functions of a guide, not those of a judge or punisher. For past actions it apparently had neither approval nor condemnation ; and we cannot apply to it our modern phrase ' an approving conscience ' or find a trace of it in the remorse which scourged the guilty souls in Greek tragedy.

[1] Adapted from Kühner's *Prolegomena* (1857), pp. 22–31.

**30.** While Xenophon in several places speaks distinctly of this inner voice as both urging on and holding back, Plato with equal distinctness makes Socrates say, *This is a kind of voice which has come to me ever since boyhood, and which whenever it comes always deters me from what I may be about to do, but never urges me on,* ἐμοὶ δὲ τοῦτό ἐστιν ἐκ παιδὸς ἀρξάμενον φωνή τις γιγνομένη, ἣ ὅταν γένηται ἀεὶ ἀποτρέπει με τοῦτο ὃ ἂν μέλλω πράττειν, προτρέπει δὲ οὔποτε (Plato *Apol.* 31 D, *cf.* also *Theages* 128 D). This apparent contradiction is generally reconciled by supposing that in Plato the silence of the divine voice was taken as a sign of assent (*cf.* Plato *Apol.* 40 A, B, C).

# ΞΕΝΟΦΩΝΤΟΣ

# ΑΠΟΜΝΗΜΟΝΕΥΜΑΤΑ

## Α

Πολλάκις ἐθαύμασα τίσι ποτὲ λόγοις Ἀθηναίους 1
ἔπεισαν οἱ γραψάμενοι Σωκράτην ὡς ἄξιος εἴη θανάτου
τῇ πόλει. ἡ μὲν γὰρ γραφὴ κατ᾽ αὐτοῦ τοιάδε τις ἦν·

**1.** Socrates reverenced the gods of the Athenian state, and introduced no new divinities.

**1. πολλάκις ἐθαύμασα**: with these words Isocrates begins his *Panegyricus*, and Theophrastus his *Characteres.*— τίσι ποτε : *by what possible.* The use of τίς, ποῖος, πόσος, πῶς, etc., makes the indirect question more vivid and forcible. G. 1012 ; H. 1011. So ποίῳ ποτέ in 2. For a similar intensive use of ποτέ (Lat. tandem) with questions, *cf.* τί ποτε λέγει ὁ θεός Plato *Apol.* 21 B, τίπτ᾽ [τί ποτε] εἰλήλουθας Hom. A 202. Xenophon surely was not unacquainted with the contents of the judicial indictment against Socrates ; but he regarded its grounds as wholly unsatisfactory, and wondered what arguments could have persuaded the judges to render such a verdict. At the time of the trial (399 B.C.), Xenophon was not in Athens, and could only have heard from others in regard to the speeches. — Ἀθηναίους : here (as Ἀθηναῖοι in 20) refers immediately to the judges. So, in addressing the court, ὦ ἄνδρες Ἀθηναῖοι was

allowable, instead of ὦ ἄνδρες δικασταί, since every Athenian citizen over thirty years of age could become a judge. The actual number of judges sitting on each case was very large, usually 501, which must have made the court resemble somewhat a New England town meeting. In the popular jury court of the Heliaea, the term δικαστής really is equivalent to 'judge-juryman.' (See Schömann, *Antiq. of Greece*, Eng. transl., i. 474 ff.; Gow, *Companion to School Classics*, p. 126.) Both here, however, and in 20, δικαστής is purposely avoided, to indicate that the guilt of condemning Socrates affected the whole Athenian state. — ἔπεισαν, ὡς εἴη : in 20, ἐπείσθησαν with acc. and infinitive. — οἱ γραψάμενοι : *the accusers,* viz. Meletus, Anytus, and Lycon (Introd. § 5). — τῇ πόλει : dat. of relation or interest. G. 1172 ; H. 771. *Cf.* i. 2. 62, 63. — μέν : not followed by a correlative δέ. A contrast is not expressed, though perhaps suggested. "How unfounded, however, the accusation was will appear hereafter." — γραφή : the

"Ἀδικεῖ Σωκράτης οὓς μὲν ἡ πόλις νομίζει θεοὺς
5 οὐ νομίζων, ἕτερα δὲ καινὰ δαιμόνια εἰσφέρων·
ἀδικεῖ δὲ καὶ τοὺς νέους διαφθείρων."

Πρῶτον μὲν οὖν, ὡς οὐκ ἐνόμιζεν οὓς ἡ πόλις νομίζει 2
θεούς, ποίῳ ποτ᾽ ἐχρήσαντο τεκμηρίῳ; θύων τε γὰρ
φανερὸς ἦν πολλάκις μὲν οἴκοι, πολλάκις δὲ ἐπὶ τῶν
10 κοινῶν τῆς πόλεως βωμῶν, καὶ μαντικῇ χρώμενος οὐκ
ἀφανὴς ἦν· διετεθρύλητο γὰρ ὡς φαίη Σωκράτης τὸ
δαιμόνιον ἑαυτῷ σημαίνειν·—ὅθεν δὴ καὶ μάλιστά μοι

---

term for a public indictment. See
Gow, p. 127. — κατ᾽ αὐτοῦ: without
repetition of the art. (after γραφή),
as often after a noun expressing
action. *Cf.* ἦν γὰρ ἐφ᾽ ἑνὸς ἡ κατά-
βασις ἐκ τοῦ χωρίον *An.* v. 2. 6. — τὶς:
after τοιάδε, shows that the author
is more concerned with the sub-
stance than with the exact words.
The indictment is probably, how-
ever, quoted nearly verbatim. We
find it somewhat differently given
by Plato, *Apol.* 24 в, where the two
principal counts stand in the reverse
order. There, too, an ἔχει δέ πως
ὧδε precedes. — οὓς ... νομίζων: the
rel. clause οὓς ... νομίζει has the
force of an attrib. adjective. θεούς is
obj. of νομίζων, *recognizing.* For
the circumstantial participle of
means or manner, see G. 1563, 3;
H. 969 a. — ἀδικεῖ δὲ καί: the first
ἀδικεῖ was not followed by μέν, an
omission which occurs chiefly when,
as here, δὲ καί follows. *Cf.* i. 2. 22;
ii. 6. 23; *An.* iii. 1. 23.

2–9. *Socrates not only sacrificed
to the gods, but also availed himself of
divination, as is proved by his belief in
the δαιμόνιον. But he thought that we*

should not question the gods on matters
which human understanding is capable
of ascertaining without divine aid.

2. πρῶτον μὲν οὖν: "as to the
first charge, then." The δέ corre-
sponding to μέν is at the beginning of
chapter 2. — θύων: for the participle
in indirect discourse with δῆλος and
φανερός εἰμι, see G. 1589; H. 981. —
οἴκοι: *at home, i.e.* in the αὐλή, the
interior court of the dwelling, where
stood the altar of Ζεὺς Ἑρκεῖος. See
Seyffert, *Dict. Class. Antiq.* p. 704.
For the accent of οἴκοι, see G. 113;
H. 102 b. — τῶν κοινῶν βωμῶν: these
stood in the open spaces of the city,
so that the worshipers were 'seen
of men.' — οὐκ ἀφανής: 'litotes.' —
διετεθρύλητο γάρ: *for it was com-
monly reported* (διά indicating the
spread of the report) that Socrates
believed in his δαιμόνιον, and hence
in divination. The parenthetical
sentences from ὅθεν δή to γὰρ ἔφη in
4 carry this thought farther. — δαι-
μόνιον: an adj. used as a noun, like
τὸ θεῖον. *Cf.* divinum quiddam,
quod daemonium appellat
(Socrates) Cic. *de Div.* i. 54. See
Introd. § 27 ff. — ὅθεν δὴ καὶ μάλιστα:

δοκοῦσιν αὐτὸν αἰτιάσασθαι καινὰ δαιμόνια εἰσφέρειν.
ὁ δ᾽ οὐδὲν καινότερον εἰσέφερε τῶν ἄλλων, ὅσοι μαντι- 3
15 κὴν νομίζοντες οἰωνοῖς τε χρῶνται καὶ φήμαις καὶ συμ-
βόλοις καὶ θυσίαις· οὗτοί τε γὰρ ὑπολαμβάνουσιν οὐ
τοὺς ὄρνιθας οὐδὲ τοὺς ἀπαντῶντας εἰδέναι τὰ συμφέρον-
τα τοῖς μαντευομένοις, ἀλλὰ τοὺς θεοὺς διὰ τούτων αὐτὰ
σημαίνειν, κἀκεῖνος δὲ οὕτως ἐνόμιζεν.] ἀλλ᾽ οἱ μὲν πλεῖ- 4
20 στοί φασιν ὑπό τε τῶν ὀρνίθων καὶ τῶν ἀπαντώντων
ἀποτρέπεσθαί τε καὶ προτρέπεσθαι· Σωκράτης δέ, ὥσπερ
ἐγίγνωσκεν, οὕτως ἔλεγε· τὸ δαιμόνιον γὰρ ἔφη σημαί-
νειν. καὶ πολλοῖς τῶν συνόντων προηγόρευε τὰ μὲν

for which very reason especially.
Other utterances of Socrates were
also used by his opponents as evi-
dence that he introduced καινὰ δαι-
μόνια. Cf. κατηγόρουν αὐτοῦ, ὡς ὅτι
καινὰ δαιμόνια εἰσφέρει τοῖς Ἀθηναίοις,
λέγων δεῖν σέβειν ὄρνεα καὶ κύνας καὶ τὰ
τοιαῦτα Isoc. xi (First Hypothesis),
edit. Blass.

3. τῶν ἄλλων : gen. of the per-
son, although the real comparison is
between things. Cf. πυραμίδα ἀπελί-
πετο πολλὸν ἐλάσσω τοῦ πατρός Hdt.
ii. 134. See G. 1178 ; H. 773 b. —
μαντικήν (i.e. τὴν μαντικὴν τέχνην) :
divination in general, followed by
the four varieties οἰωνοῖς, φήμαις, συμ-
βόλοις, θυσίαις. In the case of birds,
their flight and cries were observed
(Lat. augurium) ; φῆμαι were say-
ings of men ; σύμβολα (συμβάλλω) were
originally coincidences, or meetings
of men, then, generally, natural
phenomena, or other occurrences
which may serve as omina ; θυσίαις
refers to the inspection of the viscera
of victims sacrificed. Cf. Theo-

phrastus περὶ δεισιδαιμονίας ; Gardner
and Jevons, Manual of Greek Antiq.,
p. 256 ff. For the dat. of means
with χρῶνται (lit. serve themselves
by), see G. 1183 ; H. 777. — οὐ
τοὺς ὄρνιθας : not that the birds. —
τὰ συμφέροντα τοῖς μαντευομένοις :
what is of advantage to the persons
resorting to divination. — διὰ τούτων :
through these instrumentalities. The
gen. is of means, as in ἔλεγε δι'
ἑρμηνέως, he spoke through an inter-
preter, An. ii. 3. 17. G. 1206, 1 ; H.
795, 1. — αὐτά : i.e. τὰ συμφέροντα.

4. οἱ πλεῖστοι : the great major-
ity. — φασίν : say, i.e. they so ex-
press themselves, and yet believe,
like Socrates, that the omens come
from the gods. — τὸ δαιμόνιον
σημαίνειν : the thought is, that
Socrates said that he obeyed his δαι-
μόνιον, and thus did not really differ
from the others, who obeyed the
gods while saying that they were
following the signs. To him, the
inner voice was a sign from the gods.
— συνόντων : not μαθητῶν, since

ποιεῖν, τὰ δὲ μὴ ποιεῖν, ὡς τοῦ δαιμονίου προσημαίνοντος·
25 καὶ τοῖς μὲν πειθομένοις αὐτῷ συνέφερε, τοῖς δὲ μὴ
πειθομένοις μετέμελε. καίτοι τίς οὐκ ἂν ὁμολογήσειεν 5
αὐτὸν βούλεσθαι μήτ᾽ ἠλίθιον μήτ᾽ ἀλαζόνα φαίνεσθαι
τοῖς συνοῦσιν; ἐδόκει δ᾽ ἂν ἀμφότερα ταῦτα, εἰ προ-
αγορεύων ὡς ὑπὸ θεοῦ φαινόμενα ψευδόμενος ἐφαίνετο.
30 δῆλον οὖν ὅτι οὐκ ἂν προέλεγεν, εἰ μὴ ἐπίστευεν ἀλη-
θεύσειν. ταῦτα δὲ τίς ἂν ἄλλῳ πιστεύσειεν ἢ θεῷ;
πιστεύων δὲ θεοῖς πῶς οὐκ εἶναι θεοὺς ἐνόμιζεν; ἀλλὰ 6

Socrates did not have pupils, in the ordinary sense of the term; he did not teach for money, like the Sophists. Both Xenophon and Plato sedulously avoid the use of the term μαθηταί for the followers of Socrates, employing, in its stead, συνόντες, συνουσιασταί, συνδιατρίβοντες, etc. Cf. i. 2. 3; i. 6.1; Plato *Apol.* 33 A. — **τὰ μὲν ποιεῖν, τὰ δὲ μὴ ποιεῖν**: acc. to Plato (*Apol.* 31 D; *Theag.* 128 D), the δαιμόνιον confined its activity to restraining, and did not encourage or urge on. The apparent difference between this statement and that of Xenophon may be explained by assuming that to Socrates the silence of the divine monitor implied assent and even encouragement. Cf. Plato *Apol.* 40 A ff. — **ὡς προσημαίνοντος**: i.e. λέγων τὸ δαιμόνιον προσημαίνειν. The gen. or acc. abs. of a participle with ὡς or ὥσπερ assigns a reason on the part of the speaking or acting subject, without implying the truth or falsity of the statement expressed by the participle. Both cases (gen. and acc.) occur near each other in i. 6. 5. See G. 1574, 1593; H. 978. — **τοῖς πειθομένοις αὐτῷ**: *those who followed his counsel.* — **μετέμελε**:

translate as if personal, "had cause for regret."

5. **ὁμολογήσειεν**: for the potential opt., see G. 1327 ff; H. 872. — **αὐτόν**: i.e. Socrates. — **ἠλίθιον μήτ᾽ ἀλαζόνα**: *a fool nor an impostor.* — **ἐδόκει δ᾽ ἄν, εἰ ἐφαίνετο**: impf., instead of aor., denoting cond. unfulfilled in past time, the verbs expressing continued acts. So οὐκ ἂν προέλεγεν, εἰ μὴ ἐπίστευεν just below. See GMT. 410; H. 895 a. — **ἀμφότερα ταῦτα**: i.e. ἠλίθιος καὶ ἀλαζών. For the gender of the pred. adj., see H. 617. Cf. ὁπότε (ἀδελφὸς) πᾶν τὸ ἐναντιώτατον εἴη ii. 3. 5. — **ὡς**: see on 4. — **ψευδόμενος**: for the supplementary participle, see G. 1588; H. 981. — **ταῦτα**: *in these matters.* — **πιστεύων δέ**: equiv. to εἰ ἐπίστευε, cond. assumed as real, and itself a logical conclusion from the preceding sentence. For the circumstantial participle of cond., see G. 1563, 5; H. 969 d. — **οὐκ εἶναι θεοὺς ἐνόμιζεν**: this was the meaning of the charge quoted in 1, οὓς μὲν ἡ πόλις νομίζει θεοὺς οὐ νομίζων.

6. **ἀλλὰ μήν**: *but further*, marks a transition to a new phase of the

μὴν ἐποίει καὶ τάδε πρὸς τοὺς ἐπιτηδείους· τὰ μὲν γὰρ
ἀναγκαῖα συνεβούλευε καὶ πράττειν ὡς νομίζοιεν ἄριστ'
35 ἂν πραχθῆναι, περὶ δὲ τῶν ἀδήλων ὅπως ἀποβήσοιτο
μαντευσομένους πέμπειν εἰ ποιητέα. καὶ τοὺς μέλλοντας 7
οἴκους τε καὶ πόλεις καλῶς οἰκήσειν μαντικῆς ἔφη προσ-
δεῖσθαι· τεκτονικὸν μὲν γὰρ ἢ χαλκευτικὸν ἢ γεωργικὸν
[ἢ ἀνθρώπων ἀρχικὸν] ἢ τῶν τοιούτων ἔργων ἐξεταστικὸν
40 ἢ λογιστικὸν ἢ οἰκονομικὸν ἢ στρατηγικὸν γενέσθαι, πάντα

discussion. Xenophon makes fre-
quent use of this phrase. *Cf.* i. 1. 10,
iv. 5. 10. — ἐπιτηδείους : another
substitute for ' disciples' (μαθηταί).
See on συνόντων in 4. — γάρ : after
τάδε (in preceding clause) has an
introductory force. *Cf.* ἐκ τῶνδε
σκέψαι· εἰ γὰρ κτλ. ii. 6. 38. — τὰ
ἀναγκαῖα : the necessary duties of
life, the result of which can be readily
foreseen. *Cf.* ii. 1. 6, iv. 5. 9. —
καί (before πράττειν) : here equiv.
to οὕτω. *Cf.* ὡς δέ οἱ ταῦτα ἔδοξε,
καὶ ἐποίεε Hdt. i. 79. In compari-
sons, καί often stands in both clauses.
H. 1042. *Cf.* i. 6. 3. — ὡς νομίζοιεν :
for the cond. rel. corresponding to
past general cond., see G. 1431, 2 ;
H. 914 B (2). — ἂν πραχθῆναι : repre-
sents the potential opt. of direct dis-
course. G. 1522, 1328 ; H. 946. —
ἀδήλων (*sc.* ὄντων) ὅπως ἀποβήσοιτο :
"whose result was doubtful."
ἀποβήσοιτο is fut. opt. (never used
with ἄν) in indirect question.
GMT. 129 ; H. 932, 2. The adv.
ὅπως should not be confounded with
the conj. ὅπως. See GMT. 376. —
μαντευσομένους πέμπειν : *to send and
consult the oracles.* Xenophon him-
self received this advice from Soc-
rates (*An.* iii. 1. 5). *Cf.* εἴγε μὴν

ταῦτα δόξειεν ὑμῖν πράττειν, συμβου-
λεύσαιμ' ἂν ἔγωγε πέμψαντας καὶ εἰς
Δωδώνην καὶ εἰς Δελφοὺς ἐπερέσθαι (*to
question*) τοὺς θεούς *Vect.* vi. 2 ; Hdt.
i. 46, 85. For the fut. participle of
purpose, see G. 1563, 4 ; H. 969 c. —
εἰ ποιητέα (*sc.* εἴη): *whether they should
be done.* For the verbal in -τέος,
see G. 1595 ; H. 989 : and for the
opt. in indirect question, see on ἀπο-
βήσοιτο above.

**7.** καί : introduces an illustration,
"so, for example." *Cf.* καὶ οἱ
μοιχοί ii. 1. 5. — τοὺς μέλλοντας
καλῶς οἰκήσειν : qui vellent bene
administrare. *Cf.* εὖ οἰκοῦσι i. 2.
64, where the phrase is used in a
pass. sense, "are well managed."
For the periphrastic fut. inf. (with
μέλλω), see G. 1254 ; H. 846. —
οἴκους τε καὶ πόλεις : "not only
domestic, but also public affairs."
προσδεῖσθαι : *needed in addition* to
their human abilities and attain-
ments. — μὲν γάρ : *for while,* con-
trasted with τὰ δὲ μέγιστα below. —
τεκτονικόν : for the formation and
accent of denominative adjs. in -ικός,
see G. 851 ; H. 565. — τῶν τοιούτων
ἔργων ἐξεταστικόν : *a competent critic
of such works.* — λογιστικόν : lit.
*skilled in calculation,* an accountant.

τὰ τοιαῦτα μαθήματα καὶ ἀνθρώπου γνώμῃ αἱρετὰ ἐνό-
μιζεν εἶναι· τὰ δὲ μέγιστα τῶν ἐν τούτοις ἔφη τοὺς θεοὺς 8
ἑαυτοῖς καταλείπεσθαι, ὧν οὐδὲν δῆλον εἶναι τοῖς ἀνθρώ-
ποις. οὔτε γὰρ τῷ καλῶς ἀγρὸν φυτευσαμένῳ δῆλον
45 ὅστις καρπώσεται, οὔτε τῷ καλῶς οἰκίαν οἰκοδομησαμένῳ
δῆλον ὅστις ἐνοικήσει, οὔτε τῷ στρατηγικῷ δῆλον εἰ
συμφέρει στρατηγεῖν, οὔτε τῷ πολιτικῷ δῆλον εἰ συμ-
φέρει τῆς πόλεως προστατεῖν, οὔτε τῷ καλὴν γήμαντι,
ἵν᾽ εὐφραίνηται, δῆλον εἰ διὰ ταύτην ἀνιάσεται, οὔτε
50 τῷ δυνατοὺς ἐν τῇ πόλει κηδεστὰς λαβόντι δῆλον εἰ διὰ
τούτους στερήσεται τῆς πόλεως. (τοὺς δὲ μηδὲν τῶν 9
τοιούτων οἰομένους εἶναί δαιμόνιον, ἀλλὰ πάντα τῆς
ἀνθρωπίνης γνώμης,) δαιμονᾶν ἔφη· δαιμονᾶν δὲ καὶ τοὺς

— πάντα τὰ τοιαῦτα: sums up the
preceding items, their common inf.
γενέσθαι being understood with each.
— μαθήματα: *objects of study*, pred.
(like αἱρετά) to τὰ τοιαῦτα. — καὶ
ἀνθρώπου γνώμῃ αἱρετά: *and attain-
able by human understanding*. For
the verbal in -τός, see G. 776, 2 ;
H. 475.

8. τὰ δὲ μέγιστα τῶν ἐν τούτοις :
"but the point of greatest impor-
tance in these matters " (lit. *of the
things in these*), *i.e.* the result in each
case. — καταλείπεσθαι: *reserve*. —
εἶναι: for the inf. by assimilation in
indirect discourse, see G. 1524 ;
H. 947. — καλῶς (in both clauses):
*well*. — φυτευσαμένῳ: for denom-
inative verbs, see G. 861 ; H. 570
ff. — οἰκίαν οἰκοδομησαμένῳ : the
apparent redundancy of "house-
building a house" is explained by
the fact that οἰκοδομέω (like Lat.
aedificare) early lost its special
meaning, and was used with τεῖχος,

γέφυρα, ναῦς, etc. *Cf.* οἰνοχόει γλυκὺ
νέκταρ Hom. Α 598. — εἰ ἀνιάσεται :
after verbs or phrases expressing
doubt or ignorance, εἰ should be
translated *whether*, or *whether not*,
acc. to the necessities of the Eng.
idiom. For the fut. ind. with
εἰ after expressions of uncertainty,
see Kr. *Spr.* 65. 1. 8. — στερήσεται
(the usual form, instead of στερηθή-
σεται) : passive, as is also ἀνιάσεται.
G. 1248; H. 496, and a.

9. μηδέν: for the occasional use
of μή with the inf. after verbs which
regularly take οὐ, see GMT. 685
*fin.* — δαιμόνιον : adj., "dependent
on divine influence." — τῆς ἀνθρω-
πίνης γνώμης : *within the province
of human understanding*. For the
pred. gen., see G. 1094, 1 ; H. 732 a.
— δαιμονᾶν : equivalent to ὑπὸ δαίμο-
νος κατέχεσθαι. Notice the word-play
('paronomasia') between δαιμόνιον
and δαιμονᾶν. The latter gains fur-
ther emphasis by its repetition at the

μαντευομένους ἃ τοῖς ἀνθρώποις ἔδωκαν οἱ θεοὶ μαθοῦσι
55 διακρίνειν,—οἷον εἴ τις ἐπερωτῴη πότερον ἐπιστάμενον
ἡνιοχεῖν ἐπὶ ζεύγος λαβεῖν κρεῖττον ἢ μὴ ἐπιστάμενον,
ἢ πότερον ἐπιστάμενον κυβερνᾶν ἐπὶ τὴν ναῦν κρεῖττον
λαβεῖν ἢ μὴ ἐπιστάμενον,—ἢ ἃ ἔξεστιν ἀριθμήσαντας ἢ
μετρήσαντας ἢ στήσαντας εἰδέναι· τοὺς τὰ τοιαῦτα παρὰ
60 τῶν θεῶν πυνθανομένους ἀθέμιστα ποιεῖν ἡγεῖτο· ἔφη
δὲ δεῖν, ἃ μὲν μαθόντας ποιεῖν ἔδωκαν οἱ θεοί, μανθάνειν,
ἃ δὲ μὴ δῆλα τοῖς ἀνθρώποις ἐστί, πειρᾶσθαι διὰ μαντι-
κῆς παρὰ τῶν θεῶν πυνθάνεσθαι· τοὺς θεοὺς γὰρ, οἷς ἂν
ὦσιν ἵλεῳ, σημαίνειν.]

65 ᾿Αλλὰ μὴν ἐκεῖνός γε ἀεὶ μὲν ἦν ἐν τῷ φανερῷ· πρωῒ 10
τε γὰρ εἰς τοὺς περιπάτους καὶ τὰ γυμνάσια ᾔει καὶ

beginning of the next sentence. —
**μαντευομένους**: sc. περὶ τούτων. —
**ἔδωκαν**: for the form, see G. 670;
H. 432. — **μαθοῦσι**: by learning,
"by experience." The participle is
attracted to the case of ἀνθρώποις.
G. 928, 1; H. 941. — **οἷον εἰ**: as if
for example. — **κρεῖττον**: sc. εἴη. —
**μή**: with a participle, equivalent to
a cond. rel. clause. G. 1612;
H. 1025. — **ἐπὶ τὴν ναῦν**: upon his
ship, with reference to the implied
subj. of λαβεῖν. For the art. as
possessive, see G. 949; H. 658. —
**ἢ ἃ ἔξεστιν εἰδέναι**: or in regard to
matters which we may determine. —
**στήσαντας**: by weighing. For the
circumstantial participle of means,
see G. 1563, 3; H. 969 a. — **τοὺς τὰ
τοιαῦτα κτλ.**: sums up briefly (like
πάντα τὰ τοιαῦτα in 7) what precedes;
hence the 'asyndeton.' Cf. ii. 1.
33; iv. 3. 14. — **μαθόντας**: see on
μαθοῦσι above. — **οἷς ἂν ὦσιν**: cond.
rel. clause. G. 1431, 1; H. 914 B (1).

— **ἵλεῳ**: for the 'Attic' second
decl., see G. 196; H. 227.

**10–20.** *While Socrates always
lived in the public view, and spoke
and taught openly in the city, yet no
one ever heard him utter an impiety;
for he busied himself, not, like other
philosophers, with speculations con-
cerning the universe, but with the
problems of making men better and
more self-controlled. How faithful
he could be to his principles was
amply shown at the trial of the nine
generals.*

**10. ἀλλὰ μήν**: see on 6. — **ἀεὶ
μέν**: contrasted with οὐδεὶς δὲ πώποτε
in 11. — **ἐν τῷ φανερῷ**: cf. Eng. 'in
the open.' — **πρωΐ**: the day was
divided into several parts (ὧραι), —
πρωΐ or ὄρθρος, *morning*; πλήθουσα
ἀγορά, 9–12 Α.Μ.; μεσημβρία, *noon*;
δείλη, *afternoon*; and ἑσπέρα, *evening*.
— **περιπάτους**: *colonnades* or *halls.*
Aristotle and his followers, who car-
ried on discussions while walking in

πληθούσης ἀγορᾶς ἐκεῖ φανερὸς ἦν, καὶ τὸ λοιπὸν ἀεὶ
τῆς ἡμέρας ἦν ὅπου πλείστοις μέλλοι συνέσεσθαι· καὶ
ἔλεγε μὲν ὡς τὸ πολύ, τοῖς δὲ βουλομένοις ἐξῆν ἀκούειν.
70 οὐδεὶς δὲ πώποτε Σωκράτους οὐδὲν ἀσεβὲς οὐδὲ ἀνόσιον 11
οὔτε πράττοντος εἶδεν οὔτε λέγοντος ἤκουσεν. οὐδὲ γὰρ
περὶ τῆς τῶν πάντων φύσεως ᾗπερ τῶν ἄλλων οἱ πλεῖ-
στοι διελέγετο, σκοπῶν ὅπως ὁ καλούμενος ὑπὸ τῶν
σοφιστῶν κόσμος ἔφυ καὶ τίσιν ἀνάγκαις ἕκαστα γίγνεται

the paths and colonnades of the
Lyceum, were called Peripatetics. —
ἀγορᾶς : for the gen. of time, see G.
1136 ; H. 759. — πλείστοις : very
many. — μέλλοι: opt. in cond. rel.
clause, denoting repeated action in
past time. See on ὡς νομίζοιεν 6. —
ὡς τὸ πολύ : for the most part.

11. οὐδεὶς δὲ πώποτε Σωκράτους
κτλ. : but no one ever saw Socrates
do, or heard him say, anything pro-
fane or impious. Σωκράτους is gen.
with verbs of perception. G. 1102 ;
H. 742. The two participles πράτ-
τοντος and λέγοντος are supplemen-
tary. G. 1582 ; H. 982. — οὐδὲ γάρ :
the neg. extends also to σκοπῶν. —
τῶν πάντων : the universe. — ᾗπερ :
ea quidem ratione, qua. To
serve ethical or teleological purposes,
Socrates brought the consideration
of the universe into his discussions
(cf. i. 4, iv. 3). Xenophon is care-
ful, however, to say that he did not
discourse thereon after the manner
of natural philosophers (in order to
preclude the assumption that Socra-
tes, by such discussions, laid himself
open to the charge of ἀσέβεια, as did
other philosophers, e.g., Anaxago-
ras). Cf. οἱ γὰρ ἀκούοντες ἡγοῦνται

τοὺς ταῦτα (viz. τά τε μετέωρα [celestial
phenomena] καὶ τὰ ὑπὸ γῆς) ζητοῦντας
οὐδὲ θεοὺς νομίζειν Plato Apol. 18 c.
— καλούμενος : attrib. participle.
G. 1559 ; H. 965. — τῶν σοφιστῶν :
here, as in iv. 2. 1, philosophers,
without unfavorable added meaning,
which σοφιστής did not have before
the time of Socrates. For its use in
the less favorable sense, see i. 6. 13.
The student may consult, on this
subject, the histories of philosophy,
as Zeller, Schwegler, Ueberweg, etc.;
and, especially, Grote's famous dis-
cussion (Hist. of Greece, c. lxvii). —
κόσμος : the world of order, corre-
sponds exactly to the Lat. mundus,
and is said to have been first em-
ployed in this sense by Pythagoras
(about 500 B.C.). — ἔφυ : the origin of
the world was a favorite subject of
speculation with the earliest Greek
philosophers. 'Ay, sir, the world is in
its dotage ; and yet the cosmogony,
or creation of the world, has puzzled
philosophers of all ages. What a
medley of opinions have they not
broached upon the creation of the
world !' Goldsmith, Vicar of Wake-
field, c. 14. — τίσιν ἀνάγκαις : by
what eternal laws. — φροντίζοντας

75 τῶν οὐρανίων, ἀλλὰ καὶ τοὺς φροντίζοντας τὰ τοιαῦτα
μωραίνοντας ἀπεδείκνυεν. καὶ πρῶτον μὲν αὐτῶν ἐσκό- 12
πει πότερά ποτε νομίσαντες ἱκανῶς ἤδη τἀνθρώπινα
εἰδέναι ἔρχονται ἐπὶ τὸ περὶ τῶν τοιούτων φροντίζειν,
ἢ τὰ μὲν ἀνθρώπεια παρέντες, τὰ δαιμόνια δὲ σκοποῦν-
80 τες, ἡγοῦνται τὰ προσήκοντα πράττειν.] ἐθαύμαζε δ᾽ εἰ 13
μὴ φανερὸν αὐτοῖς ἐστιν ὅτι ταῦτα οὐ δυνατόν ἐστιν
ἀνθρώποις εὑρεῖν. ἐπεὶ καὶ τοὺς μέγιστον φρονοῦντας
ἐπὶ τῷ περὶ τούτων λέγειν οὐ ταὐτὰ δοξάζειν ἀλλήλοις,
ἀλλὰ τοῖς μαινομένοις ὁμοίως διακεῖσθαι πρὸς ἀλλήλους.
85 τῶν τε γὰρ μαινομένων τοὺς μὲν οὐδὲ τὰ δεινὰ δεδιέναι, 14

τὰ τοιαῦτα : *pondering such subjects.*
τοιαῦτα replaces a cognate acc. im-
plied in the verb. G. 1054; H. 716 and
b. *Cf.* μέγιστον and ταυτά 13, and τὰ
μετέωρα φροντιστής Plato *Apol.* 18 B.
So Aristophanes (*Clouds* 94) calls
Socrates's house a φροντιστήριον, and
(*ibid.* 102) the philosophers generally
μεριμνοφροντισταί *ponderers of trifles.*

12. πρῶτον μέν : corresponds to
ἐσκόπει δέ in 15.— αὐτῶν ἐσκόπει
πότερα : *he would raise the question
in regard to them, whether.* αὐτῶν
(regarded as attrib. gen.) may be
referred to the general rule given in
G. 1084; H. 728, the other subst. in
this case being the interr. sent. πότερα
κτλ. *Cf.* ἐνενόησε δὲ αὐτῶν καὶ ὡς
ἐπηρώτων ἀλλήλους τοιαῦτα *Cyr.* v. 2.
18. — ποτέ : adds intensity to the
question, as in 1 and 2. *Cf.* πότερά
ποτε πόλεμος, ἢ εἰρήνη εἴη *Hell.* v.
4. 16. — τἀνθρώπινα, ἀνθρώπεια :
without perceptible difference in
meaning. *Cf.* ἀνθρωπίνοις πράγμασι
iv. 1. 2, with ἀνθρώπεια πράγματα iv.
6. 5. — τὸ φροντίζειν : for the articu-

lar inf., see G. 1546; H. 959. —
παρέντες (παρίημι) : *in ignoring.*

13. ἐθαύμαζε εἰ : the prot. with
εἰ, after verbs expressing emotion in
past time, is equivalent to a causal
clause, and might take the optative.
GMT. 697; H. 926. εἰ μή is equiva-
lent to ὅτι οὐ. — ἐστίν, ἐστίν : such
repetitions are frequent in Xenophon.
So δοκεῖν εἶναι, εἶναι δοκεῖν in 14. — τοὺς
μέγιστον φρονοῦντας : *those who most
pride themselves.* μέγιστον, instead of
μέγιστα, on the analogy of μέγα φρονεῖν.
— οὐ ταὐτὰ δοξάζειν : *do not hold the
same opinions.* For the inf. in subord.
clause of indirect discourse, see on εἶναι
in 8. — ἀλλήλοις : for the abridged
expression, see on τῶν ἄλλων 3. —
τοῖς μαινομένοις : *madmen,* as a class.
For the generic use of the art., see
G. 950; H. 659.— διακεῖσθαι πρὸς
ἀλλήλους : *are affected, in compari-
son with one another.*

14. τῶν τε γὰρ μαινομένων : *for,
as among madmen* (part. gen.),
followed by τῶν τε μεριμνώντων as a
parallel. Notice the ' concinnity '

τοὺς δὲ καὶ τὰ μὴ φοβερὰ φοβεῖσθαι· καὶ τοῖς μὲν οὐδ᾽
ἐν ὄχλῳ δοκεῖν αἰσχρὸν εἶναι λέγειν ἢ ποιεῖν ὁτιοῦν, τοῖς
δὲ οὐδ᾽ ἐξιτητέον εἰς ἀνθρώπους εἶναι δοκεῖν· καὶ τοὺς
μὲν οὔθ᾽ ἱερὸν οὔτε βωμὸν οὔτ᾽ ἄλλο τῶν θείων οὐδὲν
90 τιμᾶν, τοὺς δὲ καὶ λίθους καὶ ξύλα τὰ τυχόντα καὶ θηρία
σέβεσθαι· τῶν τε περὶ τῆς τῶν πάντων φύσεως μερι-
μνώντων τοῖς μὲν δοκεῖν ἓν μόνον τὸ ὂν εἶναι, τοῖς δ᾽
ἄπειρα τὸ πλῆθος· καὶ τοῖς μὲν ἀεὶ πάντα κινεῖσθαι,
τοῖς δ᾽ οὐδὲν ἄν ποτε κινηθῆναι· καὶ τοῖς μὲν πάντα
95 γίγνεσθαί τε καὶ ἀπόλλυσθαι, τοῖς δὲ οὔτ᾽ ἂν γενέσθαι
ποτὲ οὐδὲν οὔτ᾽ ἀπολεῖσθαι.   ἐσκόπει δὲ περὶ αὐτῶν 15

of this passage ; both the μαινόμενοι
and the μεριμνῶντες are divided into
three groups, each containing two
contrasts. — δεδιέναι : see on δοξάζειν
in 13. — τὰ μὴ φοβερά : μή instead of
οὐ, since τὰ φοβερά is indefinite.
G. 1613; H. 1026. Distinguish
between δεδιέναι and φοβεῖσθαι. —
ὁτιοῦν : -οῦν, like Lat. -cunque, is
equivalent to Eng. '-ever,' '-soever.'
G. 432; H. 285. — ἐξιτητέον : equiv-
alent to ἐξιτέον. G. 808; H. 477.
For the impers. const. of the verbal,
see G. 1597; H. 990. — τὰ τυχόντα :
chanced on, hence "common." The
whole phrase is nearly equivalent to
Eng. ' stocks and stones,' and seems
to indicate a sort of fetichism.
Breitenbach understands it of gro-
tesque stone or wooden images, and
cites τὰ δὲ ἔτι παλαίτερα (in still
more remote times) καὶ τοῖς πᾶσιν
Ἕλλησι τιμὰς θεῶν (divine honors) ἀντὶ
ἀγαλμάτων (statues) εἶχον ἀργοὶ (un-
dressed) λίθοι Paus. vii. 22. 3. — τὸ ὄν :
all existence, "the universe," to be
supplied also as subj. for ἄπειρα (εἶναι)

τὸ πλῆθος.   That the universe was a
unit (ἓν μόνον) was the doctrine of
the Eleatic philosophers, and esp. of
Xenophanes (about 540 B.C.), the
founder of that school.   Plato dis-
cusses this doctrine in the Parmeni-
des.   The contrary view (ἄπειρα τὸ
πλῆθος) was held by the Atomists,
esp. Leucippus (about 500 B.C.)
and his pupil Democrĭtus, both of
Abdēra in Thrace. — ἄν ποτε κινη-
θῆναι : equivalent to ἄν ποτε κινηθείη
in direct discourse.   G. 1494;
H. 964.   The doctrine was that of
the Eleatic Zeno (about 460 B.C.) :
' Motion is impossible,' said he, ' for
it must take place either where a
body is, or where it is not ; it can-
not move where it is, and it certainly
cannot where it is not.'   On the
other hand, the ' perpetual flux ' (ἀεὶ
κινεῖσθαι) was maintained by Heraclītus
of Ephesus (about 500 B.C.).   For an
account of these various schools, see
Schwegler's, Zeller's, or Ueberweg's
Hist. of Philosophy, or Marshall's
Hist. of Greek Philosophy.

καὶ τάδε· "Ἆρ᾽, ὥσπερ οἱ τὰ ἀνθρώπεια μανθάνοντες
ἡγοῦνται τοῦθ᾽, ὅ τι ἂν μάθωσιν, ἑαυτοῖς τε καὶ τῶν
ἄλλων ὅτῳ ἂν βούλωνται ποιήσειν, οὕτω καὶ οἱ τὰ θεῖα
100 ζητοῦντες νομίζουσιν, ἐπειδὰν γνῶσιν αἷς ἀνάγκαις ἕκα-
στα γίγνεται, ποιήσειν, ὅταν βούλωνται, καὶ ἀνέμους καὶ
ὕδατα καὶ ὥρας καὶ ὅτου ἂν ἄλλου δέωνται τῶν τοιούτων,
ἢ τοιοῦτο μὲν οὐδὲν οὐδ᾽ ἐλπίζουσιν, ἀρκεῖ δ᾽ αὐτοῖς
γνῶναι μόνον ᾗ τῶν τοιούτων ἕκαστα γίγνεται; περὶ μὲν 16
105 οὖν τῶν ταῦτα πραγματευομένων τοιαῦτα ἔλεγεν· αὐτὸς
δὲ περὶ τῶν ἀνθρωπείων ἀεὶ διελέγετο, σκοπῶν τί εὐσεβές,
τί ἀσεβές, τί καλόν, τί αἰσχρόν, τί δίκαιον, τί ἄδικον, τί
σωφροσύνη, τί μανία, τί ἀνδρεία, τί δειλία, τί πόλις, τί
πολιτικός, τί ἀρχὴ ἀνθρώπων, τί ἀρχικὸς ἀνθρώπων, καὶ
110 περὶ τῶν ἄλλων, ἃ τοὺς μὲν εἰδότας ἡγεῖτο καλοὺς κἀγα-
θοὺς εἶναι, τοὺς δ᾽ ἀγνοοῦντας ἀνδραποδώδεις ἂν δικαίως
κεκλῆσθαι.

**15. ἆρα:** *whether*, introducing νομί-
ζουσιν, and followed by ἢ ἐλπίζουσιν as
the alternative. — **μάθωσιν, βούλωνται,
γνῶσιν**: for the cond. rel. subjv., see
G. 1434; H. 916. — **ἀνάγκαις**: as in 11.
— **ὕδατα**: *rains*. — **ὅτου**: for the form,
see G. 425; H. 280 a. — **ᾗ**: qua ratione.
The passage suggests a definition of
'pure' and 'applied' science.

**16. περὶ μὲν οὖν**: an extended
enumeration of details is often
closed, in Greek, with a clause or
sent. which sums them all up; and
which is commonly introduced by μὲν
οὖν or δή. *Cf.* the beginnings and
endings of Xenophon's chapters. —
**αὐτὸς δέ**: for the uses of the inten-
sive pron., see G. 989; H. 680. —
**τί εὐσεβές, τί ἀσεβὲς** κτλ.: Socrates
sought to define his conceptions by
examining opposed qualities, which
accordingly are here arranged in
pairs until πόλις is reached, when the
opposition ceases. Since the ques-
tion is as to the essential nature of
each quality, εὐσεβές and the follow-
ing adjs. are virtually abstract nouns.
G. 933; H. 621 b (Rem.). — **ἃ τοὺς
εἰδότας** κτλ.: quas res qui scirent
honestos esse arbitrabatur.
To Socrates, the proper study of
mankind was man. In his view the
expression καλοὺς κἀγαθούς contained
the idea of men of culture, viros
liberaliter institutos; while
ἀνδραποδώδεις *servile* conveyed the op-
posite meaning. Other Greeks (than
Socrates) often used καλοὶ κἀγαθοί
in a political sense, like optimates.
— **ἂν κεκλῆσθαι**: equivalent to pf.

Ὅσα μὲν οὖν μὴ φανερὸς ἦν ὅπως ἐγίγνωσκεν, οὐδὲν 17
θαυμαστὸν ὑπὲρ τούτων περὶ αὐτοῦ παραγνῶναι τοὺς
115 δικαστάς· ὅσα δὲ πάντες ᾔδεσαν, οὐ θαυμαστὸν εἰ μὴ
τούτων ἐνεθυμήθησαν; βουλεύσας γάρ ποτε καὶ τὸν 18
βουλευτικὸν ὅρκον ὀμόσας, ἐν ᾧ ἦν κατὰ τοὺς νόμους
βουλεύσειν, ἐπιστάτης ἐν τῷ δήμῳ γενόμενος, ἐπιθυμή-
σαντος τοῦ δήμου παρὰ τοὺς νόμους [ἐννέα στρατηγοὺς]

opt. in direct discourse. See on ἄν
κινηθῆναι 14.

17. ὅσα μὲν οὖν μὴ φανερὸς ἦν
κτλ. : the views and conversations of
Socrates thus far described could
not have been known to everybody,
and might easily have remained
unknown to the judges. μή is
explained by the cond. force of the
rel. clause. G. 1610; H. 1021. ὅσα
is loosely connected with φανερός and
ἐγίγνωσκε, which verb, in the sense of
'think' or 'believe,' is often em-
ployed with περί and the genitive.
Cf. i. 2. 19. For the pers. const. of
φανερός, see on i. 1. 2. — ὑπέρ : chosen
to avoid a repetition of περί. — παρα-
γνῶναι : "went astray in their judg-
ment." — ἐνεθυμήθησαν : with the
gen., had regard to ; with the acc.,
more in the sense of 'ponder.' For
εἰ with the ind. after θαυμαστόν, see
on 13 above.

18. βουλεύσας : senator fac-
tus. So ii. 6. 25, where ἄρξας is
equivalent to magistratus fac-
tus. The aor. denotes the election
to the office, the pres. would indicate
continuance in it. G. 1260 ; H. 841.
The senate, or council (βουλή), of the
Athenians was, under the constitu-
tion of Clisthenes, composed of five
hundred citizens, fifty being chosen

from each of the ten tribes (φυλαί).
The whole collective body was
divided into ten sections of fifty each,
corresponding to the ten tribes. Each
of these sections (called πρυτάνεις) in
turn served as an executive commit-
tee of the βουλή for a period of
thirty-five or thirty-six days in ordi-
nary years (thirty-eight or thirty-
nine days in intercalary years).
From the prytany of fifty members
one man was chosen by lot each day
to act as presiding officer (ἐπιστάτης)
in conducting the debate and in put-
ting questions to vote. This latter
function, in the present instance,
as we see, Socrates refused to exer-
cise. Cf. Plato Apol. 32 B, and
for an account of the βουλή, its
functions, divisions, etc., see Schö-
mann, Antiq. of Greece, i. 371 ff.,
Gardner and Jevons, Manual of Greek
Antiq., 484 ff. — τὸν βουλευτικὸν
ὅρκον ὀμόσας : having taken the
senatorial oath of office. ὅρκον is
cognate accusative. — ἐν ᾧ ἦν : in
which it was stipulated. We might
expect ἐν ᾧ ἐστι, but the impf. indi-
cates what obligations Socrates
assumed when he took the oath. —
παρὰ τοὺς νόμους κτλ.: after the
naval victory of the Athenians over
the Spartans off the Arginusae

120 μιᾷ ψήφῳ τοὺς ἀμφὶ Θράσυλλον καὶ Ἐρασινίδην ἀποκτεῖ-
ναι πάντας, οὐκ ἠθέλησεν ἐπιψηφίσαι, ὀργιζομένου μὲν
αὐτῷ τοῦ δήμου, πολλῶν δὲ καὶ δυνατῶν ἀπειλούντων·
ἀλλὰ περὶ πλείονος ἐποιήσατο εὐορκεῖν ἢ χαρίσασθαι τῷ
δήμῳ παρὰ τὸ δίκαιον καὶ φυλάξασθαι τοὺς ἀπειλοῦντας.
125 καὶ γὰρ ἐπιμελεῖσθαι θεοὺς ἐνόμιζεν ἀνθρώπων, οὐχ ὃν 19
τρόπον οἱ πολλοὶ νομίζουσιν· οὗτοι μὲν γὰρ οἴονται τοὺς
θεοὺς τὰ μὲν εἰδέναι, τὰ δ' οὐκ εἰδέναι· Σωκράτης δ' ἡγεῖτο
πάντα μὲν θεοὺς εἰδέναι, τά τε λεγόμενα καὶ πραττόμενα καὶ

islands (406 B.C.), the Athenian gen-
erals omitted to take adequate meas-
ures to rescue the crews of the
disabled vessels, or to gather the
dead for burial. A violent storm,
arising after the battle, hindered the
detachment left behind for that pur-
pose from performing this duty, so
sacred in Hellenic eyes. The gen-
erals were publicly impeached; and,
in spite of Socrates's protest, were
condemned to death in one vote
(μιᾷ ψήφῳ). This proceeding, and
the refusal of a fair trial to the gen-
erals, were illegal (παρὰ τοὺς νόμους);
for the law expressly provided that
when several persons were accused
together, a separate trial and vote
should be held in the case of each
(Hell. i. 7. 26). The full num-
ber of generals was ten: but Conon
was blockaded at Mytilene, Arches-
tratus had died, two had fled to
avoid trial; and only six were
actually executed. Cf. Hell. i. 7,
Plato Apol. 32 B, and see Grote, Hist.
of Greece, c. lxiv. — τοὺς ἀμφὶ Θρά-
συλλον καὶ Ἐρασινίδην : Thrasyllus
and Erasinides with their colleagues.
For the phrase οἱ ἀμφί τινα, see H. 791,

3. In the nine here spoken of should
probably be included Leon, who was
superseded in command by Lysias
during or just before the battle
(Hell. i. 5. 16, 6. 30, 7. 2); Xeno-
phon must therefore omit his name
when speaking (Hell. i. 7. 34) of
sentence being passed on 'eight.' —
οὐκ ἠθέλησεν : refused. The illegal
vote must have been taken, after
Socrates's refusal, by the 'prytanes'
directing some other more compliant
member of their body to put the
question. — εὐορκεῖν : to keep his
oath. —φυλάξασθαι : for differences
of meaning in the act. and mid. of
certain verbs, see G. 1246; H. 816.
19. θεούς : "beings who deserve
the name of gods." τοὺς θεούς might
be understood to mean the special
divinities of the Athenians. — ὃν
τρόπον : equivalent to τὸν τρό-
πον, ᾧ. — τά τε λεγόμενα κτλ.: cf.
'For there is not a word in my
tongue, but lo, O Lord, thou know-
est it altogether,' 'thou understand-
est my thought afar off,' 'whither
shall I flee from thy presence?'
Psalm cxxxix; and οὗτοι τοίνυν οἱ
πάντα μὲν εἰδότες πάντα δὲ δυνάμενοι

τὰ σιγῇ βουλευόμενα, πανταχοῦ δὲ παρεῖναι καὶ σημαίνειν
130 τοῖς ἀνθρώποις περὶ τῶν ἀνθρωπείων πάντων.

Θαυμάζω οὖν ὅπως ποτὲ ἐπείσθησαν Ἀθηναῖοι Σωκρά-20
την περὶ θεοὺς μὴ σωφρονεῖν, τὸν ἀσεβὲς μὲν οὐδέν ποτε
περὶ τοὺς θεοὺς οὔτ᾽ εἰπόντα οὔτε πράξαντα, τοιαῦτα
δὲ καὶ λέγοντα καὶ πράττοντα [περὶ θεῶν], οἷά τις ἂν καὶ
135 λέγων καὶ πράττων εἴη τε καὶ νομίζοιτο εὐσεβέστατος.

Θαυμαστὸν δὲ φαίνεταί μοι καὶ τὸ πεισθῆναί τινας ὡς ②
Σωκράτης τοὺς νέους διέφθειρεν, ὃς πρὸς τοῖς εἰρημένοις
πρῶτον μὲν ἀφροδισίων καὶ γαστρὸς πάντων ἀνθρώ-
πων ἐγκρατέστατος ἦν, εἶτα πρὸς χειμῶνα καὶ θέρος
5 καὶ πάντας πόνους καρτερικώτατος, ἔτι δὲ πρὸς τὸ
μετρίων δεῖσθαι πεπαιδευμένος οὕτως ὥστε πάνυ μικρὰ

θεοὶ οὕτω μοι φίλοι εἰσὶν ὥστε διὰ τὸ
ἐπιμελεῖσθαί μου οὔποτε λήθω αὐτοὺς
οὔτε νυκτὸς οὔθ᾽ ἡμέρας οὔθ᾽ ὅποι ἂν
ὁρμῶμαι οὔθ᾽ ὅ τι ἂν μέλλω πράττειν
Sym. iv. 48.

20. **θαυμάζω οὖν** κτλ.: repeats, in
conclusion, the thought of 1. — **μὴ
σωφρονεῖν**: did not hold sound opin-
ions. For μή instead of οὐ, after
οἶμαι, cf. i. 2. 41; after ὑποπτεύειν,
An. ii. 3. 13. GMT. 685 fin. ;
H. 1024. — **τὸν ἀσεβὲς** κτλ.: the rest
of the section is an expansion of the
idea περὶ θεοὺς σωφρονεῖν. Note the
significant change in tense from
εἰπόντα and πράξαντα to λέγοντα and
πράττοντα. — **οἷα**: obj. of λέγων and
πράττων. For the cond. force of
these participles, see on i. 1. 5.

**2. 1–11.** In refutation of the sec-
ond charge against Socrates, that of
corrupting the youth, Xenophon shows
that he dissuaded young men from vice
and impiety, and led them, by the ex-

ample of his own life, to revere the
laws and abhor violence.

**1. τὸ πεισθῆναί τινας**: that any
were persuaded (by the arguments of
the accusers). For the inf. with τό,
as subj., see G. 1555; H. 959. — **ὅς**: a
man who. Cf. 64; οἵ i. 4. 11, iii. 5.
15. — **πρὸς τοῖς εἰρημένοις**: sc. in the
previous chapter. — **γαστρός**: appe-
tite, as in i. 6. 8, a case of ‘meton-
ymy.’ For the gen. with adjs., see
G. 1140; H. 753 b. — **εἶτα**: without
δέ, as often after a πρῶτον μέν. So
ἔπειτα in i. 4. 11, iv. 2. 31. On Socra-
tes’s hardy endurance of heat and
cold, and other physical discomforts,
cf. i. 6. 2, Plato Sym. 220 B. — **καρ-
τερικώτατος**: most inured. — **πρὸς τὸ
μετρίων δεῖσθαι**: “to moderation in
his wants.” For the articular inf. as
obj. of a prep., see GMT. 800; H. 959.
— **πάνυ μικρά**: Socrates estimated
his entire estate at five minae, or 500
drachmae (Oec. ii. 3.). Reckoning

κεκτημένος πάνυ ῥᾳδίως ἔχειν ἀρκοῦντα. πῶς οὖν, αὐτὸς 2
ὢν τοιοῦτος, ἄλλους ἂν ἢ ἀσεβεῖς ἢ παρανόμους ἢ λίχνους
ἢ ἀφροδισίων ἀκρατεῖς ἢ πρὸς τὸ πονεῖν μαλακοὺς ἐποί-
10 ησεν ; ἀλλ' ἔπαυσε μὲν τούτων πολλούς, ἀρετῆς ποιήσας
ἐπιθυμεῖν καὶ ἐλπίδας παρασχών, ἂν ἑαυτῶν ἐπιμελῶνται,
καλοὺς κἀγαθοὺς ἔσεσθαι. καίτοι γε οὐδεπώποτε ὑπέ- 3
σχετο διδάσκαλος εἶναι τούτου, ἀλλὰ τῷ φανερὸς εἶναι

the drachma at eighteen cents, this
would nominally be equivalent to
ninety dollars. The purchasing
power of money, however, was much
greater in ancient than in modern
times. The orator Lysias, who was
reputed rich, was robbed by the
Thirty of the bulk of his fortune,
amounting to about 312 minae (Lys.
xii. 11.). Boeckh (*Staatshaushaltung
der Athener* 142 ff.) estimates that in
the time of Socrates a family of
four grown persons could live com-
fortably on five minae per annum ;
but as a man's entire estate, this sum
would be, indeed, πάνυ μικρόν. On
Attic money and its purchasing
power, see Gow, *Companion to School
Classics*, p. 88 ff. — κεκτημένος : for
the circumstantial participle of con-
cession, see G. 1563, 6 ; H. 969 e,
and, for the case of the pred. partici-
ple, G. 927 ; H. 940. *Cf.* τῷ φανερὸς
εἶναι 3. — ἔχειν : inf. of result.
G. 1450 ; H. 953.

2. πῶς οὖν ἂν ἐποίησεν : *how then
could he have made.* For the poten-
tial indic., see G. 1338 ; H. 903. —
πρὸς τὸ πονεῖν μαλακούς : *soft as to
toil.* — ἀλλ' ἔπαυσε τούτων πολλούς :
*nay, he freed many from these vices.*
— ἂν ἐπιμελῶνται : the use of ἄν for
ἐάν is not infrequent in Xenophon.

*Cf.* ἄν τι ὁρῶμεν i. 6. 14. Of the
three forms of the cond. conj. with ἄν,
it may be remarked that in Attic in-
scriptions of the classical period (fifth
to third century B.C.) ἄν is found but
six times, ἐάν being the prevailing
form ; while ἤν does not occur at all,
though frequent in Mss. of literature
of the fifth century. Meisterhans,
*Grammatik der attischen Inschriften*,
p. 213. For the subjv. in indirect
discourse, see G. 1497, 2 ; H. 932,
933. — ἔσεσθαι : fut. inf. after ἐλπί-
δας, as after a verb of hoping. In
direct discourse, we should have ἂν
ὑμῶν αὐτῶν ἐπιμελῆσθε, καλοὶ κἀγαθοὶ
ἔσεσθε.

3. καίτοι γε : *and yet, indeed,*
opposed to μέν in the preceding sen-
tence. So γὲ μέντοι in ii. 1. 9. The
restrictive force of γέ applies to the
whole clause. — διδάσκαλος : *cf.* οὓς
οἱ διαβάλλοντές μέ φασιν ἐμοὺς μαθητὰς
εἶναι. ἐγὼ δὲ διδάσκαλος μὲν οὐδενὸς
πώποτ' ἐγενόμην Plato *Apol.* 33 A.
See on i. 1. 4. — τούτου : *i.e.* τοῦ
καλοὺς κἀγαθοὺς ἔσεσθαι. — ἀλλὰ τῷ
φανερὸς εἶναι τοιοῦτος ὤν : *but because
it was evident that he was such a
one.* For the articular inf. in the
dat., see G. 1547 ; H. 959, and for
ὤν, see on θύων i. 1. 2. For the case
of φανερός, see on κεκτημένος 1. —

τοιοῦτος ὢν ἐλπίζειν ἐποίει τοὺς συνδιατρίβοντας ἑαυτῷ
15 μιμουμένους ἐκεῖνον τοιούτους γενήσεσθαι.] ἀλλὰ μὴν 4
καὶ τοῦ σώματος αὐτός τε οὐκ ἠμέλει τούς τ᾽ ἀμελοῦντας
οὐκ ἐπῄνει. τὸ μὲν οὖν ὑπερεσθίοντα ὑπερπονεῖν ἀπεδο-
κίμαζε, τὸ δὲ ὅσα ἡδέως ἡ ψυχὴ δέχεται, ταῦτα ἱκανῶς
ἐκπονεῖν ἐδοκίμαζε· ταύτην γὰρ τὴν ἕξιν ὑγιεινήν τε
20 ἱκανῶς εἶναι καὶ τὴν τῆς ψυχῆς ἐπιμέλειαν οὐκ ἐμποδίζειν
ἔφη. ἀλλ᾽ οὐ μὴν θρυπτικός γε οὐδὲ ἀλαζονικὸς ἦν οὔτ᾽ 5
ἀμπεχόνῃ οὔθ᾽ ὑποδέσει οὔτε τῇ ἄλλῃ διαίτῃ· οὐ μὴν
οὐδ᾽ ἐρασιχρημάτους γε τοὺς συνόντας ἐποίει· τῶν μὲν
γὰρ ἄλλων ἐπιθυμιῶν ἔπαυε, τοὺς δὲ ἑαυτοῦ ἐπιθυμοῦντας

συνδιατρίβοντας: see on διδάσκαλος
above. — ἑαυτῷ: for the indir. refl.,
see G. 993; H. 683 a. — μιμουμένους:
imitando. — ἐκεῖνον: refers more
distinctly to Socrates, from the point
of view of the συνδιατρίβοντες, than
αὐτόν would do. ἐκεῖνος is apt to be
used when the person has already
been mentioned by αὐτοῦ or ἑαυτοῦ.
Cf. οὐκ ἔφη ἑαυτοῦ γε ἄρχοντος οὐδένα
Ἑλλήνων εἰς τὸ ἐκείνου δυνατὸν ἀνδρα-
ποδισθῆναι Hell. i. 6. 14.

4. ἀλλὰ μήν: as in i. 1. 6. — οὐκ
ἐπῄνει: improbabat. Cf. ὅτι Δέξιπ-
πον μὲν οὐκ ἐπαινοίη, εἰ ταῦτα πεποιη-
κὼς εἴη An. vi. 6. 25. — τὸ μὲν οὖν
ὑπερεσθίοντα κτλ.: he accordingly dis-
approved of overeating along with over-
working. ὑπερεσθίοντα agrees with the
understood subj. (τινά) of ὑπερπονεῖν.
The allusion is to the enormous appe-
tites of athletes while in training, a
process which must have been more
one-sided in its results than our mod-
ern training is. In Plato and Eurip-
ides the professional athletes are
stigmatized as lazy, greedy, and

sleepy. In the fourth idyl of Theoc-
ritus, the boxer Aegon is described
as taking with him twenty sheep for
his month of training, and as eating
eighty barley-cakes in one day.

5. ἀλλ᾽ οὐ μὴν θρυπτικὸς ἦν: "but
he did not carry care for the body so
far as to be effeminate." — ἀλαζονι-
κός: ostentatious, as the professional
Sophists often were. See on i. 6. 2.
— ἀμπεχόνη, ὑποδέσει: clothing, foot-
gear. Cf. σοὶ μὲν γὰρ οὐκ ἂν πρέποι
τοιούτων ὀνομάτων ἀναπίμπλασθαι (to be
soiled by), καλῶς μὲν οὑτωσὶ ἀμπεχομένῳ
(clothed), καλῶς δὲ ὑποδεδεμένῳ (shod)
Plato Hipp. Maj. 291 A. — οὐ μὴν οὐδέ:
ac ne quidem. — ἐπιθυμιῶν, ἐπιθυ-
μοῦντας: obs. the 'paronomasia.'
"Not only did Socrates free his asso-
ciates from the tyranny of other pas-
sions (beside avarice) which demand
money for their satisfaction, but he
gratified the sole desire aroused by
himself (i.e. to hear him converse)
without putting them to any outlay
of money" (Gilbert). — τοὺς ἐπιθυ-
μοῦντας ἐπράττετο χρήματα: for the

25 οὐκ ἐπράττετο χρήματα. τούτου δ' ἀπεχόμενος ἐνόμιζεν 6
ἐλευθερίας ἐπιμελεῖσθαι· τοὺς δὲ λαμβάνοντας τῆς ὁμι-
λίας μισθὸν ἀνδραποδιστὰς ἑαυτῶν ἀπεκάλει διὰ τὸ
ἀναγκαῖον αὐτοῖς εἶναι διαλέγεσθαι παρ' ὧν ἂν λάβοιεν
τὸν μισθόν.] ἐθαύμαζε δ' εἴ τις ἀρετὴν ἐπαγγελλόμενος 7
30 ἀργύριον πράττοιτο καὶ μὴ νομίζοι τὸ μέγιστον κέρδος
ἕξειν φίλον ἀγαθὸν κτησάμενος, ἀλλὰ φοβοῖτο μὴ ὁ
γενόμενος καλὸς κἀγαθὸς τῷ τὰ μέγιστα εὐεργετήσαντι
μὴ τὴν μεγίστην χάριν ἔξοι· Σωκράτης δὲ ἐπηγγείλατο 8
μὲν οὐδενὶ πώποτε τοιοῦτον οὐδέν, ἐπίστευε δὲ τῶν συνόν-
35 των ἑαυτῷ τοὺς ἀποδεξαμένους ἅπερ αὐτὸς ἐδοκίμαζεν εἰς
τὸν πάντα βίον ἑαυτῷ τε καὶ ἀλλήλοις φίλους ἀγαθοὺς
ἔσεσθαι. πῶς οὖν ἂν ὁ τοιοῦτος ἀνὴρ διαφθείροι τοὺς
νέους; εἰ μὴ ἄρα ἡ τῆς ἀρετῆς ἐπιμέλεια διαφθορά ἐστιν.

double acc. with ἐπράττετο, see
G. 1069; H. 724. This also is aimed
at the Sophists, many of whom
charged extravagant prices for their
instruction. Protagoras is said to
have received 100 minae (nominally
about $1800, but see on πάνυ μικρά
in 1), which must have been out of all
proportion to ordinary fees.

6. ἐλευθερίας ἐπιμελεῖσθαι : he was
preserving his independence. — ἀνδρα-
ποδιστὰς ἑαυτῶν : enslavers of them-
selves. Cf. i. 5. 6. — διαλέγεσθαι : sc.
τούτοις. Cf. i. 6. 5. — ἂν λάβοιεν : for
ἂν λάβωσι of direct discourse. For
the retention of ἄν in rel. and tem-
poral clauses even when the verb
has been changed to the opt., see
GMT. 702. On this section, cf. Plato
Apol. 31 B, C, 33 A.

7. ἐπαγγελλόμενος : professing to
teach, a technical expression. — πράτ-
τοιτο : for the opt., see on i. 1. 13,

and G. 1502, 2 (2), last example but
one; H. 932, 2. — μή, μὴ ἔξοι : we
should expect μὴ οὐχ ἔξοι, acc. to the
rule (G. 1364; H. 887), but 'after μή
had come to be felt as a conjunction,
and its origin was forgotten, the chief
objection to μή, μή was probably in
the sound, and we find a few cases
of it where the two particles are so
far apart that the repetition is not
offensive' GMT. 306 (where the sent.
of the text is cited). Another in-
stance of this rare usage is found in
Thuc. ii. 13.

8. ἐπηγγείλατο, ἐπίστευε : note the
difference between the aor. and the
imperfect. — διαφθείροι : potential
optative. — εἰ μὴ ἄρα : unless, for-
sooth. Cf. εἰ μὴ ἄρα δεινὸν καλοῦσιν
οὗτοι λέγειν τὸν τἀληθῆ λέγοντα unless,
forsooth, these gentlemen call him
eloquent who speaks the truth Plato
Apol. 17 B.

" Ἀλλὰ νὴ Δία," ὁ κατήγορος ἔφη, " ὑπερορᾶν ἐποίει τῶν 9
40 καθεστώτων νόμων τοὺς συνόντας, λέγων ὡς μῶρον εἴη
τοὺς μὲν τῆς πόλεως ἄρχοντας ἀπὸ κυάμου καθιστάναι,
κυβερνήτῃ δὲ μηδένα θέλειν χρῆσθαι κυαμευτῷ μηδὲ
τέκτονι μηδ᾽ αὐλητῇ μηδ᾽ ἐπ᾽ ἄλλα τοιαῦτα, ἃ πολλῷ
ἐλάττονας βλάβας ἁμαρτανόμενα ποιεῖ τῶν περὶ τὴν
45 πόλιν ἁμαρτανομένων · " τοὺς δὲ τοιούτους λόγους ἐπαίρειν
ἔφη τοὺς νέους καταφρονεῖν τῆς καθεστώσης πολιτείας
καὶ ποιεῖν βιαίους. ἐγὼ δ᾽ οἶμαι τοὺς φρόνησιν ἀσκοῦν- 10
τας καὶ νομίζοντας ἱκανοὺς ἔσεσθαι τὰ συμφέροντα
διδάσκειν τοὺς πολίτας ἥκιστα γίγνεσθαι βιαίους, εἰδό-
50 τας ὅτι τῇ μὲν βίᾳ πρόσεισιν ἔχθραι καὶ κίνδυνοι, διὰ
δὲ τοῦ πείθειν ἀκινδύνως τε καὶ μετὰ φιλίας ταὐτὰ γίγνε-
ται. οἱ μὲν γὰρ βιασθέντες ὡς ἀφαιρεθέντες μισοῦσιν,
οἱ δὲ πεισθέντες ὡς κεχαρισμένοι φιλοῦσιν. οὔκουν τῶν
φρόνησιν ἀσκούντων τὸ βιάζεσθαι, ἀλλὰ τῶν ἰσχὺν ἄνευ

9. ἀλλὰ νὴ Δία : often used to
introduce an objection. For the use
of the advs. νή and μά in swearing,
see G. 1067; H. 723. — ὁ κατήγορος :
possibly the author of a κατηγορία
Σωκράτους, written after Socrates's
death. See Dakyns, *Works of Xeno-
phon* Vol. III, Part I, pp. xxxviii ff.
— ἔφη : in direct discourse usually
before its subj., as in 12. — ὑπερορᾶν
τῶν νόμων : the gen. after the analogy
of ἀμελεῖν τινος. The acc. is more
usual, as in i. 3. 4, 4. 10. — ἀπὸ κυά-
μου : *by the bean.* The Athenians used
black and white beans in selecting cer-
tain officials by lot; hence κυαμευτός is
equivalent to κληρωτός or αἱρετός.

10. Xenophon cannot wholly re-
fute the charge that the teachings of
Socrates weakened public respect for

existing laws; so he blends it with
the other charge ποιεῖν βιαίους, main-
taining that while Socrates criticised
certain governmental institutions, his
criticism could never lead to acts of
violence. — τοὺς φρόνησιν ἀσκοῦν-
τας : *those who cultivate practical
wisdom.* — τὰ συμφέροντα : as in i. 1.
3. For the double acc., see G. 1069;
H. 724. — τοὺς πολίτας : *their fellow-
citizens.* — εἰδότας: *because they know.*
— οἱ μὲν γὰρ βιασθέντες κτλ. : *for men
who have suffered violence are filled
with hatred, feeling that they have been
robbed.* For the thought, *cf.* Aesop's
fable of the Wind and the Sun. — κεχα-
ρισμένοι : beneficiis affecti. —
οὔκουν: declarative negation. — τῶν
ἀσκούντων: pred. gen. of characteristic.
— τὸ τοιαῦτα πράττειν: *i.e.* τὸ βιάζεσθαι.

55 γνώμης ἐχόντων τὸ τοιαῦτα πράττειν ἐστίν. ἀλλὰ μὴν 11
καὶ συμμάχων ὁ μὲν βιάζεσθαι τολμῶν δέοιτ᾽ ἂν οὐκ
ὀλίγων, ὁ δὲ πείθειν δυνάμενος οὐδενός· καὶ γὰρ μόνος
ἡγοῖτ᾽ ἂν δύνασθαι πείθειν. καὶ φονεύειν δὲ τοῖς τοιού-
τοις ἥκιστα συμβαίνει· τίς γὰρ ἀποκτεῖναί τινα βούλοιτ᾽
60 ἂν μᾶλλον ἢ ζῶντι πειθομένῳ χρῆσθαι;
"᾽Αλλ᾽," ἔφη γε ὁ κατήγορος, "Σωκράτει ὁμιλητὰ 12
γενομένω Κριτίας τε καὶ ᾽Αλκιβιάδης πλεῖστα κακὰ τὴν

11. **ἀλλὰ μήν**: as in 4, i. 1. 6. —
**συμμάχων**: for the gen. with verbs of
wanting, see G. 1112 ; H. 743. — **οὐκ
ὀλίγων**: 'litotes'; the position also
helps the emphasis. — **μόνος**: *by him-
self*. — **ἥκιστα συμβαίνει**: *it least of
all occurs*, a strong negation. — **ζῶντι
πειθομένῳ χρῆσθαι** : "to have his
faithful service while living." For the
pred. dat. with χράομαι, see H. 777 a.

**12–48**. *The fact that Alcibiades
and Critias wrought great evil in the
state should not be laid to the account
of Socrates. They were impelled by
measureless ambition and lust for
power ; and in Socrates they only
sought a man from whom they could
learn the art of persuasion, so as to
win thereby positions of political
influence. But they sufficiently showed
in the sequel that they had not learned
to imitate the character and life of
their teacher. Socrates did not fail
to set before them the attractions of a
virtuous life ; and, in fact, so long as
they remained with him, they showed
moderation. But virtue must be prac-
ticed to be retained ; and they quickly
fell a prey to all manner of tempta-
tions after leaving Socrates. For this
he is not to be held responsible, the less*

*so as he reproached them severely for
their unworthy conduct, — incurring
thereby the hate of Critias, as he later
had cause to know. Thus they only
followed their own natural bent after
leaving Socrates ; while many other
friends of Socrates remained true
through life to the principles of virtue
which they had learned from him.*

**12**. **ἔφη γε** : with marked empha-
sis, like Mark Antony's 'But Brutus
says he was ambitious.' — **γενομένω** :
the κατήγορος seems to insinuate a
causal, as well as a temporal, force
of the participle ; post hoc, prop-
ter hoc. — **Κριτίας** : son of Callaes-
chrus, was one of the thirty men
who were placed in power at Athens
(by the aid of the victorious Lacedae-
monians) at the close of the Pelopon-
nesian war (404 B.C.). He took a
prominent part in the cruelties prac-
ticed by the Thirty, and fell in the
final conflicts with the Liberators
under Thrasybulus. He had asso-
ciated, as a young man, with Socrates
and Gorgias of Leontini, and was a
poet and dramatist of some repute.
For an account of his activity, see
*Hell*. ii. 3. 11 ff. —**᾽Αλκιβιάδης** : son of
Clinias, born at Athens about 450 B.C. ;

πόλιν ἐποιησάτην. Κριτίας μὲν γὰρ τῶν ἐν τῇ ὀλιγαρχίᾳ
πάντων κλεπτίστατός τε καὶ βιαιότατος καὶ φονικώτατος
65 ἐγένετο, Ἀλκιβιάδης δὲ αὖ τῶν ἐν τῇ δημοκρατίᾳ πάντων
ἀκρατέστατός τε καὶ ὑβριστότατος καὶ βιαιότατος." ἐγὼ 13
δ᾽, εἰ μέν τι κακὸν ἐκείνω τὴν πόλιν ἐποιησάτην, οὐκ
ἀπολογήσομαι· τὴν δὲ πρὸς Σωκράτην συνουσίαν αὐτοῖν
ὡς ἐγένετο διηγήσομαι.    ἐγενέσθην μὲν γὰρ δὴ τὼ ἄνδρε 14
70 τούτω φύσει φιλοτιμοτάτω πάντων Ἀθηναίων, βουλομένω
τε πάντα δι᾽ ἑαυτῶν πράττεσθαι καὶ πάντων ὀνομαστο-
τάτω γενέσθαι· ᾔδεσαν δὲ Σωκράτην ἀπ᾽ ἐλαχίστων μὲν
χρημάτων αὐταρκέστατα ζῶντα, τῶν ἡδονῶν δὲ πασῶν

he was distinguished for his personal
beauty, talents, and wealth, and was
notorious for his reckless profligacy.
Socrates took great interest in him,
and seems in return to have been re-
spected and loved by him. At the
siege of Potidaea (432 B.C.) Socrates
saved his life, a service which Alci-
biades returned by aiding Socrates
at the battle of Delium (424 B.C.).
For his connection with the Sicilian
expedition (415 B.C.), see Thuc. vi,
*passim.*  Plutarch brackets him with
Coriolanus in the *Parallel Lives.* —
τὴν πόλιν: for the double acc., see
G. 1073 ; H. 725 a. — ἐν τῇ ὀλιγαρχίᾳ:
*i.e.* in 404 B.C., when the Thirty, with
Critias at their head, were in power
at Athens. *Cf. Hell.* ii. 3. 11 ff. See
on νομοθέτης 31.  Aeschines (*Contra
Timarchum* 173) says, with exaggera-
tion, ἔπειτ᾽ ὑμεῖς, ὦ Ἀθηναῖοι, Σωκράτη
μὲν τὸν σοφιστὴν ἀπεκτείνατε, ὅτι Κρι-
τίαν ἐφάνη πεπαιδευκώς, ἕνα τῶν τριά-
κοντα τῶν τὸν δῆμον καταλυσάντων (*who
overthrew the democracy*). — κλεπτί-
στατος, βιαιότατος : so, in ii. 6. 24,

χρήματά τε κλέπτειν καὶ βιάζεσθαι
ἀνθρώπους are mentioned as low
motives for attaining power in the
state. — ἐν τῇ δημοκρατίᾳ : refers to
the public and private life of Alci-
biades, down to his return to the
army at Samos in 411.  See Grote,
*Hist. of Greece,* cc. lv, lxiii.

13.  εἰ ἐποιησάτην : for the past
supposition assumed as real (a simply
logical cond.), see G. 1390 ; H. 893.
— συνουσίαν : 'prolepsis.'  *Cf.* ' I
knew thee, that thou art a hard
man ' *Matt.* xxv. 24.

14.  ἐγενέσθην μέν : corresponds to
ᾔδεσαν δέ in the following sentence.
In this case, μέν and δέ will scarcely
be over-translated by *on the one hand,
on the other.* — δή : " as is known,"
almost equivalent to our colloquial
' you know.' — ᾔδεσαν : changes from
dual to pl. and *vice versa,* in the same
sent., are common.  G. 903 ; H. 634.
*Cf.* 16, 18, 33; *Hell.* iv. 4. 7.—ζῶντα:
for the supplementary participle in
indirect discourse, see on i. 1. 5.—
ἡδονῶν : equivalent to ἐπιθυμιῶν, the

ἐγκρατέστατον ὄντα, τοῖς δὲ διαλεγομένοις αὐτῷ πᾶσι
75 χρώμενον ἐν τοῖς λόγοις ὅπως βούλοιτο. ταῦτα δὲ ὁρῶντε 15
καὶ ὄντε οἵω προείρησθον, πότερόν τις αὐτὼ φῇ τοῦ βίου
τοῦ Σωκράτους ἐπιθυμήσαντε καὶ τῆς σωφροσύνης ἦν
ἐκεῖνος εἶχεν, ὀρέξασθαι τῆς ὁμιλίας αὐτοῦ, ἢ νομίσαντε,
εἰ ὁμιλησαίτην ἐκείνῳ, γενέσθαι ἂν ἱκανωτάτω λέγειν τε
80 καὶ πράττειν; ἐγὼ μὲν γὰρ ἡγοῦμαι, θεοῦ διδόντος αὐτοῖν 16
ἢ ζῆν ὅλον τὸν βίον ὥσπερ ζῶντα Σωκράτην ἑώρων, ἢ
τεθνάναι, ἑλέσθαι ἂν μᾶλλον αὐτὼ τεθνάναι. δῆλω δ᾽
ἐγενέσθην ἐξ ὧν ἐπραξάτην· ὡς γὰρ τάχιστα κρείττονε
τῶν συγγιγνομένων ἡγησάσθην εἶναι, εὐθὺς ἀποπηδή-
85 σαντε Σωκράτους ἐπραττέτην τὰ πολιτικά, ὧνπερ ἔνεκα
Σωκράτους ὠρεχθήτην.

Ἴσως οὖν εἴποι τις ἂν πρὸς ταῦτα, ὅτι ἐχρῆν τὸν 17
Σωκράτην μὴ πρότερον τὰ πολιτικὰ διδάσκειν τοὺς
συνόντας ἢ σωφρονεῖν. ἐγὼ δὲ πρὸς τοῦτο μὲν οὐκ

object of desire being substituted
for the desire itself. *Cf.* 23. —
χρώμενον: "influenced."—βούλοιτο:
for the opt., see on μέλλοι i. ι. 10.
   **15.** ὁρῶντε, ὄντε: accs. agreeing
with αὐτώ, and having a causal force.
— φῇ: interr. subjunctive. G. 1359;
H. 866, 3 c. To complete the sense,
φῇ τις (*sc.* αὐτὼ ὀρέξασθαι τῆς ὁμιλίας
αὐτοῦ) should be repeated after ἤ. —
εἰ ὁμιλησαίτην, γενέσθαι ἄν: for the
modes in indirect discourse, see
G. 1494, 1495, 1497; H. 932, 2 (2), 946.
—ἱκανωτάτω λέγειν τε καὶ πράττειν:
*very proficient in speech and action.*
The Greeks often used λέγειν καὶ πράτ-
τειν to indicate the theory and prac-
tice of an art or a profession. *Cf.* iv.
2. 6. For the inf. with adjs., see
G. 1526; H. 952.

   **16.** θεοῦ διδόντος: *if God had of-
fered.* The gen. abs. is equivalent
to a past unfulfilled condition. For
the force of the pres. participle, see
G. 1255; H. 825.—ζῶντα: supplemen-
tary participle, to be distinguished
from ζῶντα in 14, which also is a sup-
plementary participle, but in indirect
discourse. G. 1582, 1583, 1588;
H. 982. — ἑλέσθαι ἂν τεθνάναι: in i.
6. 4, Socrates imputes this same dis-
position to Antiphon. Const. ἄν with
ἑλέσθαι. — δῆλω δ᾽ ἐγενέσθην κτλ.:
"their motives became manifest
from their actions." — ἀποπηδή-
σαντε, ἐπραττέτην: *they leaped away,
and were busied in.* Note the
change of tense.

   **17.** σωφρονεῖν: correlative with
τὰ πολιτικά. — πρὸς τοῦτο μὲν οὐκ

90 ἀντιλέγω· πάντας δὲ τοὺς διδάσκοντας ὁρῶ αὐτοὺς
δεικνύντας τε τοῖς μανθάνουσιν, ᾗπερ αὐτοὶ ποιοῦσιν ἃ
διδάσκουσι, καὶ τῷ λόγῳ προσβιβάζοντας. οἶδα δὲ καὶ
Σωκράτην δεικνύντα τοῖς συνοῦσιν ἑαυτὸν καλὸν κἀγαθὸν
ὄντα καὶ διαλεγόμενον κάλλιστα περὶ ἀρετῆς καὶ τῶν
95 ἄλλων ἀνθρωπίνων. οἶδα δὲ κἀκείνω σωφρονοῦντε ἔστε ⒅
Σωκράτει συνήστην, οὐ φοβουμένω μὴ ζημιοῖντο ἢ
παίοιντο ὑπὸ Σωκράτους, ἀλλ᾽ οἰομένω τότε κράτιστον
εἶναι τοῦτο πράττειν.

Ἴσως οὖν εἴποιεν ἂν πολλοὶ τῶν φασκόντων φιλο- 19
100 σοφεῖν, ὅτι οὐκ ἄν ποτε ὁ δίκαιος ἄδικος γένοιτο, οὐδὲ
ὁ σώφρων ὑβριστής, οὐδὲ ἄλλο οὐδὲν ὧν μάθησίς ἐστιν,
ὁ μαθὼν ἀνεπιστήμων ἄν ποτε γένοιτο. ἐγὼ δὲ περὶ
τούτων οὐχ οὕτω γιγνώσκω· ὁρῶ γάρ, ὥσπερ τὰ τοῦ
σώματος ἔργα τοὺς μὴ τὰ σώματα ἀσκοῦντας οὐ δυναμέ-
105 νους ποιεῖν, οὕτω καὶ τὰ τῆς ψυχῆς ἔργα τοὺς μὴ τὴν

ἀντιλέγω κτλ.: "I do not deny that this was the duty of Socrates; but I claim that he actually did lead his friends to virtue through his precepts and example." Xenophon postpones the formal refutation of the charge here suggested to iv. 3. 1 ff., where he shows that Socrates strove to secure for his friends a firm foundation in morals, before advising them to enter public life. — προβιβάζοντας: sc. αὐτοὺς (τοὺς μανθάνοντας) as object. — δεικνύντας, δεικνύντα: for the first, cf. ζῶντα in 16; for the second, cf. ζῶντα in 14. — τῶν ἄλλων ἀνθρωπίνων: not different in meaning from τῶν ἀνθρωπείων in i. 1. 16.

18. κἀκείνω: i.e. Critias and Alcibiades. — συνήστην, ζημιοῖντο: for the change of number, see on 14,

and for the opt. in clauses expressing apprehension, see G. 1378; H. 887. — φοβουμένω: causal.

19. τῶν φασκόντων φιλοσοφεῖν: refers to the Sophists. φάσκων often suggests the idea of alleging, pretending. For the form, see G. 812; H. 481 a. — ἄλλο οὐδέν: best const. as the obj. of the trans. phrase ἀνεπιστήμων γένοιτο. H. 713. Cf. ἐπιστήμονες ἦσαν τὰ προσήκοντα they were acquainted with their duty Cyr. iii. 3. 9. — ὧν: with antec. omitted. G. 1026; H. 996. — ὁ μαθών: he who has once learned it. — γιγνώσκω: think, judge. — ὥσπερ τὰ . . . δυναμένους ποιεῖν: the const. of the subord. clause is attracted to that of the main clause. — ἔργα: obj. of ποιεῖν, to be supplied with δυναμένους.

ψυχὴν ἀσκοῦντας οὐ δυναμένους· οὔτε γὰρ ἃ δεῖ πράτ-
τειν, οὔτε ὧν δεῖ ἀπέχεσθαι δύνανται.   διὸ καὶ τοὺς υἱεῖς 20
οἱ πατέρες, κἂν ὦσι σώφρονες, ὅμως ἀπὸ τῶν πονηρῶν
ἀνθρώπων εἴργουσιν, ὡς τὴν μὲν τῶν χρηστῶν ὁμιλίαν
110 ἄσκησιν οὖσαν τῆς ἀρετῆς, τὴν δὲ τῶν πονηρῶν κατά-
λυσιν.   μαρτυρεῖ δὲ καὶ τῶν ποιητῶν ὅ τε λέγων

"ἐσθλῶν μὲν γὰρ ἀπ' ἐσθλὰ διδάξεαι· ἢν δὲ κακοῖσι
συμμίσγῃς, ἀπολεῖς καὶ τὸν ἐόντα νόον,"

καὶ ὁ λέγων

115   "αὐτὰρ ἀνὴρ ἀγαθὸς τοτὲ μὲν κακός, ἄλλοτε δ' ἐσθλός."

κἀγὼ δὲ μαρτυρῶ τούτοις· ὁρῶ γάρ, ὥσπερ τῶν ἐν μέτρῳ 21
πεποιημένων ἐπῶν τοὺς μὴ μελετῶντας ἐπιλανθανομένους,
οὕτω καὶ τῶν διδασκαλικῶν λόγων τοῖς ἀμελοῦσι λήθην
ἐγγιγνομένην.   ὅταν δὲ τῶν νουθετικῶν λόγων ἐπιλά-
120 θηταί τις, ἐπιλέλησται καὶ ὧν ἡ ψυχὴ πάσχουσα τῆς

**20.** διό [διὰ ὅ]: *for which reason.*
— ὡς ὁμιλίαν οὖσαν: for the acc. abs.,
see on ὡς προσημαίνοντος i. i. 4, and
G. 1570 ; H. 974. — ἐσθλῶν κτλ.:
these verses, forming an elegiac dis-
tich, are from Theognis, a gnomic
poet of Megara, who flourished about
530 B.C., and are Nos. 35 and 36 of
his 1400 extant verses; for which,
see Bergk's *Anthologia Lyrica* and
*Poetae Lyrici Graeci.* The sympa-
thies and tendencies of Theognis were
all aristocratic ; his ἐσθλοί were the
nobles, and his κακοί the common
people : but his sententious wisdom
lent itself readily to quotation, and
his poetry was popular in Attica.
This couplet is quoted by Socrates
(*Sym.* ii. 4) in answer to the question
as to whence καλοκἀγαθία could be
learned ; and again (Plato *Meno* 95 D)
as proof that virtue can be learned.
For the meter, see G. 1670, 1671 ;
H. 1101. — αὐτὰρ ἀνὴρ κτλ.: the au-
thor of this verse is unknown.   It is
quoted by Plato (*Prot.* 344 D) in con-
firmation of the assertion τῷ μὲν γὰρ
ἐσθλῷ ἐγχωρεῖ κακῷ γενέσθαι *for it is
possible for the good man to become a
wicked one.*

**21.** ὥσπερ . . . ἐπιλανθανομένους:
for the attraction, *cf.* 19. — ἐν μέτρῳ
πεποιημένων ἐπῶν: *poetry.* ἐπῶν is obj.
of ἐπιλανθανομένους. — διδασκαλικῶν:
*instructive.*—νουθετικῶν: *admonitory.*
—ἐπιλέλησται κτλ.: *he has forgotten
also the frame of mind in which his
soul once longed for virtue.* — ὧν : *i.e.*

σωφροσύνης ἐπεθύμει· τούτων δ᾽ ἐπιλαθόμενον οὐδὲν
θαυμαστὸν καὶ τῆς σωφροσύνης ἐπιλαθέσθαι. ὁρῶ δὲ 22
καὶ τοὺς εἰς φιλοποσίαν προαχθέντας καὶ τοὺς εἰς ἔρωτας
ἐγκυλισθέντας ἧττον δυναμένους τῶν τε δεόντων ἐπιμε-
125 λεῖσθαι καὶ τῶν μὴ δεόντων ἀπέχεσθαι· πολλοὶ γὰρ καὶ
χρημάτων δυνάμενοι φείδεσθαι πρὶν ἐρᾶν, ἐρασθέντες
οὐκέτι δύνανται· καὶ τὰ χρήματα καταναλώσαντες, ὧν
πρόσθεν ἀπείχοντο κερδῶν αἰσχρὰ νομίζοντες εἶναι, τού-
των οὐκ ἀπέχονται. πῶς οὖν οὐκ ἐνδέχεται σωφρονή- 23
130 σαντα πρόσθεν αὖθις μὴ σωφρονεῖν καὶ δίκαια δυνηθέντα
πράττειν αὖθις ἀδυνατεῖν; πάντα μὲν οὖν ἔμοιγε δοκεῖ
τὰ καλὰ καὶ τὰ ἀγαθὰ ἀσκητὰ εἶναι, οὐχ ἥκιστα δὲ
σωφροσύνη· ἐν τῷ γὰρ αὐτῷ σώματι συμπεφυτευμέναι
τῇ ψυχῇ αἱ ἡδοναὶ πείθουσιν αὐτὴν μὴ σωφρονεῖν, ἀλλὰ
135 τὴν ταχίστην ἑαυταῖς τε καὶ τῷ σώματι χαρίζεσθαι.

Καὶ Κριτίας δὴ καὶ Ἀλκιβιάδης, ἕως μὲν Σωκράτει 24
συνήστην, ἐδυνάσθην, ἐκείνῳ χρωμένω συμμάχῳ, τῶν
μὴ καλῶν ἐπιθυμιῶν κρατεῖν· ἐκείνου δ᾽ ἀπαλλαγέντε,

---

τούτων ἅ, the latter to be closely con-
nected with πάσχουσα. For the case
of the rel., see G. 1032; H. 996 a (2).

22. προαχθέντας: swept away.
παραχθέντας would mean led aside.
— ἔρωτας: concrete, love affairs. —
ἧττον δυναμένους: sc. than they were
before surrendering to these pas-
sions. — κερδῶν: incorporated in the
rel. sentence. G. 1037; H. 995. —
νομίζοντες: causal. — οὐκ: we might
expect οὐκέτι.

23. πῶς οὖν οὐκ ἐνδέχεται: how
then is it not possible? The indic.
strengthens the rhetorical force of
the question. Cf. πῶς οὐκ ἐνόμιζεν i.
1. 5. — ἀσκητὰ εἶναι: to be capable of

attainment by practice. — οὐχ ἥκιστα:
most of all, 'litotes.' Cf. οὐκ ἀφανής
i. 1. 2, οὐ τοὺς χειρίστους i. 2. 32, οὐκ
ὀλίγα iv. 2. 12, οὐδὲν ἧττον iii. 7. 4. —
σωφροσύνη: without the article. So
often abstract nouns, regarded as
simple conceptions, e.g., κάλλος 24,
ἥβην ii. 1. 21, ὥρα ii. 1. 22, ἀρετή iv.
1. 2, σοφία iv. 6. 7. — ἡδοναί: vo-
luptates, the passions. Cf. 14. —
πείθουσιν: tentative present. Cf. δι-
δόντος 16. — τὴν ταχίστην: sc. ὁδόν.
For the adv. acc., see G. 1060;
H. 719. — ἑαυταῖς: to them, i.e. ταῖς
ἡδοναῖς. See on ἑαυτῷ 3.

24. δή: so, then, returning to the
discussion in 12–16. — συμμάχῳ: as

Κριτίας μὲν φυγὼν εἰς Θετταλίαν ἐκεῖ συνῆν ἀνθρώποις
140 ἀνομίᾳ μᾶλλον ἢ δικαιοσύνῃ χρωμένοις, Ἀλκιβιάδης δ'
αὖ διὰ μὲν κάλλος ὑπὸ πολλῶν καὶ σεμνῶν γυναικῶν
θηρώμενος, διὰ δὲ δύναμιν τὴν ἐν τῇ πόλει καὶ τοῖς συμ-
μάχοις ὑπὸ πολλῶν καὶ δυνατῶν [κολακεύειν] ἀνθρώπων
διαθρυπτόμενος, ὑπὸ δὲ τοῦ δήμου τιμώμενος καὶ ῥᾳδίως
145 πρωτεύων, ὥσπερ οἱ τῶν γυμνικῶν ἀγώνων ἀθληταὶ
ῥᾳδίως πρωτεύοντες ἀμελοῦσι τῆς ἀσκήσεως, οὕτω κἀκεῖ-
νος ἠμέλησεν αὐτοῦ. τοιούτων δὲ συμβάντων αὐτοῖν, 25
καὶ ὠγκωμένω μὲν ἐπὶ γένει, ἐπηρμένω δ' ἐπὶ πλούτῳ,
πεφυσημένω δ' ἐπὶ δυνάμει, διατεθρυμμένω δὲ ὑπὸ πολ-
150 λῶν ἀνθρώπων, ἐπὶ δὲ πᾶσι τούτοις [διεφθαρμένω] καὶ
πολὺν χρόνον ἀπὸ Σωκράτους γεγονότε, τί θαυμαστὸν εἰ
ὑπερηφάνω ἐγενέσθην; εἶτα, εἰ μέν τι ἐπλημμελησάτην, 26
τούτου Σωκράτην ὁ κατήγορος αἰτιᾶται; ὅτι δὲ νέω ὄντε
αὐτώ, ἡνίκα καὶ ἀγνωμονεστάτω καὶ ἀκρατεστάτω εἰκὸς
155 εἶναι, Σωκράτης παρέσχε σώφρονε, οὐδενὸς ἐπαίνου δοκεῖ

a helper. — φυγών: in technical sense,
being exiled. In 407 B.C., Critias
was banished from Athens, and
betook himself to the Thessalians,
who had an undesirable reputation
for license and immorality (cf. ἐκεῖ
γὰρ πλείστη ἀταξία καὶ ἀκολασία Plato
Crito 53 D). He did not return till
after the disaster of Aegospotami,
405 B.C.  Cf. Hell. ii. 3. 36; Grote,
Hist. of Greece, c. lxv. — σεμνῶν:
highborn. — θηρώμενος: a common
metaphor. — κολακεύειν: prob. an
interpolation to explain δυνατῶν.
— κἀκεῖνος: renewal of the remote
subj. (Ἀλκιβιάδης) for the sake of
the contrast to ἀθληταί.  Cf. iv.
2. 25.

25. αὐτοῖν: dative. — Notice the
different metaphors employed. ὀγ-
κόω is lit. swell, as of a tumor; ἐπαίρω
lift up, φυσάω puff up, as of a
bladder or bellows; διαθρύπτω break
down, hence enervate; διαφθείρω
corrupt. — ἐπὶ δὲ πᾶσι τούτοις: and
in addition to all this. — τί θαυμαστόν:
why is it surprising? — εἰ ἐγενέσθην:
for the cond. in causal sense, see on
i. 1. 17.

26. ἐπλημμελησάτην: went wrong.
For the cond., see on ἐποιησάτην 13,
and obs. that here there is also a
causal force. — τούτου: for the gen. of
cause, see G. 1126; H. 744. — ἡνίκα:
at an age when. — εἰκός: sc. ἐστί. —
δοκεῖ: sc. ὁ Σωκράτης.

τῷ κατηγόρῳ ἄξιος εἶναι; οὐ μὴν τά γε ἄλλα οὕτω κρίνε-
ται· τίς μὲν γὰρ αὐλητής, τίς δὲ κιθαριστής, τίς δὲ ἄλλος 27
διδάσκαλος ἱκανοὺς ποιήσας τοὺς μαθητάς, ἐὰν πρὸς
ἄλλους ἐλθόντες χείρους φανῶσιν, αἰτίαν ἔχει τούτου; τίς
160 δὲ πατήρ, ἐὰν ὁ παῖς αὐτοῦ συνδιατρίβων τῷ σωφρονῇ,
ὕστερον δὲ ἄλλῳ τῳ συγγενόμενος πονηρὸς γένηται, τὸν
πρόσθεν αἰτιᾶται, ἀλλ' οὐχ ὅσῳ ἂν παρὰ τῷ ὑστέρῳ
χείρων φαίνηται, τοσούτῳ μᾶλλον ἐπαινεῖ τὸν πρότερον;
ἀλλ' οἵ γε πατέρες αὐτοὶ συνόντες τοῖς υἱέσι, τῶν παίδων
165 πλημμελούντων, οὐκ αἰτίαν ἔχουσιν, ἐὰν αὐτοὶ σωφρονῶ-
σιν. οὕτω δὲ καὶ Σωκράτην δίκαιον ἦν κρίνειν· εἰ μὲν 28
αὐτὸς ἐποίει τι φαῦλον, εἰκότως ἂν ἐδόκει πονηρὸς εἶναι·
εἰ δ' αὐτὸς σωφρονῶν διετέλει, πῶς ἂν δικαίως τῆς οὐκ
ἐνούσης αὐτῷ κακίας αἰτίαν ἔχοι;
170 Ἀλλ' εἰ καὶ μηδὲν αὐτὸς πονηρὸν ποιῶν ἐκείνους 29
φαῦλα πράττοντας ὁρῶν ἐπῄνει, δικαίως ἂν ἐπιτιμῷτο.
Κριτίαν μὲν τοίνυν αἰσθανόμενος ἐρῶντα Εὐθυδήμου καὶ
πειρῶντα χρῆσθαι καθάπερ οἱ πρὸς τὰ ἀφροδίσια τῶν

---

27. **οὐ μήν**: neque vero. *Cf.*
i. 2. 5. — **αὐλητής**: *master of the flute.*
— **ἐὰν φανῶσιν**: for the pres. general
supposition, see G. 1393; H. 894. —
**αἰτίαν ἔχει**: *is blamed.* — **τούτου**: as
in 26. — **τὸν πρόσθεν**: for the adv. as
adj., see G. 952; H. 600. — **ἀλλ' οὐχ
ὅσῳ ἄν** κτλ.: "on the contrary, does
he not rather award praise to the
first teacher, just in proportion as
his son seems to have deteriorated
while in the society of the second?"
— **ὅσῳ, τοσούτῳ**: for the dat. of
degree of difference, see G. 1184;
H. 781. — **ἀλλ' οἵ γε πατέρες αὐτοί**:
*nay, the very fathers themselves.* —
**συνόντες**: concessive. — **τῶν παίδων**

**πλημμελούντων**: with conditional
force. — **ἐάν**: *provided.*

28. **εἰ ἐποίει, ἂν ἐδόκει**: see on
ἐδόκει δ' ἄν, εἰ ἐφαίνετο i. 1. 5. — **εἰ
σωφρονῶν διετέλει**: for the supple-
mentary participle with διατελέω, see
G. 1587; H. 981. For the simple
past supposition (assumed as real),
see on ἐποιησάτην 13. The unful-
filled cond. is again returned to in εἰ
ἐπῄνει 29.

29. **Κριτίαν μὲν τοίνυν**: the μέν
(without a correlative δέ, as in i. 1. 1)
introduces the passage closing with 38.
τοίνυν marks the transition from the
previous sentence. — **Εὐθυδήμου**: in
iv. 2. 1, designated as ὁ καλός. —

σωμάτων ἀπολαύοντες, ἀπέτρεπε φάσκων ἀνελεύθερόν τε
175 εἶναι καὶ οὐ πρέπον ἀνδρὶ καλῷ κἀγαθῷ τὸν ἐρώμενον,
ᾧ βούλεται πολλοῦ ἄξιος φαίνεσθαι, προσαιτεῖν ὥσπερ
τοὺς πτωχοὺς ἱκετεύοντα καὶ δεόμενον προσδοῦναι, καὶ
ταῦτα μηδενὸς ἀγαθοῦ. τοῦ δὲ Κριτίου τοῖς τοιούτοις 30
οὐχ ὑπακούοντος οὐδὲ ἀποτρεπομένου, λέγεται τὸν Σωκρά-
180 την, ἄλλων τε πολλῶν παρόντων καὶ τοῦ Εὐθυδήμου,
εἰπεῖν ὅτι ὑϊκὸν αὐτῷ δοκοίη πάσχειν ὁ Κριτίας, ἐπι-
θυμῶν Εὐθυδήμῳ προσκνῆσθαι, ὥσπερ τὰ ὕδια τοῖς
λίθοις. ἐξ ὧν δὴ καὶ ἐμίσει τὸν Σωκράτην ὁ Κριτίας, 31
ὥστε καὶ ὅτε τῶν τριάκοντα ὢν νομοθέτης μετὰ Χαρι-
185 κλέους ἐγένετο, ἀπεμνημόνευσεν αὐτῷ καὶ ἐν τοῖς νόμοις
ἔγραψε λόγων τέχνην μὴ διδάσκειν, ἐπηρεάζων ἐκείνῳ

ἀπέτρεπε : for the impf. of attempted action, see G. 1255 ; H. 832. — ὥσπερ τοὺς πτωχούς: i.e. ὥσπερ οἱ πτωχοὶ προσαιτοῦσι, a form of attraction found also in Latin. Cf. te suspicor iisdem rebus, quibus me ipsum, interdum gravius commoveri Cic. de Am. i. 1. — προσδοῦναι : to grant also, followed by the part. gen. μηδενός. Cf. οὐδεὶς προσδώσει μοι σπλάγχνων Ar. Peace 1111. For the thought, cf. Sym. viii. 22.

30. τοῦ Κριτίου, τὸν Σωκράτην : the arts. in this section seem intended to heighten the contrast between the persons. Thus far in this chap. the proper names have lacked the article.

31. ἐξ ὧν δὴ καὶ ἐμίσει ὁ Κριτίας : as a result of which, accordingly, Critias even hated. This does not contradict what is said in 15 and 47 : Critias had a grudge against Socrates, yet remained with him un-

til he thought he had learned enough from him. — τῶν τριάκοντα : for the pred. gen., see G. 1094, 7 ; H. 732. — νομοθέτης : in the year 404 B.C., the oligarchical party at Athens, backed by the all-powerful Spartan Lysander, succeeded in having a commission of thirty appointed, ostensibly to exercise the ancient function of Nomothetae, or revisers of the laws. Among these, Critias (see on 12), Theramenes, and Charicles were the most prominent. The Thirty soon usurped all the powers of government and inaugurated a reign of terror, which lasted for eight months. For an account of these events, see Grote, Hist. of Greece, c. lxv, and Hell. ii. 3, 4. — ἀπεμνημόνευσεν : here in a hostile sense, he remembered it against him. — λόγων τέχνην : the art of speaking. The law was broad enough to include the conversational utterances of Socrates. —

καὶ οὐκ ἔχων ὅπῃ ἐπιλάβοιτο, ἀλλὰ τὸ κοινῇ τοῖς φιλο-
σόφοις ὑπὸ τῶν πολλῶν ἐπιτιμώμενον ἐπιφέρων αὐτῷ
καὶ διαβάλλων πρὸς τοὺς πολλούς· οὐδὲ γὰρ ἔγωγε οὔτε
190 αὐτὸς τοῦτο πώποτε Σωκράτους ἤκουσα, οὔτ᾽ ἄλλου του
φάσκοντος ἀκηκοέναι ᾐσθόμην. ἐδήλωσε δέ· ἐπεὶ γὰρ 32
οἱ τριάκοντα πολλοὺς μὲν τῶν πολιτῶν καὶ οὐ τοὺς χει-
ρίστους ἀπέκτεινον, πολλοὺς δὲ προετρέποντο ἀδικεῖν,
εἶπέ που ὁ Σωκράτης ὅτι θαυμαστόν οἱ δοκοίη εἶναι εἴ
195 τις γενόμενος βοῶν ἀγέλης νομεὺς καὶ τὰς βοῦς ἐλάττους
τε καὶ χείρους ποιῶν μὴ ὁμολογοίη κακὸς βουκόλος εἶναι,
ἔτι δὲ θαυμαστότερον εἴ τις προστάτης γενόμενος πόλεως
καὶ ποιῶν τοὺς πολίτας ἐλάττους τε καὶ χείρους μὴ
αἰσχύνεται μηδ᾽ οἴεται κακὸς εἶναι προστάτης τῆς πόλεως.

ὅπῃ ἐπιλάβοιτο: *how to reach him.* For
the opt. representing interr. subjv. of
direct discourse, see G. 1490; H. 932,
2. — τὸ κοινῇ . . . ἐπιτιμώμενον: *the
charge commonly brought by the many
against philosophers.* Acc. to *Sym.*
vi. 6; *Oec.* xi. 3; Ar. *Clouds* 100 ff.;
Plato *Apol.* 18 B, this charge was that
philosophers were a race of busy-
bodies, who meddled with things in
'the heaven above, the earth beneath,
and the water under the earth'; and
secondly, that they were jugglers
with words, making the worse ap-
pear the better reason. *Cf.* also τὰ
κατὰ πάντων τῶν φιλοσοφούντων πρό-
χειρα (*commonplaces*) ταῦτα λέγουσιν,
ὅτι τὰ μετέωρα (*celestial phenomena*),
καὶ τὰ ὑπὸ γῆς, καὶ θεοὺς μὴ νομίζειν,
καὶ τὸν ἥττω λόγον κρείττω ποιεῖν
(διδάσκει) Plato *Apol.* 23 D. — γάρ:
explains the preceding διαβάλλων,
"slander must we call it," *for.* —
φάσκοντος: see on 19. For the sup-

plementary participle, see on οὐδεὶς δὲ
πώποτε Σωκράτους i. 1. 11. — ᾐσθόμην:
instead of ἤκουσα, to avoid repetition.

32. ἐδήλωσε: impers., *events
showed*, that the prohibition was
aimed at Socrates. *Cf. Cyr.* vii. 1.
30. — οὐ τοὺς χειρίστους: see on οὐχ
ἥκιστα 23. For the comparison of
the adj., see G. 361, 2; H. 254, 2. —
ἀδικεῖν: *to commit unlawful acts.
Cf.* πολλοῖς πολλὰ προσέταττον βουλό-
μενοι ὡς πλείστους ἀναπλῆσαι (*to in-
volve*) αἰτιῶν Plato *Apol.* 32 C. — εἶπέ
που: *said, I suppose.* Xenophon
vouches for the thoughts, not for
the words. See on i. 1. 1. — οἱ: for
the indir. refl. use of the pron., see
G. 987; H. 685. — βοῶν ἀγέλης νο-
μεύς: a comparison perhaps suggested
by Hom. Β 474–483. *Cf.* iii. 2. 1;
Plato *Gorg.* 516 A, B. — εἰ ὁμολογοίη:
see on ἐθαύμαζε i. 1. 13. — εἰ αἰσχύνε-
ται: above, where an imaginary case
was suggested, the opt. (ὁμολογοίη)

200 ἀπαγγελθέντος δὲ αὐτοῖς τούτου, καλέσαντες ὅ τε Κριτίας 33
καὶ ὁ Χαρικλῆς τὸν Σωκράτην τόν τε νόμον ἐδεικνύτην
αὐτῷ καὶ τοῖς νέοις ἀπειπέτην μὴ διαλέγεσθαι.  ὁ δὲ
Σωκράτης ἐπήρετο αὐτὼ εἰ ἐξείη πυνθάνεσθαι, εἴ τι
ἀγνοοῖτο τῶν προαγορευομένων.  τὼ δ᾽ ἐφάτην.  "Ἐγὼ 34
205 τοίνυν," ἔφη, "παρεσκεύασμαι μὲν πείθεσθαι τοῖς νόμοις·
ὅπως δὲ μὴ δι᾽ ἄγνοιαν λάθω τι παρανομήσας, τοῦτο
βούλομαι σαφῶς μαθεῖν παρ᾽ ὑμῶν, πότερον τὴν τῶν
λόγων τέχνην σὺν τοῖς ὀρθῶς λεγομένοις εἶναι νομίζον-
τες ἢ σὺν τοῖς μὴ ὀρθῶς ἀπέχεσθαι κελεύετε αὐτῆς·  εἰ
210 μὲν γὰρ σὺν τοῖς ὀρθῶς, δῆλον ὅτι ἀφεκτέον ἂν εἴη τοῦ
ὀρθῶς λέγειν·  εἰ δὲ σὺν τοῖς μὴ ὀρθῶς, δῆλον ὅτι πει-
ρατέον ὀρθῶς λέγειν."  καὶ ὁ Χαρικλῆς ὀργισθεὶς αὐτῷ, 35
"Ἐπειδή," ἔφη, "ὦ Σώκρατες, ἀγνοεῖς, τάδε σοι εὐμαθέ-
στερα ὄντα προαγορεύομεν, τοῖς νέοις ὅλως μὴ διαλέγε-
215 σθαι."  καὶ ὁ Σωκράτης, "Ἵνα τοίνυν," ἔφη, "μὴ
ἀμφίβολον ᾖ [ὡς ἄλλο τι ποιῶ ἢ τὰ προηγορευμένα],

was used; here, to mark the actual fact, the indic. of direct discourse is retained.  *Cf.* ii. 6. 4.

**33. καλέσαντες, ἐδεικνύτην**: for the change in number, see on 14. — **τὸν νόμον**: *sc. τὴν λόγων τέχνην μὴ διδάσκειν.* — **μή**: for the neg. particle with verbs of forbidding, see G. 1615; H. 1029. — **εἰ ἐξείη**: indir. question. — **εἰ ἀγνοοῖτο**: *in case he failed to understand.* — **τῶν προαγορευομένων**: "the published injunctions." — **τὼ δ᾽ ἐφάτην**: *and they said yes.*  For the dem. use of the art., see G. 983; H. 654 e; and for φημί as an affirmative answer, *cf.* the trial-scene of Orontas, *An.* i. 6.

**34. λάθω παρανομήσας**: for the supplementary participle with λαν-

θάνω, see G. 1586; H. 984. — **τὴν τῶν λόγων τέχνην**: *cf.* 31. From this definite reference, it would seem that Socrates knew very well what was meant by the prohibition τοῖς νέοις μὴ διαλέγεσθαι. — **σὺν τοῖς ὀρθῶς λεγομένοις εἶναι**: *to be associated with right teachings.* — **μὴ ὀρθῶς**: *sc. λεγομένοις.*  For μή with the participle, see on i. 1. 9. — **ἀφεκτέον**: for the impers. use of the verbal in -τέος, see on i. 1. 14.

**35. τάδε εὐμαθέστερα ὄντα**: "these orders in more intelligible terms." — **ὅλως μὴ διαλέγεσθαι**: well illustrates the arrogance of arbitrary power. — **ἵνα μὴ ἀμφίβολον ᾖ**: "that there may be no question," lit. *that it may not be doubtful.* — **ὡς . . . προηγορευμένα**: "as to the question

ὁρίσατέ μοι, μέχρι πόσων ἐτῶν δεῖ νομίζειν νέους εἶναι
τοὺς ἀνθρώπους." καὶ ὁ Χαρικλῆς, "Ὅσουπερ," εἶπε,
"χρόνου βουλεύειν οὐκ ἔξεστιν, ὡς οὔπω φρονίμοις οὖσι·
220 μηδὲ σὺ διαλέγου νεωτέροις τριάκοντα ἐτῶν." "Μηδ' 36
ἐάν τι ὠνῶμαι," ἔφη, "ἢν πωλῇ νεώτερος τριάκοντα ἐτῶν,
ἔρωμαι ὁπόσου πωλεῖ;" "Ναὶ τά γε τοιαῦτα," ἔφη ὁ Χαρι-
κλῆς· "ἀλλά τοι σύ γε, ὦ Σώκρατες, εἴωθας εἰδώς, πῶς
ἔχει, τὰ πλεῖστα ἐρωτᾶν· ταῦτα οὖν μὴ ἐρώτα." "Μηδ'
225 ἀποκρίνωμαι οὖν," ἔφη, "ἄν τίς με ἐρωτᾷ νέος ἐὰν εἰδῶ,
οἷον ποῦ οἰκεῖ Χαρικλῆς ἢ ποῦ ἐστι Κριτίας;" "Ναὶ τά
γε τοιαῦτα," ἔφη ὁ Χαρικλῆς. ὁ δὲ Κριτίας· "Ἀλλὰ 37
τῶνδέ τοί σε ἀπέχεσθαι," ἔφη, "δεήσει, ὦ Σώκρατες, τῶν
σκυτέων καὶ τῶν τεκτόνων καὶ τῶν χαλκέων· καὶ γὰρ οἶμαι
230 αὐτοὺς ἤδη κατατετρῖφθαι διαθρυλουμένους ὑπὸ σοῦ."

whether I am acting in violation of
the injunctions."—ὁρίσατε : define.
—μέχρι πόσων ἐτῶν : until what age.
For πόσων, see on τίσι i. 1. 1. — νέους :
predicate. — ὅσουπερ χρόνου : for just
as long a period. — βουλεύειν : see on
βουλεύσας i. 1. 18. — ὡς οὔπω φρονί-
μοις οὖσιν : as not yet having arrived
at years of discretion. For the parti-
ciple, see on i. 1. 4. All members
of the βουλή must be at least thirty
years of age. See Gardner and
Jevons, Manual of Greek Antiq.,
c. ix.

36. ἐὰν ὠνῶμαι, ἢν πωλῇ : if I
wish to purchase, if he offer to sell.
The pres. implies desired action.
See on διδόντος 16. For the variant
forms of the conj., see on i. 2. 2.—
μηδ' ἔρωμαι : for the interr. subjv.,
see G. 1358; H. 866, 3 ; and, for
μηδέ with the interr. subjv. expect-
ing an affirmative answer, GMT. 293.

Cf. μὴ ἀποκρίνωμαι, ἀλλ' ἕτερον εἴπω
Plato Rep. 337 B. — εἰδώς : conces-
sive. — πῶς ἔχει : "the facts of the
case."—τὰ πλεῖστα : cognate accusa-
tive. — ἐάν : provided that, intro-
duces a second and subord. protasis.
GMT. 510. — οἷον : for example. Cf.
i. 1. 9.

37. ἀπέχεσθαι δεήσει : it will be
necessary to keep away from, with
sarcastic formality. — σκυτέων, τεκτό-
νων, χαλκέων : Socrates, like a greater
Teacher, sought his illustrations in
the familiar and homely things of
daily life, and especially in the handi-
crafts. Cf. iv. 2. 6, 4. 5 ; also, ἀτέ-
χνως (actually) γε ἀεὶ σκυτέας τε καὶ
κναφέας (fullers) καὶ μαγείρους (cooks)
λέγων καὶ ἰατροὺς οὐδὲν παύει, ὡς περὶ
τούτων ἡμῖν ὄντα τὸν λόγον Plato Gorg.
491 A. — καὶ γὰρ οἶμαι . . . ὑπὸ σοῦ :
for I think that they have become
worn out, being constantly talked of

"Οὐκοῦν," ἔφη ὁ Σωκράτης, "καὶ τῶν ἑπομένων τούτοις,
τοῦ τε δικαίου καὶ τοῦ ὁσίου καὶ τῶν ἄλλων τῶν τοιούτων ;"
"Ναὶ μὰ Δί'," ἔφη ὁ Χαρικλῆς, "καὶ τῶν βουκόλων γε·
εἰ δὲ μή, φυλάττου ὅπως μὴ καὶ σὺ ἐλάττους τὰς βοῦς
235 ποιήσῃς." ἔνθα καὶ δῆλον ἐγένετο ὅτι, ἀπαγγελθέντος 38
αὐτοῖς τοῦ περὶ τῶν βοῶν λόγου, ὠργίζοντο τῷ Σωκράτει.
Οἷα μὲν οὖν ἡ συνουσία ἐγεγόνει Κριτίᾳ πρὸς Σωκρά- 39
την καὶ ὡς εἶχον πρὸς ἀλλήλους, εἴρηται. φαίην δ' ἂν
ἔγωγε μηδενὶ μηδεμίαν εἶναι παίδευσιν παρὰ τοῦ μὴ
240 ἀρέσκοντος. Κριτίας δὲ καὶ Ἀλκιβιάδης οὐκ ἀρέσκοντος
αὐτοῖς Σωκράτους ὡμιλησάτην ὃν χρόνον ὡμιλείτην αὐτῷ,
ἀλλ' εὐθὺς ἐξ ἀρχῆς ὡρμηκότε προεστάναι τῆς πόλεως·
ἔτι γὰρ Σωκράτει συνόντες οὐκ ἄλλοις τισὶ μᾶλλον ἐπε-
χείρουν διαλέγεσθαι ἢ τοῖς μάλιστα πράττουσι τὰ πολι-
245 τικά. λέγεται γὰρ Ἀλκιβιάδην, πρὶν εἴκοσιν ἐτῶν εἶναι, 40
Περικλεῖ, ἐπιτρόπῳ μὲν ὄντι ἑαυτοῦ, προστάτῃ δὲ τῆς

*by you.* — τῶν ἑπομένων τούτοις : *the
subjects which are connected with these,*
sc. in our conversations. τῶν ἑπομέ-
νων is explained by the following ap-
positives τοῦ δικαίου etc. — καὶ τῶν
βουκόλων γε : This allusion by Chari-
cles to the words of Socrates in 32
completes the list of prohibited topics;
and completes, also, the evidence
introduced in 32 by ἐδήλωσε δέ. —
ὅπως μὴ ποιήσῃς κτλ.: A thinly dis-
guised threat ; for the failure of such
attempts to coerce Socrates, *cf.* the
incident related in Plato *Apol.*
32 c, D.

39. οἷα μὲν οὖν: closes what was
begun in 13. Both there and here
the relation between Socrates and
the two young men is called συνουσία.
A παίδευσις is denied in the following

sentence. — μηδενὶ μηδεμίαν : for μή
and its compounds with the inf. of
indirect discourse, instead of οὐ, see
GMT. 685, and Gildersleeve, *Am.
Jour. Philol.*, i. p. 51. — οὐκ : belongs
grammatically to ὡμιλησάτην, but
practically denies ἀρέσκοντος as a mo-
tive for the action of Critias and
Alcibiades, and contrasts it with the
real motive ὡρμηκότε. — ὡμιλησάτην,
ὡμιλείτην: note the significant change
of tense. — ἀλλ' εὐθὺς ἐξ ἀρχῆς ὡρμη-
κότε : *but because from the very begin-
ning they had set out.*

40. πρὶν εἴκοσιν ἐτῶν εἶναι : viz.
before 430 B.C. ; for Alcibiades was
born about 450 B.C. For the inf. with
temporal particles, see G. 1469 ff. ;
H. 955 ; and, for the pred. gen. cf
measure, C. 1094, 5 ; H. 732. —

πόλεως, τοιάδε διαλεχθῆναι περὶ νόμων. "Εἰπέ μοι," 41
φάναι, "ὦ Περίκλεις, ἔχοις ἄν με διδάξαι τί ἐστι νόμος ;"
"Πάντως δήπου," φάναι τὸν Περικλέα. "Δίδαξον δὴ πρὸς
250 τῶν θεῶν," φάναι τὸν Ἀλκιβιάδην· "ὡς ἐγὼ ἀκούων
τινῶν ἐπαινουμένων ὅτι νόμιμοι ἄνδρες εἰσίν, οἶμαι μὴ ἂν
δικαίως τούτου τυχεῖν τοῦ ἐπαίνου τὸν μὴ εἰδότα τί ἐστι
νόμος." "Ἀλλ' οὐδέν τι χαλεποῦ πράγματος ἐπιθυμεῖς, 42
ὦ Ἀλκιβιάδη," φάναι τὸν Περικλέα, "βουλόμενος γνῶναι
255 τί ἐστι νόμος· πάντες γὰρ οὗτοι νόμοι εἰσὶν οὓς τὸ
πλῆθος συνελθὸν καὶ δοκιμάσαν ἔγραψε, φράζον ἅ τε δεῖ
ποιεῖν καὶ ἃ μή." "Πότερον δὲ τἀγαθὰ νομίσαν δεῖν
ποιεῖν, ἢ τὰ κακά ;" "Τἀγαθά, νὴ Δία," φάναι, "ὦ μει-
ράκιον, τὰ δὲ κακὰ οὔ." "Ἐὰν δὲ μὴ τὸ πλῆθος, ἀλλ' 43
260 ὥσπερ ὅπου ὀλιγαρχία ἐστίν, ὀλίγοι συνελθόντες γράψω-
σιν ὅ τι χρὴ ποιεῖν, ταῦτα τί ἐστι ;" "Πάντα," φάναι,
"ὅσα ἂν τὸ κρατοῦν τῆς πόλεως βουλευσάμενον ἃ χρὴ
ποιεῖν γράψῃ, νόμος καλεῖται." "Καὶ ἂν τύραννος οὖν
κρατῶν τῆς πόλεως γράψῃ τοῖς πολίταις ἃ χρὴ ποιεῖν,

---

**τοιάδε διαλεχθῆναι :** *had some such
conversation as this,* a good example
of how the younger friends of Socra-
tes imitated their master in ἐξετάζειν.
Cf. καὶ αὐτοί (οἱ νέοι μοι ἐπακολουθοῦν-
τες) πολλάκις ἐμὲ μιμοῦνται, εἶτα ἐπιχει-
ροῦσιν ἄλλους ἐξετάζειν Plato *Apol.* 23 c.

41. **εἰπέ :** for the accent, see
G. 131, 2 ; H. 387 b. — **Περίκλεις :**
for the decl. of proper nouns in -κλέης,
see G. 231 ; H. 194. — **ἔχοις ἄν :** po-
tential opt. of courteous inquiry. —
**μέ :** for double acc. with verbs of
teaching, see G. 1069 ; H. 724. — **τί
ἐστι νόμος :** for a short definition of
νόμος, cf. iv. 4. 13. — **τινῶν ἐπαινουμέ-
νων :** for the supplementary participle

with verbs of perception, see on i. 1.
11. — **οἶμαι μὴ τυχεῖν :** see on μηδενί
39, and on i. 1. 20.

42. **οὐδέν τι :** *not at all,* adv. acc.
with χαλεποῦ. See on τὴν ταχίστην
23. — **τὸ πλῆθος :** *the people,* plebs.
The orators often used the phrase τὸ
ὑμέτερον πλῆθος, referring to the de-
mocracy at Athens. — **ἔγραψε :** *enacts.*
— **φράζον :** *stating.* — **νομίσαν :** sc. τὸ
πλῆθος ἔγραψε. — **ὦ μειράκιον :** *my
lad.*

43. **ὥσπερ ὅπου :** *as is the case
where.* — **τὸ κρατοῦν τῆς πόλεως :** 'the
powers that be' in the state. For
the subst. use of the participle, see
G. 1560 ; H. 966. — **τύραννος :** with

265 καὶ ταῦτα νόμος ἐστί;" "Καὶ ὅσα τύραννος ἄρχων,"
φάναι, "γράφει, καὶ ταῦτα νόμος καλεῖται." "Βία δέ," 44
φάναι, "καὶ ἀνομία τί ἐστιν, ὦ Περίκλεις; ἆρ' οὐχ ὅταν
ὁ κρείττων τὸν ἥττω μὴ πείσας, ἀλλὰ βιασάμενος ἀναγ-
κάσῃ ποιεῖν ὅ τι ἂν αὐτῷ δοκῇ;" "Ἔμοιγε δοκεῖ,"
270 φάναι τὸν Περικλέα. "Καὶ ὅσα ἄρα τύραννος μὴ πείσας
τοὺς πολίτας ἀναγκάζει ποιεῖν γράφων, ἀνομία ἐστί;"
"Δοκεῖ μοι," φάναι τὸν Περικλέα· "ἀνατίθεμαι γὰρ τὸ ὅσα
τύραννος μὴ πείσας γράφει, νόμον εἶναι." "Ὅσα δὲ οἱ 45
ὀλίγοι τοὺς πολλοὺς μὴ πείσαντες, ἀλλὰ κρατοῦντες γρά-
275 φουσι, πότερον βίαν φῶμεν εἶναι, ἢ μὴ φῶμεν;" "Πάντα
μοι δοκεῖ," φάναι τὸν Περικλέα, "ὅσα τις μὴ πείσας
ἀναγκάζει τινὰ ποιεῖν, εἴτε γράφων εἴτε μή, βία μᾶλλον
ἢ νόμος εἶναι." "Καὶ ὅσα ἄρα τὸ πᾶν πλῆθος κρατοῦν
τῶν τὰ χρήματα ἐχόντων γράφει μὴ πεῖσαν, βία μᾶλλον ἢ

no implied reproach as in Eng.
'tyrant.' The word is one of many
which have degenerated. *Cf.*, and
trace to their origin, our *villain*,
*knave*, and *varlet*. — γράφει: ind.,
being an accepted particular case of
the previous general supposition.

**44.** ἆρ' οὐ: sc. βία ἐστί. — πείσας:
participle of means. — βιασάμενος: a
rigid definition of βία would exclude
βιασάμενος here, as containing in it-
self the idea to be defined. Yet, as
ἀνομία also was to be defined, the
participle contrasted with πείσας may
be admitted, as suggesting some of
the elements of ἀνομία. — ἀνατίθεμαι:
*I retract*, lit. *put back*, a term bor-
rowed from games like checkers, in
which the player 'takes back' the
pieces moved (ἀνατιθέναι πεττούς).
The mid. voice is significant. — μὴ

πείσας: these words were not uttered
in 43 (καὶ ὅσα τύραννος γράφει), but
they are inserted here, as having
been easily understood in the words
of Pericles, and as having actually
been used by Alcibiades.

**45.** μὴ φῶμεν: see on ἔρωμαι 36.
— βία: nom. after εἶναι, as πάντα is
subj. of δοκεῖ as well as of the infini-
tive. See G. 927; H. 940. — τὸ πᾶν
πλῆθος: *the collective people.* — ἄρα:
sc. "according to your view." — ἂν
εἴη: for the 'mixed' const., see G. 1421,
1, 1437; H. 901 b, 918. — ἢ νόμος: a
positive answer to the question τί ἐστι
νόμος (41) is, after all, not given.
Xenophon is only trying to show what
subjects Alcibiades liked to discuss,
and how well he had learned from
Socrates the art of 'cornering' an
adversary.

280 νόμος ἂν εἴη;" "Μάλα τοι," φάναι τὸν Περικλέα, "ὦ 46
Ἀλκιβιάδη, καὶ ἡμεῖς, τηλικοῦτοι ὄντες, δεινοὶ τὰ τοιαῦτα
ἦμεν· τοιαῦτα γὰρ καὶ ἐμελετῶμεν καὶ ἐσοφιζόμεθα, οἷά-
περ καὶ σὺ νῦν ἐμοὶ δοκεῖς μελετᾶν." τὸν δὲ Ἀλκιβιάδην
φάναι· "Εἴθε σοι, ὦ Περίκλεις, τότε συνεγενόμην, ὅτε
285 δεινότατος σαυτοῦ [ταῦτα] ἦσθα."

Ἐπεὶ τοίνυν τάχιστα τῶν πολιτευομένων ὑπέλαβον 47
κρείττονες εἶναι, Σωκράτει μὲν οὐκέτι προσῄεσαν· οὔτε γὰρ
αὐτοῖς ἄλλως ἤρεσκεν, εἴ τε προσέλθοιεν, ὑπὲρ ὧν ἡμάρ-
τανον ἐλεγχόμενοι ἤχθοντο· τὰ δὲ τῆς πόλεως ἔπραττον,
290 ὧνπερ ἕνεκεν καὶ Σωκράτει προσῆλθον.   ἀλλὰ Κρίτων τε 48
Σωκράτους ἦν ὁμιλητὴς καὶ Χαιρεφῶν καὶ Χαιρεκράτης
καὶ Ἑρμογένης καὶ Σιμμίας καὶ Κέβης καὶ Φαιδώνδας καὶ
ἄλλοι, οἳ ἐκείνῳ συνῆσαν οὐχ ἵνα δημηγορικοὶ ἢ δικανικοὶ
γένοιντο, ἀλλ' ἵνα, καλοί τε κἀγαθοὶ γενόμενοι, καὶ οἴκῳ
295 καὶ οἰκέταις καὶ οἰκείοις καὶ φίλοις καὶ πόλει καὶ πολί-
ταις δύναιντο καλῶς χρῆσθαι· καὶ τούτων οὐδείς, οὔτε

46. **μάλα τοι** : connect with δεινοί.
— **καὶ ἡμεῖς**: for the pl. of 'modest
assertion,' see H. 637.  Pericles speaks
with a touch of ironical humor, as
the next words show. — **δεινοὶ τὰ
τοιαῦτα** : *strong at such things* (the
arts of debate). — **ἐσοφιζόμεθα** : *we
used to discuss*. — **συνεγενόμην** : for
the indic. in expressions of wishing,
see G. 1511; H. 871. — **δεινότατος σαυ-
τοῦ** : "at the height of your powers."
Pericles is compared with himself at
different periods of his life.  The gen.
is partitive.  G. 1088 (last example);
H. 729 e.

47. **ἐπεὶ τάχιστα** : *as soon as*. —
**οὔτε, τέ** : n e c, et. — **ἄλλως**, *for other
reasons*, than the one to be men-
tioned. — **προσέλθοιεν**: for the opt. in

past general suppositions, see G.
1393, 2 ; H. 894, 2. — **ὑπὲρ ὧν**: for the
assimilation, see on ὧν 21. — **ὧνπερ
ἕνεκεν καί** : *for which very reason also*.

48. **Κρίτων . . . Φαιδώνδας** : for
Crito, see ii. 9. 1 ff. ; for Chaerephon,
Ar. *Clouds* 104 ; Plato *Apol.* 20 ε, 21,
and ii. 3, *q.v.* also for Chaerecra-
tes.  Cebes and Simmias left their
native Thebes to become compan-
ions of Socrates.  *Cf.* iii. 11. 17 and
Plato *Phaedo* 59 c.  Phaedondas also
was a Theban.  For Hermogenes, see
on ii. 10. 3 ; iv. 8. 4. — **δημηγορικοὶ
ἢ δικανικοί**: *public or forensic ora-
tors*. — **οὐδείς, οὔτε, οὔτε** : for the
strengthened negation expressed by
a series of compound negs. following
a neg., see G. 1619; H. 1030. —

νεώτερος οὔτε πρεσβύτερος ὤν, οὔτ᾽ ἐποίησε κακὸν οὐδὲν
οὔτ᾽ αἰτίαν ἔσχεν.

"᾽Αλλὰ Σωκράτης γ᾽," ἔφη ὁ κατήγορος, "τοὺς πατέρας 49
300 προπηλακίζειν ἐδίδασκε, πείθων μὲν τοὺς συνόντας αὑτῷ
σοφωτέρους ποιεῖν τῶν πατέρων, φάσκων δὲ κατὰ νόμον
ἐξεῖναι παρανοίας ἑλόντι καὶ τὸν πατέρα δῆσαι, τεκμηρίῳ
τούτῳ χρώμενος, ὡς τὸν ἀμαθέστερον ὑπὸ τοῦ σοφωτέρου
νόμιμον εἴη δεδέσθαι." Σωκράτης δὲ τὸν μὲν ἀμαθίας 50
305 ἕνεκα δεσμεύοντα δικαίως ἂν καὶ αὐτὸν ᾤετο δεδέσθαι ὑπὸ
τῶν ἐπισταμένων ἃ μὴ αὐτὸς ἐπίσταται· καὶ τῶν τοιού-
των ἕνεκα πολλάκις ἐσκόπει τί διαφέρει μανίας ἀμαθία·
καὶ τοὺς μὲν μαινομένους ᾤετο συμφερόντως ἂν δεδέσθαι
καὶ ἑαυτοῖς καὶ τοῖς φίλοις, τοὺς δὲ μὴ ἐπισταμένους τὰ

αἰτίαν ἔσχεν : *incurred reproach.* See
on αἰτίαν ἔχει 27.

**49–55.** *Socrates had no desire to
disturb the relations of children with
parents, or of kindred to one another.
But he recognized how external and
material these relations remain in the
case of many; while in other affairs
little value is assigned to the material
unless inspired by a soul: and he set
himself, accordingly, to give to the
relations of kinsfolk a moral content
and a firmer basis, by the aid of
mutual forbearance and assistance.*

**49. κατήγορος** : see on 9. — **προ-
πηλακίζειν ἐδίδασκε** : in Ar. *Clouds*
1321 ff., Phidippides strikes his
father, and argues that he has the
right to do so. — **αὑτῷ** : for the use
of αὑτός in its oblique cases as a refl.
pron., see G. 992; H. 684 a. *Cf.*
τοὺς ὁμιλοῦντας αὑτῷ iv. 7. 1. — **τῆς
παρανοίας ἑλόντι** : *if one convicted
(his father) of dementia.* For the

gen., see G. 1121; H. 745. The
reference is to the legally author-
ized complaint παρανοίας, as it was
brought, *e.g.*, against Sophocles by
his sons. *Cf.* οἴμοι, τί δράσω παρα-
φρονοῦντος τοῦ πατρός; | πότερον παρα-
νοίας αὐτὸν εἰσαγαγὼν ἕλω, | ἢ τοῖς
σοροπηγοῖς τὴν μανίαν αὐτοῦ φράσω;
(*or inform the coffin-makers of his
insanity*) Ar. *Clouds* 844 ff. The
accuser charged Socrates with using
the existence of this law as an
argument that the ignorant could
always be legally imprisoned by the
more learned. — **καὶ τὸν πατέρα** :
*even his father.* — **τεκμηρίῳ** : *as an
indication*, pred. appos. with τούτῳ.
G. 916; H. 777 a.

**50. δεσμεύοντα** : *sc.* ἄλλον τινά. —
**ἂν αὐτὸν δεδέσθαι** : *would himself be
kept in prison.* — **τί διαφέρει μανίας
ἀμαθία** : discussed in iii. 9. 6. —
**ἑαυτοῖς, φίλοις** : depend on συμφερόν-
τως. G. 1174; H. 767.

310 δέοντα δικαίως ἂν μανθάνειν παρὰ τῶν ἐπισταμένων.
"'Αλλὰ Σωκράτης γε," ἔφη ὁ κατήγορος, " οὐ μόνον τοὺς 51
πατέρας ἀλλὰ καὶ τοὺς ἄλλους συγγενεῖς ἐποίει ἐν ἀτιμίᾳ
εἶναι παρὰ τοῖς ἑαυτῷ συνοῦσι, λέγων ὡς οὔτε τοὺς κάμνον-
τας οὔτε τοὺς δικαζομένους οἱ συγγενεῖς ὠφελοῦσιν, ἀλλὰ
315 τοὺς μὲν οἱ ἰατροί, τοὺς δὲ οἱ συνδικεῖν ἐπιστάμενοι."
ἔφη δὲ καὶ περὶ τῶν φίλων αὐτὸν λέγειν ὡς οὐδὲν ὄφελος 52
εὔνους εἶναι, εἰ μὴ καὶ ὠφελεῖν δυνήσονται· μόνους δὲ
φάσκειν αὐτὸν ἀξίους εἶναι τιμῆς τοὺς εἰδότας τὰ δέοντα καὶ
ἑρμηνεῦσαι δυναμένους· ἀναπείθοντα οὖν τοὺς νέους αὐτὸν
320 ὡς αὐτὸς εἴη σοφώτατός τε καὶ ἄλλους ἱκανώτατος ποιῆσαι
σοφούς, οὕτω διατιθέναι τοὺς ἑαυτῷ συνόντας ὥστε μηδα-
μοῦ παρ' αὐτοῖς τοὺς ἄλλους εἶναι πρὸς ἑαυτόν.    ἐγὼ 53
δ' αὐτὸν οἶδα μὲν καὶ περὶ πατέρων τε καὶ τῶν ἄλλων
συγγενῶν καὶ περὶ φίλων ταῦτα λέγοντα· καὶ πρὸς τούτοις
325 γε δή, ὅτι τῆς ψυχῆς ἐξελθούσης, ἐν ᾗ μόνῃ γίγνεται
φρόνησις, τὸ σῶμα τοῦ οἰκειοτάτου ἀνθρώπου τὴν ταχίστην

---

**51. παρά**: *in the opinion of.* — ὡς οὔτε τοὺς κάμνοντας κτλ. : the Eng. idiom is best attained by preserving the Greek order of words and translating ὠφελοῦσιν as passive. — οἱ συνδικεῖν ἐπιστάμενοι : "their legal advisers."

**52.** ὡς ὄφελος : *sc.* ἐστί. — εἰ μὴ δυνήσονται : *unless they are going to be able.* For the ind. in fut. cond. of the 'more vivid' form, see G. 1387; H. 899. — ἑρμηνεῦσαι : *cf.* Thuc. ii. 60, where Pericles says οὐδενὸς οἴομαι ἥσσων εἶναι γνῶναί τε τὰ δέοντα καὶ ἑρμηνεῦσαι *I think I am inferior to none in both seeing and explaining what ought to be done.* — ἀναπείθοντα : *by persuading.* — διατιθέναι : *disposed.* Cf. διατιθείς

An. i. 1. 5. — μηδαμοῦ : *of no account.* Cf. Plato Gorg. 456 c. — πρὸς ἑαυτόν : *in comparison with him.*

**53.** οἶδα μέν : not correlative to ἔλεγε δέ of the next section. Rather in both sections is the assumption of the accuser admitted, and even reinforced by other assertions of Socrates which stand in close connection with it. This admission is introduced by οἶδα μέν, the implied contrast being anticipated from 55, viz., that the accuser wholly misconceived the meaning of the assertions cited. For μέν, see on i. 1. 1. — λέγοντα : for the supplementary participle, see on i. 2. 14. — καί, γέ : *nay, even.* — ὅτι ἀφανίζουσιν : depends on λέγοντα. — τοῦ οἰκειοτάτου ἀνθρώπου: *their nearest*

ἐξενέγκαντες ἀφανίζουσιν. ἔλεγε δὲ ὅτι καὶ ζῶν ἕκαστος 54
ἑαυτοῦ, ὃ πάντων μάλιστα φιλεῖ, τοῦ σώματος ὅ τι ἂν
ἀχρεῖον ᾖ καὶ ἀνωφελές, αὐτός τε ἀφαιρεῖ καὶ ἄλλῳ
330 παρέχει· αὐτοί τέ γε αὐτῶν ὄνυχάς τε καὶ τρίχας καὶ
τύλους ἀφαιροῦσι, καὶ τοῖς ἰατροῖς παρέχουσι μετὰ πόνων
τε καὶ ἀλγηδόνων καὶ ἀποτέμνειν καὶ ἀποκαίειν, καὶ
τούτου χάριν οἴονται δεῖν αὐτοῖς καὶ μισθὸν τίνειν· καὶ
τὸ σίαλον ἐκ τοῦ στόματος ἀποπτύουσιν ὡς δύνανται
335 πορρωτάτω, διότι ὠφελεῖ μὲν οὐδὲν αὐτοὺς ἐνόν, βλάπτει
δὲ πολὺ μᾶλλον. ταῦτ' οὖν ἔλεγεν οὐ τὸν μὲν πατέρα 55
ζῶντα κατορύττειν διδάσκων, ἑαυτὸν δὲ κατατέμνειν, ἀλλ'
ἐπιδεικνύων ὅτι τὸ ἄφρον ἄτιμόν ἐστι, παρεκάλει ἐπι-
μελεῖσθαι τοῦ ὡς φρονιμώτατον εἶναι καὶ ὠφελιμώτατον,
340 ὅπως, ἐάν τε ὑπὸ πατρὸς ἐάν τε ὑπὸ ἀδελφοῦ ἐάν τε ὑπὸ
ἄλλου τινὸς βούληται τιμᾶσθαι, μὴ τῷ οἰκεῖος εἶναι
πιστεύων ἀμελῇ, ἀλλὰ πειρᾶται, ὑφ' ὧν ἂν βούληται
τιμᾶσθαι, τούτοις ὠφέλιμος εἶναι.

kinsman. — ἀφανίζουσιν: a term freq. used for burial. *Cf.* Soph. *Ant.* 255.

**54. ἕκαστος ἑαυτοῦ** κτλ. : const. ἕκαστος ὅ τι ἂν τοῦ σώματος (ὃ ἑαυτοῦ πάντων μάλιστα φιλεῖ *which of all things belonging to himself he most loves*) ἀχρεῖον ᾖ καὶ ἀνωφελές, αὐτός τε ἀφαιρεῖ κτλ. — **παρέχει**: *permits*, sc. ἀφαιρεῖν. — **αὐτοί τέ γε αὐτῶν ἀφαιροῦσι**: *men both themselves rid themselves of.* — **καὶ τοῖς ἰατροῖς . . . ἀποκαίειν**: naturally refers only to τύλους. — **χάριν**: for the adv. acc., see on i. 2. 23. — **τίνειν**: in this sense, ἀποτίνειν or τελεῖν is more common. — **ἐνόν**: sc. τῷ σώματι.

**55. ἐπιδεικνύων**: not correlative with διδάσκων, but belonging as a circumstantial participle of manner

to παρεκάλει. — **τοῦ εἶναι**: for the articular inf., see on i. 1. 12. — **τῷ οἰκεῖος εἶναι πιστεύων**: *relying on his being a relation.* For the nom., see on βία i. 2. 45. — **ἀμελῇ**: for the subjv. in final clauses, see G. 1365 ; H. 881.

**56–64.** *The charge that Socrates spread immoral and pernicious doctrines by perverting passages from the poets is refuted by citing two quotations on which Socrates put a quite different interpretation from that imputed to him by the accuser: and is also sufficiently disproved by his blameless, unselfish, and patriotic life. To sum up, this man of pure character, this promoter of all that was good, deserved from the state, not death, but the highest honor.*

Ἔφη δ᾽ αὐτὸν ὁ κατήγορος καὶ τῶν ἐνδοξοτάτων 56
345 ποιητῶν ἐκλεγόμενον τὰ πονηρότατα καὶ τούτοις μαρτυ-
ρίοις χρώμενον διδάσκειν τοὺς συνόντας κακούργους τε
εἶναι καὶ τυραννικούς, Ἡσιόδου μὲν τὸ

"ἔργον δ᾽ οὐδὲν ὄνειδος, ἀεργίη δέ τ᾽ ὄνειδος,"

τοῦτο δὴ λέγειν αὐτὸν ὡς ὁ ποιητὴς κελεύει μηδενὸς
350 ἔργου μήτε ἀδίκου μήτε αἰσχροῦ ἀπέχεσθαι, ἀλλὰ καὶ
ταῦτα ποιεῖν ἐπὶ τῷ κέρδει. Σωκράτης δ᾽ ἐπεὶ διομο- 57
λογήσαιτο τὸ μὲν ἐργάτην εἶναι ὠφέλιμόν τε ἀνθρώπῳ
καὶ ἀγαθὸν εἶναι, τὸ δὲ ἀργὸν βλαβερόν τε καὶ κακόν,
καὶ τὸ μὲν ἐργάζεσθαι ἀγαθόν, τὸ δὲ ἀργεῖν κακόν, τοὺς
355 μὲν ἀγαθόν τι ποιοῦντας ἐργάζεσθαί τε ἔφη καὶ ἐργάτας
[ἀγαθοὺς] εἶναι, τοὺς δὲ κυβεύοντας ἤ τι ἄλλο πονηρὸν
καὶ ἐπιζήμιον ποιοῦντας ἀργοὺς ἀπεκάλει. ἐκ δὲ τούτων
ὀρθῶς ἂν ἔχοι τὸ

"ἔργον δ᾽ οὐδὲν ὄνειδος, ἀεργίη δέ τ᾽ ὄνειδος."

**56. ἐκλεγόμενον . . . διδάσκειν :**
for the basis of fact underlying this
distorted assertion, *cf.* i. 6. 14. —
**τῶν ἐνδοξοτάτων ποιητῶν :** of the
three divisions of instruction, γράμ-
ματα, μουσική, and γυμναστική, the
first-named, as a rule, included most
of the formal instruction in language
and literature received by the Greek
boy at school. As soon as a boy had
learned to read and write, he was
' encouraged or compelled to learn by
heart great masses of poetry, especially
of Homer or Simonides, or the gnomic
poets. Many a Greek knew by heart
the whole of the *Iliad* and *Odyssey*.'
Gardner and Jevons, *Manual of Greek
Antiq.*, pp. 307, 308. *Cf. Sym.* iii. 5,
6. — **τούτοις μαρτυρίοις χρώμενον :** *cf.*

τεκμηρίῳ τούτῳ χρώμενος 49. — **ἔργον δ᾽
οὐδὲν ὄνειδος** κτλ. : from Hesiod's
didactic poem *Works and Days* 311,
where the reference is to agricultural
labor only. The accuser seems to
have perverted the sense of the
verse by connecting οὐδέν with ἔργον,
whereas it belongs to ὄνειδος. — **ἀεργίη :**
with long penult. So Hom. ω 251,
κακοεργίης χ 374. — **δή :** *now*, with
resumptive force. So in 58; in both
places δή has a somewhat fainter
effect than, *e.g.*, in 24.

**57. ἐπεὶ διομολογήσαιτο :** for the
opt., see on μέλλοι i. 1. 10. — **τὸ μὲν
ἐργάτην εἶναι :** subj. of ὠφέλιμόν τε καὶ
ἀγαθὸν εἶναι. — **τὸ δὲ ἀργόν :** sc. εἶναι. —
**ἀπεκάλει :** see on i. 2. 6. — **ἐκ δὲ τού-
των :** "and with this interpretation."

360 τὸ δὲ Ὁμήρου ἔφη ὁ κατήγορος πολλάκις αὐτὸν λέγειν, 58
ὅτι Ὀδυσσεὺς

"ὅν τινα μὲν βασιλῆα καὶ ἔξοχον ἄνδρα κιχείη,
τὸν δ᾽ ἀγανοῖς ἐπέεσσιν ἐρητύσασκε παραστάς·
᾽δαιμόνι᾽, οὔ σε ἔοικε κακὸν ὡς δειδίσσεσθαι,
365 ἀλλ᾽ αὐτός τε κάθησο καὶ ἄλλους ἵδρυε λαούς.᾽
ὃν δ᾽ αὖ δήμου ἄνδρα ἴδοι βοόωντά τ᾽ ἐφεύροι,
τὸν σκήπτρῳ ἐλάσασκεν ὁμοκλήσασκέ τε μύθῳ·
᾽δαιμόνι᾽, ἀτρέμας ἧσο, καὶ ἄλλων μῦθον ἄκουε,
οἳ σέο φέρτεροί εἰσι, σὺ δ᾽ ἀπτόλεμος καὶ ἄναλκις,
370 οὔτε ποτ᾽ ἐν πολέμῳ ἐναρίθμιος οὔτ᾽ ἐνὶ βουλῇ.᾽"

ταῦτα δὴ αὐτὸν ἐξηγεῖσθαι, ὡς ὁ ποιητὴς ἐπαινοίη παί-
εσθαι τοὺς δημότας καὶ πένητας.  Σωκράτης δ᾽ οὐ ταῦτ᾽ 59
ἔλεγε· καὶ γὰρ ἑαυτὸν οὕτω γ᾽ ἂν ᾤετο δεῖν παίεσθαι·
ἀλλ᾽ ἔφη δεῖν τοὺς μήτε λόγῳ μήτ᾽ ἔργῳ ὠφελίμους ὄντας
375 μήτε στρατεύματι μήτε πόλει μηδὲ αὐτῷ τῷ δήμῳ, εἴ τι
δέοι, βοηθεῖν ἱκανούς, ἄλλως τ᾽ ἐὰν πρὸς τούτῳ καὶ

58. ὅν τινα μὲν βασιλῆα κτλ.:
the verses are from Hom. B 188–191,
and 198–202, and depict Odysseus
repressing the tumult among the
Achaeans. — κιχείη: for the opt.,
cf. διομολογήσαιτο 57. — ἐπέεσσιν:
Epic for ἔπεσιν. — ἐρητύσασκε: for
the form, see G. 778, 1298; H. 493.
— ὥς: for the accent, see G. 138, 2;
H. 112 b. — σέο: for the form, see
G. 393; H. 261 D. — ἐξηγεῖσθαι, ὡς:
interpreted, to the effect that. — δημό-
τας: of Greek prose writers only
Herodotus and Xenophon use δημό-
της in the sense of 'a common man,'
the usual Attic word for which is
δημοτικός. In 60, however, δημοτικός

is equivalent to popularis, a friend
of the people.

59. οὕτω γ᾽ ἂν ᾤετο: in that case
he would have been thinking, i.e.
"would have been forced to think,"
as Socrates himself was one of the
πένητες.  For the impf., see on i. 1.
5; and for the meaning of πένητας,
cf. the discussion between Socrates
and Euthydemus iv. 2. 37 ff. — ἀλλὰ
δεῖν κτλ.: "he who neither in war
nor in public life can serve the
state or be useful to the people
should be kept out of public and
military life." — ἄλλως τε: and
especially, not to be confused with
the similar and more common ἄλλως

θρασεῖς ὦσι, πάντα τρόπον κωλύεσθαι, κἂν πάνυ πλούσιοι
τυγχάνωσιν ὄντες.  ἀλλὰ Σωκράτης γε τἀναντία τούτων 60
φανερὸς ἦν καὶ δημοτικὸς καὶ φιλάνθρωπος ὤν· ἐκεῖνος
380 γὰρ πολλοὺς ἐπιθυμητὰς καὶ ἀστοὺς καὶ ξένους λαβὼν
οὐδένα πώποτε μισθὸν τῆς συνουσίας ἐπράξατο, ἀλλὰ
πᾶσιν ἀφθόνως ἐπήρκει τῶν ἑαυτοῦ· ὧν τινες μικρὰ μέρη
παρ᾽ ἐκείνου προῖκα λαβόντες πολλοῦ τοῖς ἄλλοις ἐπώ-
λουν, καὶ οὐκ ἦσαν ὥσπερ ἐκεῖνος δημοτικοί· τοῖς γὰρ
385 μὴ ἔχουσι χρήματα διδόναι οὐκ ἤθελον διαλέγεσθαι.
ἀλλὰ Σωκράτης γε καὶ πρὸς τοὺς ἄλλους ἀνθρώπους 61
κόσμον τῇ πόλει παρεῖχε, πολλῷ μᾶλλον ἢ Λίχας τῇ
Λακεδαιμονίων, ὃς ὀνομαστὸς ἐπὶ τούτῳ γέγονε.  Λίχας
μὲν γὰρ ταῖς γυμνοπαιδίαις τοὺς ἐπιδημοῦντας ἐν Λακε-
390 δαίμονι ξένους ἐδείπνιζε, Σωκράτης δὲ διὰ παντὸς τοῦ βίου
τὰ ἑαυτοῦ δαπανῶν τὰ μέγιστα πάντας τοὺς βουλομένους
ὠφέλει· βελτίους γὰρ ποιῶν τοὺς συγγιγνομένους ἀπέ-
πεμπεν.

τε καί both in other respects, and
particularly.

60. τἀναντία τούτων : sc. τῶν
θρασέων καὶ τῷ δήμῳ βοηθεῖν μὴ ἱκανῶν.
τἀναντία is adv., and takes the gen.
after the analogy of certain adjs.
of place.  G. 1146; H. 754 f. — ἐπι-
θυμητάς : eager followers. — ἀστούς,
ξένους : in partitive appos. with
ἐπιθυμητάς. G. 914; H. 624 d. —
οὐδένα, μισθόν : for the double acc.,
see on 5. — συνουσίας : cf. 39. — τῶν
ἑαυτοῦ : "of his own good things."
— ὧν τινες : Aristippus of Cyrene was
the first of Socrates's followers to
demand pay for his services.  Cf.
Diog. Laert. ii. 65. — χρήματα διδό-
ναι : for the limiting inf. with nouns,
see G. 1530; H. 952.

61. πρὸς τοὺς ἄλλους ἀνθρώπους :
in his relations to other men.  Cf. καὶ
πρὸς φίλους δὲ καὶ ξένους i. 3. 3. —
Λίχας : acc. to Plutarch (Cim. 10),
Lichas was renowned for his hospi-
tality toward strangers who visited
Sparta at the festival of the Gymno-
paedia, when naked youths danced
and sang round the statue of Apollo
Carneius, in honor of the Spartans
who fell at the battle of Thyrea. —
γυμνοπαιδίαις : for the dat. of time,
see G. 1192; H. 782. — τὰ μέγιστα,
τοὺς βουλομένους : for the double acc.,
see on τὴν πόλιν 12. — ποιῶν : equiv.
to impf. ἐποίει, the action being re-
garded as freq. repeated.  Here, as
often, the partic. contains the main
thought, the finite verb the subord.

Ἐμοὶ μὲν δὴ Σωκράτης τοιοῦτος ὢν ἐδόκει τιμῆς 62
395 ἄξιος εἶναι τῇ πόλει μᾶλλον ἢ θανάτου. καὶ κατὰ τοὺς
νόμους δὲ σκοπῶν ἄν τις τοῦθ᾽ εὕροι. κατὰ γὰρ τοὺς
νόμους, ἐάν τις φανερὸς γένηται κλέπτων ἢ λωποδυτῶν
ἢ βαλαντιοτομῶν ἢ τοιχωρυχῶν ἢ ἀνδραποδιζόμενος ἢ
ἱεροσυλῶν, τούτοις θάνατός ἐστιν ἡ ζημία· ὧν ἐκεῖνος
400 πάντων ἀνθρώπων πλεῖστον ἀπεῖχεν. ἀλλὰ μὴν τῇ πόλει 63
γε οὔτε πολέμου κακῶς συμβάντος οὔτε στάσεως οὔτε
προδοσίας οὔτε ἄλλου κακοῦ οὐδενὸς πώποτε αἴτιος ἐγέ-
νετο. οὐδὲ μὴν ἰδίᾳ γε οὐδένα πώποτε ἀνθρώπων οὔτε
ἀγαθῶν ἀπεστέρησεν οὔτε κακοῖς περιέβαλεν, ἀλλ᾽ οὐδ᾽
405 αἰτίαν τῶν εἰρημένων οὐδενὸς πώποτ᾽ ἔσχε. πῶς οὖν ἂν 64
ἔνοχος εἴη τῇ γραφῇ; ὃς ἀντὶ μὲν τοῦ μὴ νομίζειν θεούς,
ὡς ἐν τῇ γραφῇ γέγραπτο, φανερὸς ἦν θεραπεύων τοὺς
θεοὺς μάλιστα πάντων ἀνθρώπων· ἀντὶ δὲ τοῦ διαφθεί-
ρειν τοὺς νέους, ὃ δὴ ὁ γραψάμενος αὐτὸν ᾐτιᾶτο, φανερὸς
410 ἦν τῶν συνόντων τοὺς πονηρὰς ἐπιθυμίας ἔχοντας τούτων
μὲν παύων, τῆς δὲ καλλίστης καὶ μεγαλοπρεπεστάτης
ἀρετῆς, ᾗ πόλεις τε καὶ οἶκοι εὖ οἰκοῦσι, προτρέπων

---

one. *Cf.* τούτους εὖ ποιήσαντες ἀπο-
πέμπετε *Cyr.* viii. 7. 27.

**62. ἐμοὶ δὴ κτλ.** : with allusion to
i. 1. 1, where see on μέν and τῇ πόλει.
— **καὶ δέ** : see on κἀκεῖνος δέ i. 1. 3. —
**τούτοις** : refers, by 'synesis,' to the
collective τίς. H. 633. *Cf.* ἕκαστος,
αὐτοί 54. — **θάνατος** : for the omis-
sion of the art. with a pred. noun or
adj., see G. 956 ; H. 669.

**63. ἀλλὰ μήν** : see on i. 1. 6. —
**πολέμου κακῶς συμβάντος** : *of a war's
turning out badly.* The participle
contains the main idea, and the
whole phrase may be conveniently
const. as objective gen. with αἴτιος.

G. 1139, 1140 ; H. 753, and e. *Cf.*
the acc. with prep. in such phrases
as μετὰ Κῦρον θανόντα *after Cyrus's
death,* and the Lat. ab urbe con-
dita.

**64. ἔνοχος εἴη** : *be liable to* (lit.
*held in*). — **ὅς** : see on 1. — **νομίζειν** :
as in i. 1. 1. — **γέγραπτο** : *stood
charged.* The aug. omitted, as freq.
with the plpf. in prose, apparently
for the sake of euphony.— **ὅ, αὐτόν** :
for the double acc., see G. 1076 ;
H. 725. *Cf.* οὐκ αἰτιῶμαι τάδε τὸν
θεόν *Cyr.* vii. 2. 22, τὸ γενόμενον
τὸ θεῖον αἰτιᾶσθαι *Hell.* vii. 5. 12.
— **εὖ οἰκοῦσι** : *are prosperous. Cf.*

ἐπιθυμεῖν· ταῦτα δὲ πράττων πῶς οὐ μεγάλης ἄξιος ἦν
τιμῆς τῇ πόλει;

Ὡς δὲ δὴ καὶ ὠφελεῖν ἐδόκει μοι τοὺς συνόντας τὰ 3
μὲν ἔργῳ δεικνύων ἑαυτὸν οἷος ἦν, τὰ δὲ καὶ διαλεγόμενος,
τούτων δὴ γράψω ὁπόσα ἂν διαμνημονεύσω. τὰ μὲν
τοίνυν πρὸς τοὺς θεοὺς φανερὸς ἦν καὶ ποιῶν καὶ λέγων
5 ᾗπερ ἡ Πυθία ὑποκρίνεται τοῖς ἐρωτῶσι πῶς δεῖ ποιεῖν ἢ
περὶ θυσίας ἢ περὶ προγόνων θεραπείας ἢ περὶ ἄλλου
τινὸς τῶν τοιούτων· ἤ τε γὰρ Πυθία νόμῳ πόλεως ἀναιρεῖ
ποιοῦντας εὐσεβῶς ἂν ποιεῖν, Σωκράτης τε οὕτω καὶ
αὐτὸς ἐποίει καὶ τοῖς ἄλλοις παρῄνει, τοὺς δὲ ἄλλως πως

ποῖαι δὲ πόλεις νομίμως ἂν οἰκήσειαν;
Cyr. viii. 1. 2. In Homer, the mean-
ing of ναιετᾶν, ναίειν is, in like man-
ner, weakened to something like
εἶναι. — μεγάλης τιμῆς : such as the
reward suggested in Plato Apol.
36 D. — ἄξιος τῇ πόλει : as in i. 1. 1.
3. In the two preceding chapters
it was shown that Socrates did not in-
fluence his followers to their injury
(negative proof) ; in what follows, it
is shown in detail that he understood
how to encourage them in all that is
good, by word and example (positive
proof). His piety is first depicted,
and especially the manner in which
he would have the gods honored ;
afterwards, his temperance in all
bodily pleasures is described.
1. ὡς, δή : (to show) that, really.
— καὶ ὠφελεῖν : even to be aiding,
not only to be abstaining from
injuring. — τὰ μέν, τὰ δέ : partly,
partly. G. 982 ; H. 654 b. — δει-
κνύων ἑαυτόν, οἷος ἦν : for the 'pro-
lepsis,' see on συνουσίαν i. 2. 13.
— διαμνημονεύσω : for the mode, see

G. 1434 ; H. 916. — τὰ μὲν τοίνυν :
τοίνυν indicates the transition to the
detailed discussion of what has been
announced ; μέν introduces the first
part of the discussion, and δέ at the
beginning of 5, the second. — ἡ
Πυθία : the Pythia, the priestess of
Apollo at Delphi. For an account
of the oracles in general, and the
Delphic oracle in particular, see
Gardner and Jevons, Manual of
Greek Antiq., pp. 106, 107, 264, 265.
— πῶς : see on τίσι i. 1. 1. — προ-
γόνων θεραπείας : for the place of an-
cestor worship in Greek religion, see
Gardner and Jevons, p. 72 ff. — ἤ τε
γὰρ Πυθία, Σωκράτης τε : "for as the
Pythia, so Socrates." Cf. ἐγώ τε γάρ,
αἵ τε πόλεις ii. 1. 9. — ἀναιρεῖ : the
technical term for the answers of the
Pythia. Cf. καὶ ἀνεῖλεν αὐτῷ ὁ
Ἀπόλλων θεοῖς οἷς ἔδει θύειν An. iii.
1. 16. — παρῄνει : sc. ποιεῖν. Cf.
Deinceps in lege est, ut de
ritibus patriis colantur op-
timi : de quo cum consule-
rent Athenienses Apollinem

10 ποιοῦντας περιέργους καὶ ματαίους ἐνόμιζεν εἶναι. καὶ 2
εὔχετο δὲ πρὸς τοὺς θεοὺς ἁπλῶς τἀγαθὰ διδόναι, ὡς τοὺς
θεοὺς κάλλιστα εἰδότας ὁποῖα ἀγαθά ἐστι· τοὺς δ᾽
εὐχομένους χρυσίον ἢ ἀργύριον ἢ τυραννίδα ἢ ἄλλο τι
τῶν τοιούτων οὐδὲν διάφορον ἐνόμιζεν εὔχεσθαι ἢ εἰ
15 κυβείαν ἢ μάχην ἢ ἄλλο τι εὔχοιντο τῶν φανερῶς ἀδήλων
ὅπως ἀποβήσοιτο. θυσίας δὲ θύων μικρὰς ἀπὸ μικρῶν 3
οὐδὲν ἡγεῖτο μειοῦσθαι τῶν ἀπὸ πολλῶν καὶ μεγάλων
πολλὰ καὶ μεγάλα θυόντων. οὔτε γὰρ τοῖς θεοῖς ἔφη
καλῶς ἔχειν, εἰ ταῖς μεγάλαις θυσίαις μᾶλλον ἢ ταῖς
20 μικραῖς ἔχαιρον· πολλάκις γὰρ ἂν αὐτοῖς τὰ παρὰ τῶν
πονηρῶν μᾶλλον ἢ τὰ παρὰ τῶν χρηστῶν εἶναι κεχα-
ρισμένα· οὔτ᾽ ἂν τοῖς ἀνθρώποις ἄξιον εἶναι ζῆν, εἰ τὰ
παρὰ τῶν πονηρῶν μᾶλλον ἦν κεχαρισμένα τοῖς θεοῖς ἢ
τὰ παρὰ τῶν χρηστῶν· ἀλλ᾽ ἐνόμιζε τοὺς θεοὺς ταῖς παρὰ
25 τῶν εὐσεβεστάτων τιμαῖς μάλιστα χαίρειν. ἐπαινέτης δ᾽
ἦν καὶ τοῦ ἔπους τούτου·

"κὰδ δύναμιν δ᾽ ἔρδειν ἱέρ᾽ ἀθανάτοισι θεοῖσι·"

Pythium, quas potissimum
religiones (rites) tenerent, ora-
culum editum est, eas quae
essent in more maiorum Cic.
de Legg. ii. 15. 40.

2. εὔχετο πρὸς τοὺς θεούς : εὔχε-
σθαι πρός τινα is usual when an inf.
follows. Kr. Spr. 48. 7. 14. Cf.
Ξέρξης εὔχετο πρὸς τὸν ἥλιον Hdt. vii.
54. — ὡς εἰδότας : see on ὡς προση-
μαίνοντος i. 1. 4. τοὺς θεούς is pur-
posely repeated. For the thought,
cf. Socrates, inquit, nihil ultra
petendum a diis immorta-
libus arbitrabatur, quam quid
unicuique esset utile, nos
autem id plerumque votis ex-

petere, quod non impetrasse
melius foret Valer. Max. vii. 2.
— εἰ εὔχοιντο : for the ellipsis of the
apod., see G. 1420 ; H. 905 a, 3. —
ὅπως ἀποβήσοιτο : depends on ἀδήλων
(sc. ὄντων). See on i. 1. 6.

3. μειοῦσθαι : fall short of. —
καλῶς ἔχειν : without ἄν, after the
analogy of καλῶς εἶχε, καλὸν ἦν, ἐξῆν,
etc. See G. 1400 ; H. 897. — εἰ ἔχαι-
ρον : for the impf. in dependent
clauses of indirect discourse, see
GMT. 691 ; H. 936. — ἂν εἶναι κεχα-
ρισμένα : sc. εἰ ἔχαιρον. — κὰδ δύναμιν :
equivalent to κατὰ δύναμιν. For the
' apocope ' and ' assimilation,' see G.
53; H. 84 D. The verse is from Hesiod

καὶ πρὸς φίλους δὲ καὶ ξένους καὶ πρὸς τὴν ἄλλην δίαι-
ταν καλὴν ἔφη παραίνεσιν εἶναι τὴν "κὰδ δύναμιν δ᾽
30 ἔρδειν." εἰ δέ τι δόξειεν αὐτῷ σημαίνεσθαι παρὰ τῶν 4
θεῶν, ἧττον ἂν ἐπείσθη παρὰ τὰ σημαινόμενα ποιῆσαι ἢ
εἴ τις αὐτὸν ἔπειθεν ὁδοῦ λαβεῖν ἡγεμόνα τυφλὸν καὶ μὴ
εἰδότα τὴν ὁδὸν ἀντὶ βλέποντος καὶ εἰδότος· καὶ τῶν ἄλλων
δὲ μωρίαν κατηγόρει, οἵτινες παρὰ τὰ ὑπὸ τῶν θεῶν σημαι-
35 νόμενα ποιοῦσί τι, φυλαττόμενοι τὴν παρὰ τοῖς ἀνθρώποις
ἀδοξίαν. αὐτὸς δὲ πάντα τἀνθρώπινα ὑπερεώρα πρὸς τὴν
παρὰ θεῶν συμβουλίαν.

Διαίτῃ δὲ τήν τε ψυχὴν ἐπαίδευσε καὶ τὸ σῶμα, ᾗ 5
χρώμενός ἄν τις, εἰ μή τι δαιμόνιον εἴη, θαρραλέως καὶ
40 ἀσφαλῶς διάγοι καὶ οὐκ ἂν ἀπορήσειε τοσαύτης δαπά-
νης. οὕτω γὰρ εὐτελὴς ἦν ὥστ᾽ οὐκ οἶδ᾽ εἴ τις οὕτως ἂν
ὀλίγα ἐργάζοιτο ὥστε μὴ λαμβάνειν τὰ Σωκράτει
ἀρκοῦντα· σίτῳ μὲν γὰρ τοσούτῳ ἐχρῆτο ὅσον ἡδέως

---

*Works and Days* 336. — τὴν ἄλλην
δίαιταν : "our other relations in life."
τὴν κὰδ δύναμιν δ᾽ ἔρδειν : the admoni-
tion (παραίνεσιν) to act according to our
powers. *Cf.* τὸ γνῶθι σαυτόν iv. 2. 24.
4. εἰ δόξειεν αὐτῷ : "as often as it
seemed to him." See on ἐπεί i. 2. 57.
— ἂν ἐπείσθη : the prot. really sug-
gested by this apod. is εἴ τις αὐτὸν
ἔπειθεν, if any one tried to per-
suade him ; and this prot. is found,
without its apod., in the next
sentence. — ἔπειθεν : impf. of at-
tempted and continued past action.
— τῶν ἄλλων : for the gen. with
compounds of κατά, see G. 1123 ; H.
752. — πάντα, ὑπερεώρα : see on i. 2.
9. — πρός : in comparison with, as in
i. 2. 52. The Lat. ad is used in the
same sense.

5. χρώμενος : for the participle
of cond., see on λέγων i. 1. 20. — τι
δαιμόνιον : "something extraordi-
nary." *Cf.* ἦν μή τι δαιμόνιον κωλύῃ
*Eq.* xi. 13. For the two prots. with
same apod., see GMT. 510. — καὶ
οὐκ ἄν . . . δαπάνης : and would not
lack the means for such an outlay.
For the gen. of plenty or want, see
G. 1112 ; H. 743. — εὐτελής (sc. ἡ
δίαιτα) : frugal. — οὐκ οἶδ᾽ εἴ τις :
"scarcely any one." — ἐργάζοιτο :
would work for, potential optative.
For ἐργάζομαι in this sense, cf. τὰ ἐπι-
τήδεια ἐργάζεσθαι ii. 8. 2. — ὥστε
μὴ λαμβάνειν : for the inf. of result,
see G. 1450 ; H. 953. — τὰ Σωκράτει
ἀρκοῦντα : what sufficed for Socrates.
For the thought, cf. i. 6. 4. — ἡδέως :
with relish. *Cf.* ἥδιστα ἐσθίων i. 6. 5.

ἤσθιε, καὶ ἐπὶ τοῦτο οὕτω παρεσκευασμένος ᾔει ὥστε τὴν
45 ἐπιθυμίαν τοῦ σίτου ὄψον αὐτῷ εἶναι· ποτὸν δὲ πᾶν ἡδὺ
ἦν αὐτῷ διὰ τὸ μὴ πίνειν, εἰ μὴ διψῴη. εἰ δέ ποτε 6
κληθεὶς ἐθελήσειεν ἐπὶ δεῖπνον ἐλθεῖν, ὃ τοῖς πλείστοις
ἐργωδέστατόν ἐστιν, ὥστε φυλάξασθαι τὸ ὑπὲρ τὸν κόρον
ἐμπίπλασθαι, τοῦτο ῥᾳδίως πάνυ ἐφυλάττετο. τοῖς δὲ μὴ
50 δυναμένοις τοῦτο ποιεῖν συνεβούλευε φυλάττεσθαι τὰ
πείθοντα μὴ πεινῶντας ἐσθίειν μηδὲ διψῶντας πίνειν·
καὶ γὰρ τὰ λυμαινόμενα γαστέρας καὶ κεφαλὰς καὶ ψυχὰς
ταῦτ᾽ ἔφη εἶναι. οἴεσθαι δ᾽ ἔφη ἐπισκώπτων καὶ τὴν 7
Κίρκην ὗς ποιεῖν τοιούτοις τοὺς πολλοὺς δειπνίζουσαν·
55 τὸν δὲ Ὀδυσσέα Ἑρμοῦ τε ὑποθημοσύνῃ καὶ αὐτὸν
ἐγκρατῆ ὄντα καὶ ἀποσχόμενον τοῦ ὑπὲρ τὸν κόρον τῶν
τοιούτων ἅπτεσθαι, διὰ ταῦτα οὐ γενέσθαι ὗν. τοιαῦτα 8
μὲν περὶ τούτων ἔπαιζεν ἅμα σπουδάζων.

—ἐπὶ τοῦτο : i.e. ἐπὶ τὸ ἐσθίειν. —τὴν ἐπιθυμίαν ὄψον εἶναι: cf. λιμῷ δὲ ὅσαπερ ὄψῳ διαχρῆσθε Cyr. i. 5. 12. Cf. the Lat. proverb fames optimum condimentum. Athenaeus (4, p. 157) describes Socrates as taking long walks in the evening, 'to collect,' as he said, 'sauce (ὄψον) for his supper.' — διὰ τὸ πίνειν: see on ἐπὶ τὸ φροντίζειν i. 1. 12.
6. ὅ : precedes its grammatical antec. τοῦτο. — ὥστε φυλάξασθαι : namely, to guard against, added in explanation of the rel. clause. For ὥστε with the inf., instead of the simple inf. as subj., see GMT. 588. — τὰ πείθοντα κτλ. : "tempting dishes." Cf. ὁ Σωκράτης παρακελευόμενος φυλάττεσθαι τῶν βρωμάτων ὅσα μὴ πεινῶντας ἐσθίειν ἀναπείθει (as persuade those who are not hungry to eat) Plut. Mor. 128 D. For ἐσθίειν and πίνειν as

objs. of πείθοντα, see G. 1519 ; H. 948.
7. τὴν Κίρκην : the famous sorceress who bewitched the companions of Odysseus. Cf. Hom. κ 229 ff. — τοὺς πολλούς : opposed to τὸν Ὀδυσσέα. For the double acc. with ποιεῖν, see G. 1077 ; H. 726. — ὑποθημοσύνῃ: Ionic for συμβουλῇ, like ὑποτίθεσθαι for συμβουλεύειν. — ὄντα : causal. — τοῦ ἅπτεσθαι : for the gen. of the articular inf. with verbs of hindering or freedom, see G. 1549 ; H. 963. — διὰ ταῦτα : like εἶτα, ἔπειτα, οὕτως, often used after participles to bring out the relation (in this case a causal one) of these to the main verb. GMT. 857; H. 976 b.
8. ἔπαιζεν ἅμα σπουδάζων : "he used to say jestingly but with an earnest inner meaning." See on

Ἀφροδισίων δὲ παρήνει τῶν καλῶν ἰσχυρῶς ἀπέχε-
60 σθαι· οὐ γὰρ ἔφη ῥᾴδιον εἶναι τῶν τοιούτων ἁπτόμενον
σωφρονεῖν. ἀλλὰ καὶ Κριτόβουλόν ποτε τὸν Κρίτωνος
πυθόμενος ὅτι ἐφίλησε τὸν Ἀλκιβιάδου υἱὸν καλὸν ὄντα,
παρόντος τοῦ Κριτοβούλου ἤρετο Ξενοφῶντα· "Εἰπέ μοι," 9
ἔφη, "ὦ Ξενοφῶν, οὐ σὺ Κριτόβουλον ἐνόμιζες εἶναι τῶν
65 σωφρονικῶν ἀνθρώπων μᾶλλον ἢ τῶν θρασέων, καὶ τῶν
προνοητικῶν μᾶλλον ἢ τῶν ἀνοήτων τε καὶ ῥιψοκινδύνων;"
"Πάνυ μὲν οὖν," ἔφη ὁ Ξενοφῶν. "Νῦν τοίνυν νόμιζε
αὐτὸν θερμουργότατον εἶναι καὶ λεωργότατον· οὗτος κἂν
εἰς μαχαίρας κυβιστήσειε κἂν εἰς πῦρ ἅλοιτο." "Καὶ τί 10
70 δή," ἔφη ὁ Ξενοφῶν, "ἰδὼν ποιοῦντα τοιαῦτα κατέγνωκας
αὐτοῦ;" "Οὐ γὰρ οὗτος," ἔφη, "ἐτόλμησε τὸν Ἀλκιβιά-
δου υἱὸν φιλῆσαι, ὄντα εὐπροσωπότατον καὶ ὡραιότατον;"
"Ἀλλ᾽ εἰ μέντοι," ἔφη ὁ Ξενοφῶν, "τοιοῦτόν ἐστι τὸ

---

iv. 1. 1. — **τῶν καλῶν**: limiting gen.
with ἀφροδισίων. G. 1085 ; H. 729.
Cf. τοῖς τῶν ὡραίων ἀφροδισίοις
ἡδόμενοι ii. 6. 22. — **ἁπτόμενον**: see
on πιστεύων i. 1. 5. — **ἀλλὰ καί**:
atque adeo. — **Κριτόβουλον**: for
the 'prolepsis,' see on i. 2. 13. In
Oec. ii. 7, Socrates says to Crito-
bulus ὁρῶ σε οἰόμενον πλουτεῖν καὶ
ἀμελῶς μὲν ἔχοντα πρὸς τὸ μηχανᾶσθαι
χρήματα, παιδικοῖς δὲ πράγμασι προσέ-
χοντα τὸν νοῦν (giving your mind to
frivolous matters). — **τὸν Ἀλκιβιάδου
υἱόν**: as Alcibiades, so far as known,
had but one son, born in 416, after
the probable date of this conversa-
tion, it has been conjectured that
both here and in 10 the reference is
to Clinias, the son of Axiochus and
a cousin of Alcibiades. Cf. Sym.
iv. 12.

9. **εἰπέ**: for the accent, see on i.
2. 41. — **ἀνθρώπων**: for the partitive
pred. gen., see on τῶν τριάκοντα i. 2.
31. — **ῥιψοκινδύνων**: foolhardy, lit.
hurlers of risks. — **λεωργότατον**: one
who will do anything, hence most
reckless. — **εἰς μαχαίρας κτλ.**: prover-
bial expressions for incurring great
risks. Cf. δοκεῖ οὖν μοι εἰς μαχαίρας κυβισ-
τᾶν κινδύνου ἐπίδειγμα (an exhibition)
εἶναι, ὃ συμποσίῳ οὐδὲν προσήκει Sym.
vii. 3. — **εἰς πῦρ ἅλοιτο**: cf. ἐγὼ μετὰ
Κλεινίου κἂν διὰ πυρὸς ἰοίην Sym. iv. 16.

10. **τί**: obj. of ποιοῦντα. — **τοι-
αῦτα κατέγνωκας αὐτοῦ**: have you
formed such a bad opinion of him.
For the gen. and acc. with com-
pounds of κατά, cf. 4. — **οὐ γάρ**:
in a question containing a quick
retort, as in ii. 3. 16. — **ἀλλ᾽ εἰ
μέντοι**: at si profecto. — **τὸ**

ριψοκίνδυνον ἔργον, κἂν ἐγὼ δοκῶ μοι τὸν κίνδυνον τοῦτον
75 ὑπομεῖναι." "Ὦ τλῆμον," ἔφη ὁ Σωκράτης, "καὶ τί ἂν οἴει 11
παθεῖν καλὸν φιλήσας ; ἆρ᾽ οὐκ ἂν αὐτίκα μάλα δοῦλος
μὲν εἶναι ἀντ᾽ ἐλευθέρου, πολλὰ δὲ δαπανᾶν εἰς βλαβερὰς
ἡδονάς, πολλὴν δὲ ἀσχολίαν ἔχειν τοῦ ἐπιμεληθῆναί τινος
καλοῦ κἀγαθοῦ, σπουδάζειν δ᾽ ἀναγκασθῆναι ἐφ᾽ οἷς οὐδ᾽
80 ἂν μαινόμενος σπουδάσειεν ;" "Ὦ Ἡράκλεις," ἔφη ὁ 12
Ξενοφῶν, "ὡς δεινήν τινα λέγεις δύναμιν τοῦ φιλήματος
εἶναι." "Καὶ τοῦτο," ἔφη ὁ Σωκράτης, "θαυμάζεις ; οὐκ
οἶσθα," ἔφη, "ὅτι τὰ φαλάγγια, οὐδ᾽ ἡμιωβελιαῖα τὸ μέγε-
θος ὄντα, προσαψάμενα μόνον τῷ στόματι ταῖς τε ὀδύναις
85 ἐπιτρίβει τοὺς ἀνθρώπους καὶ τοῦ φρονεῖν ἐξίστησιν ;"
"Ναὶ μὰ Δί᾽," ἔφη ὁ Ξενοφῶν · " ἐνίησι γάρ τι τὰ φαλάγ-
για κατὰ τὸ δῆγμα." "Ὦ μῶρε," ἔφη ὁ Σωκράτης, "τοὺς 13
δὲ καλοὺς οὐκ οἴει φιλοῦντας ἐνιέναι τι, ὅτι σὺ οὐχ
ὁρᾷς ; οὐκ οἶσθ᾽ ὅτι τοῦτο τὸ θηρίον ὃ καλοῦσι καλὸν
90 καὶ ὡραῖον, τοσούτῳ δεινότερόν ἐστι τῶν φαλαγγίων,

ριψοκίνδυνον ἔργον : "what you have
just described as a foolhardy act."
τό is equivalent to illud. — ἂν ὑπο-
μεῖναι : see on ἄν ποτε κινηθῆναι i. 1.
14.

11. ἆρ᾽ οὐκ : For the interr. par-
ticle, see G. 1603 ; H. 1015. —
πολλὴν δὲ ἀσχολίαν κτλ. : "to have
no leisure for giving attention to
any noble or honorable thing," lit.
to have great lack of leisure. For the
gen. of the articular inf., see GMT.
798 ; H. 959. — ἐφ᾽ οἷς : sc. ἐπὶ τούτοις
as antecedent. ἐπί with the dat. here
denotes the motive or end in view.
See G. 1210, 2 c ; H. 799, 2 c. —
μαινόμενος : for the omission of the
art. with a subst. participle, see G.
1560, 2 ; H. 966.

12. Ἡράκλεις : for the decl., see
on Περίκλεις i. 2. 41. — ὡς δεινήν τινα :
what a terrible sort of thing. τὶς,
like Lat. quidam, may be added to
adjs. to express indefiniteness of
nature. G. 1016 ; H. 702. — τὰ
φαλάγγια : for the generic art., see
G. 950 ; H. 659. — ὄντα : concessive.
— τοῦ φρονεῖν ἐξίστησι : mente
destituit, deprives of reason. Cf.
ἐξιστάμενοι τοῦ ἀναλογίζεσθαι ii. 1. 4.
— ἐνίησι, κατὰ τὸ δῆγμα : inject along
with their bite.

13. τοὺς δὲ καλοὺς κτλ. : with
ellipsis of the correlative μέν clause
τὰ μὲν φαλάγγια ἐνιέναι τι λέγεις. Cf.
οὐ δ᾽ ᾤου iii. 3. 11. — θηρίον : for the
application of this term to human
beings, cf. iii. 11. 11. — τοσούτῳ

ὅσῳ ἐκεῖνα μὲν ἁψάμενα, τοῦτο δὲ οὐδ᾽ ἁπτόμενον [, ἐάν τις
αὐτὸ θεᾶται,] ἐνίησί τι καὶ πάνυ πρόσωθεν τοιοῦτον ὥστε
μαίνεσθαι ποιεῖν; [ἴσως δὲ καὶ οἱ Ἔρωτες τοξόται διὰ
τοῦτο καλοῦνται, ὅτι καὶ πρόσωθεν οἱ καλοὶ τιτρώσκου-
95 σιν.] ἀλλὰ συμβουλεύω σοι, ὦ Ξενοφῶν, ὁπόταν ἴδῃς
τινὰ καλόν, φεύγειν προτροπάδην.  σοὶ δέ, ὦ Κριτόβουλε,
συμβουλεύω ἀπενιαυτίσαι·  μόλις γὰρ ἂν ἴσως ἐν τοσούτῳ
χρόνῳ [τὸ δῆγμα] ὑγιὴς γένοιο."  οὕτω δὴ καὶ ἀφροδι- 14
σιάζειν τοὺς μὴ ἀσφαλῶς ἔχοντας πρὸς ἀφροδίσια ᾤετο
100 χρῆναι πρὸς τοιαῦτα οἷα, μὴ πάνυ μὲν δεομένου τοῦ σώμα-
τος, οὐκ ἂν προσδέξαιτο ἡ ψυχή, δεομένου δέ, οὐκ ἂν
πράγματα παρέχοι, αὐτὸς δὲ πρὸς ταῦτα φανερὸς ἦν οὕτω
παρεσκευασμένος ὥστε ῥᾷον ἀπέχεσθαι τῶν καλλίστων
καὶ ὡραιοτάτων ἢ οἱ ἄλλοι τῶν αἰσχίστων καὶ ἀωροτάτων.
105 [περὶ μὲν δὴ βρώσεως καὶ πόσεως καὶ ἀφροδισίων οὕτω 15
παρεσκευασμένος ἦν·  καὶ ᾤετο οὐδὲν ἂν ἧττον ἀρκούν-
τως ἥδεσθαι τῶν πολλὰ ἐπὶ τούτοις πραγματευομένων,
λυπεῖσθαι δὲ πολὺ ἔλαττον.]

δεινότερον, ὅσῳ : as much more dan-
gerous, in proportion as. In the
clauses introduced by ὅσῳ there is
another comparison, between the
easier method of avoiding (suggested
by ἁψάμενα), and the more difficult
one (suggested by ʼοὐδʼ ἁπτόμενον):
Cf. Cyr. vi. 2. 19. — ἐκεῖνα, τοῦτο :
τοῦτο sometimes, as here, refers to
what is nearer in importance to the
speaker, though more remote in the
sentence. ἐκεῖνα, therefore, refers
to τῶν φαλαγγίων.

14. καί : refers back to the ad-
vice given in 6, which here finds its
application to sensual pleasures.
For the thought, cf. Sym. iv. 38. —

ἀφροδισιάζειν : const. with πρὸς τοι-
αῦτα.

15. οὕτω παρεσκευασμένος ἦν :
sic paratam sententiam habe-
bat. — ἂν ἥδεσθαι : see on ἂν κινη-
θῆναι i. ɪ. 14. — λυπεῖσθαι : sc. ἄν.

4. In a conversation with Aristo-
demus, Socrates shows that there are
gods : they have given to man powers
of mind and body admirably adapted
to his needs : and they will care for
his welfare, if he will only honor
them. Whoever is thoroughly con-
vinced of this is lastingly won to
virtue. So Socrates understood not
only τὸ προτρέπειν, but also τὸ προ-
άγειν ἐπ᾽ ἀρετήν.

Εἰ δέ τινες Σωκράτην νομίζουσιν, ὡς ἔνιοι γράφουσί 4
τε καὶ λέγουσι περὶ αὐτοῦ τεκμαιρόμενοι, προτρέψασθαι
μὲν ἀνθρώπους ἐπ' ἀρετὴν κράτιστον γεγονέναι, προαγα-
γεῖν δ' ἐπ' αὐτὴν οὐχ ἱκανόν, σκεψάμενοι μὴ μόνον ἃ
5 ἐκεῖνος κολαστηρίου ἕνεκα τοὺς πάντ' οἰομένους εἰδέναι
ἐρωτῶν ἤλεγχεν, ἀλλὰ καὶ ἃ λέγων συνημέρευε τοῖς συν-
διατρίβουσι, δοκιμαζόντων εἰ ἱκανὸς ἦν βελτίους ποιεῖν
τοὺς συνόντας. λέξω δὲ πρῶτον ἅ ποτε αὐτοῦ ἤκουσα 2
περὶ τοῦ δαιμονίου διαλεγομένου πρὸς Ἀριστόδημον τὸν
10 μικρὸν ἐπικαλούμενον. καταμαθὼν γὰρ αὐτὸν οὔτε θύοντα
τοῖς θεοῖς οὔτε μαντικῇ χρώμενον, ἀλλὰ καὶ τῶν ποιούν-
των ταῦτα καταγελῶντα, "Εἰπέ μοι," ἔφη, "ὦ Ἀριστόδημε,
ἔστιν οὕστινας ἀνθρώπους τεθαύμακας ἐπὶ σοφίᾳ;"

1. τεκμαιρόμενοι: "conjecturing,
on superficial observation," without
obj., as in *Cyr.* i. 3. 5. — προτρέ-
ψασθαι: that Socrates regarded the
most important step as taken when
enthusiasm for virtue had been
aroused, is stated by several writers,
*e.g.*, Plut. *Mor.* p. 798 B, Plato *Rep.*
i. 336. *Cf.* ut Socratem illum
solitum aiunt dicere, perfec-
tum sibi opus esse, si quis
satis esset concitatus cohor-
tatione sua ad studium cog-
noscendae percipiendaeque
virtutis: quibus enim id per-
suasum esset, ut nihil mallent
se esse quam bonos viros, iis
reliquam facilem esse doc-
trinam Cic. *de Or.* i. 47. — σκεψά-
μενοι, δοκιμαζόντων: "let them first
examine, and then decide." — μή:
instead of οὐ, as the participle is
subordinated to the imv. δοκιμα-
ζόντων. G. 1614; H. 1027. — ἃ

ἐρωτῶν ἤλεγχεν: the questions by
which he used to refute, e.g., iii. 6, iv.
2. — συνδιατρίβουσι: see on τῶν
συνόντων i. 1. 4. — εἰ ἦν: for the
mode, see G. 1487; H. 932.

2. ἅ ποτε αὐτοῦ ἤκουσα διαλε-
γομένου: a conversation of his that I
once heard. For the supplementary
participle, see on i. 1. 11. — τοῦ
δαιμονίου: the Deity, as manifested
to men. — Ἀριστόδημον: afterward
a warm friend of Socrates; *cf.*
Ἀριστόδημος ἦν τις, Κυδαθηναιεύς,
σμικρός, ἀνυπόδητος ἀεί, Σωκράτους
ἐραστὴς ὢν ἐν τοῖς μάλιστα τῶν
τότε Plato *Sym.* 173 B. — θύοντα:
for the supplementary participle
in indirect discourse, *cf.* i. 2. 14.
— ἀλλὰ καί: but even. — τῶν ποιούν-
των: for the gen., *cf.* τῶν ἄλλων i.
3. 4. — ἔστιν οὕστινας: equivalent
to ἆρα ἐνίους. G. 1029; H. 998 c.
— τεθαύμακας: admire, i.e. "have
come to admire." — σοφίᾳ: genius.

"Ἔγωγε," ἔφη.   καὶ ὅς, "Λέξον ἡμῖν," ἔφη, "τὰ ὀνόματα 3
15 αὐτῶν."   " Ἐπὶ μὲν τοίνυν ἐπῶν ποιήσει Ὅμηρον ἔγωγε
μάλιστα τεθαύμακα, ἐπὶ δὲ διθυράμβῳ Μελανιππίδην,
ἐπὶ δὲ τραγῳδίᾳ Σοφοκλέα, ἐπὶ δὲ ἀνδριαντοποιίᾳ Πολύ-
κλειτον, ἐπὶ δὲ ζωγραφίᾳ Ζεῦξιν."   "Πότερά σοι δοκοῦσιν 4
οἱ ἀπεργαζόμενοι εἴδωλα ἄφρονά τε καὶ ἀκίνητα ἀξιο-
20 θαυμαστότεροι εἶναι ἢ οἱ ζῷα ἔμφρονά τε καὶ ἐνεργά;"
"Πολύ, νὴ Δία, οἱ ζῷα, εἴπερ γε μὴ τύχῃ τινί, ἀλλὰ ἀπὸ
γνώμης ταῦτα γίγνεται."   " Τῶν δὲ ἀτεκμάρτως ἐχόντων
ὅτου ἕνεκα ἔστι, καὶ τῶν φανερῶς ἐπ' ὠφελείᾳ ὄντων
πότερα τύχης καὶ πότερα γνώμης ἔργα κρίνεις;"   "Πρέπει
25 μὲν τὰ ἐπ' ὠφελείᾳ γιγνόμενα γνώμης εἶναι ἔργα."

3. καὶ ὅς: and he.  For the rel.
in its original dem. meaning, see G.
1023, 2; H. 275 b. — τοίνυν: well
then. — ἐπῶν ποιήσει: epic poetry. —
διθυράμβῳ: often in pl., like ἴαμβοι,
ἀνάπαιστοι, hence some editors read
ἐπὶ δὲ διθυράμβων (sc. ποιήσει). —
Μελανιππίδην: there were two lyric
poets of this name, grandfather and
grandson, both of the island Melos.
The younger was a contemporary of
Socrates, and is prob. the one here
meant. — Σοφοκλέα : the famous
tragic poet of Athens, 495-406 B.C.
— Πολύκλειτον : the sculptor, of
Sicyon, who flourished about 430
B.C. and was celebrated for his
statues of athletes. — Ζεῦξιν : the
painter, of Heraclea in Magna
Graecia, of about the same date.
For an account of these artists, see
Tarbell's *History of Greek Art.*

4. πότερα, ἤ : for the use of par-
ticles in alternative questions, see G.
1606; H. 1017.  πότερα is omitted in
translation. — εἴπερ γε: an emphatic

if indeed, intimating that Aristo-
demus reserves decision on this
point. *Cf.* καὶ εἴπερ γέ τινας δέοι,
περὶ τῆς ἀναιρέσεως οὐδένα μᾶλλον ἔχειν
αὐτοὺς αἰτιάσασθαι ἢ τούτους, οἷς προσε-
τάχθη *and if blame should attach to
any one with regard to the failure
to rescue* (the shipwrecked crews,
after the battle of the Arginusae),
*they could hold no one more responsi-
ble than those to whom this duty had
been assigned Hell.* i. 7. 6. — τύχῃ
τινί: obs. the difference between
the dat. of means and ἀπὸ γνώμης,
which suggests a creative agency.
— τῶν . . . ἐχόντων . . . ἔστι: *of
those things which afford no indi-
cation of the purpose for which they
exist. Cf.* ἀδήλων ὅπως ἀποβήσοιτο
i. 1. 6.  The gens. τῶν ἐχόντων and
τῶν ὄντων depend respectively upon
the pronominal adjs. πότερα, πότερα.
— πρέπει μέν: *it certainly stands to
reason*, with the inf. εἶναι as subj. of
πρέπει.  For μέν with the force of
μήν, see H. 1037, 12.

" Οὔκουν δοκεῖ σοι ὁ ἐξ ἀρχῆς ποιῶν ἀνθρώπους ἐπ' ὠφε- 5
λείᾳ προσθεῖναι αὐτοῖς δι' ὧν αἰσθάνονται ἕκαστα, ὀφθαλ-
μοὺς μὲν ὥστε ὁρᾶν τὰ ὁρατά, ὦτα δὲ ὥστε ἀκούειν τὰ
ἀκουστά; ὀσμῶν γε μήν, εἰ μὴ ῥῖνες προσετέθησαν, τί
30 ἂν ἡμῖν ὄφελος ἦν; τίς δ' ἂν αἴσθησις ἦν γλυκέων καὶ
δριμέων καὶ πάντων τῶν διὰ στόματος ἡδέων, εἰ μὴ
γλῶττα τούτων γνώμων ἐνειργάσθη; πρὸς δὲ τούτοις οὐ 6
δοκεῖ σοι καὶ τάδε προνοίας ἔργοις ἐοικέναι, τό, ἐπεὶ
ἀσθενὴς μέν ἐστιν ἡ ὄψις, βλεφάροις αὐτὴν θυρῶσαι, ἃ
35 ὅταν μὲν αὐτῇ χρῆσθαί τι δέῃ ἀναπετάννυται, ἐν δὲ τῷ
ὕπνῳ συγκλείεται; ὡς δ' ἂν μηδὲ ἄνεμοι βλάπτωσιν,
ἠθμὸν βλεφαρίδας ἐμφῦσαι· ὀφρύσι τε ἀπογεισῶσαι τὰ
ὑπὲρ τῶν ὀμμάτων, ὡς μηδ' ὁ ἐκ τῆς κεφαλῆς ἱδρὼς
κακουργῇ· τὸ δὲ τὴν ἀκοὴν δέχεσθαι μὲν πάσας φωνάς,
40 ἐμπίπλασθαι δὲ μήποτε· καὶ τοὺς μὲν πρόσθεν ὀδόντας

5. οὔκουν : nonne igitur. For
the distinction between οὔκουν and
οὐκοῦν, see on ii. 1. 3. — ἐπ' ὠφελείᾳ
προσθεῖναι αὐτοῖς : bestowed upon
them for a useful purpose. — δι' ὧν
αἰσθάνονται ἕκαστα : the organs
through which they perceive differ-
ent objects. For the omission of
the antec., see on i. 2. 19. — ὀφθαλ-
μούς, ὦτα : for the partitive appos.,
see on i. 2. 60. — ὀσμῶν : subjective
gen. with ὄφελος. G. 1085, 2; H.
729 b. — γὲ μήν : further, employed
here to avoid the monotony of a
too frequent repetition of δέ. — εἰ
μὴ προσετέθησαν : for the supposition
contrary to fact, see G. 1397; H.
895. — ὄφελος : for defective nouns,
see G. 289; H. 215 b. — τῶν διὰ
στόματος ἡδέων : "things pleasant to
the taste." — γνώμων : a critic (not

to be confused with γνωμῶν). Cf.
Eng. 'gnomon' of a sundial. For
the pred. nom., see G. 907; H. 614.
6. οὐ δοκεῖ σοι κτλ. : do you not
think that the following things also
resemble works of design? τάδε in-
troduces the infs. with τό as far as
ἀπογεισῶσαι, and the remaining infs.,
beginning with τὸ δέχεσθαι, are
summed up in ταῦτα οὕτω πεπραγμένα.
— τὸ βλεφάροις αὐτὴν θυρῶσαι : the
providing it with a door of eyelids,
lit. dooring it with eyelids. Similarly
ἀπογεισῶσαι below. For the denom-
inative verbs, cf. φυτευσαμένῳ i. 1.
8. — αὐτῇ χρῆσθαί τι : to use it for
any purpose. For the neut. pron.
with χράομαι and the dat. of means,
see H. 777 a. — ὡς ἄν : for ἄν in final
clauses, see G. 1367; H. 882. —
ἠθμόν : as a screen, pred. accusative.

πᾶσι ζῴοις οἵους τέμνειν εἶναι, τοὺς δὲ γομφίους οἵους
παρὰ τούτων δεξαμένους λεαίνειν· καὶ στόμα μέν, δι'
οὗ ὧν ἐπιθυμεῖ τὰ ζῷα εἰσπέμπεται, πλησίον ὀφθαλμῶν
καὶ ῥινῶν καταθεῖναι· ἐπεὶ δὲ τὰ ἀποχωροῦντα δυσχερῆ,
45 ἀποστρέψαι τοὺς τούτων ὀχετοὺς [καὶ ἀπενεγκεῖν] ᾗ
δυνατὸν προσωτάτω ἀπὸ τῶν αἰσθήσεων· ταῦτα οὕτω προ-
νοητικῶς πεπραγμένα ἀπορεῖς πότερα τύχης ἢ γνώμης
ἔργα ἐστίν;" "Οὐ μὰ τὸν Δί'," ἔφη, "ἀλλ' οὕτω γε σκο- 7
πουμένῳ πάνυ ἔοικε ταῦτα σοφοῦ τινος δημιουργοῦ καὶ
50 φιλοζῴου τεχνήμασι." "Τὸ δὲ ἐμφῦσαι μὲν ἔρωτα τῆς
τεκνοποιίας, ἐμφῦσαι δὲ ταῖς γειναμέναις ἔρωτα τοῦ ἐκτρέ-
φειν, τοῖς δὲ τραφεῖσι μέγιστον μὲν πόθον τοῦ ζῆν, μέγιστον
δὲ φόβον τοῦ θανάτου;" "Ἀμέλει καὶ ταῦτα ἔοικε μηχα-
νήμασί τινος ζῷα εἶναι βουλευσαμένου." "Σὺ δὲ σαυτὸν 8
55 δοκεῖς τι φρόνιμον ἔχειν;" "Ἐρώτα γοῦν καὶ ἀποκρινοῦ-
μαι." "Ἄλλοθι δὲ οὐδαμοῦ οὐδὲν οἴει φρόνιμον εἶναι;

—ζῴοις : dat. of possessor. H. 768 b.
—οἵους : i.e. τοιούτους, ὥστε. For
οἷος alone with the inf., see G. 1526,
last example ; H. 1000. — τοὺς
γομφίους : the molars. — παρὰ τούτων
δεξαμένους λεαίνειν : to receive it (the
food) from these, and masticate it.
— καταθεῖναι : placing, with resump-
tion of the subj. of θυρῶσαι and
ἀπογεισῶσαι. Here, as in 11, the
Creator is thought of as an artist
who arranges at will the mate-
rials before him. — ἐπεὶ δυσχερῆ : sc.
ἐστί. — ἀποστρέψαι καὶ ἀπενεγκεῖν :
turning away and removing. — ᾗ δυνα-
τὸν προσωτάτω : quantum fieri
potest remotissime.
    7. οὐ μὰ τὸν Δία : sc. ἀπορῶ. For
the particles of swearing, cf. i. 2. 9.
— οὕτω γε σκοπουμένῳ (sc. τινί) : to

any one considering it from that
point of view. For the dat. of rela-
tion, see on τῇ πόλει i. 1. 1. — τεχνή-
μασι : contrivances. — τὸ δὲ ἐμφῦσαι :
the omitted pred. (τίνι ταῦτα ἔοικε;)
of this sent. may be readily antici-
pated from the answer. — ἀμέλει :
originally an imv. equivalent to feel
no anxiety, hence, as adv., assuredly.
—μηχανήμασι : not essentially differ-
ent from τεχνήμασι. — τινὸς ζῷα κτλ. :
of one who has determined the exist-
ence of living beings.
    8. Aristodemus has now con-
ceded the existence of a being who,
with wise forethought, has pro-
vided men with admirably contrived
bodies and the impulse toward propa-
gation and support of offspring. In
this section, he is shown that the

καὶ ταῦτα εἰδὼς ὅτι γῆς τε μικρὸν μέρος ἐν τῷ σώματι πολ-
λῆς οὔσης ἔχεις καὶ ὑγροῦ βραχὺ πολλοῦ ὄντος, καὶ τῶν
ἄλλων δήπου μεγάλων ὄντων ἑκάστου μικρὸν μέρος λαβόντι
60 τὸ σῶμα συνήρμοσταί σοι; νοῦν δὲ μόνον ἄρα οὐδαμοῦ
ὄντα σὲ εὐτυχῶς πως δοκεῖς συναρπάσαι, καὶ τάδε τὰ ὑπερ-
μεγέθη καὶ πλῆθος ἄπειρα δι᾽ ἀφροσύνην τινὰ οὕτως οἴει
εὐτάκτως ἔχειν;" "Μὰ Δί᾽· οὐ γὰρ ὁρῶ τοὺς κυρίους, ὥσπερ 9
τῶν ἐνθάδε γιγνομένων τοὺς δημιουργούς." "Οὐδὲ γὰρ
65 τὴν σαυτοῦ σύ γε ψυχὴν ὁρᾷς, ἢ τοῦ σώματος κυρία ἐστίν·
ὥστε κατά γε τοῦτο ἔξεστί σοι λέγειν ὅτι οὐδὲν γνώμῃ,
ἀλλὰ τύχῃ πάντα πράττεις." καὶ ὁ Ἀριστόδημος, "Οὗτοι," 10
ἔφη, "ἐγώ, ὦ Σώκρατες, ὑπερορῶ τὸ δαιμόνιον, ἀλλ᾽ ἐκεῖνο

existence of gods may also be inferred from the intellectual nature of man. As the component elements (γῆ and ὑγρόν) of our bodies have been obtained from an external material universe, so our reason may be supposed to be a part of a Reason to be sought beyond ourselves ; in default of whose presence and power the world of order could owe its existence to blind chance only. In opening this line of thought, Socrates begins with the abrupt question σὺ δὲ σαυτὸν δοκεῖς τι φρόνιμον ἔχειν; to which Aristodemus, not seeing the connection of this with the preceding discussion, cautiously answers : ' Well, ask on, and I will answer.' The substance of the passage is given by Cicero, *Pro Mil.* 31. 84. *Cf.* also his *De Nat. Deor.* ii. 6, Plato *Philebus* 30 A. — **καὶ ταῦτα, εἰδώς**: *and that too, although you know.* For the participle, see on κεκτημένος i. 2. 1. — **νοῦν δὲ μόνον κτλ.**: *but mind alone then, which*

*does not exist elsewhere, you think that you have caught up by some lucky chance?* *Cf.* unde enim hanc mentem homo arripuit? ut ait apud Xenophontem Socrates Cic. *de Nat. Deor.* ii. 6. 18.

**9. μὰ Δία**: *certainly, i.e.* "I do not believe in an overruling intelligence." μὰ Δία, instead of οὐ μὰ Δία, may be used when a neg. precedes (as here ἄλλοθι οὐδαμοῦ οὐδὲν εἶναι), or follows, or is implied in the context. — **οὐδὲ γάρ**: *why, neither.* γάρ, in an answer, generally refers to an assertion implied in the question or statement preceding, or readily supplied from the connection, as here οὐχ ὁρᾷς τοὺς κυρίους· οὐδὲ γὰρ κτλ. *Cf.* i. 3. 10, ii. 1. 2. — **κατά γε τοῦτο**: *according to this reasoning, at least.* For the position of γέ, see H. 1037, 1 a. *Cf.* ἤκουσεν οὐδεὶς ἔν γε τῷ φανερῷ *An.* i. 3. 21.

**10. τὸ δαιμόνιον**: the Deity, as in 2. — **ἐκεῖνο**: expressing remoteness, hence chosen instead of αὐτό.

μεγαλοπρεπέστερον ἡγοῦμαι ἢ ὡς τῆς ἐμῆς θεραπείας
70 προσδεῖσθαι." "Οὔκουν," ἔφη, "ὅσῳ μεγαλοπρεπέστερον
ὂν ἀξιοῖ σὲ θεραπεύειν, τοσούτῳ μᾶλλον τιμητέον αὐτό;"
"Εὖ ἴσθι," ἔφη, "ὅτι, εἰ νομίζοιμι θεοὺς ἀνθρώπων τι 11
φροντίζειν, οὐκ ἂν ἀμελοίην αὐτῶν." "Ἔπειτ᾽ οὐκ οἴει
φροντίζειν; οἳ πρῶτον μὲν μόνον τῶν ζῴων ἄνθρωπον
75 ὀρθὸν ἀνέστησαν· ἡ δὲ ὀρθότης καὶ προορᾶν πλέον
ποιεῖ δύνασθαι καὶ τὰ ὕπερθεν μᾶλλον θεᾶσθαι καὶ
ἧττον κακοπαθεῖν οἷς καὶ ὄψιν καὶ ἀκοὴν καὶ στόμα
ἐνεποίησαν· ἔπειτα τοῖς μὲν ἄλλοις ἑρπετοῖς πόδας ἔδω-
καν, οἳ τὸ πορεύεσθαι μόνον παρέχουσιν, ἀνθρώπῳ δὲ
80 καὶ χεῖρας προσέθεσαν, αἳ τὰ πλεῖστα οἷς εὐδαιμονέσ-
τεροι ἐκείνων ἐσμὲν ἐξεργάζονται. καὶ μὴν γλῶτταν γε 12
πάντων τῶν ζῴων ἐχόντων, μόνην τὴν τῶν ἀνθρώπων
ἐποίησαν οἵαν ἄλλοτε ἀλλαχῇ ψαύουσαν τοῦ στόματος
ἀρθροῦν τε τὴν φωνὴν καὶ σημαίνειν πάντα ἀλλήλοις ἃ

— ἢ ὡς: equivalent to ἢ ὥστε, cf. iii.
5. 17. For ὡς and the inf. after the
comparative with ἤ, see G. 1458;
H. 954. — οὔκουν: as in 5. — ὅσῳ
μεγαλοπρεπέστερον κτλ.: the more
magnificent he is and yet deigns to care
for you. The very sublimity of the
Deity, taken with his benevolence, is
an additional reason for honoring him,
and not an excuse for ignoring him.
    11. εἰ νομίζοιμι, οὐκ ἂν ἀμελοίην:
for fut. conds. of the less vivid form,
see G. 1408; H. 900. — φροντίζειν: the
omitted subj. (αὐτούς) is unmistakably
suggested by the preceding αὐτῶν. —
οἵ: see on ὅς i. 2. 1. — μόνον τῶν ζῴων:
alone among living beings. — ἀνέστη-
σαν: 1 aor., the trans. use. For trans.
and intr. senses in the same verb, see
G. 1231; H. 500, and a. — πλέον:

belongs to προορᾶν. — ἔπειτα: without
δέ, as εἶτα in i. 2. 1. — ἑρπετοῖς: else-
where used for ζῷα chiefly by the
poets. Cf. ὅσσ᾽ ἐπὶ γαῖαν | ἑρπετὰ
γίγνονται καὶ ὕδωρ καὶ θεσπιδαὲς πῦρ
Hom. δ 418. — οἷς: for the dative of
means, see G. 1181; H. 776. —
ἐκείνων: i.e. τῶν ἑρπετῶν.
    12. καὶ μήν: ac profecto, and
further. See on ἀλλὰ μήν i. 1. 6. —
οἵαν: capable. See on οἵους 6. —
ἄλλοτε ἀλλαχῇ κτλ.: cf. (lingua)
sonos vocis distinctos et
pressos efficit, cum et ad
dentes et ad alias partes pel-
lit oris Cic. de Nat. Deor. ii. 59.
149. — στόματος: for the gen. with
verbs of touching, see G. 1099; H.
738. — ἀρθροῦν φωνήν: to produce ar-
ticulate speech. — καὶ σημαίνειν: i.e.

85 βουλόμεθα. [τὸ δὲ καὶ τὰς τῶν ἀφροδισίων ἡδονὰς τοῖς
μὲν ἄλλοις ζῴοις δοῦναι περιγράψαντας τοῦ ἔτους χρόνον,
ἡμῖν δὲ συνεχῶς μέχρι γήρως ταῦτα παρέχειν;] οὐ τοί- 13
νυν μόνον ἤρκεσε τῷ θεῷ τοῦ σώματος ἐπιμεληθῆναι,
ἀλλ', ὅπερ μέγιστόν ἐστι, καὶ τὴν ψυχὴν κρατίστην τῷ
90 ἀνθρώπῳ ἐνέφυσε· τίνος γὰρ ἄλλου ζῴου ψυχὴ πρῶτα
μὲν θεῶν τῶν τὰ μέγιστα καὶ κάλλιστα συνταξάντων
ᾔσθηται ὅτι εἰσί; τί δὲ φῦλον ἄλλο ἢ ἄνθρωποι θεοὺς
θεραπεύουσι; ποία δὲ ψυχὴ τῆς ἀνθρωπίνης ἱκανωτέρα
προφυλάττεσθαι ἢ λιμὸν ἢ δίψος ἢ ψύχη ἢ θάλπη, ἢ
95 νόσοις ἐπικουρῆσαι, ἢ ῥώμην ἀσκῆσαι, [ἢ πρὸς μάθησιν
ἐκπονῆσαι,] ἢ ὅσα ἂν ἀκούσῃ ἢ ἴδῃ ἢ μάθῃ ἱκανωτέρα
ἐστὶ διαμεμνῆσθαι; οὐ γὰρ πάνυ σοι κατάδηλον ὅτι 14
παρὰ τὰ ἄλλα ζῷα ὥσπερ θεοὶ ἄνθρωποι βιοτεύουσι,
φύσει καὶ τῷ σώματι καὶ τῇ ψυχῇ κρατιστεύοντες; οὔτε

καὶ ὥστε ἡμᾶς σημαίνειν, the subj. of
the inf. being anticipated from ἀλλή-
λοις and βουλόμεθα. — τὸ δὲ δοῦναι
κτλ.: sc. οὐ θαυμαστόν ἐστιν; — ταῦτα:
refers to τὰς ἡδονάς, the neut. gen-
eralizing the conception. Cf. δεῖ
πρὸς ταῦτα (sc. ἐπιθυμίας) οὐκ ἧττον
διαμάχεσθαι Oec. i. 23.

13. τοίνυν: further. For τοίνυν
as a particle of transition, see Kr.
Spr. 69. 62. — μόνον: the usual posi-
tion of μόνον belonging to the inf.,
when the latter is preceded by οὐκ
ἀρκεῖ. Cf. Cyr. viii. 8. 16, 17. —
κρατίστην: as supreme. For the
pred. position of the adj., see
G. 971; H. 670. — ἐνέφυσε: im-
planted, as in 7. — ψυχή: "intel-
ligence." — πρῶτα μέν: rarer than
πρῶτον μέν, and followed here by δέ
only, instead of ἔτι δέ, or ἔπειτα. —

θεῶν ᾔσθηται, ὅτι εἰσί: has perceived
that the gods exist, lit. has perceived
the gods that they exist. For the
'prolepsis,' see on συνουσίαν i. 2. 13.
— φῦλον: race. — θεραπεύουσι: for
the pl. after a collective subj., see
G. 900; H. 609. — ψύχη, θάλπη:
pl. in abstract sense. H. 636. —
ἱκανωτέρα ἐστί: the closing of a
sent. with a question which recalls
the beginning, and repeats its words,
is common with Xenophon, e.g.,
ii. 1. 8; Hell. iv. 4. 12; Oec. ii.
15.

14. παρά: in comparison with.
G. 1213, 3 d; H. 802, 3 c. — φύσει:
by nature. For the dat. of manner,
see reference on οἷς 11. — καί, καί:
correlative, and subordinating the
two dats. σώματι and ψυχῇ to φύσει.
— κρατιστεύοντες: "being lords of

100 γὰρ βοὸς ἂν ἔχων σῶμα, ἀνθρώπου δὲ γνώμην, ἐδύνατ᾽
ἂν πράττειν ἃ ἐβούλετο, οὔθ᾽ ὅσα χεῖρας ἔχει, ἄφρονα δ᾽
ἐστί, πλέον οὐδὲν ἔχει· σὺ δὲ ἀμφοτέρων τῶν πλείστου
ἀξίων τετυχηκὼς οὐκ οἴει σοῦ θεοὺς ἐπιμελεῖσθαι; ἀλλ᾽
ὅταν τί ποιήσωσι νομιεῖς αὐτοὺς σοῦ φροντίζειν;" "Ὅταν 15
105 πέμπωσιν, ὥσπερ σοὶ φῄς πέμπειν αὐτούς, συμβούλους, ὅ
τι χρὴ ποιεῖν καὶ μὴ ποιεῖν." "Ὅταν δὲ Ἀθηναίοις," ἔφη,
"πυνθανομένοις τι διὰ μαντικῆς φράζωσιν, οὐ καὶ σοὶ
δοκεῖς φράζειν αὐτούς, οὐδ᾽ ὅταν τοῖς Ἕλλησι τέρατα
πέμποντες προσημαίνωσιν, οὐδ᾽ ὅταν πᾶσιν ἀνθρώποις,
110 ἀλλὰ μόνον σὲ ἐξαιροῦντες ἐν ἀμελείᾳ κατατίθενται; οἴει 16
δ᾽ ἂν τοὺς θεοὺς τοῖς ἀνθρώποις δόξαν ἐμφῦσαι ὡς ἱκανοί
εἰσιν εὖ καὶ κακῶς ποιεῖν, εἰ μὴ δυνατοὶ ἦσαν, καὶ τοὺς
ἀνθρώπους ἐξαπατωμένους τὸν πάντα χρόνον οὐδέποτ᾽ ἂν

---

creation." — ἂν ἔχων, ἐδύνατ᾽ ἄν:
for the cond., see on εἰ προσετέθησαν
5, and, for the partic. containing a
prot., on i. ι. 20. For the repetition
of ἄν, see G. 1312; H. 864. Cf.
λαβὼν δ᾽ ἂν τὸν ἵππον ἐκ τοῦ παρα-
χρῆμα ἂν ἐστρατεύετο Hell. vi. 4. 11.
— ἃ ἐβούλετο: quae vellet (not
volebat). For the assimilation of
the mode in cond. rel. sents., see
G. 1440; H. 919 b. Cf. iii. 5. 8. —
ἔχει, ἐστί: ind., as Socrates is now
speaking of animals that really exist,
e.g., apes. — πλέον οὐδὲν ἔχει: have
no advantage. — ἀμφοτέρων: i.e.
σώματος and ψυχῆς. — ὅταν τί ποιή-
σωσι νομιεῖς: when they do what,
will you think? i.e. "what must
they do to make you think?" For
the interr. depending on a depend-
ent word, see H. 1012.

15. συμβούλους: Aristodemus is
thinking of the δαιμόνιον of Socrates,

of which he has no very clear con-
ception, and uses συμβούλους, per-
haps with a touch of irony, for the
impersonal συμβουλήν, advisers in-
stead of "advice." — ὅ τι χρὴ ποιεῖν
κτλ.: the clause may be taken as obj.
of the verbal idea in συμβούλους. —
Ἀθηναίοις, Ἕλλησι, πᾶσιν ἀνθρώ-
ποις: an ascending climax. — πυνθα-
νομένοις: inquiring. — ἀλλά . . .
κατατίθενται: the change from in-
direct to direct discourse adds to the
sarcastic emphasis, "but they select
you alone, do they, and leave you in
neglect?"

16. ἂν ἐμφῦσαι: for examples of
the inf. with ἄν in indirect discourse,
see G. 1308; H. 964 b. Cf. iii. 5.
2. — ὡς: that, depends on δόξαν belief.
— καί (before τοὺς ἀνθρώπους): or,
since ἐξαπατωμένους suggests an al-
ternative condition. — δυνατοί: sc. εὖ
καὶ κακῶς ποιεῖν. — πολυχρονιώτατα:

αἰσθέσθαι; οὐχ ὁρᾷς ὅτι τὰ πολυχρονιώτατα καὶ σοφώ-
115 τατα τῶν ἀνθρωπίνων, πόλεις καὶ ἔθνη, θεοσεβέστατά
ἐστι, καὶ αἱ φρονιμώταται ἡλικίαι θεῶν ἐπιμελέσταται;
ὠγαθέ," ἔφη, "κατάμαθε ὅτι καὶ ὁ σὸς νοῦς ἐνὼν τὸ σὸν 17
σῶμα ὅπως βούλεται μεταχειρίζεται. οἴεσθαι οὖν χρὴ
καὶ τὴν ἐν τῷ παντὶ φρόνησιν τὰ πάντα, ὅπως ἂν αὐτῇ
120 ἡδὺ ᾖ, οὕτω τίθεσθαι, καὶ μὴ τὸ σὸν μὲν ὄμμα δύνασθαι
ἐπὶ πολλὰ στάδια ἐξικνεῖσθαι, τὸν δὲ τοῦ θεοῦ ὀφθαλμὸν
ἀδύνατον εἶναι ἅμα πάντα ὁρᾶν, μηδὲ τὴν σὴν μὲν ψυχὴν
καὶ περὶ τῶν ἐνθάδε καὶ περὶ τῶν ἐν Αἰγύπτῳ καὶ ἐν
Σικελίᾳ δύνασθαι φροντίζειν, τὴν δὲ τοῦ θεοῦ φρόνησιν
125 μὴ ἱκανὴν εἶναι ἅμα πάντων ἐπιμελεῖσθαι. ἦν μέντοι, 18
ὥσπερ ἀνθρώπους θεραπεύων γιγνώσκεις τοὺς ἀντιθερα-
πεύειν ἐθέλοντας καὶ χαριζόμενος τοὺς ἀντιχαριζομένους,
καὶ συμβουλευόμενος καταμανθάνεις τοὺς φρονίμους,
οὕτω καὶ τῶν θεῶν πεῖραν λαμβάνῃς θεραπεύων εἴ τι σοὶ
130 θελήσουσι περὶ τῶν ἀδήλων ἀνθρώποις συμβουλεύειν,
γνώσῃ τὸ θεῖον ὅτι τοσοῦτον καὶ τοιοῦτόν ἐστιν ὥσθ' ἅμα

*most time-honored.* — θεῶν : for the
gen., see references on γαστρός i. 2. 1.
17. ἔφη : *he continued,* the
speaker remaining unchanged, Lat.
inquit. — ἐνών : sc. ἐν τῷ σώματι.
*Cf.* ἐνόν i. 2. 54. — ὅπως ἂν αὐτῇ ἡδὺ
ᾖ : *as it pleases.* — μεταχειρίζεται :
administrat, *manages.* — οὖν : *so,
then,* "in like manner." — καὶ μή : sc.
χρὴ οἴεσθαι, which is also to be sup-
plied with the following μηδέ. — τὸ
σὸν μὲν ὄμμα : *that, while your eye.*
The neg. μή grammatically attaches
to the whole of the following sent.,
but really belongs only to the second
inf. in each pair (ὁρᾶν, ἐπιμελεῖσθαι),
the μέν clauses being really subordi-

nate; *i.e.* "you must not believe only
in your own vision and intelligence,
but must infer from them those of
the Deity." For a similar use of
the *a fortiori* argument, *cf.* Plato
*Apol.* 28 D, E.
18. ἤν : introduces the subjv.
λαμβάνῃς, the sent. from ὥσπερ to
φρονίμους being parenthetical. —
θεραπεύων : *by serving.* — θεῶν :
obj. gen. with πεῖραν. G. 1085, 3 ;
H. 729 c. — εἰ : *whether.* G. 1605 ;
H. 1016. On the thought of the
passage, *cf.* i. 1. 9. — τῶν ἀδήλων
ἀνθρώποις : sc. ὄντων. *Cf.* i. 1. 6. —
γνώσῃ τὸ θεῖον, ὅτι ἐστίν : 'prolep-
sis.' *Cf.* 13, and συνουσίαν i. 2. 13.

πάντα ὁρᾶν καὶ πάντα ἀκούειν καὶ πανταχοῦ παρεῖναι
καὶ ἅμα πάντων ἐπιμελεῖσθαι." ἐμοὶ μὲν οὖν ταῦτα 19
λέγων οὐ μόνον τοὺς συνόντας ἐδόκει ποιεῖν ὁπότε ὑπὸ
135 τῶν ἀνθρώπων ὁρῶντο, ἀπέχεσθαι τῶν ἀνοσίων τε καὶ
ἀδίκων καὶ αἰσχρῶν, ἀλλὰ καὶ ὁπότε ἐν ἐρημίᾳ εἶεν,
ἐπείπερ ἡγήσαιντο μηδὲν ἄν ποτε ὧν πράττοιεν θεοὺς
διαλαθεῖν.

Εἰ δὲ δὴ καὶ ἐγκράτεια καλόν τε καὶ ἀγαθὸν ἀνδρὶ 5
κτῆμά ἐστιν, ἐπισκεψώμεθα εἴ τι προὐβίβαζε λέγων εἰς
ταύτην τοιάδε· "Ὦ ἄνδρες, εἰ πολέμου ἡμῖν γενομένου
βουλοίμεθα ἑλέσθαι ἄνδρα ὑφ' οὗ μάλιστ' ἂν αὐτοὶ μὲν
5 σῳζοίμεθα, τοὺς δὲ πολεμίους χειροίμεθα, ἆρ' ὅντιν'
αἰσθανοίμεθα ἥττω γαστρὸς ἢ οἴνου ἢ ἀφροδισίων ἢ
πόνου ἢ ὕπνου, τοῦτον ἂν αἱροίμεθα; καὶ πῶς ἂν οἰηθείη-
μεν τὸν τοιοῦτον ἢ ἡμᾶς σῶσαι ἢ τοὺς πολεμίους κρα-
τῆσαι; εἰ δ' ἐπὶ τελευτῇ τοῦ βίου γενόμενοι βουλοίμεθά 2

---

19. ἐμοὶ μὲν οὖν κτλ.: sums up
the chapter, as in i. 1. 20, 2. 62, et
al.— οὐ μόνον: belongs to ὁπότε
ὁρῶντο.  See on μόνον 13. — ἀπέχε-
σθαι: depends on ποιεῖν. — ἐπείπερ
ἡγήσαιντο: since (as we have seen)
they had come to believe. For the opt.
in causal sents., see GMT. 714 ; H.
925 b.  For the thought, cf. the in-
junctions of Christ against osten-
tatious almsgiving and praying
'to be seen of men,' Matt. vi.
1–18.

5. Self-control is the foundation
of every virtue recommended and
practiced by Socrates.

1. εἰ δή: si iam, introduces a
settled and recognized fact. — εἰ
προὐβίβαζε: whether he led (his
friends) forward.  For εἰ with

indir. question, cf. i. 4. 18. — εἰς
ταύτην (sc. ἐγκράτειαν): connect
with προὐβίβαζε. For the disloca-
tion of the usual order ('hyper-
baton'), see H. 1062. — ὦ ἄνδρες:
there was evidently a circle of
hearers.  So in 6. 1, παρόντων
αὐτῶν. — ὅντινα: equivalent to εἰ
τινα. — αἰσθανοίμεθα: for the assimi-
lation of the cond. rel. clause, see
G. 1439; H. 919 a. — ἥττω (sc.
ὄντα): "one who is not master of."
For Socrates's self-control in these
matters, cf. 3. — σῶσαι, κρατῆσαι:
save, conquer. The aor. shows that
the actions are conceived without
reference to a def. time or duration.
GMT. 127, Kr. Spr. 53. 6. 9.  κρατεῖν
(τινα) is equivalent to conquer, κρατεῖν
(τινος) to have control.

10 τῷ ἐπιτρέψαι ἢ παῖδας ἄρρενας παιδεῦσαι ἢ θυγατέρας
παρθένους διαφυλάξαι ἢ χρήματα διασῶσαι, ἆρ᾽ ἀξιό-
πιστον εἰς ταῦτα ἡγησόμεθα τὸν ἀκρατῆ; δούλῳ δ᾽ ἀκρα-
τεῖ ἐπιτρέψαιμεν ἂν ἢ βοσκήματα ἢ ταμιεῖα ἢ ἔργων
ἐπιστασίαν; διάκονον δὲ καὶ ἀγοραστὴν τοιοῦτον ἐθελή-
15 σαιμεν ἂν προῖκα λαβεῖν; ἀλλὰ μὴν εἴ γε μηδὲ δοῦλον 3
ἀκρατῆ δεξαίμεθ᾽ ἄν, πῶς οὐκ ἄξιον αὐτόν γε φυλάξα-
σθαι τοιοῦτον γενέσθαι; καὶ γὰρ οὐχ ὥσπερ οἱ πλεονέ-
κται τῶν ἄλλων ἀφαιρούμενοι χρήματα ἑαυτοὺς δοκοῦσι
πλουτίζειν, οὕτως ὁ ἀκρατὴς τοῖς μὲν ἄλλοις βλαβερός,
20 ἑαυτῷ δ᾽ ὠφέλιμος, ἀλλὰ κακοῦργος μὲν τῶν ἄλλων, ἑαυ-
τοῦ δὲ πολὺ κακουργότερος, εἴ γε κακουργότατόν ἐστι μὴ
μόνον τὸν οἶκον τὸν ἑαυτοῦ φθείρειν, ἀλλὰ καὶ τὸ σῶμα
καὶ τὴν ψυχήν. ἐν συνουσίᾳ δὲ τίς ἂν ἡσθείη τῷ 4
τοιούτῳ ὃν εἰδείη τῷ ὄψῳ τε καὶ τῷ οἴνῳ χαίροντα
25 μᾶλλον ἢ τοῖς φίλοις, καὶ τὰς πόρνας ἀγαπῶντα μᾶλλον
ἢ τοὺς ἑταίρους; ἆρά γε οὐ χρὴ πάντα ἄνδρα, ἡγησά-
μενον τὴν ἐγκράτειαν ἀρετῆς εἶναι κρηπῖδα, ταύτην

2. **παιδεῦσαι** : for the inf. ex-
pressing a purpose, see G. 1532 ;
H. 951. — **διαφυλάξαι, διασῶσαι** :
obs. the force of διά in composition,
*thoroughly, to the end.* — **ἡγησόμεθα** :
the fut. ind. in apod. breaks the
monotony of the repeated opts. with
ἄν. — **τὸν ἀκρατῆ** : *the man without
self-control.* — **ἔργων ἐπιστασίαν** :
*supervision of works.* — **ἀγοραστήν** :
the term for the slave who went to
market. For the formation of nouns
denoting the agent, see G. 833 ; H.
550. — **τοιοῦτον** : *i.e.* τὸν ἀκρατῆ.
   3. **ἀλλὰ μὴν εἰ** : atqui si, *and yet*
— **εἰ δεξαίμεθ᾽ ἄν** : for the potential
opt. (with ἄν) in a cond., see G.

1421, 3; H. 900 a. — **αὐτόν** : *a man
himself,* subj. of φυλάξασθαι. Not in
the pl., although δεξαίμεθα precedes, as
αὐτός indicates the master, in contrast
with δοῦλον in the previous clauses. —
**γενέσθαι** : for the inf. with verbs of
caution, see GMT. 374 ; H. 948. —
**κακοῦργος, κακουργότερος, κακουρ-
γότατος** : obs. the climax, heightened
in rhetorical effect by the chiastic
order of the first two clauses. — **τὸν
οἶκον τὸν ἑαυτοῦ** : *one's own house.*
   4. **ὃν εἰδείη** : for the assimilation
of the mode, see on αἰσθανοίμεθα in 1.
— **ἆρα γε οὔ** : nonne certe. — **ἡγη-
σάμενον** : for the participle of cond.,
see on πιστεύων i. 1. 5.

πρῶτον ἐν τῇ ψυχῇ κατασκευάσασθαι; τίς γὰρ ἄνευ ταύτης  5
ἢ μάθοι τι ἂν ἀγαθὸν ἢ μελετήσειεν ἀξιολόγως; ἢ τίς
30 οὐκ ἂν ταῖς ἡδοναῖς δουλεύων αἰσχρῶς διατεθείη καὶ τὸ
σῶμα καὶ τὴν ψυχήν; ἐμοὶ μὲν δοκεῖ νὴ τὴν Ἥραν ἐλευ-
θέρῳ μὲν ἀνδρὶ εὐκτὸν εἶναι μὴ τυχεῖν δούλου τοιούτου,
δουλεύοντα δὲ ταῖς τοιαύταις ἡδοναῖς ἱκετευτέον τοὺς
θεοὺς δεσποτῶν ἀγαθῶν τυχεῖν· οὕτως γὰρ ἂν μόνως ὁ
35 τοιοῦτος σωθείη." τοιαῦτα δὲ λέγων ἔτι ἐγκρατέστερον  6
τοῖς ἔργοις ἢ τοῖς λόγοις ἑαυτὸν ἐπεδείκνυεν· οὐ γὰρ
μόνον τῶν διὰ τοῦ σώματος ἡδονῶν ἐκράτει, ἀλλὰ καὶ τῆς
διὰ τῶν χρημάτων, νομίζων τὸν παρὰ τοῦ τυχόντος χρή-
ματα λαμβάνοντα δεσπότην ἑαυτοῦ καθιστάναι καὶ δου-
40 λεύειν δουλείαν οὐδεμιᾶς ἧττον αἰσχράν.

Ἄξιον δ' αὐτοῦ καὶ ἃ πρὸς Ἀντιφῶντα τὸν σοφιστὴν  6
διελέχθη μὴ παραλιπεῖν. ὁ γὰρ Ἀντιφῶν ποτε βουλόμενος

---

5. οὐκ αἰσχρῶς διατεθείη : *would not be put into a shameful condition.* So διακεῖσθαι in i. 1. 13. — νὴ τὴν Ἥραν : an expression used by women, and, among men, apparently used by Socrates only. *Cf.* iii. 10. 9, 11. 5, iv. 2. 9, 4. 8. —δου-λεύοντα : *sc.* τινά. The dat. is the usual case for the agent with verbals in -τέος. When the acc. was used, it was perhaps because the verbal was regarded as equivalent to δεῖ with the infinitive. G. 1188 ; H. 991 a. —δεσποτῶν ἀγαθῶν : *i.e.* masters who set their servants a good example (Kühner). *Cf. Oec.* i. 23.

6. τοιαῦτα δὲ λέγων κτλ. : "his practice was even better than his preaching." — τῶν διὰ τοῦ σώματος ἡδέων : *cf.* τῶν διὰ στόματος ἡδέων i. 4. 5. — παρὰ τοῦ τυχόντος : *from any*

one who happened along. *Cf.* i. 2. 6, and see on i. 1. 14. — δεσπότην ἑαυ-τοῦ κτλ. : *was establishing a master over himself; and entering upon a slavery than which none is more shameful.* For the special form of 'litotes' involved in οὐδεμιᾶς ἧττον αἰσχρόν, *cf.* iv. 2. 12. *Cf.* also οὐδα-μῶν εἰσι κακίονες ἀνδρῶν Hdt. vii. 104. Kr. *Spr.* 47. 27. 3.

6. 1–10. *In a conversation with Antiphon, Socrates defends himself against the charge that his simple mode of life makes him and those who imitate him unhappy rather than happy.*

1. αὐτοῦ : depends on ἃ διελέχθη "those conversations of his." H. 733. —Ἀντιφῶντα : described by Suidas as follows : Ἀντιφῶν Ἀθηναῖος, τερα-τοσκόπος καὶ ἐποποιὸς καὶ σοφιστής,

τοὺς συνουσιαστὰς αὐτοῦ παρελέσθαι προσελθὼν τῷ
Σωκράτει παρόντων αὐτῶν, ἔλεξε τάδε· "Ὦ Σώκρατες, 2
5 ἐγὼ μὲν ᾤμην τοὺς φιλοσοφοῦντας εὐδαιμονεστέρους χρῆ-
ναι γίγνεσθαι· σὺ δέ μοι δοκεῖς τἀναντία τῆς φιλοσοφίας
ἀπολελαυκέναι· ζῇς γοῦν οὕτως ὡς οὐδ᾽ ἂν εἷς δοῦλος
ὑπὸ δεσπότῃ διαιτώμενος μείνειε· σῖτά τε σιτῇ καὶ ποτὰ
πίνεις τὰ φαυλότατα, καὶ ἱμάτιον ἠμφίεσαι οὐ μόνον
10 φαῦλον ἀλλὰ τὸ αὐτὸ θέρους τε καὶ χειμῶνος, ἀνυπόδητός

ἐκαλεῖτο δὲ λογομάγειρος. He was the
author of a work on the interpreta-
tion of dreams which had considera-
ble reputation. Cf. de quibus (som-
niis) disputans Chrysippus
multis et minutis somniis
colligendis facit idem quod
Antipater, ea conquirens,
quae Antiphontis interpreta-
tione explicata declarant illa
quidem acumen interpretis,
sed exemplis grandioribus
decuit uti Cic. de Div. i. 20. He
should not be confused with the ora-
tor Antiphon. — συνουσιαστάς: see
on συνόντων i. 1. 4. — Σωκράτου:
the name expressed for clearness,
after the twice-used αὐτοῦ. Cf. πολλὴ
ἦν ἀφθονία αὐτῷ τῶν θελόντων κινδυ-
νεύειν, ὅπου τις οἴοιτο Κῦρον αἰσθήσεσθαι
Αn. i. 9. 15, where the emphasis of
Κῦρον is even more marked.

2. ᾤμην: I always supposed.
Impf. of habitual past action. — τοὺς
φιλοσοφοῦντας: lovers of knowledge.
Cf. the Platonic use of φιλοσόφους
equivalent to φιλομαθεῖς, and ἀλλὰ
μέντοι, εἶπον ἐγώ, τό γε φιλομαθὲς καὶ
φιλόσοφον ταὐτόν; ταὐτὸν γάρ, ἔφη
Plato Rep. 376 b. Cf. also Plato's
use of ὀρθῶς φιλοσοφοῦντες (Phaedo

67 E) to avoid the use of φιλόσοφοι in
a technical sense. — εὐδαιμονεστέρους:
happier, "more prosperous." The
opposite condition is κακοδαιμονία in 3.
— χρῆναι    γίγνεσθαι: necessarily
become. — ἀπολελαυκέναι: to have
enjoyed, ironical. For a similar use of
ἐπαυρίσκομαι, cf. ἵνα πάντες ἐπαύρωνται
βασιλῆος Hom. A 410. — οὐδ᾽ ἂν εἷς:
stronger than οὐδεὶς ἄν. Cf. iv. 3.
15, and the Eng. 'no one' and 'none.'
— ὡς: connect with διαιτώμενος.
— μείνειε: opposed to ἀποδιδράσκειν.
In this sense, παραμένειν is generally
used, as, e.g., Oec. iii. 4, Plato Meno
97 D. — σῖτά τε κτλ.: in explanatory
appos. with the preceding. What
conj. might have been used? For
the decl. of σῖτα, see G. 288 ; H. 214.
— ἠμφίεσαι: pf. with pres. meaning.
For aug. before prep., see G. 544 ;
H. 361. — οὐ μόνον, ἀλλά: like the
Lat. non solum, sed. The second
notion, as the more important, is
added to the first, but without ex-
cluding it, as would be the case with
οὐκ, ἀλλά (non, sed). — ἀνυπόδητος:
no special singularity is implied in
assigning to Socrates a custom
adopted by many of the more as-
cetic philosophers. Aristophanes

τε καὶ ἀχίτων διατελεῖς. καὶ μὴν χρήματά γε οὐ 3
λαμβάνεις, ἃ καὶ κτωμένους εὐφραίνει καὶ κεκτημένους
ἐλευθεριώτερόν τε καὶ ἥδιον ποιεῖ ζῆν. εἰ οὖν, ὥσπερ
καὶ τῶν ἄλλων ἔργων οἱ διδάσκαλοι τοὺς μαθητὰς μιμη-
15 τὰς ἑαυτῶν ἀποδεικνύουσιν, οὕτω καὶ σὺ τοὺς συνόντας
διαθήσεις, νόμιζε κακοδαιμονίας διδάσκαλος εἶναι." καὶ 4
ὁ Σωκράτης πρὸς ταῦτα εἶπε· "Δοκεῖς μοι, ὦ ᾿Αντιφῶν,
ὑπειληφέναι με οὕτως ἀνιαρῶς ζῆν ὥστε πέπεισμαι σὲ
μᾶλλον ἀποθανεῖν ἂν ἑλέσθαι ἢ ζῆν ὥσπερ ἐγώ. ἴθι
20 οὖν ἐπισκεψώμεθα τί χαλεπὸν ᾔσθησαι τοῦ ἐμοῦ βίου.
πότερον, ὅτι τοῖς μὲν λαμβάνουσιν ἀργύριον ἀναγκαῖόν 5
ἐστιν ἀπεργάζεσθαι τοῦτο ἐφ᾿ ᾧ ἂν μισθὸν λάβωσιν,
ἐμοὶ δὲ μὴ λαμβάνοντι οὐκ ἀνάγκη διαλέγεσθαι ᾧ ἂν μὴ
βούλωμαι; ἢ τὴν δίαιτάν μου φαυλίζεις, ὡς ἧττον μὲν
25 ὑγιεινὰ ἐσθίοντος ἐμοῦ ἢ σοῦ, ἧττον δὲ ἰσχὺν παρέχοντα;
ἢ ὡς χαλεπώτερα πορίσασθαι τὰ ἐμὰ διαιτήματα τῶν

(*Clouds* 103) applies this epithet,
with others, to the followers of Soc-
rates. For an interesting account of
Greek shoes in the classical period,
see an article by A. A. Bryant in
*Harvard Studies in Classical Philol-
ogy*, vol. x. p. 57 ff.; and for the
hardihood manifested by Socrates at
the siege of Potidaea, see Plato *Sym.*
220 Α, Β. — **ἀχίτων** : *i.e.* without the
outer χιτών (ἐπενδύτης). Under this
outer garment was generally worn
an inner χιτών (ὑπενδύτης), with which
and his ἱμάτιον Socrates seems to
have been content. See Guhl and
Koner, *The Life of the Greeks and
Romans*, p. 161 ff. — **διατελεῖς** : with-
out ὤν, as *Cyr.* i. 5. 10.
    **3. καὶ μήν:** see on i. 4. 12, and
*cf.* 8 ; ii. 3. 4. — **χρήματα** : emphatic

position. — **ὥσπερ καί, οὕτω καί:** the
first καί remains untranslated, like καί
before πράττειν in i. 1. 6. So in *Oec.*
vi. 3. *Cf.* καὶ ἡμῖν ταὐτὰ δοκεῖ ἅπερ
καὶ βασιλεῖ *An.* ii. 1. 22. — **διαθήσεις** :
for the fut. denoting pres. intention,
see G. 1391 ; H. 893 c.
    **4. τί** : see on τίσι i. 1. 1. — **βίου** :
for the case, see on αὐτῶν i. 1. 12.
    **5. πότερον** (*sc.* χαλεπὸν ᾔσθησαι),
**ὅτι** : *is it because.* πότερον is correla-
tive to ἤ below. — **τοῖς μέν, ἐμοὶ δέ:**
for μέν with subordinate effect, see on
τὸ σὸν μὲν ὄμμα i. 4. 17. — **ἧττον** (with
παρέχοντα): *to a less degree.* — **χαλε-
πώτερα** : pred. after ὄντα (to be sup-
plied from the following sent.), with
which διαιτήματα is acc. abs. with ὡς,
while ἐμοῦ ἐσθίοντος in the preceding
sent. is gen. absolute. G. 1568, 1570;

σῶν διὰ τὸ σπανιώτερά τε καὶ πολυτελέστερα εἶναι; ἢ
ὡς ἡδίω σοὶ ἃ σὺ παρασκευάζῃ ὄντα ἢ ἐμοὶ ἃ ἐγώ; οὐκ
οἶσθ᾽ ὅτι ὁ μὲν ἥδιστα ἐσθίων ἥκιστα ὄψου δεῖται, ὁ δὲ
30 ἥδιστα πίνων ἥκιστα τοῦ μὴ παρόντος ἐπιθυμεῖ ποτοῦ;
τά γε μὴν ἱμάτια οἶσθ᾽ ὅτι οἱ μεταβαλλόμενοι ψύχους καὶ 6
θάλπους ἕνεκα μεταβάλλονται, καὶ ὑποδήματα ὑποδοῦνται
ὅπως μὴ διὰ τὰ λυποῦντα τοὺς πόδας κωλύωνται πορεύε-
σθαι· ἤδη οὖν ποτε ᾔσθου ἐμὲ ἢ διὰ ψῦχος μᾶλλόν του
35 ἔνδον μένοντα, ἢ διὰ θάλπος μαχόμενόν τῳ περὶ σκιᾶς, ἢ
διὰ τὸ ἀλγεῖν τοὺς πόδας οὐ βαδίζοντα ὅπου ἂν βούλω-
μαι; οὐκ οἶσθ᾽ ὅτι οἱ φύσει ἀσθενέστατοι τῷ σώματι 7
μελετήσαντες τῶν ἰσχυροτάτων ἀμελησάντων κρείττους τε
γίγνονται πρὸς ἃ ἂν μελετήσωσι καὶ ῥᾷον αὐτὰ φέρου-
40 σιν; ἐμὲ δὲ ἄρα οὐκ οἴει, τῷ σώματι ἀεὶ τὰ συντυγχάνοντα
μελετῶντα καρτερεῖν, πάντα ῥᾷον φέρειν σοῦ μὴ μελετῶν-
τος; τοῦ δὲ μὴ δουλεύειν γαστρὶ μηδ᾽ ὕπνῳ καὶ λαγνείᾳ 8
οἴει τι ἄλλο αἰτιώτερον εἶναι ἢ τὸ ἕτερα ἔχειν τούτων ἡδίω
ἃ οὐ μόνον ἐν χρείᾳ ὄντα εὐφραίνει, ἀλλὰ καὶ ἐλπίδας
45 παρέχοντα ὠφελήσειν ἀεί; καὶ μὴν τοῦτό γε οἶσθα,
ὅτι οἱ μὲν οἰόμενοι μηδὲν εὖ πράττειν οὐκ εὐφραίνονται,

H. 970, 974. — **ἥδιστα**: with greatest
relish. Cf. ἡδέως i. 3. 5. Note the
assonance of ἥδιστα, ἥκιστα. — **μὴ
παρόντος**: not at hand.

6. **ἱμάτια**: emphatic position. —
**πορεύεσθαι**: for the inf. with verbs
of hindering, see G. 1519; H. 948.
— **τοῦ** (equivalent to τινός): for the
form, see G. 416; H. 277. — **ἔνδον**:
indoors. — **τὸ ἀλγεῖν τοὺς πόδας**: pain
in my feet. πόδας is acc. of specifi-
cation. G. 1058; H. 718. — **ὅπου**: for
ὅποι, like our 'where' for 'whither.'

7. **μελετήσαντες**: by practicing. —
**αὐτά**: sc. ἃ ἂν μελετήσωσι. — **ἀεί**:

const. with καρτερεῖν, at all times to
bear patiently. — **μελετῶντα καρ-
τερεῖν**: for the inf. with verbs of
practicing, cf. iii. 9. 14, and ἐμελέτων
τοξεύειν An. iii. 4. 17.

8. **τοῦ δουλεύειν**: const. with
αἰτιώτερον. G. 1140; H. 753 e. —
**γαστρί**: appetite. Cf. i. 2. 1; i. 5.
1. — **τὸ ἔχειν**: sc. ἐμέ as subject. —
**ἐν χρείᾳ ὄντα**: while in use. — **οὐ
μόνον, ἀλλὰ καί**: see on οὐ μόνον,
ἀλλά in 2. — **καὶ μήν**: as in 3. —
**μηδέν**: for the use of μή with verbs
of thinking etc., cf. i. 1. 20; 2. 39,
41. — **εὖ πράττειν**: are fortunate,

οἱ δὲ ἡγούμενοι καλῶς προχωρεῖν ἑαυτοῖς ἢ γεωργίαν ἢ
ναυκληρίαν ἢ ἄλλ᾽ ὅ τι ἂν τυγχάνωσιν ἐργαζόμενοι ὡς εὖ
πράττοντες εὐφραίνονται. οἴει οὖν ἀπὸ πάντων τούτων 9
50 τοσαύτην ἡδονὴν εἶναι ὅσην ἀπὸ τοῦ ἑαυτόν τε ἡγεῖσθαι
βελτίω γίγνεσθαι καὶ φίλους ἀμείνους κτᾶσθαι; ἐγὼ τοί-
νυν διατελῶ ταῦτα νομίζων. ἐὰν δὲ δὴ φίλους ἢ πόλιν
ὠφελεῖν δέῃ, ποτέρῳ ἡ πλείων σχολὴ τούτων ἐπιμελεῖσθαι,
τῷ ὡς ἐγὼ νῦν, ἢ τῷ ὡς σὺ μακαρίζεις, διαιτωμένῳ;
55 στρατεύοιτο δὲ πότερος ἂν ῥᾷον, ὁ μὴ δυνάμενος ἄνευ
πολυτελοῦς διαίτης ζῆν, ἢ ᾧ τὸ παρὸν ἀρκοίη; ἐκπο-
λιορκηθείη δὲ πότερος ἂν θᾶττον, ὁ τῶν χαλεπωτάτων
εὑρεῖν δεόμενος, ἢ ὁ τοῖς ῥᾴστοις ἐντυγχάνειν ἀρκούντως
χρώμενος; ἔοικας, ὦ Ἀντιφῶν, τὴν εὐδαιμονίαν οἰομένῳ 10
60 τρυφὴν καὶ πολυτέλειαν εἶναι· ἐγὼ δὲ νομίζω τὸ μὲν
μηδενὸς δεῖσθαι θεῖον εἶναι, τὸ δ᾽ ὡς ἐλαχίστων ἐγγυ-
τάτω τοῦ θείου, καὶ τὸ μὲν θεῖον κράτιστον, τὸ δὲ ἐγγυτάτω
τοῦ θείου ἐγγυτάτω τοῦ κρατίστου."

"doing well." Some editors see a play on words between this and εὖ πράττοντες below, where the sense seems to be "managing matters well." — ἐργαζόμενοι: for the supplementary participle with τυγχάνω, see G. 1586; H. 984.

**9.** ἑαυτόν: oneself. — φίλους ἀμείνους κτᾶσθαι: acquiring better friends, not by getting new friends, but by improving those we have. ἀμείνους is pred. adjective. G. 919; H. 594 b. — ἐγὼ τοίνυν ... νομίζων: well then, I never cease to believe this (that I am improving myself and my friends). — ἐάν, δή: see on i. 5. 1.—ἐκπολιορκηθείη: would succumb to a siege. — τοῖς ῥᾴστοις ἐντυγχάνειν: what is easiest to obtain, opposed to τῶν χαλε-

πωτάτων εὑρεῖν. On the use of the inf. with adjs., see G. 1528; H. 952. Cf. ii. 1. 22 ; iii. 8. 8. — ἀρκούντως χρώμενος: "contented to use," "contented with."

**10.** ἔοικας οἰομένῳ: you are like one who thinks, "you seem to think." — εἶναι: "consists in." — θείου: for the gen. with advs., cf. ii. 1. 23.— κράτιστον: "perfect." The self-denial here described was carried to an extreme by the sect of philosophers known as Cynics, founded by Antisthenes, a devoted follower of Socrates (cf. iii. 11. 17 ; Sym. viii. 4). Its most famous representative was Diogenes, who came from Sinope to Athens some years after the death of Socrates, and was

Πάλιν δέ ποτε ὁ Ἀντιφῶν διαλεγόμενος τῷ Σωκράτει 11
65 εἶπεν· "Ὦ Σώκρατες, ἐγώ τοί σε δίκαιον μὲν νομίζω,
σοφὸν δὲ οὐδ' ὁπωστιοῦν. δοκεῖς δέ μοι καὶ αὐτὸς τοῦτο
γιγνώσκειν· οὐδένα γοῦν τῆς συνουσίας ἀργύριον πράττῃ.
καίτοι τό γε ἱμάτιον ἢ τὴν οἰκίαν ἢ ἄλλο τι ὧν κέκτησαι
νομίζων ἀργυρίου ἄξιον εἶναι οὐδενὶ ἂν μὴ ὅτι προῖκα
70 δοίης, ἀλλ' οὐδ' ἔλαττον τῆς ἀξίας λαβών. δῆλον δὴ 12
ὅτι εἰ καὶ τὴν συνουσίαν ᾤου τινὸς ἀξίαν εἶναι, καὶ ταύ-
της ἂν οὐκ ἔλαττον τῆς ἀξίας ἀργύριον ἐπράττου. δίκαιος
μὲν οὖν ἂν εἴης, ὅτι οὐκ ἐξαπατᾷς ἐπὶ πλεονεξίᾳ, σοφὸς
δὲ οὐκ ἄν, μηδενός γε ἄξια ἐπιστάμενος." ὁ δὲ Σωκράτης 13
75 πρὸς ταῦτα εἶπεν· "Ὦ Ἀντιφῶν, παρ' ἡμῖν νομίζεται τὴν
ὥραν καὶ τὴν σοφίαν ὁμοίως μὲν καλόν, ὁμοίως δὲ
αἰσχρὸν διατίθεσθαι εἶναι. τήν τε γὰρ ὥραν ἐὰν μέν τις
ἀργυρίου πωλῇ τῷ βουλομένῳ, πόρνον αὐτὸν ἀποκαλοῦσιν,

speedily attracted to the school of
Antisthenes. The extravagances and
ostentation of his ascetic life are in
strong contrast to the generally
sane and unaffected simplicity of
Socrates.

**11–14.** *In another conversation
Socrates refutes Antiphon when he
charges him with folly in teaching
without compensation.*

**11. οὐδ' ὁπωστιοῦν**: ne tantil-
lum quidem. For -οῦν, cf. i. 1.
**14. — τοῦτο γιγνώσκειν**: *to be aware
of this.* — **οὐδένα**: for the double
acc. with πράττῃ, see on i. 2.
5. — **τῆς συνουσίας**: gen. of 'the
thing bought,' by analogy to the gen.
of price. G. 1134; H. 746 c. — **ὧν**:
for the 'assimilation' of the rel. to
the case of its omitted antec., see on
i. 2. 21. — **μὴ ὅτι**: "not to say," "let
me not say that," with ellipsis of the

verb of saying.   *Cf.* on οὐχ ὅτι ii. 9.
8. G. 1504; H. 1035 a.
**12. καὶ τὴν συνουσίαν, καὶ ταύτης**:
for the repetition of καί in compound
sents., see on ὥσπερ καί 3. For the
case of ταύτης, see on συνουσίας in 11.
— **ἐπράττου**: note the transition from
the opt. δοίης in 11 to the indic. of un-
fulfilled condition. — **δίκαιος μὲν οὖν
ἂν εἴης**: emphatically put, *honest,
then, you would be.* — **ἐπιστάμενος**:
change of const. from ὅτι οὐκ ἐξαπα-
τᾷς. Thucydides is specially fond of
this change to participial construc-
tion.

**13. παρ' ἡμῖν**: *with us*, apud nos.
— **νομίζεται . . . εἶναι**: "there is a
noble as well as an ignoble disposition
of wisdom as of personal charms." —
**διατίθεσθαι**: *to expose for sale.* Obs.
the condensed expression in ὥραν,
σοφίαν, καλόν, αἰσχρόν. Each adj.

ἐὰν δέ τις ὃν ἂν γνῷ καλόν τε κἀγαθὸν ἐραστὴν ὄντα,
80 τοῦτον φίλον ἑαυτῷ ποιῆται, σώφρονα νομίζομεν· καὶ
τὴν σοφίαν, ὡσαύτως τοὺς μὲν ἀργυρίου τῷ βουλομένῳ
πωλοῦντας σοφιστὰς [ὥσπερ πόρνους] ἀποκαλοῦσιν, ὅστις
δὲ ὃν ἂν γνῷ εὐφυᾶ ὄντα, διδάσκων ὅ τι ἂν ἔχῃ ἀγαθόν,
φίλον ποιεῖται, τοῦτον νομίζομεν ἃ τῷ καλῷ κἀγαθῷ
85 πολίτῃ προσήκει, ταῦτα ποιεῖν. ἐγὼ δ᾽ οὖν καὶ αὐτός, 14
ὦ Ἀντιφῶν, ὥσπερ ἄλλος τις ἢ ἵππῳ ἀγαθῷ ἢ κυνὶ ἢ
ὄρνιθι ἥδεται, οὕτω καὶ ἔτι μᾶλλον ἥδομαι φίλοις ἀγαθοῖς,
καὶ ἐάν τι ἔχω ἀγαθόν, διδάσκω καὶ ἄλλοις συνίστημι,
παρ᾽ ὧν ἂν ἡγῶμαι ὠφελήσεσθαί τι αὐτοὺς εἰς ἀρετήν·
90 καὶ τοὺς θησαυροὺς τῶν πάλαι σοφῶν ἀνδρῶν, οὓς ἐκεῖνοι
κατέλιπον ἐν βιβλίοις γράψαντες, ἀνελίττων κοινῇ σὺν
τοῖς φίλοις διέρχομαι, καὶ ἄν τι ὁρῶμεν ἀγαθόν, ἐκλεγό-
μεθα· καὶ μέγα νομίζομεν κέρδος ἐὰν ἀλλήλοις φίλοι
γιγνώμεθα." ἐμοὶ μὲν δὴ ταῦτα ἀκούοντι ἐδόκει αὐτός τε
95 μακάριος εἶναι καὶ τοὺς ἀκούοντας ἐπὶ καλοκἀγαθίαν
ἄγειν.

belongs to each noun in turn. — τὴν
σοφίαν, τοὺς πωλοῦντας : the noun is
placed before its governing participle,
to correspond with τήν τε γὰρ ὥραν in
the preceding sentence. For a simi-
lar order, cf. τούτου τῶν ἀπολυσόντων
ii. 2. 4, περὶ ἀριθμῶν τοῖς ἐρωτῶσιν iv.
4. 7. — σοφιστάς : see on i. 1. 11. In
setting a price on their wisdom, they
dishonored it, as did πόρνοι beauty. —
ὅ τι ἂν ἔχῃ : "what he has in him,"
"what he understands." Cf. ἐάν τι
ἔχω in 14, and see on iii. 10. 1. — ἃ
προσήκει, ταῦτα ποιεῖν : for the dem.
referring back with emphasis to the
omitted antec. of the rel., see
G. 1030; H. 996 b.

14. ὄρνιθι : perhaps an allusion
to the Greek fondness for train-
ing quails to fight. See Becker,
Charicles (Eng. transl.), p. 77 ff. —
ἄλλοις συνίστημι : introduce them to
others. Cf. iv. 7. 1. — ὠφελήσεσθαι :
passive. — τοὺς θησαυροὺς . . . γρά-
ψαντες : cf. γράμματα πολλὰ ποιητῶν
τε καὶ σοφιστῶν iv. 2. 1. — κατέλιπον
γράψαντες : wrote and left behind.
Eng. idiom would use γεγραμμέ-
νους agreeing with οὕς. — φίλοι γιγνώ-
μεθα: become dear. "Already friends
(τοῖς φίλοις), we are glad to have our
mutual affection strengthened by the
uniting force of a noble sentiment."
— ἐμοὶ μέν : for μέν, see on i. 1. 1.

Καὶ πάλιν ποτὲ τοῦ Ἀντιφῶντος ἐρομένου αὐτὸν πῶς 15
ἄλλους μὲν ἡγοῖτο πολιτικοὺς ποιεῖν, αὐτὸς δὲ οὐ πράττοι
τὰ πολιτικά, εἴπερ ἐπίσταιτο, " Ποτέρως δ᾽ ἄν," ἔφη, " ὦ
100 Ἀντιφῶν, μᾶλλον τὰ πολιτικὰ πράττοιμι, εἰ μόνος αὐτὰ
πράττοιμι, ἢ εἰ ἐπιμελοίμην τοῦ ὡς πλείστους ἱκανοὺς
εἶναι πράττειν αὐτά; "

Ἐπισκεψώμεθα δὲ εἰ καὶ ἀλαζονείας ἀποτρέπων τοὺς 7
συνόντας ἀρετῆς ἐπιμελεῖσθαι προέτρεπεν· ἀεὶ γὰρ ἔλεγεν
ὡς οὐκ εἴη καλλίων ὁδὸς ἐπ᾽ εὐδοξίαν ἢ δι᾽ ἧς ἄν τις
ἀγαθὸς τοῦτο γένοιτο ὃ καὶ δοκεῖν βούλοιτο. ὅτι δ᾽ ἀληθῆ 2
5 ἔλεγεν, ὧδε ἐδίδασκεν· " Ἐνθυμώμεθα γάρ," ἔφη, " εἴ
τις μὴ ὢν ἀγαθὸς αὐλητὴς δοκεῖν βούλοιτο, τί ἂν αὐτῷ
ποιητέον εἴη. ἆρ᾽ οὐ τὰ ἔξω τῆς τέχνης μιμητέον τοὺς
ἀγαθοὺς αὐλητάς; καὶ πρῶτον μέν, ὅτι ἐκεῖνοι σκεύη τε
καλὰ κέκτηνται καὶ ἀκολούθους πολλοὺς περιάγονται, καὶ
10 τούτῳ ταῦτα ποιητέον· ἔπειτα, ὅτι ἐκείνους πολλοὶ ἐπαι-
νοῦσι, καὶ τούτῳ πολλοὺς ἐπαινέτας παρασκευαστέον.

15. *Another answer to Antiphon.*
—**αὐτὸς δέ**: *while he himself.* — **εἴπερ**:
*if indeed* (as Antiphon doubted). —
**ποτέρως**: *in which way*, introduces
the double question εἰ . . . ἢ εἰ, hence
does not correspond to ἤ, and should
not be confused with πότερον or
πότερα. *Cf.* ii. 7. 8.— **τοῦ εἶναι**: for
the gen. of the articular inf. with
verbs, see G. 1547; H. 959.

**7.** *Socrates dissuades his friends
from boastful pretense, which not only
brings ridicule and misfortune upon
the pretender, but also injures others.*

**1.** **ἀλαζονείας**: *Cf.* Xenophon's
own explanation of the term, ὁ μὲν
γὰρ ἀλαζὼν ἔμοιγε δοκεῖ ὄνομα κεῖσθαι
ἐπὶ τοῖς προσποιουμένοις καὶ πλουσιωτέ-
ροις εἶναι ἢ εἰσι καὶ ἀνδρειοτέροις καὶ

ποιήσειν ἃ μὴ ἱκανοί εἰσιν ὑπισχνουμέ-
νοις, καὶ ταῦτα φανεροῖς γιγνομένοις, ὅτι
τοῦ λαβεῖν ἕνεκα καὶ κερδᾶναι ποιοῦσι
*Cyr.* ii. 2. 12. See also Theophras-
tus *Char.* c. 23. — ἤ : *sc.* αὕτη. —
**τοῦτο**: for the case, see on πόδας
i. 6. 6. — **ἂν γένοιτο**: *would become,*
potential optative. See on ὁμολογή-
σειεν i. 1. 5. For the thought, *cf.* ii.
6. 39; *Cyr.* i. 6. 22. — For καί after
δ, see on i. 1. 6.

**2.** **γάρ** : its use suggests that
the preceding οὐκ εἴη καλλίων κτλ.
is felt as the beginning of the
conversation. — **τὰ ἔξω**: *the exter-
nals.* For the double acc. with
μιμητέον, see G. 1076; H. 725. —
**σκεύη**: collective pl., *equipment.*
*Cf.* Lat. apparatus. — **ἔπειτα**:

ἀλλὰ μὴν ἔργον γε οὐδαμοῦ ληπτέον, ἢ εὐθὺς ἐλεγχθή-
σεται γελοῖος ὤν, καὶ οὐ μόνον αὐλητὴς κακός, ἀλλὰ καὶ
ἄνθρωπος ἀλαζών. καίτοι πολλὰ μὲν δαπανῶν, μηδὲν δὲ
15 ὠφελούμενος, πρὸς δὲ τούτοις κακοδοξῶν, πῶς οὐκ ἐπιπό-
νως τε καὶ ἀλυσιτελῶς καὶ καταγελάστως βιώσεται;
ὡς δ᾽ αὕτως, εἴ τις βούλοιτο στρατηγὸς ἀγαθὸς μὴ ὢν 3
φαίνεσθαι ἢ κυβερνήτης, ἐννοῶμεν τί ἂν αὐτῷ συμβαί-
νοι. ἆρ᾽ οὐκ ἄν, εἰ μὲν ἐπιθυμῶν τοῦ δοκεῖν ἱκανὸς εἶναι
20 ταῦτα πράττειν μὴ δύναιτο πείθειν, τοῦτ᾽ εἴη λυπηρόν,
εἰ δὲ πείσειεν, ἔτι ἀθλιώτερον; δῆλον γὰρ ὅτι κυβερνᾶν
τε κατασταθεὶς ὁ μὴ ἐπιστάμενος ἢ στρατηγεῖν ἀπολέ-
σειεν ἂν οὓς ἥκιστα βούλοιτο καὶ αὐτὸς αἰσχρῶς ἂν καὶ
κακῶς ἀπαλλάξειεν." ὡσαύτως δὲ καὶ τὸ πλούσιον καὶ 4
25 τὸ ἀνδρεῖον καὶ τὸ ἰσχυρὸν μὴ ὄντα δοκεῖν ἀλυσιτελὲς
ἀπέφαινε· προστάττεσθαι γὰρ αὐτοῖς ἔφη μείζω ἢ κατὰ
δύναμιν, καὶ μὴ δυναμένους ταῦτα ποιεῖν, δοκοῦντας ἱκα-
νοὺς εἶναι, συγγνώμης οὐκ ἂν τυγχάνειν. ἀπατεῶνα δ᾽ 5

without δέ, as in i. 2. 1. — ἀλλὰ
μήν: at vero. — ἤ: or else. —
ἀλαζών: adj. use, gloriosus. —
δαπανῶν: circumstantial participle
of condition. See on πιστεύων i.
1. 5.
   3. ὡς δ᾽ αὕτως: and in -the
same way. Cf. ὡσαύτως in 4. — τί
ἂν αὐτῷ συμβαίνοι: what would
happen to him? — ἆρ᾽ οὐκ ἄν . . .
τοῦτ᾽ εἴη λυπηρόν: the sent. is twice
interrupted, as ἐπιθυμῶν is equiv. to a
clause. For an even more involved
structure, cf. ἢ ὅστις, ὥσπερ κτλ. iv.
2. 25. — λυπηρόν: painful. — κυ-
βερνᾶν τε: instead of καὶ στρατηγεῖν,
this is followed by ἢ στρατηγεῖν,
with a slight change in the thought.
Cf. ἢ γῆ, ὑγροτέρα τε οὖσα πρὸς τὸν

σπόρον ἢ ἁλμοδεστέρα (too saltish) πρὸς
φυτείαν Oec. xx. 12. — ἀπαλλάξειεν:
would come out of it. In this sense,
the pass. is somewhat more com-
mon.
   4. δοκεῖν (sc. εἶναι): the pretense
of being. The thought is "if one
should endeavor to seem to excel
(§2), he would have much trouble;
and the false reputation, when
acquired, is injurious." — ἀλυσιτελὲς
ἀπέφαινε: sc. ὄν. After verbs of
knowing, declaring, etc., the parti-
ciple of εἰμί is sometimes omitted.
Cf. ii. 3. 14; An. iii. 1. 36. — ἢ
κατὰ δύναμιν: "than their strength
would bear." — συγγνώμης: indul-
gence. For the case, see on στόματος
i. 4. 12.

ἐκάλει οὐ μικρὸν μὲν εἴ τις ἀργύριον ἢ σκεῦος παρά του
30 πειθοῖ λαβὼν ἀποστεροίη, πολὺ δὲ μέγιστον ὅστις μηδενὸς
ἄξιος ὢν ἐξηπατήκοι πείθων ὡς ἱκανὸς εἴη τῆς πόλεως
ἡγεῖσθαι. ἐμοὶ μὲν οὖν ἐδόκει καὶ τοῦ ἀλαζονεύεσθαι
ἀποτρέπειν τοὺς συνόντας τοιάδε διαλεγόμενος.

5. **οὐ μικρόν**: 'litotes,' as shown by the following πολὺ δὲ μέγιστον. Cf. i. 2. 23. — **εἴ τις**: "whoever," referring to ἀπατεῶνα. — **ὅστις**: instead of εἴ τις. For the same variation, cf. i. 6. 13. — **ἐξηπατήκοι**: the pf. emphasizes the deception as an accomplished fact. — **ἐμοὶ μὲν κτλ.**: Xenophon's conclusion. For μέν, see on i. 1. 1. — **τοιάδε**: instead of the more usual τοιαῦτα, perhaps as bringing the whole conversation more vividly before the eye. See H. 696 a.

# B

Ἐδόκει δέ μοι καὶ τοιαῦτα λέγων προτρέπειν τοὺς συν- 1
όντας ἀσκεῖν ἐγκράτειαν [πρὸς ἐπιθυμίαν] βρωτοῦ καὶ
ποτοῦ καὶ λαγνείας καὶ ὕπνου καὶ ῥίγους καὶ θάλπους καὶ
πόνου. γνοὺς γάρ τινα τῶν συνόντων ἀκολαστοτέρως
5 ἔχοντα πρὸς τὰ τοιαῦτα, "Εἰπέ μοι," ἔφη, "ὦ Ἀρίστιππε,
εἰ δέοι σε παιδεύειν παραλαβόντα δύο τῶν νέων, τὸν μὲν
ὅπως ἱκανὸς ἔσται ἄρχειν, τὸν δὲ ὅπως μηδ' ἀντιποιή-
σεται ἀρχῆς, πῶς ἂν ἑκάτερον παιδεύοις; βούλει σκοπῶ-
μεν ἀρξάμενοι ἀπὸ τῆς τροφῆς ὥσπερ ἀπὸ τῶν στοιχείων;"
10 καὶ ὁ Ἀρίστιππος ἔφη· "Δοκεῖ γοῦν μοι ἡ τροφὴ ἀρχὴ

---

**1.** *No one can govern who does not govern himself. He who does not rule must serve: there is no middle path. To reach self-mastery, we must take pains. This thought is illustrated by the allegory (21–33) of Hercules at the parting of the ways.*

**1. τοιαῦτα**: in the rare use of pointing forward. *Cf. An.* v. 8. 7. It has been conjectured that this pron. and τοιάδε at the close of the preceding chap. have changed places. — **ἐγκράτειαν**: *self-control.* This virtue shows itself as temperance in respect to the pleasures of sense, as perseverance and endurance where difficulties are to be met. Hence its use with the gen. not only of nouns which denote pleasures, but of those also which denote hardships. In this more comprehensive meaning the term has already been used (i. 5). — **πρὸς ἐπιθυμίαν**: inapplica-

ble to the last three gens. (ῥίγους, θάλπους, πόνου), and prob. a gloss. — **γνοὺς γάρ**: the conj. is introductory, and serves to connect its sent. with the preceding τοιαῦτα. — **Ἀρίστιππε**: of Cyrene in Africa, founder of the Cyrenaic school of philosophy, which regarded pleasure as the highest good, and pain as the greatest evil. Another conversation with him is recorded iii. 8. — **ὅπως ἔσται**: fut. ind. in obj. clause, on account of the idea of 'caring for,' 'effecting,' contained in the foregoing παιδεύειν. G. 1372; H. 885. — **ἀρχῆς**: for the gen. with verbs of disputing or contesting, see G. 1128; H. 739 a. — **βούλει σκοπῶμεν**: visne consideremus rem? For the interr. subjv. with βούλει, see G. 1358; H. 866, 3 b. — **ἀπὸ τῶν στοιχείων**: ab elementis literarum, *from the A B C's.* — **γοῦν**: *certainly.*

70

εἶναι· οὐδὲ γὰρ ζώῃ γ᾽ ἄν τις, εἰ μὴ τρέφοιτο." "Οὐκοῦν 2
τὸ μὲν βούλεσθαι σίτου ἅπτεσθαι ὅταν ὥρα ἥκῃ, ἀμφο-
τέροις εἰκὸς παραγίγνεσθαι;" "Εἰκὸς γάρ," ἔφη. "Τὸ οὖν
προαιρεῖσθαι τὸ κατεπεῖγον μᾶλλον πράττειν ἢ τῇ γαστρὶ
15 χαρίζεσθαι πότερον ἂν αὐτῶν ἐθίζοιμεν;" "Τὸν εἰς τὸ
ἄρχειν," ἔφη, "νὴ Δία, παιδευόμενον, ὅπως μὴ τὰ τῆς πόλεως
ἄπρακτα γίγνηται παρὰ τὴν ἐκείνου ἀρχήν." "Οὐκοῦν,"
ἔφη, "καὶ ὅταν πιεῖν βούλωνται, τὸ δύνασθαι διψῶντα ἀνέ-
χεσθαι τῷ αὐτῷ προσθετέον;" "Πάνυ μὲν οὖν," ἔφη.
20 "Τὸ δὲ ὕπνου ἐγκρατῆ εἶναι, ὥστε δύνασθαι καὶ ὀψὲ κοι- 3
μηθῆναι καὶ πρῷ ἀναστῆναι καὶ ἀγρυπνῆσαι, εἴ τι δέοι,
ποτέρῳ ἂν προσθείημεν;" "Καὶ τοῦτο," ἔφη, "τῷ αὐτῷ."
"Τί δέ," ἔφη, "τὸ ἀφροδισίων ἐγκρατῆ εἶναι, ὥστε μὴ διὰ
ταῦτα κωλύεσθαι πράττειν, εἴ τι δέοι;" "Καὶ τοῦτο," ἔφη,
25 "τῷ αὐτῷ." "Τί δέ, τὸ μὴ φεύγειν τοὺς πόνους, ἀλλ᾽ ἐθε-
λοντὴν ὑπομένειν, ποτέρῳ ἂν προσθείημεν;" "Καὶ τοῦτο,"
ἔφη, "τῷ ἄρχειν παιδευομένῳ." "Τί δέ, τὸ μαθεῖν, εἴ τι
ἐπιτήδειόν ἐστι μάθημα πρὸς τὸ κρατεῖν τῶν ἀντιπάλων,

---

2. **οὐκοῦν** : in questions, *οὐκουν* is
equivalent to nonne igitur, expect-
ing an affirmative answer; *οὐκοῦν* (*so
then*) introduces the view of the
speaker, giving it an interr. inflection.
The latter particle often seems more
suited to the gentle irony of Socrates's
method, in which he apparently
let his interlocutor find out his
answer for himself, while really
suggesting it to him. So twice just
below in 4. *Cf.* the use of this par-
ticle in the examination of Orontas
by Cyrus, *An.* i. 6. — **ὥρα** : *the right
time.* — **εἰκός** : sc. *ἐστί.* — **γάρ** : see
on i. 4. 9. — **τὸ κατεπεῖγον** : *pressing
duty.* — **προαιρεῖσθαι μᾶλλον** : *cf.* the

same pleonasm in the Lat. malle
potius. — **πότερον** : *which of them*
(sc. the two young men). For the
double acc. with a verb of teaching,
see on i. 2. 10. *Cf. καὶ τοὺς μετ᾽
αὐτοῦ δὲ ταῦτα εἴθικεν Hell.* vi. 1. 15,
and (with τό and the inf., as here)
*ἀγαθὸν δὲ ἐθίζειν αὐτὸν καὶ τὸ ἐρημεῖν
Eq.* ix. 9. — **μὴ ἄπρακτα γίγνηται** :
*may not be left undone.* — **παρά** :
*during*, lit. *along the course of.* G.
1213, 3 (*b*) ; H. 802, 3 b.

3. **τῷ ἄρχειν παιδευομένῳ** : short
form of expression equiv. to *τὸν εἰς τὸ
ἄρχειν παιδευόμενον* in 2. *Cf. οἱ εἰς τὴν
βασιλικὴν τέχνην παιδευόμενοι* 17. — **τὸ
μαθεῖν, εἴ τι μάθημα** : *the acquirement*

ποτέρῳ ἂν προσθεῖναι μᾶλλον πρέποι;" "Πολύ, νὴ Δί',"
30 ἔφη, "τῷ ἄρχειν παιδευομένῳ· καὶ γὰρ τῶν ἄλλων οὐδὲν
ὄφελος ἄνευ τῶν τοιούτων μαθημάτων." "Οὐκοῦν ὁ οὕτω 4
πεπαιδευμένος ἧττον ἂν δοκεῖ σοι ὑπὸ τῶν ἀντιπάλων ἢ τὰ
λοιπὰ ζῷα ἁλίσκεσθαι; τούτων γὰρ δήπου τὰ μὲν γαστρὶ
δελεαζόμενα, καὶ μάλα ἔνια δυσωπούμενα, ὅμως τῇ ἐπιθυ-
35 μίᾳ τοῦ φαγεῖν ἀγόμενα πρὸς τὸ δέλεαρ ἁλίσκεται, τὰ δὲ
ποτῷ ἐνεδρεύεται." "Πάνυ μὲν οὖν," ἔφη. "Οὐκοῦν καὶ
ἄλλα ὑπὸ λαγνείας, οἷον οἵ τε ὄρτυγες καὶ οἱ πέρδικες,
πρὸς τὴν τῆς θηλείας φωνὴν τῇ ἐπιθυμίᾳ καὶ τῇ ἐλπίδι
τῶν ἀφροδισίων φερόμενοι καὶ ἐξιστάμενοι τοῦ τὰ δεινὰ
40 ἀναλογίζεσθαι τοῖς θηράτροις ἐμπίπτουσι;" συνέφη καὶ
ταῦτα. "Οὔκουν δοκεῖ σοι αἰσχρὸν εἶναι ἀνθρώπῳ ταῦτα 5
πάσχειν τοῖς ἀφρονεστάτοις τῶν θηρίων; καὶ οἱ μοιχοὶ
εἰσέρχονται εἰς τὰς εἱρκτάς, εἰδότες ὅτι κίνδυνος τῷ μοι-
χεύοντι ἅ τε ὁ νόμος ἀπειλεῖ παθεῖν καὶ ἐνεδρευθῆναι καὶ
45 ληφθέντα ὑβρισθῆναι· καὶ τηλικούτων μὲν ἐπικειμένων
τῷ μοιχεύοντι κακῶν τε καὶ αἰσχρῶν, ὄντων δὲ πολλῶν

---

of whatever knowledge. — πολύ : sc.
μᾶλλον. — τῶν ἄλλων ὄφελος : for
the subjective gen. with ὄφελος, see
on ὀσμῶν i. 4. 5, and, for the decl. of
ὄφελος, same section. Cf. ἀκολάστου
γὰρ στρατεύματος οὐδὲν ἡγεῖτο ὄφελος
εἶναι An. ii. 6. 10.

4. ἧττον ἂν δοκεῖ ἁλίσκεσθαι: seems
less likely to be captured. For the inf.
with ἄν in indirect discourse, cf. γενέ-
σθαι ἄν i. 2. 15. — καὶ μάλα ἔνια δυσω-
πούμενα : and some (of these) very shy
by nature. For the partitive appos., see
G. 914 ; H. 624 d. Cf. ἀκούομεν ὑμᾶς
εἰς τὴν πόλιν βίᾳ παρεληλυθότας ἐνίους
σκηνοῦν (are quartered, some of you) ἐν
ταῖς οἰκίαις An. v. 5. 11. — οἱ πέρδικες:

cf. Xenophon's description of the bus-
tards (ὠτίδας) as easily caught, πέτον-
ται γὰρ βραχύ, ὥσπερ πέρδικες An. i.
5. 3. — ἐξιστάμενοι τοῦ ἀναλογίζεσθαι:
see on τοῦ φρονεῖν ἐξίστησι i. 3. 12.

5. οὔκουν : at nonne, seems
preferable to οὐκοῦν, as being fol-
lowed by the decisive ἆρ' οὐκ,
ἐστίν at the close of the section.
— καί : introduces an example. Cf.
i. 1. 7. — τὰς εἱρκτάς : i.e. the women's
apartments, γυναικωνῖτις. — κίνδυνος :
sc. ἐστί. — ὁ νόμος ἀπειλεῖ : acc.
to Attic law, the injured husband
could either himself punish the
adulterer, or accuse him before the
Thesmothetae. — ὄντων δὲ πολλῶν

τῶν ἀπολυσόντων τῆς τῶν ἀφροδισίων ἐπιθυμίας ἐν ἀδείᾳ,
ὅμως εἰς τὰ ἐπικίνδυνα φέρεσθαι, ἆρ᾽ οὐκ ἤδη τοῦτο παν-
τάπασι κακοδαιμονῶντός ἐστιν;" "Ἔμοιγε δοκεῖ," ἔφη.
50 "Τὸ δὲ εἶναι μὲν τὰς ἀναγκαιοτάτας πλείστας πράξεις 6
τοῖς ἀνθρώποις ἐν ὑπαίθρῳ, οἷον τάς τε πολεμικὰς καὶ τὰς
γεωργικὰς καὶ τῶν ἄλλων οὐ τὰς ἐλαχίστας, τοὺς δὲ
πολλοὺς ἀγυμνάστως ἔχειν πρός τε ψύχη καὶ θάλπη,
οὐ δοκεῖ σοι πολλὴ ἀμέλεια εἶναι;" συνέφη καὶ τοῦτο.
55 "Οὐκοῦν δοκεῖ σοι τὸν μέλλοντα ἄρχειν ἀσκεῖν δεῖν καὶ
ταῦτα εὐπετῶς φέρειν;" "Πάνυ μὲν οὖν," ἔφη. "Οὐκοῦν, 7
εἰ τοὺς ἐγκρατεῖς τούτων ἁπάντων εἰς τοὺς ἀρχικοὺς τάττο-
μεν, τοὺς ἀδυνάτους ταῦτα ποιεῖν εἰς τοὺς μηδ᾽ ἀντιποιησο-
μένους τοῦ ἄρχειν τάξομεν;" συνέφη καὶ τοῦτο. "Τί οὖν;
60 ἐπειδὴ καὶ τούτων ἑκατέρου τοῦ φύλου τὴν τάξιν οἶσθα,
ἤδη ποτ᾽ ἐπεσκέψω εἰς ποτέραν τῶν τάξεων τούτων σαυτὸν

---

τῶν ἀπολυσόντων : *although there
are so many means to free him
from* (*i.e.* gratify). τῶν ἀπολυσόν-
των is neuter. — ἐν ἀδείᾳ : *with im-
punity.* — ἆρ᾽ οὐκ ἤδη τοῦτο κτλ. : *is
not that, then, the act of an utter
madman?* κακοδαιμονάω, lit. *to be pos-
sessed by an evil genius.* The par-
ticiple is pred. genitive.

6. εἶναι μέν, τοὺς δὲ ἔχειν : for
this use of μέν, δέ, see on i. 4. 17. —
τὰς ἀναγκαιοτάτας πλείστας πράξεις :
*the greatest part of the most necessary
employments.* — ἀνθρώποις : connect
with εἶναι. — οὐ τὰς ἐλαχίστας : see
on οὐχ ἥκιστα i. 2. 23. — ἀγυμνάστως
ἔχειν : *are untrained.* — δοκεῖ : sc.
τοῦτο. — καὶ ταῦτα : sc. ψύχη καὶ
θάλπῃ. — φέρειν : const. with ἀσκειν,
and for the inf., see on μελετῶντα
καρτερεῖν i. 6. 7.

7. ἐγκρατεῖς : see on 1. — εἰ τάτ-
τομεν : "if we include," a good ex-
ample of the simple logical condition.
G. 1390 ; H. 893. — τοὺς μηδ᾽ ἀντι-
ποιησομένους τοῦ ἄρχειν : *those who
will not even contend for high office.*
For the gen. τοῦ ἄρχειν, see on ἀρχῆς
1, and for the attrib. participle,
*cf.* i. 2. 43. — τάξομεν : distinguish
the simple fut. ind. in apod.
from the interr. subjv., *shall we
include.* — τούτων ἑκατέρου τοῦ φύλου
τὴν τάξιν : *the respective position of
each of these classes of men,* lit. *the
rank of each class of these men.* The
two individuals are now identified
with the classes of which they are
types. For the position of the dem.
pronominal adj., see G. 974 ;
H. 673 a. *Cf.* ἐφ᾽ ἑκατέρῳ τῷ κέρᾳ
Thuc. v. 67.

δικαίως ἂν τάττοις ; ”  “Ἔγωγ’,” ἔφη ὁ Ἀρίστιππος, “καὶ 8
οὐδαμῶς γε τάττω ἐμαυτὸν εἰς τὴν τῶν ἄρχειν βουλο-
μένων τάξιν.  καὶ γὰρ πάνυ μοι δοκεῖ ἄφρονος ἀνθρώπου
65 εἶναι τό, μεγάλου ἔργου ὄντος τοῦ ἑαυτῷ τὰ δέοντα
παρασκευάζειν, μὴ ἀρκεῖν τοῦτο, ἀλλὰ προσαναθέσθαι
τὸ καὶ τοῖς ἄλλοις πολίταις ὧν δέονται πορίζειν· καὶ ἑαυτῷ
μὲν πολλὰ ὧν βούλεται ἐλλείπειν, τῆς δὲ πόλεως προε-
στῶτα, ἐὰν μὴ πάντα ὅσα ἡ πόλις βούλεται καταπράττῃ,
70 τούτου δίκην ὑπέχειν, τοῦτο πῶς οὐ πολλὴ ἀφροσύνη ἐστί;
καὶ γὰρ ἀξιοῦσιν αἱ πόλεις τοῖς ἄρχουσιν ὥσπερ ἐγὼ 9
τοῖς οἰκέταις χρῆσθαι· ἐγώ τε γὰρ ἀξιῶ τοὺς θεράποντας
ἐμοὶ μὲν ἄφθονα τὰ ἐπιτήδεια παρασκευάζειν, αὐτοὺς δὲ
μηδενὸς τούτων ἅπτεσθαι, αἵ τε πόλεις οἴονται χρῆναι
75 τοὺς ἄρχοντας ἑαυταῖς μὲν ὡς πλεῖστα ἀγαθὰ πορίζειν,
αὐτοὺς δὲ πάντων τούτων ἀπέχεσθαι.  ἐγὼ οὖν τοὺς μὲν
βουλομένους πολλὰ πράγματα ἔχειν αὐτοῖς τε καὶ ἄλλοις

8. ἔγωγε (sc. ἐσκεψάμην) : yes, in-
deed. — ἀνθρώπου : for the pred. gen.
of characteristic, see on γνώμης
i. 1. 9. — τὸ μὴ ἀρκεῖν τοῦτο : sc.
αὐτῷ.  We might have expected
ἀρκεῖσθαι (contentum esse)
τούτῳ, ἀλλὰ προσαναθέσθαι, but it is
common in Greek for a dependent
word of one clause to become the
subj. in the next, as here, where
αὐτόν is to be supplied as subj. of
προσαναθέσθαι. — ἑαυτῷ μὲν ἐλλείπειν,
τούτου δίκην ὑπέχειν : a compound
subj. as in 6, here summed up by
τοῦτο. — τοῦτο πῶς . . . ἐστί : the
thought stated as a belief at the
beginning of this passage (πάνυ . . .
ἄφρονος . . . εἶναι) is repeated at its
close in the form of a question. See
on i. 4. 13.

9. ἐγώ τε γάρ, αἵ τε πόλεις : for
as I, so also the states. See on i.
3. 1. — τοὺς μὲν βουλομένους κτλ. :
with these words Aristippus indi-
cates the position and function of a
statesman who, at the demand of the
state, must lay on himself and others
heavy burdens : and, in rejecting
this for himself, Aristippus indirectly
gives utterance to the view after-
ward developed by his pupil Epicu-
rus.  Cf. τὸ μακάριον καὶ ἄφθαρτον
οὔτε αὐτὸ πράγματα ἔχει, οὔτε ἄλλῳ
παρέχει Diog. Laert. x. 39, words
which Cicero renders quod aeter-
num beatumque est, id nec
habere ipsum negoti quic-
quam nec exhibere alteri De
Nat. Deor. i. 17.  The use of the
dat. αὐτοῖς with ἔχειν may be

παρέχειν οὕτως ἂν παιδεύσας εἰς τοὺς ἀρχικοὺς καταστή-
σαιμι· ἐμαυτόν γε μέντοι τάττω εἰς τοὺς βουλομένους ᾗ
80 ῥᾷστά τε καὶ ἥδιστα βιοτεύειν." καὶ ὁ Σωκράτης ἔφη· (10)
"Βούλει οὖν καὶ τοῦτο σκεψώμεθα, πότεροι ἥδιον ζῶσιν, οἱ
ἄρχοντες ἢ οἱ ἀρχόμενοι;" "Πάνυ μὲν οὖν," ἔφη. "Πρῶ-
τον μὲν τοίνυν τῶν ἐθνῶν ὧν ἡμεῖς ἴσμεν ἐν μὲν τῇ 'Ασίᾳ
Πέρσαι μὲν ἄρχουσιν, ἄρχονται δὲ Σύροι καὶ Φρύγες καὶ
85 Λυδοί· ἐν δὲ τῇ Εὐρώπῃ Σκύθαι μὲν ἄρχουσι, Μαιῶται
δὲ ἄρχονται· ἐν δὲ τῇ Λιβύῃ Καρχηδόνιοι μὲν ἄρχουσι,
Λίβυες δὲ ἄρχονται. τούτων οὖν ποτέρους ἥδιον οἴει ζῆν;
ἢ τῶν Ἑλλήνων, ἐν οἷς καὶ αὐτὸς εἶ, πότεροί σοι δοκοῦσιν
ἥδιον, οἱ κρατοῦντες ἢ οἱ κρατούμενοι, ζῆν;" "'Αλλ' ἐγώ 11
90 τοι," ἔφη ὁ 'Αρίστιππος, "οὐδὲ εἰς τὴν δουλείαν αὖ ἐμαυτὸν
τάττω· ἀλλ' εἶναί τίς μοι δοκεῖ μέση τούτων ὁδός, ἣν
πειρῶμαι βαδίζειν, οὔτε δι' ἀρχῆς οὔτε διὰ δουλείας, ἀλλὰ δι'
ἐλευθερίας, ᾗπερ μάλιστα πρὸς εὐδαιμονίαν ἄγει." "'Αλλ' 12

explained by the analogy of the fol-
lowing ἄλλοις. — οὕτως: i.e. as pre-
viously described. — ἂν παιδεύσας:
"would educate and." — μέντοι: a
stronger adversative than . δέ. — ᾗ
ῥᾷστα: for the strengthened super-
lative, see H. 651.

10. βούλει, σκεψώμεθα: see on 1.
— ὧν: for the attraction, see G. 1031;
H. 994; ὅπως οὖν ἔσεσθε ἄνδρες ἄξιοι
τῆς ἐλευθερίας ἧς κέκτησθε An. i. 7. 3.
—Πέρσαι μὲν ἄρχουσιν, ἄρχονται δὲ
Σύροι: obs. the chiastic order. In
the two following sents. the more
natural order is followed. — Σύροι,
Φρύγες, Λύδοι: purposely mentioned,
as names of races despised by the
Greeks. — Μαιῶται: a people near
the Sea of Azof. — ἐν οἷς καὶ αὐτὸς
εἶ: "to come a little nearer home."

— οἱ κρατοῦντες, οἱ κρατούμενοι: i.e.
the more powerful states and their
tributary allies. Under the leader-
ship of Pericles, Athens had devel-
oped to its utmost the system of
a central power with many depend-
ent allies. For an account of it,
see Schömann, Antiq. of Greece, i.
passim.

11. αὖ: on the other hand, with
reference to the beginning of 8, εἰς
τὴν δουλείαν being used for εἰς τὴν
τῶν δούλων τάξιν. — τούτων: const.
as a gen. of place with μέση, which
here is equivalent to ἐν μέσῳ between.
— ἥν: for the cognate acc. with verbs
of motion, see G. 1057; H. 712. —
εὐδαιμονίαν: for true happiness de-
scribed as the reward of virtue, cf.
33. See Introd. § 22.

εἰ μέν," ἔφη ὁ Σωκράτης, " ὥσπερ οὔτε δι' ἀρχῆς οὔτε διὰ
95 δουλείας ἡ ὁδὸς αὕτη φέρει, οὕτως μηδὲ δι' ἀνθρώπων,
ἴσως ἄν τι λέγοις· εἰ μέντοι ἐν ἀνθρώποις ὢν μήτε ἄρχειν
ἀξιώσεις μήτε ἄρχεσθαι μηδὲ τοὺς ἄρχοντας ἑκὼν θερα-
πεύσεις, οἶμαί σε ὁρᾶν ὡς ἐπίστανται οἱ κρείττονες τοὺς
ἥττονας καὶ κοινῇ καὶ ἰδίᾳ κλαίοντας καθιστάντες δούλοις
100 χρῆσθαι. ἢ λανθάνουσί σε οἱ ἄλλων σπειράντων καὶ 13
φυτευσάντων τόν τε σῖτον τέμνοντες καὶ δενδροκοποῦντες
καὶ πάντα τρόπον πολιορκοῦντες τοὺς ἥττονας καὶ μὴ
θέλοντας θεραπεύειν, ἕως ἂν πείσωσιν ἑλέσθαι δουλεύειν
ἀντὶ τοῦ πολεμεῖν τοῖς κρείττοσι; καὶ ἰδίᾳ αὖ οἱ ἀνδρεῖοι
105 καὶ δυνατοὶ τοὺς ἀνάνδρους καὶ ἀδυνάτους οὐκ οἶσθα ὅτι
καταδουλωσάμενοι καρποῦνται;" " Ἀλλ' ἐγώ τοι," ἔφη,
" ἵνα μὴ πάσχω ταῦτα, οὐδ' εἰς πολιτείαν ἐμαυτὸν κατακλείω,
ἀλλὰ ξένος πανταχοῦ εἰμι." καὶ ὁ Σωκράτης ἔφη· " Τοῦτο 14

---

12. μέν, μέντοι : as in 9. *Cf.* iv.
4. 7. — οὕτως μηδὲ δι' ἀνθρώπων : sc.
φέροι. — ἴσως ἄν τι λέγοις : " perhaps
there would be something in what
you say." The opposite is οὐδὲν
λέγειν. See Kr. *Spr.* 51. 16. 13. —
εἰ ἀξιώσεις : for the fut. ind. ex-
pressing present intention, *cf.* i. 6. 3.
— μηδὲ ἑκὼν θεραπεύσεις : *and do not
intend to yield voluntary allegiance.*
— καὶ κοινῇ καὶ ἰδίᾳ : " both states
and individuals." — κλαίοντας καθί-
σταντες : " by bringing them to
grief." *Cf.* our phrase ' come to
grief,' for any disastrous result. *Cf.*,
also, Xenophon's use of the similar
κλαίοντας καθίζειν in *Sym.* iii. 11 ; *Cyr.*
ii. 2. 15. — δούλοις : *as slaves. Cf.*
τεκμηρίῳ i. 2. 49, τροφῇ iii. 11. 6.
13. σπειράντων : for the omission
of the art. with subst. participles,

see on μαινόμενος i. 3. 11. — τόν τε
σῖτον τέμνοντες κτλ.: *cf.* the proceed-
ings in the early years of the Pelo-
ponnesian war, when a Spartan army
under Archidamus regularly ravaged
the Attic plain. For the attrib. par-
ticiple used substantively, see on
τοὺς ἀντιποιησομένους 7. — πολιορ-
κοῦντες : vexantes, *besieging.* —
πείσωσιν : euphemistic for " com-
pel." *Cf.* ἐπείσθησαν ἀνάγκῃ *An.*
vii. 7. 29, φοβῶν ἔπεισε *Cyr.* v. 4. 51.
For the subjv. in a temporal clause,
see G. 1465 ; H. 921, and *cf.* 33 ; iii.
5. 6. — καὶ ἰδίᾳ αὖ : transition from
states to individuals. — ξένος παντα-
χοῦ : " a citizen of the world."
14. τοῦτο μέντοι κτλ.: *that is
certainly a clever dodge you suggest.*
πάλαισμα lit. *a trick of wrestling.*
For the pred. use of δεινόν, see

μέντοι ἤδη λέγεις δεινὸν πάλαισμα.  τοὺς γὰρ ξένους, ἐξ
110 οὗ ὅ τε Σίνις καὶ ὁ Σκείρων καὶ ὁ Προκρούστης ἀπέθανον,
οὐδεὶς ἔτι ἀδικεῖ· ἀλλὰ νῦν οἱ μὲν πολιτευόμενοι ἐν ταῖς
πατρίσι καὶ νόμους τίθενται ἵνα μὴ ἀδικῶνται, καὶ φίλους
πρὸς τοῖς ἀναγκαίοις καλουμένοις ἄλλους κτῶνται βοη-
θούς, καὶ ταῖς πόλεσιν ἐρύματα περιβάλλονται, καὶ ὅπλα
115 κτῶνται, οἷς ἀμύνονται τοὺς ἀδικοῦντας, καὶ πρὸς τούτοις
ἄλλους ἔξωθεν συμμάχους κατασκευάζονται· καὶ οἱ μὲν
πάντα ταῦτα κεκτημένοι ὅμως ἀδικοῦνται· σὺ δὲ οὐδὲν 15
μὲν τούτων ἔχων, ἐν δὲ ταῖς ὁδοῖς, ἔνθα πλεῖστοι ἀδικοῦν-
ται, πολὺν χρόνον διατρίβων, εἰς ὁποίαν δ' ἂν πόλιν
120 ἀφίκῃ, τῶν πολιτῶν πάντων ἥττων ὤν, καὶ τοιοῦτος οἷος
μάλιστα ἐπιτίθενται οἱ βουλόμενοι ἀδικεῖν, ὅμως διὰ τὸ
ξένος εἶναι οὐκ ἂν οἴει ἀδικηθῆναι; ἢ διότι αἱ πόλεις
σοι κηρύττουσιν ἀσφάλειαν καὶ προσιόντι καὶ ἀπιόντι,
θαρρεῖς; ἢ διότι καὶ δοῦλος ἂν οἴει τοιοῦτος εἶναι οἷος
125 μηδενὶ δεσπότῃ λυσιτελεῖν; τίς γὰρ ἂν ἐθέλοι ἄνθρωπον

H. 618. — ἐξ οὗ : sc. χρόνου. — Σίνις, Σκείρων, Προκρούστης : three famous robbers, killed by Theseus. *Cf.* Plut. *Theseus* 8. The way in which Procrustes treated his guests has become proverbial, and has given us the word 'procrustean.' *Cf.* οὗτος δὲ τοὺς παριόντας ὁδοιπόρους ἠνάγκασεν ἐπί τινος κλίνης ἀναπίπτειν καὶ τῶν μὲν μακροτέρων τὰ προέχοντα μέρη (the *projecting portions*) τοῦ σώματος ἀπέκοπτε, τῶν δ' ἐλαττόνων τοὺς πόδας προέκρουεν (*hammered out*) Diod. Sic. iv. 59. — ἀλλὰ νῦν : i.e. when there are no longer such robbers. — τοῖς ἀναγκαίοις καλουμένοις : in general, οἱ ἀναγκαῖοι means all who are intimately associated with us; here, however, like the Lat. necessarii,

the phrase is equivalent to *kinsmen*, hence the addition of καλουμένοις. — βοηθούς : pred. accusative. — οἷς ἀμύνονται : *with which they try to defend themselves.* For the pres. of attempted action, see G. 1255; H. 825. — τοὺς ἀδικοῦντας : for the acc. with certain verbs of which the equivalents are intr. in Eng., see G. 1049; H. 712.

15. ἔχων : *although you have.* — τοιοῦτος : *i.e.* without home or friends. — οἷοις : for the pl. after a sing. antec. suggesting a class, see H. 629 a. — διὰ τὸ ξένος εἶναι : for the articular inf., see on i. 1. 12. — ἤ : sc. θαρρεῖς. — οἷος λυσιτελεῖν : see on οἷους τέμνειν i. 4. 6. — τίς γὰρ ἂν ἐθέλοι κτλ. : a question

ἐν οἰκίᾳ ἔχειν πονεῖν μὲν μηδὲν ἐθέλοντα, τῇ δὲ πολυτε-
λεστάτῃ διαίτῃ χαίροντα; σκεψώμεθα δὲ καὶ τοῦτο, πῶς 16
οἱ δεσπόται τοῖς τοιούτοις οἰκέταις χρῶνται· ἆρα οὐ τὴν
μὲν λαγνείαν αὐτῶν τῷ λιμῷ σωφρονίζουσι; κλέπτειν δὲ
130 κωλύουσιν ἀποκλείοντες ὅθεν ἄν τι λαβεῖν ᾖ; τοῦ δὲ
δραπετεύειν δεσμοῖς ἀπείργουσι; τὴν ἀργίαν δὲ πληγαῖς
ἐξαναγκάζουσιν; ἢ σὺ πῶς ποιεῖς, ὅταν τῶν οἰκετῶν τινα
τοιοῦτον ὄντα καταμανθάνῃς;" "Κολάζω," ἔφη, "πᾶσι 17
κακοῖς, ἕως ἂν δουλεύειν ἀναγκάσω. ἀλλὰ γάρ, ὦ Σώκρα-
135 τες, οἱ εἰς τὴν βασιλικὴν τέχνην παιδευόμενοι, ἣν δοκεῖς μοι
σὺ νομίζειν εὐδαιμονίαν εἶναι, τί διαφέρουσι τῶν ἐξ ἀνάγ-
κης κακοπαθούντων, εἴ γε πεινήσουσι καὶ διψήσουσι καὶ
ῥιγώσουσι καὶ ἀγρυπνήσουσι καὶ τἆλλα πάντα μοχθή-
σουσιν ἑκόντες; ἐγὼ μὲν γὰρ οὐκ οἶδ᾽ ὅ τι διαφέρει
140 τὸ αὐτὸ δέρμα ἑκόντα ἢ ἄκοντα μαστιγοῦσθαι ἢ ὅλως
τὸ αὐτὸ σῶμα πᾶσι τοῖς τοιούτοις ἑκόντα ἢ ἄκοντα
πολιορκεῖσθαι, ἄλλο γε ἢ ἀφροσύνη πρόσεστι τῷ
θέλοντι τὰ λυπηρὰ ὑπομένειν." "Τί δέ, ὦ Ἀρίστιππε," 18
ὁ Σωκράτης ἔφη, "οὐ δοκεῖ σοι τῶν τοιούτων διαφέρειν
145 τὰ ἑκούσια τῶν ἀκουσίων, ᾗ ὁ μὲν ἑκὼν πεινῶν φάγοι ἂν

which seems to support the sup-
position attributed to Aristippus,
namely, that as a slave he would be
of no account : its real application is
found in the following section.

16. ἆρα οὐ : belongs to each of
the three following questions. For
the interr., see on i. 3. 11. — κλέ-
πτειν : for the inf. with verbs of hin-
drance, see on πορεύεσθαι i. 6. 6.

17. ἀλλὰ γάρ : introduces (like
at enim) an objection, γάρ being
explained by some omitted thought
like "an objection presents itself."
— τί : adv. accusative. — πεινήσουσι :

for this and the following fut. inds.,
cf. ἀξιώσεις 12. — ὅ τι ἄλλο : to be
read together, wherein else. After
ἄλλο γε ἤ, acc. to Eng. idiom, a ὅτι
might be expected, which is not
necessary in Greek. Cf. τί γὰρ
ἄλλο ἢ κινδυνεύσεις ii. 3. 17. "The
difference between willing and un-
willing submission to indignities is
only this, that he who submits
willingly incurs, in addition to his
suffering, the charge of folly."

18. ὁ Σωκράτης ἔφη : see on i.
2. 9. — τῶν τοιούτων (sc. λυπηρῶν) :
part. gen. with τὰ ἑκούσια. — ᾗ : in so

ὁπότε βούλοιτο, καὶ ὁ ἑκὼν διψῶν πίοι, καὶ τἆλλα ὡσαύτως,
τῷ δ᾽ ἐξ ἀνάγκης ταῦτα πάσχοντι οὐκ ἔξεστιν, ὁπόταν
βούληται παύεσθαι; ἔπειτα ὁ μὲν ἑκουσίως ταλαιπωρῶν
ἐπ᾽ ἀγαθῇ ἐλπίδι πονῶν εὐφραίνεται, οἷον οἱ τὰ θηρία
150 θηρῶντες ἐλπίδι τοῦ λήψεσθαι ἡδέως μοχθοῦσι. καὶ τὰ μὲν 19
τοιαῦτα ἆθλα τῶν πόνων μικροῦ τινος ἄξιά ἐστι· τοὺς δὲ
πονοῦντας, ἵνα φίλους ἀγαθοὺς κτήσωνται, ἢ ὅπως ἐχθροὺς
χειρώσωνται, ἢ ἵνα δυνατοὶ γενόμενοι καὶ τοῖς σώμασι
καὶ ταῖς ψυχαῖς καὶ τὸν ἑαυτῶν οἶκον καλῶς οἰκῶσι καὶ
155 τοὺς φίλους εὖ ποιῶσι καὶ τὴν πατρίδα εὐεργετῶσι, πῶς
οὐκ οἴεσθαι χρὴ τούτους καὶ πονεῖν ἡδέως εἰς τὰ τοιαῦτα
καὶ ζῆν εὐφραινομένους, ἀγαμένους μὲν ἑαυτούς, ἐπαινου-
μένους δὲ καὶ ζηλουμένους ὑπὸ τῶν ἄλλων; ἔτι δὲ αἱ μὲν 20
ῥᾳδιουργίαι καὶ ἐκ τοῦ παραχρῆμα ἡδοναὶ οὔτε σώματι
160 εὐεξίαν ἱκαναί εἰσιν ἐνεργάζεσθαι, ὥς φασιν οἱ γυμνασταί,
οὔτε ψυχῇ ἐπιστήμην ἀξιόλογον οὐδεμίαν ἐμποιοῦσιν· αἱ
δὲ διὰ καρτερίας ἐπιμέλειαι τῶν καλῶν τε καὶ ἀγαθῶν ἔργων

far as, quatenus. — **ὁπότε βού-
λοιτο**: for the opt. in a rel. temporal
clause by assimilation, see on i.
5. 4; ii. 9. 2. — **πίοι**: without ἄν,
which is to be supplied from the pre-
ceding φάγοι ἄν. — **ὁπόταν βούληται**:
obs. the ἄν retained with the subjv.
in a rel. temporal clause, and omitted
with the opt. (ὁπότε βούλοιτο). —
**πονῶν**: for the supplementary par-
ticiple with verbs expressive of
being pleased, see G. 1580; H.
983.

19. **ἆθλα**: praemia, rewards.
— **μικροῦ τινος ἄξιά ἐστι**: have some
small value.   For the indef. pron.
added to adjs., see on δεινήν τινα i. 3.
12, and, for the gen. of value with
ἄξιος, G. 1135; H. 753 f. — **τού-**

**τους**: repeats and emphasizes τοὺς
δέ.   Cf. iii. 5. 8, 7. 4. — **ἀγαμέ-
νους ἑαυτούς**: well-pleased with them-
selves.

20. **ἐκ τοῦ παραχρῆμα ἡδοναί**:
pleasures of the moment, i.e. easily-
won enjoyments (as shown by the
contrasted αἱ διὰ καρτερίας ἐπιμέλειαι).
Cf. τὰς ἐγγυτάτω ἡδονάς iv. 5. 10. —
**σώματι, ψυχῇ**: for the omission of
the generic art., see H. 660. — **αἱ διὰ
καρτερίας ἐπιμέλειαι**: for the use of
the prep. with its case as an attrib.
adj. (so ἐκ τοῦ παραχρῆμα above), see
G. 952; H. 600; and for διά with
the gen. denoting manner, cf. διὰ
μέθης Plato Sym. 176 E. — **ἔργων**: re-
sults.   For the gen. with verbs of at-
taining and touching, see on i. 4. 12.

ἐξικνεῖσθαι ποιοῦσιν, ὡς φασιν οἱ ἀγαθοὶ ἄνδρες.    λέγει
δέ που καὶ Ἡσίοδος·

165    'τὴν μὲν γὰρ κακότητα καὶ ἰλαδὸν ἔστιν ἑλέσθαι
ῥηιδίως· λείη μὲν ὁδός, μάλα δ᾽ ἐγγύθι ναίει.
τῆς δ᾽ ἀρετῆς ἱδρῶτα θεοὶ προπάροιθεν ἔθηκαν
ἀθάνατοι· μακρὸς δὲ καὶ ὄρθιος οἶμος ἐς αὐτὴν
καὶ τρηχὺς τὸ πρῶτον· ἐπὴν δ᾽ εἰς ἄκρον ἵκηαι,
170    ῥηιδίη δὴ ἔπειτα πέλει, χαλεπή περ ἐοῦσα.'

μαρτυρεῖ δὲ καὶ Ἐπίχαρμος ἐν τῷδε·

'τῶν πόνων πωλοῦσιν ἡμῖν πάντα τἀγάθ᾽ οἱ θεοί.'

[καὶ ἐν ἄλλῳ δὲ τόπῳ φησίν·
'ὦ πονηρέ, μὴ τὰ μαλακὰ μῶσο, μὴ τὰ σκλήρ᾽ ἔχῃς.']
175 καὶ Πρόδικος δὲ ὁ σοφὸς ἐν τῷ συγγράμματι τῷ περὶ 21
Ἡρακλέους, ὅπερ δὴ καὶ πλείστοις ἐπιδείκνυται, ὡσαύτως
περὶ τῆς ἀρετῆς ἀποφαίνεται, ὧδέ πως λέγων, ὅσα ἐγὼ

— Ἡσίοδος : the quotation is from his *Works and Days* 287 ff. — καὶ ἴλα- δον: *and that in abundance.* — ἔστιν : why this accent? — λείη : *cf.* the Lat. lēvis. — ναίει : *sc.* ἡ κακότης.— οἶμος: seems first masc. (μακρός), and then fem. (ῥηιδίη).  It is more commonly fem., like other words meaning *way, e.g.*, ὁδός, κέλευθος, ἀτραπός, *etc.*  Possibly the poet had one of these in mind with ῥηιδίη.  See G. 194, 1 ; H. 152 c. — χαλεπή περ ἐοῦσα : *sc.* τὸ πρῶτον. — Ἐπί- χαρμος : a comic poet from Cos, who flourished in Syracuse about 500 B.C.  The two verses are 'trochaic tetrameter catalectic.'  G. 1651 ; H. 1083. — τῶν πόνων : for the gen. of price, see on i. 6. 11. —

καὶ . . . ἔχῃς : the passage is prob. interpolated, as τόπος was not used in Xenophon's time to denote a 'place' in an author's works.  See L. & S. *s.v.* τόπος I, 4. — μῶσο : from μάω.

21. Πρόδικος : of Ceos, a contemporary of Socrates and Xenophon, the latter of whom may have heard him recite his apologue of Hercules at Thebes, in the course of a professional tour.  Socrates spoke of him with respect, and in Plato several times calls himself a hearer of Prodicus.  The σύγγραμμα περὶ Ἡρακλέους was a part of a larger work entitled Ὧραι. — ἐπιδείκνυται : *exhibits*, "recites."  The exhibition or 'show' speeches of the Sophists were generally called ἐπιδείξεις. — ὧδέ πως :

μέμνημαι· φησὶ γὰρ Ἡρακλέα, ἐπεὶ ἐκ παίδων εἰς ἥβην
ὡρμᾶτο, ἐν ᾗ οἱ νέοι ἤδη αὐτοκράτορες γιγνόμενοι δηλοῦ-
180 σιν εἴτε τὴν δι᾽ ἀρετῆς ὁδὸν τρέψονται ἐπὶ τὸν βίον εἴτε
τὴν διὰ κακίας, ἐξελθόντα εἰς ἡσυχίαν καθῆσθαι ἀπο-
ροῦντα ποτέραν τῶν ὁδῶν τράπηται· καὶ φανῆναι αὐτῷ 22
δύο γυναῖκας προσιέναι μεγάλας, τὴν μὲν ἑτέραν
εὐπρεπῆ τε ἰδεῖν καὶ ἐλευθέριον φύσει, κεκοσμημένην
185 τὸ μὲν σῶμα καθαρότητι, τὰ δὲ ὄμματα αἰδοῖ, τὸ δὲ
σχῆμα σωφροσύνῃ, ἐσθῆτι δὲ λευκῇ· τὴν δ᾽ ἑτέραν
τεθραμμένην μὲν εἰς πολυσαρκίαν τε καὶ ἁπαλότητα,
κεκαλλωπισμένην δὲ τὸ μὲν χρῶμα, ὥστε λευκοτέραν τε
καὶ ἐρυθροτέραν τοῦ ὄντος δοκεῖν φαίνεσθαι, τὸ δὲ σχῆμα,
190 ὥστε δοκεῖν ὀρθοτέραν τῆς φύσεως εἶναι, τὰ δὲ ὄμματα

see on τοιάδε τις i. 1. 1. — **ἐκ παίδων** :
*from childhood*, concrete for ab-
stract. For the accent of παίδων,
see G. 128 ; H. 172 a. — **ὁδόν** : for the
case, see on ἤν 11.—**ἐξελθόντα κτλ.** : *cf.*
nam quod Herculem Prodicus
dicit, ut est apud Xenophon-
tem,—exisse in solitudinem
atque ibi sedentem diu secum
multumque dubitasse *etc.* Cic.
*de Off.* i. 32. 118. — **τράπηται** : for
the interr. subjv. retained in indir.
question, see G. 1490 ; H. 933.
22. **ἰδεῖν** : for the limiting inf.
with adjs., see G. 1528 ; H. 952.
*Cf.* i. 6. 9 ; iii. 8. 8. — **ἐσθῆτι** :
const. with κεκοσμημένην. — **τεθραμ-
μένην εἰς πολυσαρκίαν τε καὶ
ἁπαλότητα** : *pampered up to plump-
ness and delicacy.* — **κεκαλλωπισμέ-
νην δὲ τὸ μὲν χρῶμα κτλ.** : this sent.
does not correspond to the previous
one, either in the order of the
clauses or in the words themselves.

Xenophon seems often to have
avoided complete uniformity in the
parallel clauses of a rhetorical
period ; though it certainly might
have been justified here, as being
quite in keeping with the character
of professional declamations, which
abounded in antitheses. — **τοῦ ὄντος,
τῆς φύσεως** : equivalent to ἢ ἦν, ἢ
ἐπεφύκει. See Kr. *Spr.* 47. 27. 2. —
**ὥστε δοκεῖν φαίνεσθαι** : *cf.* ἐκπλα-
γέντες τῷ δόξαι μέγαν τε καὶ καλὸν
φανῆναι τὸν Κῦρον *Cyr.* viii. 3. 14. —
**ὀρθοτέραν** : *more erect*, in order to
appear taller. Tallness was esteemed
by the Greeks. *Cf.*, on the pas-
sage, ἰδών ποτε αὐτὴν ἐντετριμμένην
πολλῷ ψιμυθίῳ (*white lead*), ὅπως
λευκοτέρα ἔτι δοκοίη εἶναι ἢ ἦν, πολλῇ
δὲ ἐγχούσῃ ( *red dye*, from the plant
anchusa), ὅπως ἐρυθροτέρα φαίνοιτο τῆς
ἀληθείας, ὑποδήματα δ᾽ ἔχουσαν ὑψηλά,
ὅπως μείζων δοκοίη εἶναι ἢ ἐπεφύκει *Oec.*
x. 2, where Ischomachus is describing

ἔχειν ἀναπεπταμένα, ἐσθῆτα δέ, ἐξ ἧς ἂν μάλιστα ὥρα
διαλάμποι, κατασκοπεῖσθαι δὲ θαμὰ ἑαυτήν, ἐπισκοπεῖν
δὲ καὶ εἴ τις ἄλλος αὐτὴν θεᾶται, πολλάκις δὲ καὶ εἰς
τὴν ἑαυτῆς σκιὰν ἀποβλέπειν. ὡς δ᾽ ἐγένοντο πλησιαί- 23
195 τερον τοῦ Ἡρακλέους, τὴν μὲν πρόσθεν ῥηθεῖσαν ἰέναι
τὸν αὐτὸν τρόπον, τὴν δ᾽ ἑτέραν φθάσαι βουλομένην
προσδραμεῖν τῷ Ἡρακλεῖ καὶ εἰπεῖν· ῾Ορῶ σε, ὦ Ἡρά-
κλεις, ἀποροῦντα ποίαν ὁδὸν ἐπὶ τὸν βίον τράπῃ. ἐὰν
οὖν ἐμὲ φίλην ποιησάμενος, [ἐπὶ] τὴν ἡδίστην τε καὶ
200 ῥᾴστην ὁδὸν ἄξω σε, καὶ τῶν μὲν τερπνῶν οὐδενὸς ἄγευ-
στος ἔσῃ, τῶν δὲ χαλεπῶν ἄπειρος διαβιώσῃ. πρῶτον 24
μὲν γὰρ οὐ πολέμων οὐδὲ πραγμάτων φροντιεῖς, ἀλλὰ
σκοπούμενος διέσῃ τί ἂν κεχαρισμένον ἢ σιτίον ἢ ποτὸν
εὕροις, ἢ τί ἂν ἰδὼν ἢ τί ἀκούσας τερφθείης, ἢ τίνων ἂν
205 ὀσφραινόμενος ἢ ἁπτόμενος ἡσθείης, τίσι δὲ παιδικοῖς
ὁμιλῶν μάλιστ᾽ ἂν εὐφρανθείης, καὶ πῶς ἂν μαλακώτατα
καθεύδοις, καὶ πῶς ἂν ἀπονώτατα τούτων πάντων
τυγχάνοις. ἐὰν δέ ποτε γένηταί τις ὑποψία σπάνεως 25
ἀφ᾽ ὧν ἔσται ταῦτα, οὐ φόβος μή σε ἀγάγω ἐπὶ τὸ

his youthful wife. — ὥρα : *youthful
beauty*, with art. omitted. — δια-
λάμποι : for the potential opt. in rel.
final clauses, see G. 1367 ; H. 937 a.
— ἐπισκοπεῖν : *looked*, to see if *etc.*
23. Ἡρακλέους : for the gen.
with advs. of place, see on θείου
i. 6. 10. — τὸν αὐτὸν τρόπον :
*i.e.* without altering her pace. —
ἀποροῦντα : for the supplementary
participle in indirect discourse, see
on i. 2. 16. — ὁδὸν ἐπὶ τὸν βίον :
*path in life.* — τράπῃ : for the mode,
*cf* τράπηται 21. — ποιησάμενος : partic-
iple of manner, with ellipsis of
τὴν ὁδὸν τράπῃ. *Cf.* νομίσαν i. 2. 42.

— οὐδενός : for the gen. with verbal
adjs., *cf.* i. 2. 1, 63 ; 6. 8.
24. πολέμων : for the case, *cf.*
i. 1. 11. — φροντιεῖς : for the ' Attic '
future, see G. 665, 3 ; H. 425.
— σκοπούμενος διέσῃ : *you shall all
the time be considering.* For the
supplementary participle with verbs
of continuing, see G. 1580 ; H. 981.
— σιτίον, ποτόν : in appos. with τί.
— εὕροις : potential opt. in indirect
discourse. — παιδικοῖς : *favorites.*
25. σπάνεως ἀφ᾽ ὧν : equivalent
to σπάνεως τούτων, ἀφ᾽ ὧν. — οὐ φόβος
(*sc.* ἐστί) : *no ground for anxiety.* —
τό : connect with πορίζεσθαι. —

210 πονοῦντα καὶ ταλαιπωροῦντα τῷ σώματι καὶ τῇ ψυχῇ ταῦτα
πορίζεσθαι, ἀλλ' οἷς ἂν οἱ ἄλλοι ἐργάζωνται, τούτοις σὺ
χρήσῃ, οὐδενὸς ἀπεχόμενος ὅθεν ἂν δυνατὸν ᾖ τι κερδᾶναι·
πανταχόθεν γὰρ ὠφελεῖσθαι τοῖς ἐμοὶ συνοῦσιν ἐξουσίαν
ἔγωγε παρέχω.' καὶ ὁ Ἡρακλῆς ἀκούσας ταῦτα, 'Ὦ γύναι,' 26
215 ἔφη, 'ὄνομα δέ σοι τί ἐστιν;' ἡ δέ, 'Οἱ μὲν ἐμοὶ φίλοι,'
ἔφη, 'καλοῦσί με Εὐδαιμονίαν, οἱ δὲ μισοῦντές με ὑποκο-
ριζόμενοι ὀνομάζουσι Κακίαν.' καὶ ἐν τούτῳ ἡ ἑτέρα 27
γυνὴ προσελθοῦσα εἶπε· 'Καὶ ἐγὼ ἥκω πρὸς σέ, ὦ Ἡρά-
κλεις, εἰδυῖα τοὺς γεννήσαντάς σε καὶ τὴν φύσιν τὴν σὴν
220 ἐν τῇ παιδείᾳ καταμαθοῦσα· ἐξ ὧν ἐλπίζω, εἰ τὴν πρὸς
ἐμὲ ὁδὸν τράποιο, σφόδρ' ἄν σε τῶν καλῶν καὶ σεμνῶν
ἀγαθὸν ἐργάτην γενέσθαι καὶ ἐμὲ ἔτι πολὺ ἐντιμοτέραν
καὶ ἐπ' ἀγαθοῖς διαπρεπεστέραν φανῆναι. οὐκ ἐξα-
πατήσω δέ σε προοιμίοις ἡδονῆς, ἀλλ' ᾗπερ οἱ θεοὶ
225 διέθεσαν, τὰ ὄντα διηγήσομαι μετ' ἀληθείας. τῶν γὰρ 28
ὄντων ἀγαθῶν καὶ καλῶν οὐδὲν ἄνευ πόνου καὶ ἐπιμελείας
θεοὶ διδόασιν ἀνθρώποις· ἀλλ' εἴτε τοὺς θεοὺς ἵλεως
εἶναί σοι βούλει, θεραπευτέον τοὺς θεούς, εἴτε ὑπὸ φίλων

---

πονοῦντα, ταλαιπωροῦντα : agree
with the omitted subj. of πορίζεσθαι.
— οἷς, τούτοις : for ἅ, τούτοις with
omitted indef. antec. of the relative.
See G. 1030 ; H. 996 b. For the
assimilation, see on ὧν 10. — χρήσῃ :
"shall enjoy." — πανταχόθεν : the
position is emphatic.

26. ὄνομα δέ : for δέ, see on i. 3.
13. — ἡ δέ : for the pronominal art.,
see on i. 2. 33. — ὑποκοριζόμενοι :
*nicknaming.* The word‚ properly
means 'to talk baby talk,' from
κόρος, 'child,' — hence, 'to give pet
names,' and so, in a bad sense, 'to
nickname.'

27. καταμαθοῦσα ; "gauged." —
εἰ τράποιο : less confident than the
ἐὰν [τραπῇ] of Κακία in 23. — ἂν γενέ-
σθαι : see on ἂν κινηθῆναι i. 1. 14. —
ἐπ' ἀγαθοῖς : *for good actions, i.e.*
those which Hercules would perform
under her guidance ; 'lit with the
luster shed by valorous deeds'
(Dakyns). — προοιμίοις ἡδονῆς : *prom-
ises of pleasure,* like those in the
speech of Κακία.

28. ἀγαθῶν καὶ καλῶν : const. as
preds. with ὄντων. — ἵλεως : see on
i. 1. 9 *fin.* — βούλει, ἐθέλεις, ἐπιθυμεῖς :
prob. no difference in meaning is
intended. — θεραπευτέον : see on i. 2.

ἐθέλεις ἀγαπᾶσθαι, τοὺς φίλους εὐεργετητέον, εἴτε ὑπό
230 τινος πόλεως ἐπιθυμεῖς τιμᾶσθαι, τὴν πόλιν ὠφελητέον,
εἴτε ὑπὸ τῆς Ἑλλάδος πάσης ἀξιοῖς ἐπ' ἀρετῇ θαυμά-
ζεσθαι, τὴν Ἑλλάδα πειρατέον εὖ ποιεῖν, εἴτε γῆν βούλει
σοι καρποὺς ἀφθόνους φέρειν, τὴν γῆν θεραπευτέον, εἴτε
ἀπὸ βοσκημάτων οἴει δεῖν πλουτίζεσθαι, τῶν βοσκημά-
235 των ἐπιμελητέον, εἴτε διὰ πολέμου ὁρμᾷς αὔξεσθαι καὶ
βούλει δύνασθαι τούς τε φίλους ἐλευθεροῦν καὶ τοὺς
ἐχθροὺς χειροῦσθαι, τὰς πολεμικὰς τέχνας αὐτάς τε παρὰ
τῶν ἐπισταμένων μαθητέον καὶ ὅπως αὐταῖς δεῖ χρῆσθαι
ἀσκητέον· εἰ δὲ καὶ τῷ σώματι βούλει δυνατὸς εἶναι, τῇ
240 γνώμῃ ὑπηρετεῖν ἐθιστέον τὸ σῶμα καὶ γυμναστέον σὺν
πόνοις καὶ ἱδρῶτι.' καὶ ἡ Κακία ὑπολαβοῦσα εἶπεν, ὥς 29
φησι Πρόδικος· ''Εννοεῖς, ὦ Ἡράκλεις, ὡς χαλεπὴν καὶ
μακρὰν ὁδὸν ἐπὶ τὰς εὐφροσύνας ἡ γυνή σοι αὕτη διηγεῖ-
ται; ἐγὼ δὲ ῥᾳδίαν καὶ βραχεῖαν ὁδὸν ἐπὶ τὴν εὐδαιμονίαν

34. Note the double meaning of
θεραπεύω with θεούς and γῆν, like the
Lat. colere. — αὐτάς τε: the τέ is
added, because the writer had in
mind μαθητέον for both clauses, with
some such obj. in the second as τὴν
χρῆσιν αὐτῶν, instead of which, by a
slight change of construction we have
ὅπως αὐταῖς δεῖ χρῆσθαι ἀσκητέον. The
whole idea is sufficiently rendered by
our "military science and tactics."
εἰ δέ: after the sevenfold repetition
of εἴτε, the emphatic concluding
sent. is introduced with εἰ δέ. Cf.
the Lat. si vero after sive. —
τῇ γνώμῃ ὑπηρετεῖν: for when the
body obeys the reason, it will do
nothing which will interfere with its
own best development. Cicero, in
his version of this passage (exer-

cendum corpus et ita affici-
endum est, ut oboedire con-
silio rationique possit De Off.
i. 23. 79), seems to have connected
τῇ γνώμῃ ὑπηρετεῖν with δυνατός,
rather than with what follows. —
πόνοις, ἱδρῶτι: dats. of accompani-
ment. Cf. 'in the sweat of thy
brow shalt thou eat bread' Gen.
iii. 19.

29. ἡ γυνὴ αὕτη: that woman
there. So the Lat. ista femina.
— εὐφροσύνας: pleasures, in strong
contrast to εὐδαιμονίαν. Observe
the elaborate antitheses in the two
clauses, and note that Vice usurps
the nobler word happiness, conced-
ing to Virtue only pleasures as the
reward of toil and self-denial. —
ὁδόν (after βραχεῖαν) : see on 21.

245 ἄξω σε.' καὶ ἡ Ἀρετὴ εἶπεν· 'Ὦ τλῆμον, τί δὲ σὺ ἀγα- 30
θὸν ἔχεις; ἢ τί ἡδὺ οἶσθα, μηδὲν τούτων ἕνεκα πράττειν
ἐθέλουσα; ἥτις οὐδὲ τὴν τῶν ἡδέων ἐπιθυμίαν ἀναμέ-
νεις, ἀλλὰ πρὶν ἐπιθυμῆσαι πάντων ἐμπίπλασαι, πρὶν μὲν
πεινῆν ἐσθίουσα, πρὶν δὲ διψῆν πίνουσα καί, ἵνα μὲν
250 ἡδέως φάγῃς, ὀψοποιοὺς μηχανωμένη, ἵνα δὲ ἡδέως πίῃς,
οἴνους τε πολυτελεῖς παρασκευάζῃ καὶ τοῦ θέρους χιόνα
περιθέουσα ζητεῖς· ἵνα δὲ καθυπνώσῃς ἡδέως, οὐ μόνον
τὰς στρωμνὰς μαλακάς, ἀλλὰ καὶ [τὰς κλίνας καὶ] τὰ
ὑπόβαθρα ταῖς κλίναις παρασκευάζῃ· οὐ γὰρ διὰ τὸ
255 πονεῖν, ἀλλὰ διὰ τὸ μηδὲν ἔχειν ὅ τι ποιῇς,)ὕπνου ἐπιθυ-
μεῖς· τὰ δὲ ἀφροδίσια πρὸ τοῦ δεῖσθαι ἀναγκάζεις, πάντα
μηχανωμένη καὶ γυναιξὶ τοῖς ἀνδράσι χρωμένη( οὕτω
γὰρ παιδεύεις τοὺς σεαυτῆς φίλους, τῆς μὲν νυκτὸς ὑβρί-
ζουσα, τῆς δ' ἡμέρας τὸ χρησιμώτατον κατακοιμίζουσα.

30. ἡ Ἀρετή: that Virtue has not been previously mentioned by name is a refinement of the allegory, which has left it to the hearer or reader to identify her by her description at entrance, and by her words. — ὦ τλῆμον: *wretched being*, uttered with righteous indignation. — τί δέ: see on ὄνομα δέ 26. — ἥτις : *you who*. See H. 699 a. — οὐδὲ ἀναμένεις : *cf*. *Sym*. iv. 41. "Not only will you not do anything to secure true enjoyment, but you will not wait for the desire (hunger, thirst, *etc*.) of enjoyment to come of itself." — πεινῆν, διψῆν: for the special form of contraction, see G. 496 ; H. 412. — μηχανωμένη, παρασκευάζῃ : note the change of construction. The retention of the participle is prob. due to the influence of the two preceding partici-

ples, the finite const. being afterward resumed. — χιόνα : the use of snow to cool wine, sherbet, *etc*. is common in southern Europe. For the thought, *cf*. i. 6. 5. — στρωμνάς : *beds*, mattresses. — μαλακάς : pred. adj., to be connected with παρασκευάζῃ. G. 971, 972 ; H. 618. — [τὰς κλίνας καί] : prob. an interpolation, as the possession of couches could not be a subject for reproach. — ὑπόβαθρα : *rockers*. *Cf*. οὐ γὰρ ἐκ χρυσοῦ καὶ ἐλέφαντος κατεσκευασμέναι κλῖναι καὶ πορφυροῖ τάπητες οὔτε ὑπόβαθρα καὶ παστάδες (*colonnades*) ὕπνους ποιοῦσιν, ἀλλὰ ἔργα καὶ νόμιμοι πόνοι καὶ τὸ τῆς φύσεως αὐτῆς ἀναγκαῖον Teles *apud* Stobaeum *Flor*. 93. 31. — ποιῇς : see on τράπηται 21. — γυναιξί : see on δούλοις 12. — ὑβρίζουσα, κατακοιμίζουσα : the participles expand and explain the preceding οὕτω. *Cf*.

260 ἀθάνατος δὲ οὖσα ἐκ θεῶν μὲν ἀπέρριψαι, ὑπὸ δὲ ἀνθρώ- 31
πων ἀγαθῶν ἀτιμάζῃ· τοῦ δὲ πάντων ἡδίστου ἀκούσμα-
τος, ἐπαίνου ἑαυτῆς, ἀνήκοος εἶ καὶ τοῦ πάντων ἡδίστου
θεάματος, ἀθέατος· οὐδὲν γὰρ πώποτε σεαυτῆς ἔργον
καλὸν τεθέασαι. τίς δ' ἄν σοι λεγούσῃ τι πιστεύσειε;
265 τίς δ' ἂν δεομένῃ τινὸς ἐπαρκέσειεν; ἢ τίς ἂν εὖ φρονῶν
τοῦ σοῦ θιάσου τολμήσειεν εἶναι; οἳ νέοι μὲν ὄντες τοῖς
σώμασιν ἀδύνατοί εἰσι, πρεσβύτεροι δὲ γενόμενοι ταῖς
ψυχαῖς ἀνόητοι, ἀπόνως μὲν λιπαροὶ διὰ νεότητος τρεφό-
μενοι, ἐπιπόνως δὲ αὐχμηροὶ διὰ γήρως περῶντες, τοῖς
270 μὲν πεπραγμένοις αἰσχυνόμενοι, τοῖς δὲ πραττομένοις
βαρυνόμενοι, τὰ μὲν ἡδέα ἐν τῇ νεότητι διαδραμόντες, τὰ
δὲ χαλεπὰ εἰς τὸ γῆρας ἀποθέμενοι. ἐγὼ δὲ σύνειμι μὲν 32
θεοῖς, σύνειμι δὲ ἀνθρώποις τοῖς ἀγαθοῖς· ἔργον δὲ καλὸν
οὔτε θεῖον οὔτε ἀνθρώπειον χωρὶς ἐμοῦ γίγνεται· τιμῶμαι
275 δὲ μάλιστα πάντων καὶ παρὰ θεοῖς καὶ παρὰ ἀνθρώποις
οἷς προσήκει, ἀγαπητὴ μὲν συνεργὸς τεχνίταις, πιστὴ
δὲ φύλαξ οἴκων δεσπόταις, εὐμενὴς δὲ παραστάτις

ἐμβολὴν ὧδε ποιοῦνται, ἅμα μὲν λαθεῖν
πειρώμενοι, ἅμα δὲ φθάσαι An. iv.
1. 4.

31. ἐκ θεῶν: *from the company
of gods.* — ἐπαίνου ἑαυτῆς: *praise of
yourself.* For the use of the third
pers. refl. instead of the second, see
G. 995; H. 686 a. For the thought, cf.
Themistoclem dixisse aiunt,
cum ex eo quaereretur quod
acroama aut cuius vocem
libentissime audiret: Eius, a
quo sua virtus optime praedi-
caretur Cic. *pro Arch.* 9. 32. — εὖ
φρονῶν: *in his senses.* — θιάσου:
properly an assemblage of worship-
ers: here scornfully applied to the
followers of Κακία. — οἱ νέοι: as if

preceded by θιασωτῶν, instead of
θιάσου, a const. κατὰ σύνεσιν. So αἱ
πόλεις, παύσοντες in ii. 2. 3. — λιπαροὶ
τρεφόμενοι: for the pred. adj. used
in adverbial sense, see H. 619. —
ἀποθέμενοι: *laying up.* Cf. with
this description Shakspeare's Seven
Ages of Man in *As You Like It*,
and the imagery of *Ecclesiastes* xii.

32. σύνειμι μέν, σύνειμι δέ:
'anaphora,' as in i. 1. 2, 5. 3. —
καλὸν οὔτε . . . οὔτε . . . γίγνεται:
acc. to Greek usage, we should ex-
pect an οὐδέν before καλόν. — οἷς: for
παρ' οἷς. So αἷς σύνει for ἐν αἷς σύνει
iii. 7. 3. Κακία receives indeed honor,
but only from those παρ' οἷς τιμᾶσθαι
οὐ προσήκει. — συνεργός: sc. οὖσα. —

οἰκέταις, ἀγαθὴ δὲ συλλήπτρια τῶν ἐν εἰρήνῃ πόνων,
βεβαία δὲ τῶν ἐν πολέμῳ σύμμαχος ἔργων, ἀρίστη δὲ
280 φιλίας κοινωνός.   ἔστι δὲ τοῖς μὲν ἐμοῖς φίλοις ἡδεῖα 33
μὲν καὶ ἀπράγμων σίτων καὶ ποτῶν ἀπόλαυσις· ἀνέχον-
ται γὰρ ἕως ἂν ἐπιθυμήσωσιν αὐτῶν.  ὕπνος δ' αὐτοῖς
πάρεστιν ἡδίων ἢ τοῖς ἀμόχθοις, καὶ οὔτε ἀπολείποντες
αὐτὸν ἄχθονται οὔτε διὰ τοῦτον μεθιᾶσι τὰ δέοντα πράτ-
285 τειν.  καὶ οἱ μὲν νέοι τοῖς τῶν πρεσβυτέρων ἐπαίνοις
χαίρουσιν, οἱ δὲ γεραίτεροι ταῖς τῶν νέων τιμαῖς ἀγάλ-
λονται· καὶ ἡδέως μὲν τῶν παλαιῶν πράξεων μέμνηνται,
εὖ δὲ τὰς παρούσας ἥδονται πράττοντες, δι' ἐμὲ φίλοι μὲν
θεοῖς ὄντες, ἀγαπητοὶ δὲ φίλοις, τίμιοι δὲ πατρίσιν· ὅταν
290 δ' ἔλθῃ τὸ πεπρωμένον τέλος, οὐ μετὰ λήθης ἄτιμοι
κεῖνται, ἀλλὰ μετὰ μνήμης τὸν ἀεὶ χρόνον ὑμνούμενοι
θάλλουσι.  τοιαῦτά σοι, ὦ παῖ τοκέων ἀγαθῶν Ἡράκλεις,
ἔξεστι διαπονησαμένῳ τὴν μακαριστοτάτην εὐδαιμονίαν
κεκτῆσθαι.'  οὕτω πως διώκει Πρόδικος τὴν ὑπ' Ἀρετῆς 34
295 Ἡρακλέους παίδευσιν, ἐκόσμησε μέντοι τὰς γνώμας ἔτι
μεγαλειοτέροις ῥήμασιν ἢ ἐγὼ νῦν.  σοὶ δ' οὖν ἄξιον, ὦ
Ἀρίστιππε, τούτων ἐνθυμουμένῳ πειρᾶσθαί τι καὶ τῶν εἰς
τὸν μέλλοντα χρόνον τοῦ βίου φροντίζειν."

συλλήπτρια : *an assistant.* — κοινω-
νός : *a sharer.*
33. ἀπράγμων : *untroubled,* op-
posed to περιθέουσα in 30. — ἀνέ-
χονται : *they hold out.* — εὖ πράτ-
τοντες : *succeeding in.* — ὅταν δ' ἂν
ἔλθῃ τὸ πεπρωμένον τέλος κτλ. : cf. the
concluding lines of Bryant's *Thana-
topsis.* — ὑμνούμενοι θάλλουσι : "they
are immortalized in song." Cf.
Harmodius in ore et Aris-
togito, Lacedaemonius Leo-
nidas, Thebanus Epaminon-
das vigent Cic. *Tusc. Disp.* i.

49. 116. — τοιαῦτα σοι : for the
'asyndeton,' see on i. 1. 9.
34. διώκει : unusual in this sense,
which is a common one in Eng-
lish. Cf. the Lat. persequi. — τὴν
ὑπ' Ἀρετῆς παίδευσιν : for ὑπό and
the gen. with a verbal noun, see Kr.
Spr. 68. 43. 2.  Cf. ἥδεσθαι τῇ ὑπὸ
πάντων τιμῇ Cyr. iii. 3. 2. — γνώμας :
*thoughts.* — ἐνθυμουμένῳ : *giving heed.*
— πειρᾶσθαί τι . . . φροντίζειν : *to
strive to pay some attention to those
things also* (καί) *which belong to the
later portion of your life.*

Αἰσθόμενος δέ ποτε Λαμπροκλέα, τὸν πρεσβύτατον υἱὸν 2
αὐτοῦ, πρὸς τὴν μητέρα χαλεπαίνοντα, "Εἰπέ μοι," ἔφη, "ὦ
παῖ, οἶσθά τινας ἀνθρώπους ἀχαρίστους καλουμένους ;"
"Καὶ μάλα," ἔφη ὁ νεανίσκος.  "Καταμεμάθηκας οὖν, τοὺς
5 τί ποιοῦντας τὸ ὄνομα τοῦτο ἀποκαλοῦσιν ;" "Ἔγωγε, ἔφη·
"τοὺς γὰρ εὖ παθόντας, ὅταν δυνάμενοι χάριν ἀποδοῦναι
μὴ ἀποδῶσιν, ἀχαρίστους καλοῦσιν." "Οὐκοῦν δοκοῦσί
σοι ἐν τοῖς ἀδίκοις καταλογίζεσθαι τοὺς ἀχαρίστους ;"
"Ἔμοιγε," ἔφη.  "Ἤδη δέ ποτ' ἐπεσκέψω, εἰ ἄρα, ὥσπερ 2
10 τὸ ἀνδραποδίζεσθαι τοὺς μὲν φίλους ἄδικον εἶναι δοκεῖ,
τοὺς δὲ πολεμίους δίκαιον, καὶ τὸ ἀχαριστεῖν πρὸς μὲν
τοὺς φίλους ἄδικόν ἐστι, πρὸς δὲ τοὺς πολεμίους δίκαιον ;"
"Καὶ μάλα," ἔφη·  "καὶ δοκεῖ μοι, ὑφ' οὗ ἄν τις εὖ παθὼν
εἴτε φίλου εἴτε πολεμίου μὴ πειρᾶται χάριν ἀποδιδόναι,

2. *Ingratitude is an offense, the
more heinous in proportion to the
benefits received. Ingratitude to-
wards parents, therefore, is a very
grave offense, punished with ignominy
by the state and with contempt by all
men. These thoughts are brought out
in a conversation between Socrates
and his son Lamprocles.*
1. τὸν πρεσβύτατον : acc. to
Suidas (*s.v.* Σωκράτης), the two other
sons of Socrates, Sophroniscus and
Menexenus, were by Myrto, a second
wife. But Plato (*Phaedo* 60 Λ), in
the well-known prison- and death-
scene, describes Xanthippe as sit-
ting beside Socrates with their child
(παιδίον). *Cf.* also *ibid.* 116 B.
Perhaps Myrto was his first wife ;
but there is no contemporary evi-
dence for more than one, and that
one Xanthippe. On the violent
temper of Xanthippe, *cf.* χρῇ (*you

are provided with*) γυναικὶ τῶν οὐσῶν,
οἶμαι δὲ καὶ τῶν γεγενημένων καὶ τῶν
ἐσομένων, χαλεπωτάτῃ *Sym.* ii. 10.
They were an ill-assorted couple, and
each had doubtless much to complain
of. — τοὺς τί ποιοῦντας, ἀποκαλοῦσιν:
*i.e.* τί ποιοῦσιν οὗτοι, οὓς τὸ ὄνομα τοῦτο
καλοῦσιν ; For the interr. depending
on a participle or other dependent
word, *cf.* i. 4. 14 ; i. 3. 10 ; *An.* iii.
1. 14. — τοὺς εὖ παθόντας : *those who
have received favors. Cf.* ἀνθ' ὧν εὖ
ἔπαθον ὑπ' ἐκείνου *An.* i. 3. 4. —
οὐκοῦν: as in ii. 1. 2.
2. εἰ ἄρα : *whether possibly.* —
ὥσπερ: followed by a simple καί, in-
stead of οὕτω καί. *Cf.* ὥσπερ σύ, καὶ
ἐγώ iv. 4. 7. *Cf.* also *Oec.* xviii. 9.
—ἄδικον, δίκαιον: *wrong, right.*—ὑφ'
οὗ ἄν τις(equivalent to ἐάν τις ὑπό τινος)
κτλ. : *whoever has received favors
from any one, whether friend or foe,
and does not attempt to return them.*

15 ἄδικος εἶναι." "Οὐκοῦν, εἴ γε οὕτως ἔχει τοῦτο, εἰλικρι- 3
νής τις ἂν εἴη ἀδικία ἡ ἀχαριστία;" συνωμολόγει.
"Οὐκοῦν, ὅσῳ ἄν τις μείζω ἀγαθὰ παθὼν μὴ ἀποδιδῷ
χάριν, τοσούτῳ ἀδικώτερος ἂν εἴη;" συνέφη καὶ τοῦτο.
"Τίνας οὖν," ἔφη, "ὑπὸ τίνων εὕροιμεν ἂν μείζω εὐεργετη-
20 μένους ἢ παῖδας ὑπὸ γονέων; οὓς οἱ γονεῖς ἐκ μὲν οὐκ
ὄντων ἐποίησαν εἶναι, τοσαῦτα δὲ καλὰ ἰδεῖν καὶ τοσούτων
ἀγαθῶν μετασχεῖν, ὅσα οἱ θεοὶ παρέχουσι τοῖς ἀνθρώποις·
ἃ δὴ καὶ οὕτως ἡμῖν δοκεῖ παντὸς ἄξια εἶναι ὥστε πάντες
τὸ καταλιπεῖν αὐτὰ μάλιστα πάντων φεύγομεν· καὶ αἱ
25 πόλεις ἐπὶ τοῖς μεγίστοις ἀδικήμασι ζημίαν θάνατον
πεποιήκασιν, ὡς οὐκ ἂν μείζονος κακοῦ φόβῳ τὴν ἀδικίαν
παύσαντες. καὶ μὴν οὐ τῶν γε ἀφροδισίων ἕνεκα παιδο- 4
ποιεῖσθαι τοὺς ἀνθρώπους ὑπολαμβάνεις, ἐπεὶ τούτου γε
τῶν ἀπολυσόντων μεσταὶ μὲν αἱ ὁδοί, μεστὰ δὲ τὰ οἰκή-
30 ματα· φανεροὶ δ' ἐσμὲν καὶ σκοπούμενοι ἐξ ὁποίων ἂν
γυναικῶν βέλτιστα ἡμῖν τέκνα γένοιτο· αἷς συνελθόντες

---

3. **εἰλικρινής τις** : *a clear kind
of*, the adj. followed by the indef.,
as in Lat. by q u i d a m with the
same signification. G. 1016 ; H.
702. — **ἂν εἴη** : potential opt. in
apodosis. See G. 1421, 1 ; H. 901 b.
— **τίνας, ὑπὸ τίνων** : two questions in
one clause. G. 1601 ; H. 1013. The
same usage is found in Latin ; *cf.*
difficile est enumerare quot
viri quanta scientia fuerint
Cic. *de Or.* i. 3. 9. — **ἐκ μὲν οὐκ ὄν-
των, εἶναι** : *out of non-existence into
being. Cf ἐκ θεῶν* ii. 1. 31. " We
owe to our parents all the blessings
of life, the possession of which is re-
garded as the greatest happiness, and
their loss (through death) the greatest
misfortune." — **θάνατον** : without

the article. See on i. 2. 62, where
ζημία has the art., which here it
lacks. — **ὡς . . . παύσαντες** : r a t i
metu mali, quo gravius nul-
lum esset, iniuriam coercere
se posse. See on *ὡς προσημαίνον-
τος* i. 1. 4. The participle, by a *con-
structio ad sensum*, refers to *οἱ πολῖται*
implied in *αἱ πόλεις*. See on *θιάσου,
οἱ* ii. 1. 31.

4. **τούτου, τῶν ἀπολυσόντων** : for
the position of the art., see on i. 6.
13 ; and for the sing. *τούτου* (*sc.
τοῦ τῶν ἀφροδισίων ἐπιθυμεῖν*), see on
iii. 4. 5. *ἀπολυσόντων* is neuter, as in
ii. 1. 5. — **βέλτιστα** : *finest.* — **αἷς** :
equivalent to *καὶ ταύταις. Cf.* the
conversation between Ischomachus
and his wife, *Oec.* vii. 10 ff.

τεκνοποιούμεθα. καὶ ὁ μέν γε ἀνὴρ τήν τε συντεκνοποιή- 5
σουσαν ἑαυτῷ τρέφει καὶ τοῖς μέλλουσιν ἔσεσθαι παισὶ
προπαρασκευάζει πάντα ὅσα ἂν οἴηται συνοίσειν αὐτοῖς
35 πρὸς τὸν βίον, καὶ ταῦτα ὡς ἂν δύνηται πλεῖστα· ἡ δὲ γυνὴ
ὑποδεξαμένη τε φέρει τὸ φορτίον τοῦτο, βαρυνομένη τε καὶ
κινδυνεύουσα περὶ τοῦ βίου καὶ μεταδιδοῦσα τῆς τροφῆς ᾗ
καὶ αὐτὴ τρέφεται, καὶ σὺν πολλῷ πόνῳ διενεγκοῦσα καὶ
τεκοῦσα τρέφει τε καὶ ἐπιμελεῖται οὔτε προπεπονθυῖα οὐδὲν
40 ἀγαθόν, οὔτε γιγνῶσκον τὸ βρέφος ὑφ᾽ ὅτου εὖ πάσχει, οὐδὲ
σημαίνειν δυνάμενον ὅτου δεῖται, ἀλλ᾽ αὐτὴ στοχαζομένη
τά τε συμφέροντα καὶ τὰ κεχαρισμένα πειρᾶται ἐκπλη-
ροῦν καὶ τρέφει πολὺν χρόνον καὶ ἡμέρας καὶ νυκτὸς
ὑπομένουσα πονεῖν, οὐκ εἰδυῖα τίνα τούτων χάριν ἀπο-
45 λήψεται. καὶ οὐκ ἀρκεῖ θρέψαι μόνον, ἀλλὰ καί, ἐπειδὰν 6
δόξωσιν ἱκανοὶ εἶναι οἱ παῖδες μανθάνειν τι, ἃ μὲν ἂν
αὐτοὶ ἔχωσιν οἱ γονεῖς ἀγαθὰ πρὸς τὸν βίον διδάσκου-
σιν, ἃ δ᾽ ἂν οἴωνται ἄλλον ἱκανώτερον εἶναι διδάξαι,
πέμπουσι πρὸς τοῦτον δαπανῶντες καὶ ἐπιμελοῦνται πάντα

---

**5.** ὑποδεξαμένη τε φέρει : to this
corresponds καί τρέφει below. —
διενεγκοῦσα : *sc.* in the period of preg-
nancy. — γιγνῶσκον τὸ βρέφος : best
const. as obj. of τρέφει τε καὶ ἐπιμε-
λεῖται taken as one idea (τρέφει
ἐπιμελῶς). Kühner suggests that
Xenophon composed the passage
rhetorically, and wrote γιγνῶσκον τὸ
βρέφος in the nom. as a substitute for
the gen. abs., in order to preserve
'concinnity' in the constructions. On
the connection of the two participles
(προπεπονθυῖα, γιγνῶσκον), one in the
nom., the other in the acc., by οὔτε,
οὔτε, cf. ii. 7. 8. — οὐδέ : *and not.*
—ἀλλ᾽ αὐτὴ κτλ. : from here the
const. becomes freer, in order to
avoid the obscurity resulting from
too many participles.

**6.** θρέψαι μόνον : an unusual posi-
tion. See on i. 4. 13. — πέμπουσι :
*sc.* τοὺς παῖδας. The education of an
Athenian boy included the study of
(1) γράμματα (reading and writing) ;
(2) ἡ μουσικὴ τέχνη (poetry and
music) ; (3) ἡ γυμναστικὴ τέχνη
(physical culture). *Cf.* Aristophanes
*Clouds* 961 ff., and esp. Plato *Prot.*
325 ff. ; and for a fuller account,
see Becker, *Charicles* (Eng. transla-
tion), p. 226 ff., and Guhl and Koner,
*Life of the Greeks and Romans*, §§ 50,
51. — πάντα : *everything possible.*

50 ποιοῦντες, ὅπως οἱ παῖδες αὐτοῖς γένωνται ὡς δυνατὸν βέλτιστοι." πρὸς ταῦτα ὁ νεανίσκος εἶπεν· "Ἀλλά 7 τοι, εἰ καὶ πάντα ταῦτα πεποίηκε καὶ ἄλλα τούτων πολλαπλάσια, οὐδεὶς ἂν δύναιτο αὐτῆς ἀνασχέσθαι τὴν χαλεπότητα." καὶ ὁ Σωκράτης, "Πότερα δέ," ἔφη, "οἴει 55 θηρίου ἀγριότητα δυσφορωτέραν εἶναι ἢ μητρός;" "Ἐγὼ μὲν οἶμαι," ἔφη, "τῆς μητρός, τῆς γε τοιαύτης." "Ἤδη πώποτε οὖν ἢ δακοῦσα κακόν τί σοι ἔδωκεν ἢ λακτίσασα, οἷα ὑπὸ θηρίων ἤδη πολλοὶ ἔπαθον;" "Ἀλλά, νὴ Δία," 8 ἔφη, "λέγει ἃ οὐκ ἄν τις ἐπὶ τῷ βίῳ παντὶ βούλοιτο 60 ἀκοῦσαι." "Σὺ δὲ πόσα," ἔφη ὁ Σωκράτης, "οἴει ταύτῃ [δυσάνεκτα] καὶ τῇ φωνῇ καὶ τοῖς ἔργοις ἐκ παιδίου δυσκο- λαίνων καὶ ἡμέρας καὶ νυκτὸς πράγματα παρασχεῖν, πόσα δὲ λυπῆσαι κάμνων;" "Ἀλλ' οὐδεπώποτε αὐτήν," ἔφη, "οὔτ' εἶπα οὔτ' ἐποίησα οὐδέν, ἐφ' ᾧ ᾐσχύνθη." "Τί δ'; 9 65 οἴει," ἔφη, "χαλεπώτερον εἶναί σοι ἀκούειν ὧν αὕτη λέγει, ἢ τοῖς ὑποκριταῖς, ὅταν ἐν ταῖς τραγῳδίαις ἀλλήλους τὰ ἔσχατα λέγωσιν;" "Ἀλλ', οἶμαι, ἐπειδὴ οὐκ οἴονται τῶν λεγόντων οὔτε τὸν ἐλέγχοντα ἐλέγχειν ἵνα ζημιώσῃ, οὔτε

7. **ἀλλά τοι κτλ.** : said in a some-what grumbling tone. — **πεποίηκε** : the subj. is readily supplied from the connection. — **ἢ μητρός** : or that of a mother. Lamprocles, who has his own mother in mind, answers with the article, τῆς μητρός, τῆς γε τοι- αύτης the mother's, if she be such a one as mine. — **δακοῦσα, λακτίσασα** : for the aor. participle expressing time coincident with that of the main verb, see GMT. 150 ; H. 856 b.

8. **ἐπὶ τῷ βίῳ παντί** : for his whole life, i.e. for all that life could bring him. Cf. ἐπὶ πόσῳ ἂν ἐθέλοις τὴν γυναῖκά σου ἀκοῦσαι ὅτι σκευοφορεῖς

Cyr. iii. 1. 43. G. 1210, 2 c ; H. 799, 2 c. — **[δυσάνεκτα]** : found only here, is perhaps an interpolation suggested by ἀνασχέσθαι above. — **εἶπα** : the rare first pers. sing. of the Ionic aorist. The second pers. is much more com- mon. Of εἶπα only six instances in Attic are cited by Veitch (Greek Verbs, p. 205 ff.). — **πόσα** : cognate accusative.

9. **ἀλλήλους, ἔσχατα** : for the two accs. with one verb, see on i. 2. 12. — **τῶν λεγόντων οὔτε τόν** : that of those uttering (such things) either he who. — **ἐλέγχειν** : does so (i.e. utters abuse). — **ἵνα ζημιώσῃ** : in

τὸν ἀπειλοῦντα ἀπειλεῖν ἵνα κακόν τι ποιήσῃ, ῥαδίως
70 φέρουσι." "Σὺ δ᾽ εὖ εἰδὼς ὅτι ἃ λέγει σοι ἡ μήτηρ, οὐ
μόνον οὐδὲν κακὸν νοοῦσα λέγει, ἀλλὰ καὶ βουλομένη σοι
ἀγαθὰ εἶναι ὅσα οὐδενὶ ἄλλῳ, χαλεπαίνεις; ἢ νομίζεις
κακόνουν τὴν μητέρα σοι εἶναι;" "Οὐ δῆτα," ἔφη, "τοῦτό
γε οὐκ οἶμαι." καὶ ὁ Σωκράτης, "Οὐκοῦν," ἔφη, " σὺ ταύ- 10
75 την, εὔνουν τέ σοι οὖσαν καὶ ἐπιμελομένην ὡς μάλιστα
δύναται κάμνοντος, ὅπως ὑγιάνῃς τε καὶ ὅπως τῶν ἐπιτη-
δείων μηδενὸς ἐνδεὴς ἔσῃ, καὶ πρὸς τούτοις πολλὰ τοῖς
θεοῖς εὐχομένην ἀγαθὰ ὑπὲρ σοῦ καὶ εὐχὰς ἀποδιδοῦσαν,
χαλεπὴν εἶναι φῄς; ἐγὼ μὲν οἶμαι, εἰ τοιαύτην μὴ δύνα-
80 σαι φέρειν μητέρα, τἀγαθά σε οὐ δύνασθαι φέρειν.  εἰπὲ 11
δέ μοι," ἔφη, "πότερον ἄλλον τινὰ οἴει δεῖν θεραπεύειν;
ἢ παρεσκεύασαι μηδενὶ ἀνθρώπων πειρᾶσθαι ἀρέσκειν,
μηδὲ πείθεσθαι μήτε στρατηγῷ μήτε ἄλλῳ ἄρχοντι;"
"Ναὶ μὰ Δί᾽ ἔγωγε," ἔφη.  "Οὐκοῦν," ἔφη ὁ Σωκράτης, 12
85 "καὶ τῷ γείτονι βούλει σὺ ἀρέσκειν ἵνα σοι καὶ πῦρ
ἐναύῃ ὅταν τούτου δέῃ, καὶ ἀγαθοῦ τέ σοι γίγνηται συλ-
λήπτωρ καί, ἄν τι σφαλλόμενος τύχῃς, εὐνοϊκῶς ἐγγύθεν
βοηθῇ σοι;" "Ἔγωγε," ἔφη.  "Τί δέ; συνοδοιπόρον

order to do harm. — εὖ εἰδώς: de-
signedly stronger than οὐκ οἴονται in
the previous sentence. — ἀγαθά :
good things.

10. ὅπως ὑγιάνῃς, ἔσῃ : subjv.
and fut. indic. in close connection,
with ὅπως. G. 1374 ; H. 885 b.
Kühner suggests that the change to
the indic. implies that the supplying
of the child's wants is more in the
mother's power than is the mainte-
nance of his health. — εὐχομένην
ἀγαθά : praying for blessings. — εὐχὰς
ἀποδιδοῦσαν : paying her vows. — εἰ
δύνασαι : see on i. 2. 13.

11. ἄλλον τινά: obj. of θερα-
πεύειν. — παρεσκεύασαι : are you pre-
pared ? — πείθεσθαι : depends on
παρεσκεύασαι.

12. ἵνα σοι πῦρ ἐναύῃ : that he
may kindle a fire for you, i.e. not
refuse you a light. Cf. ex quo
sunt illa communia : non pro-
hibere aqua profluente ; pati
ab igne ignem capere Cic. de
Off. i. 16. 52. — συλλήπτωρ : cf.
συλλήπτρια ii. 1. 32. — ἄν τι σφαλλό-
μενος τύχης : "if you fall into any
misfortune." — ἐγγύθεν βοηθῇ σοι :
being at hand may aid you. —

ἢ σύμπλουν, ἢ εἴ τῳ ἄλλῳ ἐντυγχάνοις, οὐδὲν ἄν σοι
90 διαφέροι φίλον ἢ ἐχθρὸν γενέσθαι, ἢ καὶ τῆς παρὰ τού-
των εὐνοίας οἴει δεῖν ἐπιμελεῖσθαι;" "Ἔγωγε," ἔφη.
"Εἶτα τούτων μὲν ἐπιμελεῖσθαι παρεσκεύασαι, τὴν δὲ 13
μητέρα τὴν πάντων μάλιστά σε φιλοῦσαν οὐκ οἴει δεῖν
θεραπεύειν; οὐκ οἶσθ᾽ ὅτι καὶ ἡ πόλις ἄλλης μὲν ἀχαρι-
95 στίας οὐδεμιᾶς ἐπιμελεῖται οὐδὲ δικάζει, ἀλλὰ περιορᾷ
τοὺς εὖ πεπονθότας χάριν οὐκ ἀποδιδόντας, ἐὰν δέ τις
γονέας μὴ θεραπεύῃ, τούτῳ δίκην τε ἐπιτίθησι καὶ ἀπο-
• δοκιμάζουσα οὐκ ἐᾷ ἄρχειν τοῦτον, ὡς οὔτε ἂν τὰ ἱερὰ
εὐσεβῶς θυόμενα ὑπὲρ τῆς πόλεως τούτου θύοντος, οὔτε
100 ἄλλο καλῶς καὶ δικαίως οὐδὲν ἂν τούτου πράξαντος; καὶ
νὴ Δία ἐάν τις τῶν γονέων τελευτησάντων τοὺς τάφους
μὴ κοσμῇ, καὶ τοῦτο ἐξετάζει ἡ πόλις ἐν ταῖς τῶν ἀρχόν-
των δοκιμασίαις. σὺ οὖν, ὦ παῖ, ἂν σωφρονῇς, τοὺς μὲν 14
θεοὺς παραιτήσῃ συγγνώμονάς σοι εἶναι, εἴ τι παρημέλη-
105 κας τῆς μητρός, μή σε καὶ οὗτοι νομίσαντες ἀχάριστον
εἶναι οὐκ ἐθελήσωσιν εὖ ποιεῖν, τοὺς δὲ ἀνθρώπους

---

οὐδὲν ἄν σοι διαφέροι: *would it make no
difference to you?* — τῆς παρὰ τούτων
εὐνοίας : *the good will* (emanating)
*from these.*

13. εἶτα : as in i. 2. 26. — ἐπιμε-
λεῖται : *takes cognizance of.* — ἀπο-
διδόντας : supplementary participle
with περιορᾷ. — ἐὰν δέ τις : correl.
to ἄλλης μέν above. — ἄρχειν : *to
serve as archon,* technical term.
Cf. βουλεύσας i. 1. 18. A law of
Solon provided for a rigid exam-
ination into the 'record' of a
candidate for the archonship, and if
it was found that he had been guilty
of violence or neglect toward his
parents (εἰ τὸν πατέρα τύπτει, ἢ τὴν

μητέρα, ἢ μὴ παρέχει οἴκησιν) he was
excluded from all public office. — ὡς
οὔτε ἂν τὰ ἱερὰ κτλ. : *on the ground
that the sacrifices would not be offered
piously on behalf of the state if this
man officiated.* For the participle
with ὡς, see on 3 and i. 1. 4. Obs.
the emphatic repetition of τούτῳ,
τοῦτον, τούτου. — οὐδὲν ἄν: sc. πρατ-
τόμενον, to be const. like θυόμενα
above. — ἐξετάζει : *investigates.* —
δοκιμασίαις : on this whole subject,
see Schömann, *Antiq. of Greece,* p.
403 ff. Cf. Pollux viii. 44.

14. ἂν σωφρονῇς : *if you are
wise.* — μὴ οὐκ ἐθελήσωσιν : in Attic,
the use of μὴ οὐ with the subjv. is

φυλάξῃ, μή σε αἰσθόμενοι τῶν γονέων ἀμελοῦντα πάντες
ἀτιμάσωσιν, εἶτα ἐν ἐρημίᾳ φίλων ἀναφανῇς. εἰ γάρ σε
ὑπολάβοιεν πρὸς τοὺς γονεῖς ἀχάριστον εἶναι, οὐδεὶς ἂν
110 νομίσειεν εὖ σε ποιήσας χάριν ἀπολήψεσθαι."

Χαιρεφῶντα δέ ποτε καὶ Χαιρεκράτην, ἀδελφὼ μὲν ὄντε **3**
ἀλλήλοιν, ἑαυτῷ δὲ γνωρίμω, αἰσθόμενος διαφερομένω,
ἰδὼν τὸν Χαιρεκράτην, "Εἰπέ μοι," ἔφη, " ὦ Χαιρέκρατες, οὐ
δήπου καὶ σὺ εἶ τῶν τοιούτων ἀνθρώπων οἳ χρησιμώτερον
5 νομίζουσι χρήματα ἢ ἀδελφούς; καὶ ταῦτα τῶν μὲν
ἀφρόνων ὄντων, τοῦ δὲ φρονίμου, καὶ τῶν μὲν βοηθείας

generally confined to clauses after
verbs of fearing.   See GMT. 305,
306 ;  H. 1033. — **εἶτα** : *and then*,
without καί, as often.   *Cf.* i. 2. 1 ;
iv. 5. 3, and καὶ αὐτοὶ πολλάκις ἐμὲ
μιμοῦνται, εἶτα ἐπιχειροῦσιν ἄλλους ἐξ-
ετάζειν Plato *Apol.* 23 c. — **ἐν ἐρημίᾳ**
**φίλων** : without ὤν. So after ὁρᾶν,
*cf.* ἐν εὐδίᾳ (*security*) γὰρ ὁρῶ ὑμᾶς
*An.* v. 8. 19 ; and after καταλαμβάνειν,
*cf.* κατελαμβάνομεν τοὺς μὲν ἡμετέρους
ἐν φόβῳ Demosthenes *de Cor.* § 211.
— **γονεῖς** : this form of the acc. pl. of
nouns in -εύς is not rare in Xenophon.
*Cf.* ἱππεῖς iii. 5. 19, γναφεῖς, σκυτεῖς,
χαλκεῖς iii. 7. 6, δρομεῖς iii. 10. 6.

**3.** *Of two brothers living in dis-
cord, the younger is reminded by
Socrates that a brother is worth more
than money and land. On him, as
the younger, it is incumbent to win
his brother by affection ; the latter
will be ashamed to remain alienated :
and thus the two will work with
combined energies, to which, indeed,
they are, as brothers, summoned by
nature.*

1. **Χαιρεφῶντα** :  from early
youth a follower and friend of

Socrates, so that Aristophanes
brackets him with the latter, τοὺς
ὠχριῶντας (*pale-faced*), τοὺς ἀνυποδή-
τους λέγεις, | ὧν ὁ κακοδαίμων Σωκρά-
της καὶ Χαιρεφῶν *Clouds* 103, 104.
He, too, it was who questioned the
Pythia at Delphi as to whether any
man was wiser than Socrates. The
philosopher, when on trial, appealed
to Chaerecrates to corroborate this,
since Chaerephon was dead.   *Cf.*
Plato *Apol.* 21 Α. — **διαφερομένω** : see
on ζῶντα i. 2. 16. — **οὐ δήπου** : *surely
not*, ironical in tone, yet implying a
neg. answer.  *Cf.* iv. 2. 11. — **τῶν**
**τοιούτων ἀνθρώπων** : *of that sort
of men.* — **χρησιμώτερον** : *a more
useful possession.*  For the gender,
see G. 925 ; H. 617. — **χρήματα** :
purposely chosen, instead of, *e.g.*,
κτήματα (*cf.* ii. 4. 1), on account of
χρησιμώτερον, for the sake of the
' parechesis.'  *Cf.* ii. 4. 5. — **καὶ**
**ταῦτα τῶν μὲν ἀφρόνων ὄντων** : *and
that, too, though the former are with-
out sense.* — **τοῦ δέ** : from ἀδελφούς,
the generic idea, Socrates passes to
τοῦ δέ, having in mind the special
case of Chaerecrates. — **βοηθείας** :

δεομένων, τοῦ δὲ βοηθεῖν δυναμένου, καὶ πρὸς τούτοις τῶν
μὲν πλειόνων ὑπαρχόντων, τοῦ δὲ ἑνός.   θαυμαστὸν δὲ καὶ 2
τοῦτο, εἴ τις τοὺς μὲν ἀδελφοὺς ζημίαν ἡγεῖται, ὅτι οὐ καὶ
10 τὰ τῶν ἀδελφῶν κέκτηται, τοὺς δὲ πολίτας οὐχ ἡγεῖται
ζημίαν, ὅτι οὐ καὶ τὰ τῶν πολιτῶν ἔχει, ἀλλ' ἐνταῦθα μὲν
δύνανται λογίζεσθαι ὅτι κρεῖττον σὺν πολλοῖς οἰκοῦντα
ἀσφαλῶς τἀρκοῦντα ἔχειν, ἢ μόνον διαιτώμενον τὰ τῶν
πολιτῶν ἐπικινδύνως πάντα κεκτῆσθαι, ἐπὶ δὲ τῶν ἀδελ-
15 φῶν τὸ αὐτὸ τοῦτο ἀγνοοῦσι.   καὶ οἰκέτας μὲν οἱ δυνά- 3
μενοι ὠνοῦνται ἵνα συνεργοὺς ἔχωσι, καὶ φίλους κτῶνται
ὡς βοηθῶν δεόμενοι, τῶν δ' ἀδελφῶν ἀμελοῦσιν, ὥσπερ
ἐκ πολιτῶν μὲν γιγνομένους φίλους, ἐξ ἀδελφῶν δὲ οὐ
γιγνομένους.   καὶ μὴν πρὸς φιλίαν μέγα μὲν ὑπάρχει τὸ 4
20 ἐκ τῶν αὐτῶν φῦναι, μέγα δὲ τὸ ὁμοῦ τραφῆναι, ἐπεὶ καὶ
τοῖς θηρίοις πόθος τις ἐγγίγνεται τῶν συντρόφων· πρὸς
δὲ τούτοις καὶ οἱ ἄλλοι ἄνθρωποι τιμῶσί τε μᾶλλον τοὺς
συναδέλφους ὄντας τῶν ἀναδέλφων καὶ ἧττον τούτοις
ἐπιτίθενται."   καὶ ὁ Χαιρεκράτης εἶπεν·  "'Αλλ' εἰ μέν, ὦ 5
25 Σώκρατες, μὴ μέγα εἴη τὸ διάφορον, ἴσως ἂν δέοι φέρειν
τὸν ἀδελφὸν καὶ μὴ μικρῶν ἕνεκα φεύγειν· ἀγαθὸν γάρ,

the care and attention needed by
crops and live-stock.
   2. **ζημίαν** :   a  detriment. —
**ἐνταῦθα** : here, "in this case."
**δύνανται** : the subj. is an indef. pl.
implied in τὶς above.  Cf. i. 2. 62. —
**κρεῖττον** : sc. ἐστί. — **ἐπί** : in the case
of. — **ἀγνοοῦσι** : fail to recognize.
   3. **ὥσπερ γιγνομένους φίλους** :
"just as though friends were made
from."  For the acc. abs. of the pers.
verb, see GMT. 853 ; H. 974 : and,
for the comparison with an assumed
case, GMT. 867.

   4. **καὶ μὴν . . . φῦναι** : and yet it
is a great inducement to friendship
to be born of the same parents. —
**πόθος τις** : a sort of yearning.  πόθος
is instinctive, φιλία rational. — **τοὺς
συναδέλφους** : those who have brothers
(to defend them). — **τούτοις** : i.e. τοῖς
συναδέλφοις, the prominent obj. of
thought.
   5. **τὸ διάφορον** : the cause of dis-
sension.  Cf. τοῦτό γε δὴ Χειρισόφῳ
καὶ Ξενοφῶντι μόνον διάφορον ἐν τῇ
πορείᾳ ἐγένετο An. iv. 6. 3. —
**φεύγειν** : to avoid. — **ἀγαθόν** : see on

ὥσπερ καὶ σὺ λέγεις, ἀδελφὸς ὢν οἷον δεῖ· ὁπότε μέντοι
παντὸς ἐνδέοι καὶ πᾶν τὸ ἐναντιώτατον εἴη, τί ἂν τις
ἐπιχειροίη τοῖς ἀδυνάτοις;" καὶ ὁ Σωκράτης ἔφη· 6
30 "Πότερα δέ, ὦ Χαιρέκρατες, οὐδενὶ ἀρέσαι δύναται Χαιρε-
φῶν, ὥσπερ οὐδὲ σοί, ἢ ἔστιν οἷς καὶ πάνυ ἀρέσκει;" "Διὰ
τοῦτο γάρ τοι," ἔφη, "ὦ Σώκρατες, ἄξιόν ἐστιν ἐμοὶ μισεῖν
αὐτόν, ὅτι ἄλλοις μὲν ἀρέσκειν δύναται, ἐμοὶ δέ, ὅπου ἂν
παρῇ, πανταχοῦ καὶ ἔργῳ καὶ λόγῳ ζημία μᾶλλον ἢ ὠφέ-
35 λειά ἐστιν." "Ἆρ' οὖν," ἔφη ὁ Σωκράτης, "ὥσπερ ἵππος 7
τῷ ἀνεπιστήμονι μέν, ἐγχειροῦντι δὲ χρῆσθαι, ζημία ἐστίν,
οὕτω καὶ ἀδελφός, ὅταν τις αὐτῷ μὴ ἐπιστάμενος ἐγχειρῇ
χρῆσθαι, ζημία ἐστίν;" "Πῶς δ' ἂν ἐγώ," ἔφη ὁ Χαιρε- 8
κράτης, "ἀνεπιστήμων εἴην ἀδελφῷ χρῆσθαι, ἐπιστάμενός
40 γε καὶ εὖ λέγειν τὸν εὖ λέγοντα καὶ εὖ ποιεῖν τὸν εὖ ποι-
οῦντα; τὸν μέντοι καὶ λόγῳ καὶ ἔργῳ πειρώμενον ἐμὲ ἀνιᾶν
οὐκ ἂν δυναίμην οὔτ' εὖ λέγειν οὔτ' εὖ ποιεῖν, ἀλλ' οὐδὲ πει-
ράσομαι." καὶ ὁ Σωκράτης ἔφη· "Θαυμαστά γε λέγεις, ὦ 9
Χαιρέκρατες, εἰ κύνα μέν, εἴ σοι ἦν ἐπὶ προβάτοις ἐπιτή-
45 δειος ὢν καὶ τοὺς μὲν ποιμένας ἠσπάζετο, σοὶ δὲ προσ-
ιόντι ἐχαλέπαινεν, ἀμελήσας ἂν τοῦ ὀργίζεσθαι ἐπειρῶ εὖ

χρησιμώτερον 1. — ὁπότε . . . ἐνδέοι :
"but suppose he should be wanting
in every brotherly quality." — ἐπι-
χειροίη : for the potential opt. in
apod., cf. ii. 2. 3.

6. ὥσπερ οὐδέ: what was said of
καί in the note on i. 1. 6 is true also
of οὐδέ in neg. sentences. — ἔστιν οἷς :
see on ἔστιν οὕστινας i. 4. 2. — καὶ
πάνυ: vel maxime. — διὰ τοῦτο
γάρ . . . αὐτόν: why, just for that
reason have I good ground to hate
him. For γάρ in an answer, see
on i. 4. 9. — ἔργῳ: see on λόγῳ,
ἔργῳ 8.

7. χρῆσθαι : belongs to both
ἀνεπιστήμονι and ἐγχειροῦντι.

8. λόγῳ, ἔργῳ: the usual order.
Cf. 15, 17 ; iv. 5. 11. Here, too, it
corresponds to εὖ λέγειν, εὖ ποιεῖν.
In 6, ἔργῳ was placed first, prob. to
emphasize its importance. — ἀλλ'
οὐδέ: "and neither." For ἀλλά in
this sense, see Kr. Spr. 69. 4. 2.

9. εἰ κύνα μὲν ἂν ἐπειρῶ κτλ. :
that while you would try etc. For
μέν in logically subord. clauses, see
on i. 4. 17. — εἰ ἦν, ἠσπάζετο, ἐχαλέ-
παινεν: all in prot. to ἂν ἐπειρῶ.
— τοῦ ὀργίζεσθαι : for the articular

ποιήσας πραΰνειν αὐτόν, τὸν δὲ ἀδελφὸν φῇς μὲν μέγα
ἀγαθὸν εἶναι, ὄντα πρὸς σὲ οἷον δεῖ, ἐπίστασθαι δὲ ὁμο-
λογῶν καὶ εὖ ποιεῖν καὶ εὖ λέγειν οὐκ ἐπιχειρεῖς μηχανᾶ-
50 σθαι ὅπως σοι ὡς βέλτιστος ᾖ." καὶ ὁ Χαιρεκράτης, 10
"Δέδοικα," ἔφη, "ὦ Σώκρατες, μὴ οὐκ ἔχω ἐγὼ τοσαύτην
σοφίαν ὥστε Χαιρεφῶντα ποιῆσαι πρὸς ἐμὲ οἷον δεῖ."
"Καὶ μὴν οὐδέν γε ποικίλον," ἔφη ὁ Σωκράτης, "οὐδὲ καινὸν
δεῖ ἐπ᾽ αὐτόν, ὡς ἐμοὶ δοκεῖ, μηχανᾶσθαι· οἷς δὲ καὶ σὺ
55 ἐπίστασαι αὐτὸς οἴομαι ἂν αὐτὸν ἁλόντα περὶ πολλοῦ
ποιεῖσθαί σε." "Οὐκ ἂν φθάνοις," ἔφη, "λέγων, εἴ τι ᾔσθη- 11
σαί με φίλτρον ἐπιστάμενον, ὃ ἐγὼ εἰδὼς λέληθα ἐμαυτόν."
"Λέγε δή μοι," ἔφη, "εἴ τινα τῶν γνωρίμων βούλοιο κατερ-
γάσασθαι, ὁπότε θύοι, καλεῖν σε ἐπὶ δεῖπνον, τί ἂν ποιοίης;"
60 "Δῆλον ὅτι κατάρχοιμι ἂν τοῦ αὐτός, ὅτε θύοιμι, καλεῖν
ἐκεῖνον." "Εἰ δὲ βούλοιο τῶν φίλων τινὰ προτρέψασθαι, 12
ὁπότε ἀποδημοίης, ἐπιμελεῖσθαι τῶν σῶν, τί ἂν ποιοίης;"

---

inf. with ἀμελέω, see GMT. 793.
— αὐτόν : i.e. τὸν κύνα. For the
use of this pron. to recall the main
subst., cf. ἐγὼ μὲν οὖν βασιλέα . . .
οὐκ οἶδα ὅ τι δεῖ αὐτὸν ὀμόσαι An. ii. 4.
7. — φῇς μέν : correlative to οὐκ
ἐπιχειρεῖς, but δέ follows ἐπίστασθαι
because this is placed first in the
sentence.
10. ἔχω : for the ind. with verbs
of fearing, see G. 1380; H. 888. —
σοφίαν : here practical wisdom, as
distinguished from ἐπιστήμη, theo-
retical knowledge. — καὶ μήν : as in 4.
— ποικίλον : intricate, lit. variegated.
Cf. οὐδὲν ποικίλον, ἀλλ᾽ ὥσπερ οἱ
πολλοὶ (νομίζουσι) Plato Gorg. 491 D.
— οἷς : equivalent to τούτοις ἅ, of
which ἅ is obj. of ἐπίστασαι and
τούτοις modifies ἁλόντα.

11. οὐκ ἂν φθάνοις λέγων : you
could not be too quick in telling me,
i.e. "pray tell me at once." Cf. iii.
11. 1. For the supplementary partici-
ple with φθάνω, see G. 1586; H. 984.
— φίλτρον : a love charm, (properly
φίλητρον, from φιλέω). — εἰδώς : see
on φθάνοις above. — κατεργάσασθαι :
bring about, hence, induce. — ὁπότε
θύοι : see on ὁπότε βούλοιτο ii. 1. 18.
— ἐπὶ δεῖπνον : to the usual feast
held after sacrifices, to which kins-
men and friends were invited. Cf.
ii. 9. 4. — κατάρχοιμι ἂν τοῦ καλεῖν
αὐτόν : I should take the lead in in-
viting him. — αὐτός : for the nom.
agreeing with omitted subj. of inf.,
cf. κεκτημένος i. 2. 1.
12. προτρέψασθαι : to persuade.
Cf. i. 2. 64.

"Δῆλον ὅτι πρότερος ἂν ἐγχειροίην ἐπιμελεῖσθαι τῶν
ἐκείνου ὁπότε ἀποδημοίη." "Εἰ δὲ βούλοιο ξένον ποιῆσαι 13
65 ὑποδέχεσθαι σεαυτὸν ὁπότε ἔλθοις εἰς τὴν ἐκείνου, τί ἂν
ποιοίης;" "Δῆλον ὅτι καὶ τοῦτον πρότερος ὑποδεχοίμην
ἂν ὁπότε ἔλθοι Ἀθήναζε· καὶ εἴ γε βουλοίμην αὐτὸν προ-
θυμεῖσθαι διαπράττειν μοι ἐφ᾽ ἃ ἥκοιμι, δῆλον ὅτι καὶ τοῦτο
δέοι ἂν πρότερον αὐτὸν ἐκείνῳ ποιεῖν." "Πάντ᾽ ἄρα σύ γε 14
70 τὰ ἐν ἀνθρώποις φίλτρα ἐπιστάμενος πάλαι ἀπεκρύπτου·
ἢ ὀκνεῖς," ἔφη, "ἄρξαι, μὴ αἰσχρὸς φανῇς, ἐὰν πρότερος
τὸν ἀδελφὸν εὖ ποιῇς; καὶ μὴν πλείστου γε δοκεῖ ἀνὴρ
ἐπαίνου ἄξιος εἶναι, ὃς ἂν φθάνῃ τοὺς μὲν πολεμίους
κακῶς ποιῶν, τοὺς δὲ φίλους εὐεργετῶν· εἰ μὲν οὖν ἐδόκει
75 μοι Χαιρεφῶν ἡγεμονικώτερος εἶναι σοῦ πρὸς τὴν φιλίαν
ταύτην, ἐκεῖνον ἂν ἐπειρώμην πείθειν πρότερον ἐγχειρεῖν
τῷ σὲ φίλον ποιεῖσθαι· νῦν δέ μοι σὺ δοκεῖς ἡγούμενος
μᾶλλον ἂν ἐξεργάσασθαι τοῦτο." καὶ ὁ Χαιρεκράτης 15
εἶπεν· "Ἄτοπα λέγεις, ὦ Σώκρατες, καὶ οὐδαμῶς πρὸς
80 σοῦ, ὅς γε κελεύεις ἐμὲ νεώτερον ὄντα καθηγεῖσθαι· καίτοι
τούτου γε παρὰ πᾶσιν ἀνθρώποις τἀναντία νομίζεται,

---

13. **ξένον ποιῆσαι ὑποδέχεσθαι
σεαυτόν**: for the unusual order of
words, see on i. 5. 1. — **εἰς τὴν ἐκεί-
νου**: sc. πόλιν. — **αὐτόν** (in line 69):
myself. For the omission of the pers.
pron., see G. 990; H. 680, 3. — **ἐκείνῳ**:
dat. of advantage. Cf. ἣν ταῦτά μοι
ποιήσῃς Cyr. vii. 2. 27. The usual
const. is ποιεῖν τινά τι.

14. **φίλτρα**: with somewhat con-
temptuous reference to φίλτρον in
11. — **ἀπεκρύπτου**: have been keep-
ing (this knowledge) to yourself.
Cf. ii. 6. 29; iii. 6. 3. — **ἢ ὀκνεῖς**: the
conj. like the Lat. an, when a pre-
vious declarative sent. implies a

question. — **αἰσχρὸς φανῇς**: "appear
to lower yourself." — **Χαιρεφῶν**: de-
scribed by Plato (Apol. 21 Α) as
σφοδρὸς ἐφ᾽ ὅ τι ὁρμήσειε. — **ἡγεμονικώ-
τερος**: better fitted to take the first
step. Cf. ἡγεμονικοὶ πρὸς τὰ πονηρά
Cyr. ii. 2. 25. — **τῷ ποιεῖσθαι**: for the
articular inf. after verbs and adjs.,
cf. 11; i. 2. 3. — **ἡγούμενος**: cond.,
if you take the lead. — **τοῦτο**: belongs
in meaning to τὴν φιλίαν ταύτην,
equivalent to "good terms again."

15. **πρὸς σοῦ** (sc. ὄντα, cf. on ii. 1.
32): "like yourself." — **ὃς κελεύεις**:
for the causal rel., see G. 1461; H.
910. — **νομίζεται**: see on νομίζων i. 1. 1.

τὸν πρεσβύτερον ἡγεῖσθαι παντὸς καὶ λόγου καὶ ἔργου."
"Πῶς;" ἔφη ὁ Σωκράτης· "οὐ γὰρ καὶ ὁδοῦ παραχωρῆ- 16
σαι τὸν νεώτερον πρεσβυτέρῳ συντυγχάνοντι πανταχοῦ
85 νομίζεται καὶ καθήμενον ὑπαναστῆναι καὶ κοίτῃ μαλακῇ
τιμῆσαι καὶ λόγων ὑπεῖξαι; ὠγαθέ, μὴ ὄκνει," ἔφη, "ἀλλ'
ἐγχείρει τὸν ἄνδρα καταπραΰνειν, καὶ πάνυ ταχύ σοι ὑπα-
κούσεται· οὐχ ὁρᾷς ὡς φιλότιμός ἐστι καὶ ἐλευθέριος;
τὰ μὲν γὰρ πονηρὰ ἀνθρώπια οὐκ ἂν ἄλλως μᾶλλον ἕλοις
90 ἢ εἰ δοίης τι, τοὺς δὲ καλοὺς κἀγαθοὺς ἀνθρώπους προσφι-
λῶς χρώμενος μάλιστ' ἂν κατεργάσαιο." καὶ ὁ Χαιρεκρά- 17
της εἶπεν· "'Εὰν οὖν, ἐμοῦ ταῦτα ποιοῦντος, ἐκεῖνος μηδὲν
βελτίων γίγνηται;" "Τί γὰρ ἄλλο," ἔφη ὁ Σωκράτης, "ἢ
κινδυνεύσεις ἐπιδεῖξαι σὺ μὲν χρηστός τε καὶ φιλάδελφος
95 εἶναι, ἐκεῖνος δὲ φαῦλός τε καὶ οὐκ ἄξιος εὐεργεσίας;
ἀλλ' οὐδὲν οἶμαι τούτων ἔσεσθαι· νομίζω γὰρ αὐτόν,
ἐπειδὰν αἴσθηταί σε προκαλούμενον ἑαυτὸν εἰς τὸν ἀγῶνα

— τὸν πρεσβύτερον ἡγεῖσθαι : ex-
planatory appos. to τἀναντία.
16. οὐ γάρ : as in i. 3. 10. — ὁδοῦ :
for the gen. of separation with verbs
of withdrawing, see G. 1117 ; H.
748. — κοίτῃ μαλακῇ τιμῆσαι : cf.
εὐνῇ ἐνὶ μαλακῇ Hom. I 619 and
πυκινὸν λέχος 659. Recognition of
superiority in age was character-
istic of the Greeks. *Cf.* πᾶς ἡμῖν
αἰδείσθω τὸν ἑαυτοῦ πρεσβύτερον
ἔργῳ τε καὶ ἔπει Plato *Laws* 879
c. — ἔφη : *he continued.* — τὸν ἄνδρα :
more emphatic than αὐτόν. —
ἐγχείρει, καὶ ὑπακούσεται : *try, and
he will hearken.* For the same use
of an ind. after an imv. implying a
cond., see ii. 7. 10 ; iii. 6. 17. *Cf.*
'Ask, and it shall be given you:
seek, and ye shall find.' — οὐχ ὁρᾷς :
the omission of ἤ ('asyndeton') adds

vivacity to the question. — τὰ μὲν
γάρ : the γάρ is to be explained by an
omitted sent. like "I say this to you
(that he is φιλότιμος and ἐλευθέριος)."
For μέν equivalent to *while*, see on
9. — κατεργάσαιο : *win over.*
17. ἐὰν γίγνηται : with an
omitted apod. like τί λέγεις or τί
ἔσται. — τί γὰρ ἄλλο ἢ κινδυνεύσεις :
see on ii. 1. 17. *Cf.* σὺ οὐδὲν ἄλλο
[ποιεῖς] ἢ αὐτὸς ἀπορεῖς καὶ τοὺς ἄλλους
ποιεῖς ἀπορεῖν Plato *Meno* 80 A ; and
classis ad insulam se recepit,
nihil aliud quam depopu-
lato hostium agro Livy xxvii.
21. κινδυνεύσεις has an adv. force
with the following verb, "you very
likely will." So often in Plato. —
ἐπιδεῖξαι : here with the inf. equiva-
lent to *show that you are.* — ἐκεῖνος
δέ : sc. κινδυνεύσει ἐπιδεῖξαι εἶναι.

τοῦτον, πάνυ φιλονεικήσειν, ὅπως περιγένηταί σου καὶ
λόγῳ καὶ ἔργῳ εὖ ποιῶν. νῦν μὲν γὰρ οὕτως," ἔφη, 18
100 " διάκεισθον, ὥσπερ εἰ τὼ χεῖρε, ἃς ὁ θεὸς ἐπὶ τῷ συλλαμ-
βάνειν ἀλλήλοιν ἐποίησεν, ἀφεμένω τούτου τράποιντο πρὸς
τὸ διακωλύειν ἀλλήλω, ἢ εἰ τὼ πόδε θείᾳ μοίρᾳ πεποιη-
μένω πρὸς τὸ συνεργεῖν ἀλλήλοιν ἀμελήσαντε τούτου
ἐμποδίζοιεν ἀλλήλω. οὐκ ἂν πολλὴ ἀμαθία εἴη καὶ κακο- 19
105 δαιμονία τοῖς ἐπ᾽ ὠφελείᾳ πεποιημένοις ἐπὶ βλάβῃ χρῆ-
σθαι; καὶ μὴν ἀδελφώ γε, ὡς ἐμοὶ δοκεῖ, ὁ θεὸς ἐποίησεν
ἐπὶ μείζονι ὠφελείᾳ ἀλλήλοιν ἢ χεῖρέ τε καὶ πόδε καὶ
ὀφθαλμὼ καὶ τἆλλα ὅσα ἀδελφὰ ἔφυσεν ἀνθρώποις.
χεῖρες μὲν γάρ, εἰ δέοι αὐτὰς τὰ πλέον ὀργυιᾶς διέχοντα
110 ἅμα ποιῆσαι, οὐκ ἂν δύναιντο, πόδες δὲ οὐδ᾽ ἂν ἐπὶ τὰ
ὀργυιὰν διέχοντα ἔλθοιεν ἅμα, ὀφθαλμοὶ δέ, οἱ δοκοῦντες
ἐπὶ πλεῖστον ἐξικνεῖσθαι οὐδ᾽ ἂν τῶν ἔτι ἐγγυτέρω ὄντων
τὰ ἔμπροσθεν ἅμα καὶ τὰ ὄπισθεν ἰδεῖν δύναιντο· ἀδελφὼ
δέ, φίλω ὄντε, καὶ πολὺ διεστῶτε πράττετον ἅμα καὶ ἐπ᾽
115 ὠφελείᾳ ἀλλήλοιν."

Ἤκουσα δέ ποτε αὐτοῦ καὶ περὶ φίλων διαλεγομένου, 4
ἐξ ὧν ἔμοιγε ἐδόκει μάλιστ᾽ ἄν τις ὠφελεῖσθαι πρὸς

18. τὼ χεῖρε, ἃς: for the change
in number, see on i. 2. 14. — ἐπὶ τῷ
συλλαμβάνειν: so ἐπὶ ὠφελείᾳ in 19.
See on i. 3. 11.

19. οὐκ ἂν εἴη: so often in ani-
mated discourse, where the opt.
expresses a modest claim, without
οὖν. Cf. iii. 11. 1; Cyr. i. 4.
13; iii. 1. 43. — καὶ μὴν γε: see
on i. 4. 12. — ἀδελφά: adj., in
pairs. — ὀργυιᾶς: a fathom, from
ὀρέγειν to reach, hence the out-
spread arms' reach. — ἅμα ποιῆσαι:
to act together on. — φίλω ὄντε:
conditional. — διεστῶτε: concessive.

— ἅμα πράττετον: conveys the idea
of "with united efforts," while ἅμα
καί in the preceding clause is equiva-
lent to simul ac.

**4.** Although everybody praises
friendship, yet most men strive zeal-
ously after almost any other pos-
session rather than a true friend;
nevertheless, no other blessing is so
well fitted as this to help and delight
us in every situation of life.

1. διαλεγομένου: see on i. 1. 11.
— ἐξ ὧν: its antec. is the omitted
obj. of διαλεγομένου. — ἐδόκει τις:
best rendered impers., it seemed that

φίλων κτῆσίν τε καὶ χρείαν. τοῦτο μὲν γὰρ δὴ πολλῶν
ἔφη ἀκούειν, ὡς πάντων κτημάτων κράτιστον εἴη φίλος
5 σαφὴς καὶ ἀγαθός, ἐπιμελομένους δὲ παντὸς μᾶλλον ὁρᾶν
ἔφη τοὺς πολλοὺς ἢ φίλων κτήσεως. καὶ γὰρ οἰκίας καὶ 2
ἀγροὺς καὶ ἀνδράποδα καὶ βοσκήματα καὶ σκεύη κτωμέ-
νους τε ἐπιμελῶς ὁρᾶν ἔφη καὶ τὰ ὄντα σῴζειν πειρω-
μένους, φίλον δέ, ὃ μέγιστον ἀγαθὸν εἶναί φασιν, ὁρᾶν
10 ἔφη τοὺς πολλοὺς οὔτε ὅπως κτήσωνται φροντίζοντας,
οὔτε ὅπως οἱ ὄντες αὐτοῖς σῴζωνται. ἀλλὰ καὶ καμνόν- 3
των φίλων τε καὶ οἰκετῶν ὁρᾶν τινας ἔφη τοῖς μὲν οἰκέ-
ταις καὶ ἰατροὺς εἰσάγοντας καὶ τἆλλα τὰ πρὸς ὑγίειαν
ἐπιμελῶς παρασκευάζοντας, τῶν δὲ φίλων ὀλιγωροῦντας,
15 ἀποθανόντων τε ἀμφοτέρων ἐπὶ μὲν τοῖς οἰκέταις ἀχθο-
μένους τε καὶ ζημίαν ἡγουμένους, ἐπὶ δὲ τοῖς φίλοις οὐδὲν
οἰομένους ἐλαττοῦσθαι, καὶ τῶν μὲν ἄλλων κτημάτων
οὐδὲν ἐῶντας ἀθεράπευτον οὐδ᾽ ἀνεπίσκεπτον, τῶν δὲ
φίλων ἐπιμελείας δεομένων ἀμελοῦντας. ἔτι δὲ πρὸς 4
20 τούτοις ὁρᾶν ἔφη τοὺς πολλοὺς τῶν μὲν ἄλλων κτημάτων,

*any one.* — **τοῦτο, δή**: hoc certe.
— **πολλῶν** : gen. of source. — **ὡς κρά-**
**τιστον εἴη** : in explanatory appos.
with τοῦτο. — **παντὸς μᾶλλον** : *for*
*everything rather. Cf. πάντα μᾶλλον*
iv. 8. 4.
  2. With this section, *cf.* quid
autem stultius, quam, cum
plurimum copiis, facultatibus,
opibus possint cetera parare,
quae parantur pecunia, equos,
famulos, vestem egregiam, vasa
pretiosa; amicos non parare,
optimam et pulcherrimam vitae,
ut ita dicam, supellectilem?
Cic. *de Am.* xv. 55. — **κτωμένους**:
*striving to acquire.* — **φίλον δέ, ὃ** : the

rel. in the gender of the pred. as in
the Lat. amicum, quod bonum
esse dicunt. G. 1022; H. 631. —
**κτήσωνται, σῴζωνται** : for the subjv.
in obj. clauses, see G. 1374; H. 885 b.
— **αὐτοῖς**: belongs to οἱ ὄντες (*sc.* φίλοι,
to be supplied from φίλον) as well as
to σῴζωνται.
  3. **ἀλλὰ καί** : quin etiam. —
**καμνόντων φίλων τε καὶ οἰκετῶν** : "in
the case of sick friends and sick
servants." — **τἆλλα τὰ πρὸς ὑγίειαν** :
"the other means of restoration to
health." — **ζημίαν** : *sc.* τὸν θάνατον.
— **ἐλαττοῦσθαι** : *are the worse off.* —
**οὐδὲν ἀθεράπευτον** : the double neg.
('litotes') adds force.

καὶ πάνυ πολλῶν αὐτοῖς ὄντων, τὸ πλῆθος εἰδότας, τῶν δὲ
φίλων, ὀλίγων ὄντων, οὐ μόνον τὸ πλῆθος ἀγνοοῦντας,
ἀλλὰ καὶ τοῖς πυνθανομένοις τοῦτο καταλέγειν ἐγχειρή-
σαντας, οὓς ἐν τοῖς φίλοις ἔθεσαν, πάλιν τούτους ἀνατίθε-
25 σθαι· τοσοῦτον αὐτοὺς τῶν φίλων φροντίζειν.  " καίτοι 5
πρὸς ποῖον κτῆμα τῶν ἄλλων παραβαλλόμενος φίλος
ἀγαθὸς οὐκ ἂν πολλῷ κρείττων φανείη; ποῖος γὰρ ἵππος
ἢ ποῖον ζεῦγος οὕτω χρήσιμον ὥσπερ ὁ χρηστὸς φίλος;
ποῖον δὲ ἀνδράποδον οὕτως εὔνουν καὶ παραμόνιμον; ἢ
30 ποῖον ἄλλο κτῆμα οὕτω πάγχρηστον; ὁ γὰρ ἀγαθὸς 6
φίλος ἑαυτὸν τάττει πρὸς πᾶν τὸ ἐλλεῖπον τῷ φίλῳ καὶ
τῆς τῶν ἰδίων κατασκευῆς καὶ τῶν κοινῶν πράξεων, καί,
ἄν τέ τινα εὖ ποιῆσαι δέῃ, συνεπισχύει, ἄν τέ τις φόβος
ταράττῃ, συμβοηθεῖ τὰ μὲν συναναλίσκων, τὰ δὲ συμ-
35 πράττων, καὶ τὰ μὲν συμπείθων, τὰ δὲ βιαζόμενος, καὶ εὖ
μὲν πράττοντας πλεῖστα εὐφραίνων, σφαλλομένους δὲ
πλεῖστα ἐπανορθῶν.  ἃ δὲ αἵ τε χεῖρες ἑκάστῳ ὑπηρετοῦσι 7

**4. καὶ πολλῶν ὄντων**: concessive,
as is also ὀλίγων ὄντων. — **τὸ πλῆθος
εἰδότας**: cf. querebatur (Scipio)
quod omnibus in rebus ho-
mines diligentiores essent:
capras et oves quot quisque
haberet dicere posse, amicos
quot haberet non posse dicere
Cic. *de Am.* xvii. 62. — **οὓς ... ἔθε-
σαν**: explanatory of τούτους. — **πάλιν
ἀνατίθεσθαι**: πάλιν is often added to
verbs compounded with ἀνά, as we
say 'to take back again.' *Cf.* πάλιν
ἀνερασθῆναι iii. 5. 7. For the meaning
of the verb, see on i. 2. 44.  The inf.
is used here where we might expect
the participle (after ὁρᾶν), because
the influence of ἔφη is still felt. —
**τοσοῦτον**: *only so much, i.e. so little.*

Similarly, δύναμιν is equivalent to
*weakness* in *An.* i. 6. 7.

**5. χρήσιμον, χρηστός**: for the
'parechesis,' see on χρήματα ii.
3. 1.

**6. ἑαυτὸν τάττει**: *devotes himself.*
*Cf.* ὡς γὰρ χρημάτων ἑώρα τὴν πόλιν
δεομένην, ἐπὶ τὸ πορίζειν ταῦτα ἑαυτὸν
ἔταξε *Ages.* ii. 25. — **πρὸς πᾶν τὸ
ἐλλεῖπον, καί**: *against loss of every
kind, whether etc.* — **κατασκευῆς**: gen.
of want, with ἐλλεῖπον. — **τῶν κοι-
νῶν πράξεων**: 'brachylogy' for τῆς
τῶν κοινῶν πράξεων κατασκευῆς. —
**συναναλίσκων**: this and the succeed-
ing five participles well summarize
the ways in which a friend in need
shows himself a friend indeed. —
**πλεῖστα**: *frequently.*

καὶ οἱ ὀφθαλμοὶ προορῶσι καὶ τὰ ὦτα προακούουσι
καὶ οἱ πόδες διανύτουσι, τούτων φίλος εὐεργετῶν οὐδενὸς
40 λείπεται· πολλάκις ἃ πρὸ αὑτοῦ τις οὐκ ἐξειργάσατο ἢ
οὐκ εἶδεν ἢ οὐκ ἤκουσεν ἢ οὐ διήνυσε, ταῦτα ὁ φίλος πρὸ
τοῦ φίλου ἐξήρκεσεν. ἀλλ᾽ ὅμως ἔνιοι δένδρα μὲν πει-
ρῶνται θεραπεύειν τοῦ καρποῦ ἕνεκεν, τοῦ δὲ παμφορωτά-
του κτήματος, ὃ καλεῖται φίλος, ἀργῶς καὶ ἀνειμένως οἱ
45 πλεῖστοι ἐπιμέλονται."

Ἤκουσα δέ ποτε καὶ ἄλλον αὐτοῦ λόγον, ὃς ἐδόκει 5
μοι προτρέπειν τὸν ἀκούοντα ἐξετάζειν ἑαυτόν, ὁπόσου
τοῖς φίλοις ἄξιος εἴη. ἰδὼν γάρ τινα τῶν συνόντων ἀμε-
λοῦντα φίλου πενίᾳ πιεζομένου, ἤρετο Ἀντισθένη ἐναν-
5 τίον τοῦ ἀμελοῦντος αὐτοῦ καὶ ἄλλων πολλῶν· "Ἆρ᾽," 2
ἔφη, "ὦ Ἀντίσθενες, εἰσί τινες ἀξίαι φίλων, ὥσπερ οἰκετῶν;
τῶν γὰρ οἰκετῶν ὁ μέν που δυοῖν μναῖν ἄξιός ἐστιν, ὁ δὲ

---

7. τὰ ὦτα προακούουσι: pl. with
neut. subj., on account of the pre-
ceding and following pls., to preserve
'concinnity.' — τούτων: refers back
with emphasis to the omitted antec.
of ἅ. See G. 1030; H. 996 b. —
εὐεργετῶν οὐδενὸς λείπεται: is behind-
hand in none with his good offices.
For the supplementary participle
with λείπεται, see G. 1580; H. 981.
Cf. ἐλλείπεσθαι ποιῶν ii. 6. 5. — πολ-
λάκις ἅ: with conj. omitted, as often
in an explanatory clause ('explica-
tive asyndeton'). Kr. Spr. 59. 1. 5.
— πρὸ τοῦ φίλου: sc. ἐξεργαζόμενος,
ἰδών, ἀκούσας, διανύσας. — μέν, δέ: as
in i. 4. 17.

5. Friends are of various values.
Men would not abandon a friend so
readily as they do, if he strove more
earnestly to be a valuable friend.

1. ἐδόκει μοι κτλ.: seemed to me
suited. — ἑαυτὸν: for the 'prolepsis,'
see on συνουσίαν i. 2. 13.—Ἀντισθένη:
of Athens, an inseparable friend of
Socrates. See on i. 6. 10. After
his master's death, he founded the
Cynic school of philosophy, which
defined the highest virtue as com-
plete independence of material
wants. Cf. iii. 11. 17 ; Sym. viii. 4.
This form of the acc. is exceptional
with Xenophon, who usually writes
Ἀντισθένην, Σωκράτην, etc. G. 230;
H. 193. — αὐτοῦ: himself.

2. ἀξίαι: prices. — δυοῖν μναῖν:
nominally equivalent to about thirty-
six dollars, but in purchasing power
equal to six or eight times that
amount to-day. Ten minae ($180)
is here indicated as a good price for
a good slave, which would about

οὐδ᾽ ἡμιμναίου, ὁ δὲ πέντε μνῶν, ὁ δὲ καὶ δέκα· Νικίας δὲ
ὁ Νικηράτου λέγεται ἐπιστάτην εἰς τἀργύρεια πρίασθαι
10 ταλάντου· σκοποῦμαι δὴ τοῦτο," ἔφη, "εἰ ἄρα, ὥσπερ τῶν
οἰκετῶν, οὕτω καὶ τῶν φίλων εἰσὶν ἀξίαι." "Ναὶ μὰ Δί'," 3
ἔφη ὁ Ἀντισθένης· "ἐγὼ γοῦν βουλοίμην ἂν τὸν μέν τινα
φίλον μοι εἶναι μᾶλλον ἢ δύο μνᾶς, τὸν δ᾽ οὐδ᾽ ἂν ἡμι-
μναίου προτιμησαίμην, τὸν δὲ καὶ πρὸ δέκα μνῶν ἑλοίμην
15 ἄν, τὸν δὲ πρὸ πάντων χρημάτων καὶ πόνων πριαίμην ἂν
φίλον μοι εἶναι." "Οὐκοῦν," ἔφη ὁ Σωκράτης, "εἴ γε ταῦτα 4
τοιαῦτά ἐστι, καλῶς ἂν ἔχοι ἐξετάζειν τινὰ ἑαυτόν, πόσου
ἄρα τυγχάνει τοῖς φίλοις ἄξιος ὤν, καὶ πειρᾶσθαι ὡς
πλείστου ἄξιος εἶναι, ἵνα ἧττον αὐτὸν οἱ φίλοι προδιδῶσιν.
20 ἐγὼ γάρ τοι," ἔφη, "πολλάκις ἀκούω τοῦ μέν, ὅτι προὔδω-
κεν αὐτὸν φίλος ἀνήρ, τοῦ δέ, ὅτι μνᾶν ἀνθ᾽ ἑαυτοῦ
μᾶλλον εἵλετο ἀνὴρ ὃν ᾤετο φίλον εἶναι. τὰ τοιαῦτα 5
πάντα σκοπῶ, μὴ ὥσπερ ὅταν τις οἰκέτην πονηρὸν

correspond to the $1000 or $1200
often paid for a 'likely' house-servant
in our own ante-bellum slavery
days. See on i. 2. 1. — Νικίας: the
well-known Athenian general, who
with his whole army was destroyed
in the fatal Sicilian expedition (413
B.C.). He had a profitable lease of
silver mines at Laurium, in the
southern part of Attica, and is said
to have employed a thousand slaves.
Cf. Thuc. vii. 86. — ταλάντου: see
on i. 2. 1. — σκοποῦμαι δή: quaero
igitur, resuming the thread of the
conversation, as in i. 2. 24. — εἰ ἄρα:
whether possibly. So ἄρα after πόσου
in 4.

3. τὸν μέν τινα: a certain man. —
τὸν δέ, τὸν δέ: while another, and a
third etc. — πρὸ πάντων χρημάτων: it

seems better to const. this phrase with
ἑλοίμην, leaving πόνων as gen. of price
with πριαίμην. Others join both gens.
with πριαίμην. — πόνων: cf. τῶν πόνων
πωλοῦσιν ἡμῖν πάντα τἀγάθ᾽ οἱ θεοί ii.
1. 20. — φίλον μοι εἶναι: i.e. ὥστε φί-
λον μοι εἶναι.

4. εἰ ἐστι, καλῶς ἂν ἔχοι: for the
'mixed' form of cond. sent., cf. i.
2. 45; iv. 2. 31. — ἑαυτόν: see on 1. —
ἄρα: as in 2. — ἄξιος εἶναι: instead
of the regular ἄξιον εἶναι, as if after a
pers. const., with subj. in the nom.
case, prob. by assimilation to the
preceding ἄξιος ὤν. — ἑαυτοῦ: for the
indirect refl., see on i. 2. 32.

5. τὰ τοιαῦτα πάντα σκοπῶ, μή:
I am pondering all such matters,
namely, whether. The clause begin-
ning with μή completes epexegetically

πωλῇ καὶ ἀποδιδῶται τοῦ εὑρόντος, οὕτω καὶ τὸν πονηρὸν
25 φίλον, ὅταν ἐξῇ τὸ πλεῖον τῆς ἀξίας λαβεῖν, ἐπαγωγὸν ᾖ
ἀποδίδοσθαι. τοὺς δὲ χρηστοὺς οὔτε οἰκέτας πάνυ τι
πωλουμένους ὁρῶ οὔτε φίλους προδιδομένους."

Ἐδόκει δέ μοι καὶ εἰς τὸ δοκιμάζειν φίλους, ὁποίους 6
ἄξιον κτᾶσθαι, φρενοῦν τοιάδε λέγων· "Εἰπέ μοι," ἔφη, "ὦ
Κριτόβουλε, εἰ δεοίμεθα φίλου ἀγαθοῦ, πῶς ἂν ἐπιχει-
ροίημεν σκοπεῖν; ἆρα πρῶτον μὲν ζητητέον, ὅστις ἄρχει
5 γαστρός τε καὶ φιλοποσίας καὶ λαγνείας καὶ ὕπνου καὶ
ἀργίας; ὁ γὰρ ὑπὸ τούτων κρατούμενος οὔτ᾽ αὐτὸς ἑαυτῷ
δύναιτ᾽ ἂν οὔτε φίλῳ τὰ δέοντα πράττειν." "Μὰ Δί᾽, οὐ
δῆτα," ἔφη. "Οὐκοῦν τοῦ μὲν ὑπὸ τούτων ἀρχομένου ἀφεκ-
τέον δοκεῖ σοι εἶναι;" "Πάνυ μὲν οὖν," ἔφη. "Τί γάρ;" 2

τὰ τοιαῦτα πάντα. Cf. εἰ τοίνυν τὸν
νόμον τὸν καθεστηκότα δέδοικας, μὴ ὀνει-
δός σοι γένηται Plato Phaedr. 231 E.
—πωλῇ: wants to sell.— τοῦ εὑρόν-
τος: for what he will bring. Cf.
πόσον ἂν οἴει εὑρεῖν τὰ σὰ κτήματα πω-
λούμενα Oec. ii. 3, and τοῦ εὑρίσκοντος
Aesch. contra Timarch. 96. — ἐπαγω-
γόν: a temptation. — πάνυ τι : at all,
when joined with a negation.

6. Before choosing a man as
friend, we should find out what
he is, and how he treated his former
associates : and if we still desire
his friendship, the approval of the
gods should be sought. He is then
to be won by kind words and
deeds; and only good men, who can
add something to friendship, win
friends. And although jealousy and
strife arise even among such, still the
virtue common to them all helps to
reconcile and re-unite them. Sensual
motives should have no place in form-

ing a friendship. Its best motive is
found in our wish to further the noble
aims of another, and to rejoice with
him in their attainment. All pretense
is of course to be eschewed; and we
should strive to be just what we wish
to seem to our friends.

1. εἰς τὸ δοκιμάζειν: with regard
to judging, to be connected with φρε-
νοῦν. — ἄξιον: sc. ἐστί. — φρενοῦν (sc.
τοὺς συνουσιαστάς): to give good advice
to. — Κριτόβουλε: see on i. 3. 8. —
ἆρα: like the Lat. ne, leaves it to
the person addressed to determine
the nature of the answer. Evidently
Socrates expects an affirmative an-
swer: and his use of ἆρα instead of ἆρα
οὐ (nonne) is simply courtesy of ex-
pression. So in iii. 2. 1. See G. 1603;
H. 1015. — οὐ δῆτα: the neg. assents
to the statement in the preceding
sent., as if that had been a question.

2. τί γάρ: "well, then," used in
lively transition. Less animated is

10 ἔφη, " ὅστις δαπανηρὸς ὢν μὴ αὐτάρκης ἐστίν, ἀλλ' ἀεὶ τῶν
πλησίον δεῖται, καὶ λαμβάνων μὲν μὴ δύναται ἀποδιδό-
ναι, μὴ λαμβάνων δὲ τὸν μὴ διδόντα μισεῖ, οὐ δοκεῖ σοι
καὶ οὗτος χαλεπὸς φίλος εἶναι;" "Πάνυ γε," ἔφη.
"Οὐκοῦν ἀφεκτέον καὶ τούτου;" "Ἀφεκτέον μέντοι,"
15 ἔφη. "Τί γάρ; ὅστις χρηματίζεσθαι μὲν δύναται, πολ-   3
λῶν δὲ χρημάτων ἐπιθυμεῖ, καὶ διὰ τοῦτο δυσσύμβολός
ἐστι, καὶ λαμβάνων μὲν ἥδεται, ἀποδιδόναι δὲ μὴ βούλε-
ται;" "Ἐμοὶ μὲν δοκεῖ," ἔφη, "οὗτος ἔτι πονηρότερος
ἐκείνου εἶναι." "Τί δέ; ὅστις διὰ τὸν ἔρωτα τοῦ χρη-   4
20 ματίζεσθαι μηδὲ πρὸς ἓν ἄλλο σχολὴν ποιεῖται ἢ ὁπόθεν
αὐτός τι κερδανεῖ;" "Ἀφεκτέον καὶ τούτου, ὡς ἐμοὶ
δοκεῖ· ἀνωφελὴς γὰρ ἂν εἴη τῷ χρωμένῳ." "Τί δέ;
ὅστις στασιώδης τέ ἐστι καὶ θέλων πολλοὺς τοῖς φίλοις
ἐχθροὺς παρέχειν;" "Φευκτέον νὴ Δία καὶ τοῦτον." "Εἰ
25 δέ τις τούτων μὲν τῶν κακῶν μηδὲν ἔχοι, εὖ δὲ πάσχων
ἀνέχεται, μηδὲν φροντίζων τοῦ ἀντευεργετεῖν;" "Ἀν-
ωφελὴς ἂν εἴη καὶ οὗτος. ἀλλὰ ποῖον, ὦ Σώκρατες,

---

the τί δέ in 4. — τῶν πλησίον δεῖται:
" is borrowing" *from his neighbors.*
For δέομαι with the gen. alone instead
of gen. of pers. and acc. of thing, see
Kr. *Spr.* 47. 16. 7. The ellipsis is
common in Eng., *e.g.*, 'Give to him
that ˙asketh thee, and from him
that would borrow of thee turn not
thou away.' — μέντοι: v e r o.

3. δυσσύμβολος: *hard to get on
with. Cf.* Plato *Rep.* 486 в. — λαμ-
βάνων ἥδεται: *is glad to get.* — ἐμοὶ
μὲν δοκεῖ: like ἐμοὶ μὲν ἐδόκει i. 2.
62.

4. σχολὴν ποιεῖται: *finds leisure.*
— ἢ ὁπόθεν κερδανεῖ: *than the occu-
pation from which he hopes to gain.*

— παρέχειν: *to raise up.* — κακῶν:
*bad qualities.* — εἰ ἔχοι, ἀνέχεται: the
opt. supposes a case, the indic. then
assumes it as real. So εἴη, τυγ-
χάνει in 5. *Cf. εἰ δέ τις τὸ παραυτίκα
μὲν μὴ ἐθέλοι ξυμπλεῖν, μετέχειν δὲ βού-
λεται τῆς ἀποικίας but suppose a man
should not care to sail at once* (with
the expedition) *and yet desires a share
in the colony* Thuc. i. 27. For the
indic. in first place, *cf. εἰ διαβέβληνται,
εἰ φόβοιντο* Plato *Phaedo* 67 E. — εὖ
πάσχων ἀνέχεται: *lets himself receive
favors.* See on λαμβάνων 3. ἀνέχε-
ται (lit. *endures*) is ironical. *Cf. ἀν-
εξόμεθα ὑπὸ σοῦ εὐεργετούμενοι Cyr.* v. I.
26.

ἐπιχειρήσομεν φίλον ποιεῖσθαι;" "Οἶμαι μέν, ὃς ἂν τἀναν- 5
τία τούτων ἐγκρατὴς μὲν ᾖ τῶν διὰ τοῦ σώματος ἡδονῶν,
30 εὔνους δὲ καὶ εὐσύμβολος ὢν τυγχάνῃ καὶ φιλόνεικος
πρὸς τὸ μὴ ἐλλείπεσθαι εὖ ποιῶν τοὺς εὐεργετοῦντας
αὐτόν, ὥστε λυσιτελεῖν τοῖς χρωμένοις." "Πῶς οὖν 6
ἂν ταῦτα δοκιμάσαιμεν, ὦ Σώκρατες, πρὸ τοῦ χρῆσθαι;"
"Τοὺς μὲν ἀνδριαντοποιούς," ἔφη, "δοκιμάζομεν οὐ τοῖς
35 λόγοις αὐτῶν τεκμαιρόμενοι, ἀλλ' ὃν ἂν ὁρῶμεν τοὺς πρό-
σθεν ἀνδριάντας καλῶς εἰργασμένον, τούτῳ πιστεύομεν
καὶ τοὺς λοιποὺς εὖ ποιήσειν." "Καὶ ἄνδρα δὴ λέγεις," 7
ἔφη, "ὃς ἂν τοὺς φίλους τοὺς πρόσθεν εὖ ποιῶν φαίνηται,
δῆλον εἶναι καὶ τοὺς ὕστερον εὐεργετήσοντα;" "Καὶ γὰρ
40 ἵπποις," ἔφη, "ὃν ἂν ὁρῶ τοῖς πρόσθεν καλῶς χρώμενον,
τοῦτον κἂν ἄλλοις οἶμαι καλῶς χρῆσθαι." "Εἶεν," ἔφη· 8
"ὃς δ' ἂν ἡμῖν ἄξιος φιλίας δοκῇ εἶναι, πῶς χρὴ φίλον ̄
τοῦτον ποιεῖσθαι;" "Πρῶτον μέν," ἔφη, "τὰ παρὰ τῶν

---

5. **οἶμαι μέν**: for μέν, see on i. 1.
1. — **τἀναντία τούτων**: as in i. 2. 60.
— **τῶν διὰ τοῦ σώματος ἡδονῶν**: cf.
τῶν διὰ στόματος ἡδέων i. 4. 5. Plato
also (*Rep.* 328 D) has the expression
αἱ κατὰ τὸ σῶμα ἡδοναί, which Aris-
totle (*Eth. Nic.* vii. 8. 4) condenses
into σωματικαὶ ἡδοναί. Cf. also τῶν
περὶ τὸ σῶμα ἡδονῶν *Hell.* vi. 1. 16. —
**εὔνους**: the appropriate contrast to
the quality described in 2 (ὅστις . . .
μισεῖ). — **ἐλλείπεσθαι** :     middle. —
**ποιῶν**: supplementary participle, as
in ii. 4. 7. — **τοῖς χρωμένοις**: *his
friends.*
6. **ταῦτα**: the qualities mentioned
in 5. — **πρὸ τοῦ χρῆσθαι** : "before we
have tested them by experience."
**τούτῳ πιστεύομεν ποιήσειν**: for the
omission of the subj. of the inf. when
it is the same as the obj. of the main
verb, see G. 895, 2 ; H. 941, and *cf.*
τί οὖν Ὁμήρῳ οὐ πιστεύεις καλῶς λέγειν
Plato *Charm.* 161 A.
7. **καὶ δή**: *so also.* — **ἄνδρα δῆλον
εἶναι εὐεργετήσοντα** : for the pers.
const. with δῆλός εἰμι, see on i. 1. 2.
— **ἵπποις**: emphatic position. — **ὁρῶ**:
equivalent to οἶδα. — **χρώμενον**: repre-
sents an impf. indic. in direct dis-
course. *Cf.* οἶδα δὲ κἀκείνω σωφρονοῦντε
ἔστε Σωκράτει συνήστην i. 2. 18. The
context must determine whether
the participle is pres. or imperfect.
See GMT. 140, 119; H. 982. — **κἄν**:
equivalent to καὶ ἄν.
8. **εἶεν** : *very well*, introduces a
transition. — **τὰ παρὰ τῶν θεῶν**: *the
advice of the gods*, to be obtained
through divination. See on i. 1. 3.

θεῶν ἐπισκεπτέον, εἰ συμβουλεύουσιν αὐτὸν φίλον ποιεῖ-
45 σθαι." "Τί οὖν;" ἔφη, "ὃν ἂν ἡμῖν τε δοκῇ καὶ οἱ θεοὶ μὴ
ἐναντιῶνται, ἔχεις εἰπεῖν ὅπως οὗτος θηρατέος;" "Μὰ Δί'," 9
ἔφη, "οὐ κατὰ πόδας, ὥσπερ ὁ λαγώς, οὐδ' ἀπάτῃ, ὥσπερ αἱ
ὄρνιθες, οὐδὲ βίᾳ, ὥσπερ οἱ ἐχθροί· ἄκοντα γὰρ φίλον
ἑλεῖν ἐργῶδες· χαλεπὸν δὲ καὶ δήσαντα κατέχειν, ὥσπερ
50 δοῦλον· ἐχθροὶ γὰρ μᾶλλον ἢ φίλοι γίγνονται οἱ ταῦτα
πάσχοντες." "Φίλοι δὲ πῶς;" ἔφη. "Εἶναι μέν τινάς 10
φασιν ἐπῳδάς, ἃς οἱ ἐπιστάμενοι ἐπᾴδοντες οἷς ἂν
βούλωνται φίλους αὐτοὺς ποιοῦνται, εἶναι δὲ καὶ φίλτρα,
οἷς οἱ ἐπιστάμενοι πρὸς οὓς ἂν βούλωνται χρώμενοι
55 φιλοῦνται ὑπ' αὐτῶν." "Πόθεν οὖν," ἔφη, "ταῦτα μάθοιμεν 11
ἄν;" "Ἃ μὲν αἱ Σειρῆνες ἐπῇδον τῷ Ὀδυσσεῖ, ἤκουσας
Ὁμήρου, ὧν ἐστιν ἀρχὴ τοιάδε τις·

'Δεῦρ' ἄγε δὴ πολύαιν' Ὀδυσεῦ, μέγα κῦδος Ἀχαιῶν. "

—εἰ συμβουλεύουσιν: indir. question, explaining τὰ παρὰ τῶν θεῶν. See on i. 5. 1. — ὃν ἂν ἡμῖν τε δοκῇ: sc. φίλον ποιεῖσθαι. — ὅπως: how.

9. μὰ Δία: introduces a neg. statement, but does not answer ἔχεις negatively. — κατὰ πόδας: cursu, by chasing them. Cf. iii. 11. 8; Cyr. i. 6. 40; Cyn. v. 29. — ὥσπερ οἱ ἐχθροί: we might expect another animal in the third place, as κάπροι (suggested by Ernesti). Perhaps οἱ ἐχθροί has strayed back from the following sentence. ἐχθρός and πολέμιος are properly distinguished, like inimicus and hostis in Latin; but occasionally confused, as here. Cf. οἱ πατέρες ἡμῶν τὸν Μῆδον ἐχθρὸν ἔχοντες Thuc. vi. 17.

10. ἐπῳδάς, φίλτρα: spells, charms. Cf. iii. 2. 6; Plato Charm.

157 A.—ἐπᾴδοντες: cf. χρὴ τὰ τοιαῦτα ὥσπερ ἐπᾴδειν ἑαυτῷ Plato Phaedo 114 D. — οἷς ἄν: for τούτοις, οἷς ἄν. — φιλοῦνται ὑπ' αὐτῶν: "gain their affection."

11. ἃ μὲν αἱ Σειρῆνες ἐπῇδον: Cf. 'what songs the Syrens sang, or what name Achilles assumed when he hid himself among the women, though puzzling questions, are not beyond conjecture.' Sir Thomas Browne, Urn Burial, c. iv. Acc. to Homer, there were two Sirens, whose song is given, μ 184–191. Later writers name three, Ligeia, Leucosia, Parthenope (or Aglaopheme, Molpe, Thelxiepeia). For a fuller account, see Seyffert, Dict. Class. Antiq., s.v. Sirens. — τοιάδε τις: as in i. 1. 1. — δεῦρ' ἄγε δὴ κτλ.: cf. Hom. μ 184, where the verse begins δεῦρ' ἄγ' ἰών.

"Ταύτην οὖν," ἔφη, "τὴν ἐπῳδήν, ὦ Σώκρατες, καὶ τοῖς
60 ἄλλοις ἀνθρώποις αἱ Σειρῆνες ἐπᾴδουσαι κατεῖχον, ὥστε μὴ
ἀπιέναι ἀπ' αὐτῶν τοὺς ἐπασθέντας;" "Οὐκ, ἀλλὰ τοῖς ἐπ'
ἀρετῇ φιλοτιμουμένοις οὕτως ἐπῇδον." "Σχεδόν τι λέγεις 12
τοιαῦτα χρῆναι ἑκάστῳ ἐπᾴδειν οἷα μὴ νομιεῖ ἀκούων τὸν
ἐπαινοῦντα καταγελῶντα λέγειν. οὕτω μὲν γὰρ ἐχθίων
65 τ' ἂν εἴη καὶ ἀπελαύνοι τοὺς ἀνθρώπους ἀφ' ἑαυτοῦ, εἰ τὸν
εἰδότα ὅτι μικρός τε καὶ αἰσχρὸς καὶ ἀσθενής ἐστιν
ἐπαινοίη λέγων ὅτι καλός τε καὶ μέγας καὶ ἰσχυρός ἐστιν.
ἄλλας δέ τινας οἶσθα ἐπῳδάς;" "Οὐκ, ἀλλ' ἤκουσα μὲν 13
ὅτι Περικλῆς πολλὰς ἐπίσταιτο, ἃς ἐπᾴδων τῇ πόλει ἐποίει
70 αὐτὴν φιλεῖν αὐτόν." "Θεμιστοκλῆς δὲ πῶς ἐποίησε τὴν

—οὐκ: for the accent, see G. 138, 1 ;
H. 112 a. —τοῖς ἐπ' ἀρετῇ φιλοτιμου-
μένοις : those who prided themselves on
their valor.

12. σχεδόν τι τοιαῦτα : talia
fere. — οἷα μὴ νομιεῖ κτλ. : quae si
audiat, a laudatore irridendi
causa dici non existimabit.
For μή with the fut. indic. in clauses
of result, see G. 1447 ; H. 1021 b.
For the ' Attic ' fut. (νομιεῖ), see on
ii. 1. 24. —ἐχθίων: hated rather (than
a friend). The subj. of εἴη is, of
course, the person who seeks to make
friends. — ἀπελαύνοι : sc. ἄν. — εἰ
ἐπαινοίη : explains οὕτω.

13. οὐκ : see on 11. —μέν : fol-
lowed by no correlative ; cf. πρῶτον
μέν in 8, and ἃ μέν in 11. In this
usage, it is a weak form of μήν
indeed, truly. Kr. Spr. 69. 35. 1. —
Περικλῆς : the most illustrious of
Athenian statesmen, to whose wise
and consistent policy Athens owed her
growth to imperial power in the πεν-
τηκονταετία or half-century between

the Persian and the Peloponnesian
wars. Cf. Thuc. i. 89–118. — ἐποίει :
for dependent secondary tenses of
the indic. in indirect discourse, see G.
1497, 2 ; H. 931. — Θεμιστοκλῆς : the
famous leader of the Greeks at the
battle of Salamis (480 B.C.). For an
account of his brilliant and success-
ful leadership on that occasion, see
Hdt. viii. 56 ff., and, for later events
in his checkered career, Thuc. i.
136–138. Pericles owed his fame
and influence chiefly to the magic of
his eloquence, while Themistocles
became the popular favorite by his
deeds. Cf. iv. 2. 2. That the Xen-
ophontic Socrates had no intention of
detracting from the glory of Pericles's
services may be seen from Sym. viii.
39, σκεπτέον μέν σοι ποῖα ἐπιστάμενος
Θεμιστοκλῆς ἱκανὸς ἐγένετο τὴν Ἑλλάδα
ἐλευθεροῦν, σκεπτέον δὲ ποῖά ποτε
εἰδὼς Περικλῆς κράτιστος ἐδόκει τῇ
πατρίδι σύμβουλος εἶναι, ἀθρητέον δὲ
καὶ πῶς ποτε Σόλων φιλοσοφήσας
νόμους κρατίστους τῇ πόλει κατέθηκε—

πόλιν φιλεῖν αὐτόν;" "Μὰ Δί' οὐκ ἐπᾴδων, ἀλλὰ περι-
άψας τι ἀγαθὸν αὐτῇ." "Δοκεῖς μοι λέγειν, ὦ Σώκρατες, 14
ὡς εἰ μέλλοιμεν ἀγαθόν τινα κτήσεσθαι φίλον, αὐτοὺς
ἡμᾶς ἀγαθοὺς δεῖ γενέσθαι λέγειν τε καὶ πράττειν." "Σὺ
75 δὲ ᾤου," ἔφη ὁ Σωκράτης, "οἷόν τ᾽ εἶναι καὶ πονηρὸν ὄντα
χρηστοὺς φίλους κτήσασθαι;" "Ἑώρων γάρ," ἔφη ὁ 15
Κριτόβουλος, "ῥήτοράς τε φαύλους ἀγαθοῖς δημηγόροις
φίλους ὄντας, καὶ στρατηγεῖν οὐχ ἱκανοὺς πάνυ στρατη-
γικοῖς ἀνδράσιν ἑταίρους." "Ἆρ᾽ οὖν," ἔφη, "καί, περὶ 16
80 οὗ διαλεγόμεθα, οἶσθά τινας οἳ ἀνωφελεῖς ὄντες ὠφελίμους
δύνανται φίλους ποιεῖσθαι;" "Μὰ Δί' οὐ δῆτ᾽," ἔφη·
"ἀλλ᾽ εἰ ἀδύνατόν ἐστι πονηρὸν ὄντα καλοὺς καὶ ἀγαθοὺς
φίλους κτήσασθαι, ἐκεῖνο ἤδη μέλει μοι, εἰ ἔστιν αὐτὸν
καλὸν κἀγαθὸν γενόμενον ἐξ ἑτοίμου τοῖς καλοῖς κἀγα-
85 θοῖς φίλον εἶναι." "Ὃ ταράττει σε, ὦ Κριτόβουλε, ὅτι 17
πολλάκις ἄνδρας καὶ τὰ καλὰ πράττοντας καὶ τῶν αἰσχρῶν

where the thought is, that The-
mistocles was great in action, Peri-
cles in counsel, Solon in legislation.
Here, Socrates is emphasizing the ne-
cessity of supplementing words with
deeds. Both are essential to the win-
ning of a worthy man's friendship.

**14. εἰ μέλλοιμεν, δεῖ γενέσθαι:** *if
we would succeed, we must become.*
The apod. to such a prot. as εἰ
μέλλοιμι generally contains an idea
of obligation, expressed by δεῖν or
δεῖσθαι, as here, or by a verbal in -τέον.
Cf. *An.* iii. 3. 16, *Hell.* iv. 8. 5. —
**λέγειν τε καὶ πράττειν:** these words
may, as some editors think, refer to
the eloquence of Pericles and the
deeds of Themistocles; but the
phrase is a common one, and serves
to round the period. — **σὺ δ᾽ ᾤου:**

see on τοὺς δὲ καλούς i. 3. 13. — **καί:**
*even.*

**15. ἑώρων γάρ:** for γάρ, see on
i. 4. 9.

**16. καί:** *also,* belongs to οἶσθά
τινας. — **περὶ οὗ διαλεγόμεθα:** *which
is the point under discussion.* "Poor
speakers and good ones may indeed
find friends *etc.*; it does not there-
fore follow that men who are wholly
worthless can win friends: and *that*
is the point at issue." — **φίλους** (after
ἀγαθούς): pred. acc., *for friends.* —
**ἐκεῖνο:** *that point,* like Lat. illud,
refers with emphasis to what fol-
lows. — **εἰ ἔστιν:** *whether it is pos-
sible.* — **ἐξ ἑτοίμου:** *readily.* Cf. ex
facili Tacitus *Agric.* 15.

**17. ὁ ταράττει σε** (sc. τοῦτό ἐστιν),
**ὅτι:** *what puzzles you is the fact that.*

ἀπεχομένους ὁρᾷς ἀντὶ τοῦ φίλους εἶναι στασιάζοντας
ἀλλήλοις καὶ χαλεπώτερον χρωμένους τῶν μηδενὸς ἀξίων
ἀνθρώπων." "Καὶ οὐ μόνον γ'," ἔφη ὁ Κριτόβουλος, "οἱ 18
90 ἰδιῶται τοῦτο ποιοῦσιν, ἀλλὰ καὶ πόλεις αἱ τῶν τε καλῶν
μάλιστα ἐπιμελόμεναι καὶ τὰ αἰσχρὰ ἥκιστα προσιέμεναι
πολλάκις πολεμικῶς ἔχουσι πρὸς ἀλλήλας. ἃ λογιζό- 19
μενος πάνυ ἀθύμως ἔχω πρὸς τὴν τῶν φίλων κτῆσιν·
οὔτε γὰρ τοὺς πονηροὺς ὁρῶ φίλους ἀλλήλοις δυναμένους
95 εἶναι· πῶς γὰρ ἂν ἢ ἀχάριστοι ἢ ἀμελεῖς ἢ πλεονέκται ἢ
ἄπιστοι ἢ ἀκρατεῖς ἄνθρωποι δύναιντο φίλοι γενέσθαι;
οἱ μὲν οὖν πονηροὶ πάντως ἔμοιγε δοκοῦσιν ἀλλήλοις
ἐχθροὶ μᾶλλον ἢ φίλοι πεφυκέναι. ἀλλὰ μήν, ὥσπερ σὺ 20
λέγεις, οὐδ' ἂν τοῖς χρηστοῖς οἱ πονηροί ποτε συναρμό-
100 σειαν εἰς φιλίαν· πῶς γὰρ οἱ τὰ πονηρὰ ποιοῦντες τοῖς
τὰ τοιαῦτα μισοῦσι φίλοι γένοιντ' ἄν; εἰ δὲ δὴ καὶ οἱ
ἀρετὴν ἀσκοῦντες στασιάζουσί τε περὶ τοῦ πρωτεύειν ἐκ
ταῖς πόλεσι καὶ φθονοῦντες ἑαυτοῖς μισοῦσιν ἀλλήλους,
τίνες ἔτι φίλοι ἔσονται καὶ ἐν τίσιν ἀνθρώποις εὔνοια καὶ
105 πίστις ἔσται;" "Ἀλλ' ἔχει μέν," ἔφη ὁ Σωκράτης, "ποικί- 21
λως πως ταῦτα, ὦ Κριτόβουλε. φύσει γὰρ ἔχουσιν οἱ

---

Cf. ὁ μὲν πάντων θαυμαστότατον ἀκοῦσαι,
ὅτι ὧν ἐπῃνέσαμεν Plato Rep. 491 b.—
χαλεπώτερον χρωμένους: sc. ἀλλήλοις.

18. ἰδιῶται: individuals. — προσ-
ιέμεναι: admitting to themselves.
Cf. ἐγὼ γὰρ κακὸν οὐδὲν οὐδ' αἰσχρὸν
προσήσομαι Cyr. vii. i. 13. — πολε-
μικῶς: hostiliter.

19. οὔτε γάρ: not followed by a
correlative οὔτε, an irregularity
easily explained by the vivacity of
the conversation. Instead of a
second οὔτε, we have (in 20) ἀλλὰ
μὴν οὐδ' ἄν, and, instead of a third

οὔτε, the clauses beginning εἰ δὲ δή.
— πεφυκέναι: to be by nature.

20. εἰ δὲ . . . στασιάζουσι, καὶ
μισοῦσιν: the third and strongest
ground for Critobulus's discourage-
ment. The cond. is assumed as
real, if, as you say. — ἑαυτοῖς: for
ἀλλήλοις, the refl. for the reciprocal.
G. 996; H. 686 b. So in iii. 5. 16,
where, as here, ἀλλήλοις immediately
follows. — τίνες ἔτι: who then. —
ἔσται: will abide.

21. ἔχει μὲν ποικίλως πως ταῦτα:
these things (love and hate) have

ἄνθρωποι τὰ μὲν φιλικά· δέονταί τε γὰρ ἀλλήλων· καὶ
ἐλεοῦσι καὶ συνεργοῦντες ὠφελοῦσι καὶ τοῦτο συνιέντες
χάριν ἔχουσιν ἀλλήλοις· τὰ δὲ πολεμικά· τά τε γὰρ αὐτὰ
110 καλὰ καὶ ἡδέα νομίζοντες ὑπὲρ τούτων μάχονται καὶ διχο-
γνωμονοῦντες ἐναντιοῦνται. πολεμικὸν δὲ καὶ ἔρις καὶ
ὀργή· καὶ δυσμενὲς μὲν ὁ τοῦ πλεονεκτεῖν ἔρως, μισητὸν
δὲ ὁ φθόνος. ἀλλ᾽ ὅμως διὰ τούτων πάντων ἡ φιλία 22
διαδυομένη συνάπτει τοὺς καλούς τε κἀγαθούς. διὰ γὰρ
115 τὴν ἀρετὴν αἱροῦνται μὲν ἄνευ πόνου τὰ μέτρια κεκτῆσθαι
μᾶλλον ἢ διὰ πολέμου πάντων κυριεύειν, καὶ δύνανται
πεινῶντες καὶ διψῶντες ἀλύπως σίτου καὶ ποτοῦ κοινωνεῖν
καὶ τοῖς τῶν ὡραίων ἀφροδισίοις ἡδόμενοι ἐγκαρτερεῖν,
ὥστε μὴ λυπεῖν οὓς μὴ προσήκει· δύνανται δὲ καὶ χρη- 23
120 μάτων οὐ μόνον τοῦ πλεονεκτεῖν ἀπεχόμενοι νομίμως
κοινωνεῖν, ἀλλὰ καὶ ἐπαρκεῖν ἀλλήλοις· δύνανται δὲ
καὶ τὴν ἔριν οὐ μόνον ἀλύπως, ἀλλὰ καὶ συμφερόντως
ἀλλήλοις διατίθεσθαι καὶ τὴν ὀργὴν κωλύειν εἰς τὸ
μεταμελησόμενον προϊέναι.          τὸν δὲ φθόνον παντάπασιν

somewhat complicated relations. — τὰ
φιλικά: dispositions toward friend-
ship. — πολεμικόν: see on χρησιμώ-
τερον ii. 3. 1. — δυσμενές: an element
of discord. — μισητὸν δὲ ὁ φθόνος:
and envy leads to hate. The verbal
in -τός, usually passive, has here an
active meaning.

22. ἀλλ᾽ ὅμως: corresponds to
μέν in 21. — διαδυομένη: slipping
through. Cf. serpit enim nescio
quo modo per omnium vitas
amicitia Cic. de Am. xxiii. 87. —
διὰ τὴν ἀρετήν: contrasted with
φύσει 21. On the one hand, love
and hate work as natural powers in
men; on the other, the acquired and
cultivated virtue in men controls

their lives as it will. — αἱροῦνται μέν:
followed by καὶ δύνανται instead of
δύνανται δέ, the καί strengthening the
statement somewhat. — τοῖς τῶν
ὡραίων ἀφροδισίοις: see on i. 3. 8,
10. — ἡδόμενοι: concessive. — ἐγκαρ-
τερεῖν: to control their desires, not to
be joined with ἡδόμενοι.

23. δύνανται δὲ καί: see on ἀδικεῖ
δὲ καί i. 1. 1. — χρημάτων: gen. with
κοινωνεῖν. — νομίμως: equivalent to
δικαίως, keeping within the law.
Cf. δίκαιος, ὥστε βλάπτειν μὲν μηδὲ
μικρὸν μηδένα κτλ., the closing
words of the Memorabilia, iv. 8.
11. — διατίθεσθαι: to adjust. — εἰς
τὸ μεταμελησόμενον: to an extent
which they would regret. — προϊέναι:

125 ἀφαιροῦσι, τὰ μὲν ἑαυτῶν ἀγαθὰ τοῖς φίλοις οἰκεῖα παρ-
έχοντες, τὰ δὲ τῶν φίλων ἑαυτῶν νομίζοντες.   πῶς οὖν οὐκ 24
εἰκὸς τοὺς καλοὺς κἀγαθοὺς καὶ τῶν πολιτικῶν τιμῶν μὴ
μόνον ἀβλαβεῖς, ἀλλὰ καὶ ὠφελίμους ἀλλήλοις κοινωνοὺς
εἶναι; οἱ μὲν γὰρ ἐπιθυμοῦντες ἐν ταῖς πόλεσι τιμᾶσθαί τε
130 καὶ ἄρχειν, ἵνα ἐξουσίαν ἔχωσι χρήματά τε κλέπτειν καὶ
ἀνθρώπους βιάζεσθαι καὶ ἡδυπαθεῖν, ἄδικοί τε καὶ πονη-
ροὶ ἂν εἶεν καὶ ἀδύνατοι ἄλλῳ συναρμόσαι.   εἰ δέ τις ἐν 25
πόλει τιμᾶσθαι βουλόμενος, ὅπως αὐτός τε μὴ ἀδικῆται
καὶ τοῖς φίλοις τὰ δίκαια βοηθεῖν δύνηται, καὶ ἄρξας
135 ἀγαθόν τι ποιεῖν τὴν πατρίδα πειρᾶται, διὰ τί ὁ τοιοῦτος
ἄλλῳ τοιούτῳ οὐκ ἂν δύναιτο συναρμόσαι; πότερον τοὺς
φίλους ὠφελεῖν μετὰ τῶν καλῶν κἀγαθῶν ἧττον δυνή-
σεται; ἢ τὴν πόλιν εὐεργετεῖν ἀδυνατώτερος ἔσται
καλοὺς κἀγαθοὺς ἔχων συνεργούς; ἀλλὰ καὶ ἐν τοῖς 26
140 γυμνικοῖς ἀγῶσι δῆλόν ἐστιν ὅτι, εἰ ἐξῆν τοῖς κρατίστοις
συνθεμένους ἐπὶ τοὺς χείρους ἰέναι, πάντας ἂν τοὺς ἀγῶ-
νας οὗτοι ἐνίκων καὶ πάντα τὰ ἆθλα οὗτοι ἐλάμβανον.
ἐπεὶ οὖν ἐκεῖ μὲν οὐκ ἐῶσι τοῦτο ποιεῖν, ἐν δὲ τοῖς πολιτι-
κοῖς, ἐν οἷς οἱ καλοὶ κἀγαθοὶ κρατιστεύουσιν, οὐδεὶς
145 κωλύει μεθ᾽ οὗ ἄν τις βούληται τὴν πόλιν εὐεργετεῖν,
πῶς οὐ λυσιτελεῖ τοὺς βελτίστους φίλους κτησάμενον

for the inf. with verbs of prevent-
ing, *cf.* i. 6. 6 ; ii. 1. 16. — **ἀφαι-
ροῦσι** : *exclude.* — **τὰ τῶν φίλων** : *their
friends' interests.* — **ἑαυτῶν** : posses-
sive gen. as predicate.  G. 1095 ; H.
732 b.

24. **τιμῶν** : depends on κοινωνούς. —
**ὠφελίμους ἀλλήλοις** : *mutually service-
able.* — **ἂν εἶεν** : potential optative.

25. **τοῖς φίλοις τὰ δίκαια βοηθεῖν** :
*to assist his friends in what is right.*
— **ἄρξας** : *having become archon.*  See

on βουλεύσας i. 1. 18. — **ἧττον δυνή-
σεται**, **ἀδυνατώτερος ἔσται** : rhetor-
ical variation in expression.

26. **ἀλλὰ καί** : *nay, even.* —
**συνθεμένους** : *to agree and*, *i.e.* with
united powers.  For the acc., see
G. 928, 2 ; H. 941. — **ἀγῶνας ἐνίκων** :
for the cognate acc., see G. 1052 ;
H. 716 a. — **ἐκεῖ** : *i.e.* ἐν τοῖς γυμνικοῖς
ἀγῶσι. — **πολιτικοῖς** : sc. ἀγῶσι. —
**τὴν πόλιν εὐεργετεῖν** : sc. μετὰ τούτου.
— **λυσιτελεῖ** : i u v a t. — **κτησάμενον** :

πολιτεύεσθαι, τούτοις κοινωνοῖς καὶ συνεργοῖς τῶν πράξεων
μᾶλλον ἢ ἀνταγωνισταῖς χρώμενον;  ἀλλὰ μὴν κἀκεῖνο 27
δῆλον ὅτι, κἂν πολεμῇ τίς τινι, συμμάχων δεήσεται, καὶ
150 τούτων πλειόνων ἐὰν καλοῖς κἀγαθοῖς ἀντιτάττηται.  καὶ
μὴν οἱ συμμαχεῖν ἐθέλοντες εὖ ποιητέοι, ἵνα θέλωσι
προθυμεῖσθαι· πολὺ δὲ κρεῖττον τοὺς βελτίστους ἐλάτ-
τονας εὖ ποιεῖν ἢ τοὺς χείρονας πλείονας ὄντας· οἱ γὰρ
πονηροὶ πολὺ πλειόνων εὐεργεσιῶν ἢ οἱ χρηστοὶ δέον-
155 ται.  ἀλλὰ θαρρῶν," ἔφη, " ὦ Κριτόβουλε, πειρῶ ἀγαθὸς 28
γίγνεσθαι, καὶ τοιοῦτος γενόμενος θηρᾶν ἐπιχείρει τοὺς
καλούς τε κἀγαθούς.  ἴσως δ' ἄν τί σοι κἀγὼ συλλαβεῖν
εἰς τὴν τῶν καλῶν τε κἀγαθῶν θήραν ἔχοιμι διὰ τὸ
ἐρωτικὸς εἶναι· δεινῶς γὰρ ὧν ἂν ἐπιθυμήσω ἀνθρώπων
160 ὅλος ὥρμημαι ἐπὶ τὸ φιλῶν τε αὐτοὺς ἀντιφιλεῖσθαι ὑπ'
αὐτῶν καὶ ποθῶν ἀντιποθεῖσθαι καὶ ἐπιθυμῶν συνεῖναι
καὶ ἀντεπιθυμεῖσθαι τῆς συνουσίας.  ὁρῶ δὲ καὶ σοὶ 29
τούτων δεῆσον, ὅταν ἐπιθυμήσῃς φιλίαν πρός τινας ποι-
εῖσθαι.  μὴ οὖν ἀποκρύπτου με οἷς ἂν βούλοιο φίλος

---

see on ἁπτόμενον i. 3. 8. — κοινωνοῖς:
for the const., see on δούλοις ii.
1. 12.

27. ἀλλὰ μήν: but further.  See
on i. 1. 6. — κἀκεῖνο: see on 16. —
καὶ μήν: strong transition, and
again. — οἱ συμμαχεῖν ἐθέλοντες κτλ.:
i.e. you must win not merely their
willingness, but also their readi-
ness.  Cf. i. 4. 18. — κρεῖττον (sc.
ἐστί) : better, i.e. more advantageous.
— ἐλάττονας : sc. ὄντας, concessive.

28. ἀλλά: breaks off the argu-
ment. — ἔφη: he continued. — θηρᾶν:
cf. i. 2. 24. — διὰ τὸ ἐρωτικὸς εἶναι : by
being inclined to love. — ὧν ἄν :
equivalent to ἐάν τινων. — ὅλος ὥρμη-

μαι: I strive with all my being. —
φιλῶν: diligendo. — καὶ ἀντεπιθυ-
μεῖσθαι τῆς συνουσίας: and to have
my companionship sought also in
return, the obj. of the act. being
retained with the passive.  This un-
usual const. is prob. due to the desire
to continue the parallelism of the
preceding clauses.

29. τούτων: sc. τοῦ φιλεῖν, τοῦ
ποθεῖν, τοῦ ἐπιθυμεῖν συνεῖναι.  Crito-
bulus also must win love by show-
ing love. — δεῆσον: for the participle
as a special form of antec. for a
cond. rel. clause, see GMT. 552. —
ἀποκρύπτου: for the double acc. with
verbs of concealing, see G. 1069;

165 γενέσθαι· διὰ γὰρ τὸ ἐπιμελεῖσθαι τοῦ ἀρέσαι τῷ ἀρέ-
σκοντί μοι οὐκ ἀπείρως οἶμαι ἔχειν πρὸς θήραν ἀνθρώ-
πων." καὶ ὁ Κριτόβουλος ἔφη· "Καὶ μήν, ὦ Σώκρατες, 30
τούτων ἐγὼ τῶν μαθημάτων πάλαι ἐπιθυμῶ, ἄλλως τε καὶ
εἰ ἐξαρκέσει μοι ἡ αὐτὴ ἐπιστήμη ἐπὶ τοὺς ἀγαθοὺς τὰς
170 ψυχὰς καὶ ἐπὶ τοὺς καλοὺς τὰ σώματα." καὶ ὁ Σωκράτης 31
ἔφη· "Ἀλλ᾽, ὦ Κριτόβουλε, οὐκ ἔνεστιν ἐν τῇ ἐμῇ
ἐπιστήμῃ τὸ τὰς χεῖρας προσφέροντα ποιεῖν ὑπομένειν
τοὺς καλούς. πέπεισμαι δὲ καὶ ἀπὸ τῆς Σκύλλης διὰ
τοῦτο φεύγειν τοὺς ἀνθρώπους, ὅτι τὰς χεῖρας αὐτοῖς
175 προσέφερε· τὰς δέ γε Σειρῆνας, ὅτι τὰς χεῖρας οὐδενὶ
προσέφερον ἀλλὰ πᾶσι πόρρωθεν ἐπῇδον, πάντας φασὶν
ὑπομένειν καὶ ἀκούοντας αὐτῶν κηλεῖσθαι." καὶ ὁ Κριτό- 32
βουλος ἔφη· "Ὡς οὐ προσοίσοντος τὰς χεῖρας, εἴ τι ἔχεις
ἀγαθὸν εἰς φίλων κτῆσιν, δίδασκε." "Οὐδὲ τὸ στόμα
180 οὖν," ἔφη ὁ Σωκράτης, "πρὸς τὸ στόμα προσοίσεις;"
"Θάρρει," ἔφη ὁ Κριτόβουλος· "οὐδὲ γὰρ τὸ στόμα πρὸς
τὸ στόμα προσοίσω οὐδενί, ἐὰν μὴ καλὸς ᾖ." "Εὐθύς,"
ἔφη, "σύ γε, ὦ Κριτόβουλε, τοὐναντίον τοῦ συμφέροντος
εἴρηκας· οἱ μὲν γὰρ καλοὶ τὰ τοιαῦτα οὐχ ὑπομένουσιν,

H. 724. — οὐκ ἀπείρως ἔχειν : I have
some experience.
   30. πάλαι ἐπιθυμῶ: for the pres.
with πάλαι, see G. 1258; H. 826. —
ἄλλως τε καί: see on ἄλλως τε i. 2. 59.
— ἐξαρκέσει : see on ἀξιώσεις ii. 1.
12. — ψυχάς, σώματα : accs. of specifi-
cation.
   31. τὸ τὰς χεῖρας κτλ.: const. τὸ
ποιεῖν τοὺς καλοὺς ὑπομένειν τινὰ προσ-
φέροντα τὰς χεῖρας. Socrates asserts
that his art (ἐπιστήμη) does not
include submitting to physical
caresses. — Σκύλλης: cf. Homer's
description of this monster (μ 85 ff.).

— Σειρῆνας : see on 11. — ὑπομέ-
νειν (after φασίν) : equivalent to non
fugere. This and the other infs.
(φεύγειν, κηλεῖσθαι) represent the
impf. of direct discourse.
   32. ὡς οὐ προσοίσοντος: sc. μοῦ,
which is added to φιλήσοντος in 33.
For ὡς with the gen. abs., see on ὡς
σημαίνοντος i. 1. 4 ; GMT. 864 ;
H. 978. — θάρρει: never fear. —
εὐθύς, σύ γε κτλ.: En, statim tu,
Critobule, dixisti ea, quae
inutilia tibi fore praedico
(Schneider). — καλοί, αἰσχροί : Crito-
bulus has been using the word καλός

185 οἱ δὲ αἰσχροὶ καὶ ἡδέως προσίενται, νομίζοντες διὰ τὴν
ψυχὴν καλοὶ καλεῖσθαι." καὶ ὁ Κριτόβουλος ἔφη· "Ὡς 33
τοὺς μὲν καλοὺς φιλήσοντός μου, τοὺς δ᾽ ἀγαθοὺς κατα-
φιλήσοντος, θαρρῶν δίδασκε τῶν φίλων τὰ θηρατικά."
καὶ ὁ Σωκράτης ἔφη· "Ὅταν οὖν, ὦ Κριτόβουλε, φίλος
190 τινὶ βούλῃ γενέσθαι, ἐάσεις με κατειπεῖν σου πρὸς αὐτὸν
ὅτι ἄγασαί τε αὐτοῦ καὶ ἐπιθυμεῖς φίλος αὐτοῦ εἶναι;"
"Κατηγόρει," ἔφη ὁ Κριτόβουλος· "οὐδένα γὰρ οἶδα
μισοῦντα τοὺς ἐπαινοῦντας." "Ἐὰν δέ σου προσκατη- 34
γορήσω," ἔφη, "ὅτι διὰ τὸ ἄγασθαι αὐτοῦ καὶ εὐνοϊκῶς
195 ἔχεις πρὸς αὐτόν, ἆρα μὴ διαβάλλεσθαι δόξεις ὑπ᾽ ἐμοῦ;"
"Ἀλλὰ καὶ αὐτῷ μοι," ἔφη, "ἐγγίγνεται εὔνοια πρὸς οὓς
ἂν ὑπολάβω εὐνοϊκῶς ἔχειν πρὸς ἐμέ." "Ταῦτα μὲν δή," 35
ἔφη ὁ Σωκράτης, "ἐξέσται μοι λέγειν περὶ σοῦ πρὸς οὓς

of outward beauty; Socrates now shifts its meaning to beauty of character, while retaining αἰσχροί (*ugly*) in its physical sense. Critobulus then, by distinguishing between καλούς and ἀγαθούς, removes the ambiguity, and the conversation proceeds. — καὶ ἡδέως : *and that with pleasure*. — καλεῖσθαι : we expect ὑπολαμβάνεσθαι or δοκεῖν εἶναι.

**33.** τῶν φίλων τὰ θηρατικά : *the arts for winning friends.* — κατειπεῖν σου : *to say in disparagement of you*, humorously used of a favorable utterance. Critobulus, appreciating the pleasantry, replies κατηγόρει *go on with your accusation.* — ἄγασαί τε αὐτοῦ : the gen. of the person with ἄγαμαι is very rare when the quality which occasions the admiration is omitted. Usually, when the gen. is used, the quality admired is expressed in an explanatory sent.,

as in iv. 2. 9, or by a participle added to the genitive. *Cf.* ἄγαμαι τοῦ καταμετρήσαντός (*who has measured off*) σοι καὶ διατάξαντος ἕκαστα τούτων *Oec.* iv. 21. — τοὺς ἐπαινοῦντας : the idea of praising is contained in ἄγασαι and ἐπιθυμεῖς φίλος αὐτοῦ εἶναι.

**34.** διαβάλλεσθαι : to be taken humorously, like κατειπεῖν and προσκατηγορήσω. The entire passage is a good example of one form of the Socratic method. *Cf.* ἔπαιξεν ἅμα σπουδάζων i. 3. 8. Its true meaning is "It is plain that the plan which I propose is the simplest and surest way to secure for yourself the friendship of others." διαβάλλεσθαι is perhaps a heightening of κατειπεῖν, and εὐνοϊκῶς ἔχειν of ἄγασαι. — ἀλλὰ καί : *nay, even*, in spirited retort. — πρὸς οὕς : with omission of τούτους. So in the next section.

ἂν βούλῃ φίλους ποιήσασθαι. ἐὰν δέ μοι ἔτι ἐξουσίαν
200 δῷς λέγειν περὶ σοῦ ὅτι ἐπιμελής τε τῶν φίλων εἶ καὶ
οὐδενὶ οὕτω χαίρεις ὡς φίλοις ἀγαθοῖς, καὶ ἐπί τε τοῖς
καλοῖς ἔργοις τῶν φίλων ἀγάλλῃ οὐχ ἧττον ἢ ἐπὶ τοῖς
ἑαυτοῦ καὶ ἐπὶ τοῖς ἀγαθοῖς τῶν φίλων χαίρεις οὐδὲν
ἧττον ἢ ἐπὶ τοῖς ἑαυτοῦ, ὅπως τε ταῦτα γίγνηται τοῖς
205 φίλοις οὐκ ἀποκάμνεις μηχανώμενος, καὶ ὅτι ἔγνωκας
ἀνδρὸς ἀρετὴν εἶναι νικᾶν τοὺς μὲν φίλους εὖ ποιοῦντα,
τοὺς δ᾽ ἐχθροὺς κακῶς, πάνυ ἂν οἶμαί σοι ἐπιτήδειον
εἶναί με σύνθηρον τῶν ἀγαθῶν φίλων." "Τί οὖν," ἔφη ὁ 36
Κριτόβουλος, "ἐμοὶ τοῦτο λέγεις, ὥσπερ οὐκ ἐπὶ σοὶ ὂν ὅ
210 τι ἂν βούλῃ περὶ ἐμοῦ λέγειν;" "Μὰ Δί᾽ οὔχ, ὡς ποτε
ἐγὼ Ἀσπασίας ἤκουσα· ἔφη γὰρ τὰς ἀγαθὰς προμνη-
στρίδας μετὰ μὲν ἀληθείας τἀγαθὰ διαγγελλούσας δεινὰς
εἶναι συνάγειν ἀνθρώπους εἰς κηδείαν, ψευδομένας δ᾽ οὐκ
ἐθέλειν ἐπαινεῖν· τοὺς γὰρ ἐξαπατηθέντας ἅμα μισεῖν

---

35. ἐπιμελὴς τῶν φίλων: obs.
the gradation of feelings which help
to establish friendship. First we
have admiration (ἄγασαι), next good
will (εὐνοϊκῶς ἔχειν), next desire to
serve (ἐπιμελής) (Weiske). — οὐδενὶ
οὕτω χαίρεις ὡς φίλοις ἀγαθοῖς: Soc-
rates takes this position for himself
in i. 6. 14. — τοῖς ἑαυτοῦ: equivalent
to τοῖς σεαυτοῦ. See on ii. I. 31. —
μηχανώμενος: for the supplementary
participle, see on ii. I. 24. — ἔγνω-
κας: you recognize. — ἀνδρὸς ἀρετήν:
a man's chief excellence. — τοὺς δ᾽
ἐχθροὺς κακῶς: the Socratic ethics
here does not rise above the ordina-
ry Greek standard. Cf. Xenophon's
description of the character of Cyrus
An. i. 9. 11. Cf. also iii. 9. 8,
where Socrates explains what he

understands by φθόνος. — εἶναί με:
for the subj. of the principal verb
expressed with the inf., see H. 940 b.
— σύνθηρον: see on θηρώμενος i. 2.
24. So θηρατικά 33, θηρᾶν 39.

36. ὥσπερ οὐκ ἐπὶ σοὶ ὄν: as if it
were not in your power. For the
participle with ὥσπερ, expressing
comparison, see G. 1576; H. 978 a. —
Ἀσπασίας: the celebrated mistress
of Pericles, famed for her beauty
and intellect. Socrates, too, admired
her brilliant gifts, but when he speaks
of her as of a teacher, in Xenophon
and Plato, the term must be accepted
as ironical. It is obvious that no Aspa-
sia was needed to teach Socrates the
lessons here inculcated. — προμνη-
στρίδας: matchmakers. — οὐκ ἐθέλειν:
"it was not their way." — ἐπαινεῖν:

215 ἀλλήλους τε καὶ τὴν προμνησαμένην· ἃ δὴ καὶ ἐγὼ
πεισθεὶς ὀρθῶς ἔχειν ἡγοῦμαι οὐκ ἐξεῖναί μοι περὶ σοῦ
λέγειν ἐπαινοῦντι οὐδὲν ὅ τι ἂν μὴ ἀληθεύω." "Σὺ μὲν 37
ἄρα," ἔφη ὁ Κριτόβουλος, "τοιοῦτός μοι φίλος εἶ, ὦ Σώ-
κρατες, οἷος, ἂν μέν τι αὐτὸς ἔχω ἐπιτήδειον εἰς τὸ φίλους
220 κτήσασθαι, συλλαμβάνειν μοι· εἰ δὲ μή, οὐκ ἂν ἐθέλοις
πλάσας τι εἰπεῖν ἐπὶ τῇ ἐμῇ ὠφελείᾳ." "Πότερα δ᾽ ἄν,"
ἔφη ὁ Σωκράτης, "ὦ Κριτόβουλε, δοκῶ σοι μᾶλλον ὠφε-
λεῖν σε τὰ ψευδῆ ἐπαινῶν ἢ πείθων πειρᾶσθαί σε ἀγαθὸν
ἄνδρα γενέσθαι; εἰ δὲ μὴ φανερὸν οὕτω σοι, ἐκ τῶνδε 38
225 σκέψαι· εἰ γάρ σε βουλόμενος φίλον ποιῆσαι ναυκλήρῳ
ψευδόμενος ἐπαινοίην, φάσκων ἀγαθὸν εἶναι κυβερνήτην,
ὁ δέ μοι πεισθεὶς ἐπιτρέψειέ σοι τὴν ναῦν μὴ ἐπισταμένῳ
κυβερνᾶν, ἔχεις τινὰ ἐλπίδα μὴ ἂν σαυτόν τε καὶ τὴν
ναῦν ἀπολέσαι; ἢ εἴ σοι πείσαιμι κοινῇ τὴν πόλιν ψευ-
230 δόμενος ὡς ἂν στρατηγικῷ τε καὶ δικαστικῷ καὶ πολιτικῷ
ἑαυτὴν ἐπιτρέψαι, τί ἂν οἴει σεαυτὸν καὶ τὴν πόλιν ὑπὸ
σοῦ παθεῖν; ἢ εἴ τινας ἰδίᾳ τῶν πολιτῶν πείσαιμι
ψευδόμενος ὡς ὄντι οἰκονομικῷ τε καὶ ἐπιμελεῖ τὰ ἑαυτῶν
ἐπιτρέψαι, ἆρ᾽ οὐκ ἂν πεῖραν διδοὺς ἅμα τε βλαβερὸς
235 εἴης καὶ καταγέλαστος φαίνοιο; ἀλλὰ συντομωτάτη τε 39

join with ψευδομένας, to praise un-
truthfully.— ἀληθεύω : say with truth.
  37. οἷος συλλαμβάνειν : see on
οἵους τέμνειν i. 4. 6. — εἰ δὲ μή : other-
wise. For the use of this phrase in
alternatives, see GMT. 478 ; H. 906.
— οὐκ ἂν ἐθέλοις : instead of continu-
ing with the inf. (after οἷος), we have
the opt., as a more independent con-
struction. — πότερα δ᾽ ἄν : for δέ, see
on i. 3. 13.
  38. γάρ : that is. — τὴν ναῦν :
his ship. — τινὰ ἐλπίδα : any idea. —

μὴ ἀπολέσαι : for μή with the inf. of
indirect discourse, see on μηδενί i. 2.
39. — ὡς ἂν . . . πολιτικῷ : sc. ὄντι.
With ὡς ἂν should be supplied the
clause πείσαιμι ἑαυτὴν ἐπιτρέψαι. Cf.
iii. 6. 4. In the following ὡς ὄντι (with-
out ἄν), however, the meaning is on
the ground that you are a man skilled
etc. — σεαυτόν : see on εἶναί με 35.
  39. συντομωτάτη κτλ.: cf. quam-
quam praeclare Socrates hanc
viam ad gloriam proximam et
quasi compendiariam dicebat

καὶ ἀσφαλεστάτη καὶ καλλίστη ὁδός, ὦ Κριτόβουλε, ὅ τι
ἂν βούλῃ δοκεῖν ἀγαθὸς εἶναι, τοῦτο καὶ γενέσθαι ἀγαθὸν
πειρᾶσθαι. ὅσαι δ' ἐν ἀνθρώποις ἀρεταὶ λέγονται, σκο-
πούμενος εὑρήσεις πάσας μαθήσει τε καὶ μελέτῃ αὐξανο-
240 μένας. ἐγὼ μὲν οὖν οὕτως, ὦ Κριτόβουλε, οἶμαι δεῖν
θηρᾶν ἡμᾶς· εἰ δὲ σύ πως ἄλλως γιγνώσκεις, δίδασκε."
καὶ ὁ Κριτόβουλος, "Ἀλλ' αἰσχυνοίμην ἄν," ἔφη, "ὦ Σώ-
κρατες, ἀντιλέγων τούτοις· οὔτε γὰρ καλὰ οὔτε ἀληθῆ
λέγοιμ' ἄν."

Καὶ μὴν τὰς ἀπορίας γε τῶν φίλων τὰς μὲν δι' ἄγνοιαν 7
ἐπειρᾶτο γνώμῃ ἀκεῖσθαι, τὰς δὲ δι' ἔνδειαν διδάσκων
κατὰ δύναμιν ἀλλήλοις ἐπαρκεῖν. ἐρῶ δὲ καὶ ἐν τούτοις
ἃ σύνοιδα αὐτῷ. Ἀρίσταρχον γάρ ποτε ὁρῶν σκυθρω-
5 πῶς ἔχοντα, "Ἔοικας," ἔφη, "ὦ Ἀρίσταρχε, βαρέως
φέρειν τι. χρὴ δὲ τοῦ βάρους μεταδιδόναι τοῖς φίλοις·
ἴσως γὰρ ἄν τί σε καὶ ἡμεῖς κουφίσαιμεν." καὶ ὁ 2
Ἀρίσταρχος, "Ἀλλὰ μήν," ἔφη, "ὦ Σώκρατες, ἐν πολλῇ
γέ εἰμι ἀπορίᾳ. ἐπεὶ γὰρ ἐστασίασεν ἡ πόλις, πολλῶν

esse, si quis id ageret, ut
qualis haberi vellet talis esset
Cic. de Off. ii. 12. Cf., also, i. 7. 1.
— ἐν ἀνθρώποις : see on iii. 6. 2. —
ἀρεταί : excellencies, skill in different
matters. — οὕτως : i.e. in the manner
described by me.

7. Socrates gives good counsel to
Aristarchus, who complains of the
difficulty of supporting a large family
of dependent female relatives. After
advising him to give to them some use-
ful employment, Socrates shows that
honest work is not beneath the dignity
of a freeman. By this, we gain for the
home prosperity, mutual appreciation,
and happiness.

1. τὰς ἀπορίας, τὰς μέν, τὰς δέ :
acc. of the whole, followed by its
parts, in apposition. Cf. i. 2. 60. —
γνώμῃ : "by counsel," as shown in
chaps. 7, 8, contrasted with διδάσκειν
κατὰ δύναμιν ἀλλήλοις ἐπαρκεῖν, in
chaps. 9, 10. — ἃ σύνοιδα αὐτῷ :
what I know of him. συνειδέναι τί
τινι is to know anything with
another, then to know anything of
another. Cf. ἵνα τούτῳ μὲν ταῦτα
συνειδῶμεν in order that we may
know this of him Plato Prot. 348 B.
— Ἀρίσταρχον : otherwise un-
known.

2. ἀλλὰ μήν : yes indeed. — ἐστα-
σίασεν ἡ πόλις : for the revolution

10 φυγόντων εἰς τὸν Πειραιᾶ, συνεληλύθασιν ὡς ἐμὲ καταλε-
λειμμέναι ἀδελφαί τε καὶ ἀδελφιδαῖ καὶ ἀνεψιαὶ τοσαῦται
ὥστ᾽ εἶναι ἐν τῇ οἰκίᾳ τέτταρας καὶ δέκα τοὺς ἐλευθέρους.
λαμβάνομεν δὲ οὔτε ἐκ τῆς γῆς οὐδέν· οἱ γὰρ ἐναντίοι
κρατοῦσιν αὐτῆς· οὔτε ἀπὸ τῶν οἰκιῶν· ὀλιγανθρωπία
15 γὰρ ἐν τῷ ἄστει γέγονε· τὰ ἔπιπλα δὲ οὐδεὶς ὠνεῖται,
οὐδὲ δανείσασθαι οὐδαμόθεν ἔστιν ἀργύριον, ἀλλὰ πρό-
τερον ἄν τίς μοι δοκεῖ ἐν τῇ ὁδῷ ζητῶν εὑρεῖν ἢ δανει-
ζόμενος λαβεῖν. χαλεπὸν μὲν οὖν ἐστιν, ὦ Σώκρατες,
τοὺς οἰκείους περιορᾶν ἀπολλυμένους, ἀδύνατον δὲ τοσού-
20 τους τρέφειν ἐν τοιούτοις πράγμασιν." ἀκούσας οὖν 3
ταῦτα ὁ Σωκράτης, " Τί ποτέ ἐστιν," ἔφη, "ὅτι ὁ Κεράμων
μὲν πολλοὺς τρέφων οὐ μόνον ἑαυτῷ τε καὶ τούτοις τὰ ἐπι-
τήδεια δύναται παρέχειν, ἀλλὰ καὶ περιποιεῖται τοσαῦτα
ὥστε καὶ πλουτεῖν, σὺ δὲ πολλοὺς τρέφων δέδοικας μὴ
25 δι᾽ ἔνδειαν τῶν ἐπιτηδείων ἅπαντες ἀπόλησθε;" "Ὅτι νὴ
Δί'," ἔφη, " ὁ μὲν δούλους τρέφει, ἐγὼ δὲ ἐλευθέρους."
"Καὶ πότερον," ἔφη, "τοὺς παρὰ σοὶ ἐλευθέρους οἴει βελ- 4
τίους εἶναι ἢ τοὺς παρὰ Κεράμωνι δούλους ;" "Ἐγὼ μὲν
οἶμαι," ἔφη, " τοὺς παρὰ ἐμοὶ ἐλευθέρους." "Οὔκουν,"
30 ἔφη, "αἰσχρὸν τὸν μὲν ἀπὸ τῶν πονηροτέρων εὐπορεῖν, σὲ

in Athens at the close of the
Peloponnesian war, cf. Hell. ii. 3. 4 ;
Grote, Hist. of Greece, c. lxv. —
ἀδελφιδαῖ : brothers' or sisters' daugh-
ters, nieces. — τοὺς ἐλευθέρους : masc.,
as including himself. — λαμβάνομεν :
we are getting. Cf. i. 3. 5. — τῷ
ἄστει : the city proper, as distin-
guished from the country. — πρό-
τερον, ἤ : with no temporal meaning,
more likely, than. GMT. 654. — τοὺς
οἰκείους περιορᾶν ἀπολλυμένους : to
allow one's relatives to starve.

3. τί ποτέ ἐστιν : how in the
world does it happen? — Κεράμων :
otherwise unknown. — σὺ δὲ πολ-
λούς : we might expect σὺ δὲ ὀλί-
γους, for the fourteen ἐλεύθεροι were
very few in comparison with the
immense number of slaves supported
by rich men like Ceramon ; but the
phrase may be a simple repetition to
maintain the parallelism with the
πολλοὺς τρέφων of the preceding clause.

4. παρὰ σοί : in your house. Cf.
Lat. apud, Ger. bei, Fr. chez. —

δὲ πολλῷ βελτίους ἔχοντα ἐν ἀπορίᾳ εἶναι;" "Νὴ Δί',"
ἔφη, "ὁ μὲν γὰρ τεχνίτας τρέφει, ἐγὼ δὲ ἐλευθερίως
πεπαιδευμένους." "Ἆρ' οὖν," ἔφη, "τεχνῖταί εἰσιν οἱ 5
χρήσιμόν τι ποιεῖν ἐπιστάμενοι;" "Μάλιστά γε," ἔφη.
35 "Οὐκοῦν χρήσιμά γ' ἄλφιτα;" "Σφόδρα γε." "Τί δὲ
ἄρτοι;" "Οὐδὲν ἧττον." "Τί γάρ;" ἔφη, "ἱμάτιά τε
ἀνδρεῖα καὶ γυναικεῖα καὶ χιτωνίσκοι καὶ χλαμύδες καὶ
ἐξωμίδες;" "Σφόδρα γε," ἔφη, "καὶ πάντα ταῦτα χρή-
σιμα." "Ἔπειτα," ἔφη, "οἱ παρὰ σοὶ τούτων οὐδὲν ἐπί-
40 στανται ποιεῖν;" "Πάντα μὲν οὖν, ὡς ἐγᾦμαι." "Εἶτ' 6
οὐκ οἶσθα ὅτι ἀφ' ἑνὸς μὲν τούτων, ἀλφιτοποιίας, Ναυσι-
κύδης οὐ μόνον ἑαυτόν τε καὶ τοὺς οἰκέτας τρέφει, ἀλλὰ
πρὸς τούτοις καὶ ῦς πολλὰς καὶ βοῦς, καὶ περιποιεῖται
τοσαῦτα ὥστε καὶ τῇ πόλει πολλάκις λειτουργεῖν, ἀπὸ δὲ
45 ἀρτοποιίας Κύρηβος τήν τε οἰκίαν πᾶσαν διατρέφει καὶ
ζῇ δαψιλῶς, Δημέας δὲ ὁ Κολλυτεὺς ἀπὸ χλαμυδουργίας,
Μένων δ' ἀπὸ χλανιδοποιίας, Μεγαρέων δ' οἱ πλεῖστοι
ἀπὸ ἐξωμιδοποιίας διατρέφονται;" "Νὴ Δί'," ἔφη,

**νὴ Δία:** the affirmative formula here
is perplexing; of the various expla-
nations offered, that suggested by
Kühner's paraphrase seems most
reasonable, viz. "Aye, truly, it is
a shame that we should live in such
poverty; for I have to support gentle-
women, whose standard of living is,
and ought to be, different from that
of slaves."

**5. ἆρ' οὖν:** introduces an appar-
ently neutral question. — **τί δὲ
ἄρτοι:** *well, how about bread?* —
**ἱμάτια κτλ.:** the ἱμάτιον (toga) was
a square cloak covering the whole
body.  Under this was worn the
tunic (χιτών), of which χιτωνίσκος
(tunicula) is a diminutive.  The

χλαμύς was a short military mantle;
the ἐξωμίς, a sort of sleeveless short
tunic worn by slaves and the lower
classes generally.  See Guhl and
Koner, *Life of the Greeks and
Romans*, p. 160 ff. — **ἔπειτα:** *then.*
So εἶτα in 6.

**6. λειτουργεῖν:** *i.e.* to perform
those public services which the state
required from its richer citizens,
such as furnishing and training
choruses for dramatic performances,
and fitting out triremes for the use of
the state.  For an account of these
and the less important 'liturgies,' see
Schömann, *Antiq. of Greece*, p. 459
ff.  For the derivation of the word,
see Lex. *s.v.* λειτουργός. — **Κολλυτεύς:**

"οὗτοι μὲν γὰρ ὠνούμενοι βαρβάρους ἀνθρώπους ἔχουσιν,
50 ὥστ᾽ ἀναγκάζειν ἐργάζεσθαι ἃ καλῶς ἔχει, ἐγὼ δ᾽ ἐλευ-
θέρους τε καὶ συγγενεῖς." "Ἔπειτ᾽," ἔφη, "ὅτι ἐλεύθεροί 7
τ᾽ εἰσὶ καὶ συγγενεῖς σοι, οἴει χρῆναι μηδὲν αὐτοὺς ποιεῖν
ἄλλο ἢ ἐσθίειν καὶ καθεύδειν; πότερον καὶ τῶν ἄλλων
ἐλευθέρων τοὺς οὕτω ζῶντας ἄμεινον διάγοντας ὁρᾷς καὶ
55 μᾶλλον εὐδαιμονίζεις ἢ τοὺς ἃ ἐπίστανται χρήσιμα πρὸς
τὸν βίον τούτων ἐπιμελομένους; ἢ τὴν μὲν ἀργίαν καὶ
τὴν ἀμέλειαν αἰσθάνῃ τοῖς ἀνθρώποις πρός τε τὸ μαθεῖν
ἃ προσήκει ἐπίστασθαι καὶ πρὸς τὸ μνημονεύειν ἃ ἂν
μάθωσι καὶ πρὸς τὸ ὑγιαίνειν τε καὶ ἰσχύειν τοῖς σώμασι
60 καὶ πρὸς τὸ κτήσασθαί τε καὶ σῴζειν τὰ χρήσιμα πρὸς
τὸν βίον ὠφέλιμα ὄντα, τὴν δὲ ἐργασίαν καὶ τὴν ἐπιμέ-
λειαν οὐδὲν χρήσιμα; ἔμαθον δὲ ἃ φῂς αὐτὰς ἐπίστα- 8
σθαι πότερον ὡς οὔτε χρήσιμα ὄντα πρὸς τὸν βίον οὔτε
ποιήσουσαι αὐτῶν οὐδέν, ἢ τοὐναντίον ὡς καὶ ἐπιμελη-
65 σόμεναι τούτων καὶ ὠφελησόμεναι ἀπ᾽ αὐτῶν; ποτέρως
γὰρ ἂν μᾶλλον ἄνθρωποι σωφρονοῖεν, ἀργοῦντες, ἢ τῶν
χρησίμων ἐπιμελόμενοι;    ποτέρως δ᾽ ἂν δικαιότεροι εἶεν,
εἰ ἐργάζοιντο, ἢ εἰ ἀργοῦντες βουλεύοιντο περὶ τῶν

of the Attic deme Collytus. — ὠνού-
μενοι ἔχουσιν: *purchase and keep.*
— ὥστ᾽ ἀναγκάζειν: *so that they can
compel.* — ἃ καλῶς ἔχει: "whatever
is desirable," *sc.* ἐργάζεσθαι. — ἐγὼ
δέ (*sc.* ἔχω): *while I have with
me.*

7. ἔπειτα: *well, then.* — ἄλλο: for
its position, see on ii. 1. 17. — ἅ,
τούτων: see on τούτων ii. 4. 7. — τὴν
ἀργίαν, τὴν ἀμέλειαν, ὠφέλιμα ὄντα:
for the neut. pred. after fem. or
masc. substs., see on χρησιμώτερον
ii. 3. 1.

8. ἔμαθον: placed at the begin-
ning for emphasis, and also in order
to bring πότερον next to ὡς. — ὡς:
belongs to both ὄντα and ποιήσουσαι.
— ὄντα, ποιήσουσαι: for the partici-
ples in different cases, connected by
οὔτε, οὔτε, see on ii. 2. 5. — ὠφελησό-
μεναι: fut. mid. in pass. sense. —
ποτέρως: introducing the double
question, but not part of it. See
on i. 6. 15. — ἀργοῦντες (in line 66):
conditional. — εἰ ἀργοῦντες βουλεύ-
οιντο κτλ.: "if they should listlessly
plan for success."

ἐπιτηδείων; ἀλλὰ καὶ νῦν μέν, ὡς ἐγῷμαι, οὔτε σὺ ἐκείνας 9
70 φιλεῖς οὔτε ἐκεῖναι σέ, σὺ μὲν ἡγούμενος αὐτὰς ἐπιζη-
μίους εἶναι σεαυτῷ, ἐκεῖναι δὲ σὲ ὁρῶσαι ἀχθόμενον ἐφ'
ἑαυταῖς.  ἐκ δὲ τούτων κίνδυνος μείζω τε ἀπέχθειαν γίγνε-
σθαι καὶ τὴν προγεγονυῖαν χάριν μειοῦσθαι.  ἐὰν δὲ
προστατήσῃς ὅπως ἐνεργοὶ ὦσι, σὺ μὲν ἐκείνας φιλήσεις
75 ὁρῶν ὠφελίμους σεαυτῷ οὔσας, ἐκεῖναι δὲ σὲ ἀγαπήσου-
σιν αἰσθόμεναι χαίροντα αὐταῖς, τῶν δὲ προγεγονυιῶν
εὐεργεσιῶν ἥδιον μεμνημένοι τὴν ἀπ' ἐκείνων χάριν αὐξή-
σετε, καὶ ἐκ τούτων φιλικώτερόν τε καὶ οἰκειότερον ἀλλή-
λοις ἕξετε.  εἰ μὲν τοίνυν αἰσχρόν τι ἔμελλον ἐργάσεσθαι, 10
80 θάνατον ἀντ' αὐτοῦ προαιρετέον ἦν· νῦν δὲ ἃ μὲν δοκεῖ
κάλλιστα καὶ πρεπωδέστατα γυναιξὶν εἶναι ἐπίστανται,
ὡς ἔοικε· πάντες δὲ ἃ ἐπίστανται ῥᾷστά τε καὶ τάχιστα
καὶ κάλλιστα καὶ ἥδιστα ἐργάζονται.  μὴ οὖν ὄκνει," ἔφη,
"ταῦτα εἰσηγεῖσθαι αὐταῖς ἃ σοί τε λυσιτελήσει κἀκείναις,
85 καί, ὡς εἰκός, ἡδέως ὑπακούσονται."  "Ἀλλὰ νὴ τοὺς 11
θεούς," ἔφη ὁ Ἀρίσταρχος, "οὕτως μοι δοκεῖς καλῶς
λέγειν, ὦ Σώκρατες, ὥστε πρόσθεν μὲν οὐ προσιέμην

---

9. **ἀλλὰ καὶ νῦν μέν**: "nay,
more, as things now are." — **κίνδυ-
νος** (*sc. ἐστί*) **ἀπέχθειαν γίγνεσθαι**:
for the inf. with κίνδυνος (a less com-
mon const. than μή with the subjv.),
see G. 1521 ; H. 952. — **ἐὰν προστα-
τήσῃς ὅπως**: *if you will provide
that.* Cf. καὶ κελεύουσι προστατῆσαι
λαβόντα χρήματα ὅπως ἐκπλεύσῃ ἡ
στρατιά *An.* v. 6. 21. — **τὴν ἀπ'
ἐκείνων**: *sc.* εὐεργεσιῶν. — **αὐξήσετε**:
pl., as χάρις implies a mutual rela-
tion between the giver and the
recipients.

10. **εἰ μὲν τοίνυν ἔμελλον**: *if, to
be sure, they were going.* — **προαιρε-**

**τέον ἦν**: without ἄν, like the
impfs. ἔδει, ἐχρῆν, and others denot-
ing propriety or obligation. See
on i. 3. 3. — **ὡς ἔοικε**: *sc.* from
your account. — **πάντες**: *everybody.*
— **μὴ ὄκνει, καὶ ὑπακούσονται**: see
on ἐγχείρει, καὶ ὑπακούσεται ii. 3.
16.

11. **ἀλλά**: "well, now," a
lively expression of assent. — **πρό-
σθεν μέν, νῦν δέ**: *although formerly,
now however.* Only the second
clause is introduced by ὥστε. For
μέν equivalent to *while,* see on i.
4. 17. — **οὐ προσιέμην δανείσασθαι**:
*I would have nothing to do with*

δανείσασθαι, εἰδὼς ὅτι ἀναλώσας ὃ ἂν λάβω οὐχ ἕξω
ἀποδοῦναι, νῦν δέ μοι δοκῶ εἰς ἔργων ἀφορμὴν ὑπομενεῖν
90 αὐτὸ ποιῆσαι."
Ἐκ τούτων δὲ ἐπορίσθη μὲν ἀφορμή, ἐωνήθη δὲ ἔρια· 12
καὶ ἐργαζόμεναι μὲν ἠρίστων, ἐργασάμεναι δὲ ἐδείπνουν,
ἱλαραὶ δὲ ἀντὶ σκυθρωπῶν ἦσαν· καὶ ἀντὶ ὑφορωμένων
ἑαυτοὺς ἡδέως ἀλλήλους ἑώρων, καὶ αἱ μὲν ὡς κηδεμόνα
95 ἐφίλουν, ὁ δὲ ὡς ὠφελίμους ἠγάπα.  τέλος δὲ ἐλθὼν πρὸς
τὸν Σωκράτην χαίρων διηγεῖτο ταῦτά τε καὶ ὅτι αἰτιῶνται
αὐτὸν μόνον τῶν ἐν τῇ οἰκίᾳ ἀργὸν ἐσθίειν.  καὶ ὁ Σω- 13
κράτης ἔφη·  "Εἶτα οὐ λέγεις αὐταῖς τὸν τοῦ κυνὸς λόγον;
φασὶ γάρ, ὅτε φωνήεντα ἦν τὰ ζῷα, τὴν ὄϊν πρὸς τὸν
100 δεσπότην εἰπεῖν·  'Θαυμαστὸν ποιεῖς, ὃς ἡμῖν μὲν ταῖς
καὶ ἔριά σοι καὶ ἄρνας καὶ τυρὸν παρεχούσαις οὐδὲν δίδως
ὅ τι ἂν μὴ ἐκ τῆς γῆς λάβωμεν, τῷ δὲ κυνί, ὃς οὐδὲν
τοιοῦτό σοι παρέχει, μεταδίδως οὗπερ αὐτὸς ἔχεις σίτου.'
τὸν κύνα οὖν ἀκούσαντα εἰπεῖν·  'Ναὶ μὰ Δία·  ἐγὼ γάρ 14
105 εἰμι ὁ καὶ ὑμᾶς αὐτὰς σῴζων, ὥστε μήτε ὑπ' ἀνθρώπων
κλέπτεσθαι μήτε ὑπὸ λύκων ἁρπάζεσθαι·  ἐπεὶ ὑμεῖς γε,

*borrowing.* — ὃ ἂν λάβω, ἕξω.  For
the retention of the direct forms
in indirect discourse, see on ἐποίει
ii. 6. 13. — εἰς ἔργων ἀφορμήν : *to
provide materials for their work.* —
ὑπομενεῖν: *that I will bring myself.* —
αὐτὸ ποιῆσαι : *i.e.* δανείζεσθαι.

12. ἐργαζόμεναι ἠρίστων κτλ.:
the informal nature of the ἄριστον
enabled them to take it while at
their work ; the δεῖπνον, as the chief
meal of the day, was eaten at the
close of the day's work.  For an
account of the Greek meals, see
Becker, *Charicles* (Eng. transl.), p.
310 ff. — ἑαυτούς : for the gender,

see on ἐλευθέρους 2. — ἐφίλουν, ἠγάπα :
sc. respectively αὐτόν and αὐτάς. —
ἀργὸν ἐσθίειν : "ate the bread of
idleness."

13. εἶτα : as in i. 2. 26. — ὄϊν :
the Ionic form, generally used by
Xenophon instead of the Attic con-
tracted οἶν.  Cf. iii. 2. 1 ; iv. 3. 10.
— θαυμαστὸν ποιεῖς, ὅς : *you are act-
ing strangely, to.*  For the causal
rel., see on ὃς κελεύεις ii. 3. 15. — ὅ
τι ἂν μὴ λάβωμεν : *unless we get it.*

14. ναὶ μὰ Δία, "yes, of course
he does." — καὶ ὑμᾶς αὐτάς : *i.e.*
you too, as well as my master's
other possessions. — ἐπεί : *for.* —

εἰ μὴ ἐγὼ προφυλάττοιμι ὑμᾶς, οὐδ᾽ ἂν νέμεσθαι δύναισθε,
φοβούμεναι μὴ ἀπόλησθε.᾽  οὕτω δὴ λέγεται καὶ τὰ πρό-
βατα συγχωρῆσαι τὸν κύνα προτιμᾶσθαι.  καὶ σὺ οὖν
110 ἐκείναις λέγε ὅτι ἀντὶ κυνὸς εἶ φύλαξ καὶ ἐπιμελητής, καὶ
διὰ σὲ οὐδ᾽ ὑφ᾽ ἑνὸς ἀδικούμεναι ἀσφαλῶς τε καὶ ἡδέως
ἐργαζόμεναι ζῶσιν.᾽᾽

Ἄλλον δέ ποτε ἀρχαῖον ἑταῖρον διὰ χρόνου ἰδών, 8
"Πόθεν," ἔφη, "Εὔθηρε, φαίνῃ;"  "Ὑπὸ μὲν τὴν κατάλυ-
σιν τοῦ πολέμου," ἔφη, " ὦ Σώκρατες, ἐκ τῆς ἀποδημίας,
νυνὶ μέντοι αὐτόθεν· ἐπειδὴ γὰρ ἀφῃρέθημεν τὰ ἐν τῇ
5 ὑπερορίᾳ κτήματα, ἐν δὲ τῇ Ἀττικῇ ὁ πατήρ μοι οὐδὲν
κατέλιπεν, ἀναγκάζομαι νῦν ἐπιδημήσας τῷ σώματι ἐργα-
ζόμενος τὰ ἐπιτήδεια πορίζεσθαι.  δοκεῖ δέ μοι τοῦτο
κρεῖττον εἶναι ἢ δεῖσθαί τινος ἀνθρώπων, ἄλλως τε καὶ
μηδὲν ἔχοντα ἐφ᾽ ὅτῳ ἂν δανειζοίμην."  "Καὶ πόσον ἂν 2
10 χρόνον οἴει σοι," ἔφη, "τὸ σῶμα ἱκανὸν εἶναι μισθοῦ τὰ

μὴ ἀπόλησθε : subjv. retained, to
express vividly the object of fear.
Cf. ὀκνοίην μὲν ἂν, μὴ ἡμᾶς καταδύσῃ
An. i. 3. 17. — ἀντὶ κυνός : in place
of ("as good as") a dog.  Cf. ἐγὼ
γὰρ ἀντὶ τοῦ λέοντός εἰμί σοι Ar.
Knights 1043.
8. Euthērus, who has seen better
days, is trying to support himself by
the labor of his hands.  Socrates
advises him to seek a position as
overseer of some estate, so as to secure
a provision for his old age; and
overrules his objections to assuming
the position of a subordinate.
1. διὰ χρόνου : interiecto
aliquo tempore. — πόθεν φαίνῃ :
cf. πόθεν, ὦ Σώκρατες, φαίνῃ Plato
Prot. init. — Εὔθηρε: not otherwise
known. — ὑπὸ . . . πολέμου : the end

of the Peloponnesian war (404 B.C.)
is meant.  By the terms of the
treaty of peace, the Athenians lost
all their possessions outside of
Attica. — νυνὶ μέντοι αὐτόθεν : just
at present, however, from the city
itself. — ἀφῃρέθημεν : pl., refers to
the community as the sufferers. — ἐν
τῇ ὑπερορίᾳ : i.e. in territories out-
side of Attica. — κτήματα : for the
acc. of the obj. retained with the
pass., see G. 1239 ; H. 724 a. — τῷ
σώματι ἐργαζόμενος : by the labor of
my hands. — δεῖσθαι : to beg a loan,
as the next clause shows. — ἔχοντα :
for the acc., see on μαθόντας ποιεῖν
i. 1. 9. — ἐφ᾽ ὅτῳ : on which, as
security.
2. μισθοῦ : gen. of price. — τὰ
ἐπιτήδεια ἐργάζεσθαι : see on ὀλίγα

ἐπιτήδεια ἐργάζεσθαι;" "Μὰ τὸν Δί'," ἔφη, "οὐ πολὺν
χρόνον." "Καὶ μήν," ἔφη, "ὅταν γε πρεσβύτερος γένῃ,
δῆλον ὅτι δαπάνης μὲν δεήσῃ, μισθὸν δὲ οὐδείς σοι
θελήσει τῶν τοῦ σώματος ἔργων διδόναι." "Ἀληθῆ
15 λέγεις," ἔφη. "Οὐκοῦν," ἔφη, "κρεῖττόν ἐστιν αὐτόθεν 3
τοῖς τοιούτοις τῶν ἔργων ἐπιτίθεσθαι ἃ καὶ πρεσβυτέρῳ
γενομένῳ ἐπαρκέσει, καὶ προσελθόντα τῳ τῶν πλείονα
χρήματα κεκτημένων, τῷ δεομένῳ τοῦ συνεπιμελησομένου,
ἔργων τε ἐπιστατοῦντα καὶ συγκομίζοντα τοὺς καρποὺς
20 καὶ συμφυλάττοντα τὴν οὐσίαν, ὠφελοῦντα ἀντωφελεῖ-
σθαι." "Χαλεπῶς ἄν," ἔφη, "ἐγώ, ὦ Σώκρατες, δουλείαν 4
ὑπομείναιμι." "Καὶ μὴν οἵ γε ἐν ταῖς πόλεσι προστα-
τεύοντες καὶ τῶν δημοσίων ἐπιμελόμενοι οὐ δουλοπρεπέ-
στεροι ἕνεκα τούτου, ἀλλ' ἐλευθεριώτεροι νομίζονται."
25 "Ὅλως," ἔφη, "ὦ Σώκρατες, τὸ ὑπαίτιον εἶναί τινι οὐ 5
πάνυ προσίεμαι." "Καὶ μήν," ἔφη, "Εὔθηρε, οὐ πάνυ γε
ῥᾴδιόν ἐστιν εὑρεῖν ἔργον ἐφ' ᾧ οὐκ ἄν τις αἰτίαν ἔχοι.
χαλεπὸν γὰρ οὕτω τι ποιῆσαι ὥστε μηδὲν ἁμαρτεῖν, χαλε-
πὸν δὲ καὶ ἀναμαρτήτως τι ποιήσαντα μὴ ἀγνώμονι
30 κριτῇ περιτυχεῖν· ἐπεὶ καὶ οἷς νῦν ἐργάζεσθαι φῂς θαυ-
μάζω εἰ ῥᾴδιόν ἐστιν ἀνέγκλητον διαγίγνεσθαι.    χρὴ οὖν 6

---

ἐργάζεσθαι i. 3. 5. — δαπάνης : *money*
*to spend*, on yourself.   Socrates here
lays stress on the needs of the aged ;
other disadvantages of old age are
mentioned iv. 8. 8, *Apol.* 6.

3. αὐτόθεν : *from this very point*,
*immediately*. — τῳ, τῷ δεομένῳ : *to*
*some one, who needs.* — τοῦ συνεπι-
μελησομένου: *a man who will assist in*
*taking charge.*   The art. is generic.
*Cf.* i. 1. 13. — ἐπιστατοῦντα : equiv-
alent to ἐπιστάτην ὄντα, hence
used with the genitive.   *Cf.* ὦν ἂν

ἐπιστατῶσι ζῴων *Cyr.* i. 1. 2.   With
the verb the dat. is more common.

4. καὶ μήν : as in 2 and 5.

5. τὸ ὑπαίτιον εἶναι : *the idea of*
*being answerable.*   The adj. is acc.,
as referring to a general subject ;
otherwise we might have ὑπαίτιος.—
μὴ ἀγνώμονι : for μή with adjs., see
on i. 1. 14. — ἐπεὶ καί : see on ii. 7.
14. — θαυμάζω εἰ : see on i. 1. 13. —
ἀνέγκλητον διαγίγνεσθαι : without
ὄντα, like διατελεῖς in i. 6. 2.   ἀνέγ-
κλητον is to be joined with οἷς νῦν

πειρᾶσθαι τοὺς φιλαιτίους φεύγειν καὶ τοὺς εὐγνώμονας
διώκειν, καὶ τῶν πραγμάτων ὅσα μὲν δύνασαι ποιεῖν
ὑπομένειν, ὅσα δὲ μὴ δύνασαι φυλάττεσθαι, ὅ τι δ᾽ ἂν
35 πράττῃς, τούτου ὡς κάλλιστα καὶ προθυμότατα ἐπιμε-
λεῖσθαι· οὕτω γὰρ ἥκιστ᾽ ἂν μέν σε οἶμαι ἐν αἰτίᾳ εἶναι,
μάλιστα δὲ τῇ ἀπορίᾳ βοήθειαν εὑρεῖν, ῥᾷστα δὲ καὶ
ἀκινδυνότατα ζῆν καὶ εἰς τὸ γῆρας διαρκέστατα."

Οἶδα δέ ποτε αὐτὸν καὶ Κρίτωνος ἀκούσαντα ὡς 9
χαλεπὸν ὁ βίος Ἀθήνησιν εἴη ἀνδρὶ βουλομένῳ τὰ ἑαυ-
τοῦ πράττειν. "Νῦν γάρ," ἔφη, " ἐμέ τινες εἰς δίκας ἄγου-
σιν, οὐχ ὅτι ἀδικοῦνται ὑπ᾽ ἐμοῦ, ἀλλ᾽ ὅτι νομίζουσιν
5 ἥδιον ἄν με ἀργύριον τελέσαι ἢ πράγματα ἔχειν." καὶ ὁ 2
Σωκράτης, "Εἰπέ μοι," ἔφη, " ὦ Κρίτων, κύνας δὲ τρέφεις,
ἵνα σοι τοὺς λύκους ἀπὸ τῶν προβάτων ἀπερύκωσι;"
"Καὶ μάλα," ἔφη· "μᾶλλον γάρ μοι λυσιτελεῖ τρέφειν ἢ

ἐργάζεσθαι φής *without blame from
those for whom, as you say, you are
now working.*
**6. διώκειν :** *to seek. Cf.* σὲ μὲν
διώξονται καὶ φιλήσουσιν Plato *Theaet.*
168 A. — **ὑπομένειν :** *bear patiently.*
— **ἂν εἶναι :** the particle should be
repeated with μάλιστα εὑρεῖν and
ῥᾷστα ζῆν. See on i. 3. 15.
**9.** *Socrates recommends Crito,
who complains of being pestered by
sycophants, to secure against them
the assistance of the poor but worthy
Archedēmus. By his efficient serv-
ices Archedēmus gains the grati-
tude and friendship, not only of
Crito, but also of other prominent
citizens.*
**1. Κρίτωνος :** a wealthy Athe-
nian, and one of Socrates's best
friends. After the philosopher's

condemnation, Crito vainly tried to
induce him to escape from prison (*cf.*
Plato *Crito*).    Like other rich citi-
zens, he suffered from the vexatious
calumnies and lawsuits fastened
on him by malicious accusers
(συκοφάνται).    This species of black-
mail seems to have been viewed
indulgently by the community, as
affording a wholesome check to the
rapacity of ' capital,' and as conduc-
ing to the success of the democracy.
See Becker, *Charicles*, pp. 55, 56,
and the passages there cited. —
**χαλεπὸν ὁ βίος :** for the neut., see on
χρησιμώτερον ii. 3. 1. — **τὰ ἑαυτοῦ :**
*his own affairs.* — **πράγματα ἔχειν :**
*have trouble,* occasioned by law-
suits.
**2. κύνας δέ :** for δέ, see on i. 3.
**13. — ἀπερύκωσι :** Ionic and poetic.

μή." "Οὐκ ἂν οὖν θρέψαις καὶ ἄνδρα ὅστις ἐθέλοι τε καὶ
10 δύναιτό σου ἀπερύκειν τοὺς ἐπιχειροῦντας ἀδικεῖν σε;"
"Ἡδέως γ᾽ ἄν," ἔφη, "εἰ μὴ φοβοίμην ὅπως μὴ ἐπ᾽ αὐτόν
με τράποιτο." "Τί δ᾽;" ἔφη, "οὐχ ὁρᾷς ὅτι πολλῷ 3
ἥδιόν ἐστι χαριζόμενον οἵῳ σοὶ ἀνδρὶ ἢ ἀπεχθόμενον
ὠφελεῖσθαι; εὖ ἴσθι ὅτι εἰσὶν ἐνθάδε τῶν τοιούτων οἳ
15 πάνυ ἂν φιλοτιμηθεῖεν φίλῳ σοι χρῆσθαι."

Καὶ ἐκ τούτων ἀνευρίσκουσιν Ἀρχέδημον, πάνυ μὲν 4
ἱκανὸν εἰπεῖν τε καὶ πρᾶξαι, πένητα δέ· οὐ γὰρ ἦν οἷος
ἀπὸ παντὸς κερδαίνειν, ἀλλὰ φιλόχρηστός τε καὶ ἔφη
ῥᾷστον εἶναι ἀπὸ τῶν συκοφαντῶν λαμβάνειν. τούτῳ οὖν
20 ὁ Κρίτων, ὁπότε συγκομίζοι ἢ σῖτον ἢ ἔλαιον ἢ οἶνον
ἢ ἔρια ἤ τι ἄλλο τῶν ἐν ἀγρῷ γιγνομένων χρησίμων
πρὸς τὸν βίον, ἀφελὼν ἂν ἔδωκε καί, ὁπότε θύοι, ἐκάλει

---

*Cf. An.* iii. 1. 25. — οὐκ ἂν οὖν θρέ-
ψαις : *should you not, then, keep?* —
ὅστις ἐθέλοι : for the opt. by assimi-
lation, see on αἰσθανοίμεθα i. 5. 1. —
ἡδέως γ᾽ ἄν : *sc.* θρέψαιμι. — ὅπως μή :
instead of the more usual simple μή.
G. 1379; H. 887 a. — ἐπ᾽ αὐτόν με :
stronger than ἐπ᾽ ἐμαυτόν. — τρά-
ποιτο : see on ἐθέλοι above.

3. οἵῳ σοι ἀνδρί : equivalent to
τοιούτῳ ἀνδρὶ οἷος σὺ εἶ. For the pecu-
liar assimilation of οἵῳ σοι, see G.
1036; H. 1002. *Cf.* τοῖς οἵοις ἡμῖν τε
καὶ ὑμῖν *to such persons as we and you,
Hell.* ii. 3. 25. — εἰσὶν τῶν τοιούτων :
*there are some among such persons.*
— πάνυ ἂν φιλοτιμηθεῖεν : *would feel
greatly honored.* — φίλῳ: for the pred.
dat. with χράομαι, see H. 777 a.

4. ἐκ τούτων (*sc.* λόγων) : *as a
result of this conversation.* — Ἀρχέ-
δημον : prob. the same man that
afterward attained considerable

power in Athens. *Cf.* Ἀρχέδημος ὁ
τοῦ δήμου τότε προεστηκώς *Hell.* i. 7. 2,
where he is mentioned as having
charge of the distribution of the
διωβελία or theater fund. As a pop-
ular orator, he was ridiculed by
Aristophanes *Frogs* v. 417 ff. — οἷος
κερδαίνειν : for the inf., see on οἵους
i. 4. 6. — ἀπὸ παντός : "from any
and every occupation," good or bad.
*Cf.* the adj. πανοῦργος *ready to do
anything*, hence *unscrupulous.* —
ἀπὸ τῶν συκοφαντῶν : ἀπό with the
gen., instead of παρά, as implying an
unwilling surrender on the part of
the συκοφάνται, while λαμβάνειν παρά
τινος is equivalent to a c c i p e r e  a b
a l i q u o .  Archedēmus knew how
to make the accusers disgorge their
ill-gotten gains. — ἂν ἔδωκε : for the
iterative aor. with ἄν, see G. 1296;
H. 835 a. — ἐκάλει : *sc.* to the sacri-
ficial feast. See on ii. 3. 11. —

καὶ τὰ τοιαῦτα πάντα ἐπεμελεῖτο. νομίσας δὲ ὁ Ἀρχέ- 5
δημος ἀποστροφήν οἱ τὸν Κρίτωνος οἶκον μάλα περιεῖπεν
25 αὐτόν. καὶ εὐθὺς τῶν συκοφαντούντων τὸν Κρίτωνα
ἀνευρίσκει πολλὰ μὲν ἀδικήματα, πολλοὺς δὲ ἐχθρούς·
καὶ αὐτῶν τινα προσεκαλεῖτο εἰς δίκην δημοσίαν, ἐν ᾗ
αὐτὸν ἔδει κριθῆναι ὅ τι δεῖ παθεῖν ἢ ἀποτεῖσαι. ὁ δὲ 6
συνειδὼς αὐτῷ πολλὰ καὶ πονηρὰ πάντ' ἐποίει ὥστε
30 ἀπαλλαγῆναι τοῦ Ἀρχεδήμου. ὁ δὲ Ἀρχέδημος οὐκ
ἀπηλλάττετο, ἕως τόν τε Κρίτωνα ἀφῆκε καὶ αὐτῷ χρή-
ματα ἔδωκεν. ἐπεὶ δὲ τοῦτό τε καὶ ἄλλα τοιαῦτα ὁ Ἀρχέ- 7
δημος διεπράξατο, ἤδη τότε, ὥσπερ ὅταν νομεὺς ἀγαθὸν
κύνα ἔχῃ, καὶ οἱ ἄλλοι νομεῖς βούλονται πλησίον αὐτοῦ
35 τὰς ἀγέλας ἱστάναι ἵνα τοῦ κυνὸς ἀπολαύωσιν, οὕτω δὴ
καὶ Κρίτωνος πολλοὶ τῶν φίλων ἐδέοντο καὶ σφίσι παρέ-
χειν φύλακα τὸν Ἀρχέδημον. ὁ δὲ Ἀρχέδημος τῷ 8
Κρίτωνι ἡδέως ἐχαρίζετο, καὶ οὐχ ὅτι μόνος ὁ Κρίτων ἐν
ἡσυχίᾳ ἦν, ἀλλὰ καὶ οἱ φίλοι αὐτοῦ· εἰ δέ τις αὐτῷ

---

τὰ τοιαῦτα ἐπεμελεῖτο (sc. αὐτοῦ): *paid
him similar attentions.* For the cog-
nate acc., see on φροντίζοντας τὰ
τοιαῦτα i. 1. 11. *Cf.* τὰ ἄλλα *Hell.*
iv. 1. 40.

5. οἱ : s i b i. For the indir.
refl., see on i. 2. 32. — μάλα περιεῖπεν
(impf.) αὐτόν : *treated him* (Crito)
*with great respect. Cf.* καί μιν Ἄμα-
σις εὖ περιεῖπε Hdt. ii. 169. — προσ-
εκαλεῖτο εἰς δίκην δημοσίαν : *began
public proceedings against.* — ἔδει
κριθῆναι : *he would have had to sub-.
mit to decision.* For ἔδει without ἄν,
see on προαιρετέον ἦν ii. 7. 10. — ὅ τι
δεῖ παθεῖν ἢ ἀποτεῖσαι : a judicial for-
mula, meaning corporal punishment
or fine. *Cf.* Plato *Apol.* 36 B, and
πολλάκις ἐκρίθην ὅ τι χρὴ παθεῖν ἢ

ἀποτεῖσαι *Oec.* xi. 25. The passage
thus implies that the fellows would
not have got off without punish-
ment.

6. συνειδὼς αὐτῷ πολλὰ καὶ
πονηρά : *conscious of many ras-
calities.* — ἀπαλλαγῆναι : l i b e r a r i.
— ἀφῆκε : *released,* withdrew the
suit against him. — αὐτῷ : *i.e.*
Archedemus.

7. ἤδη τότε : for the more usual
τότ' ἤδη. *Cf.* iv. 8. 1. For ἤδη, see
on ii. 1. 5.

8. ἐχαρίζετο : sc. τοῦτο, *i.e.* to
serve Crito's friends. — καὶ οὐχ ὅτι :
*and not only,* condensed expression
for οὐ λέγω ὅτι *I do not say that,* "it
is not enough to say that." G.
1504 ; H. 1035. *Cf.* μὴ ὅτι i. 6. 11.

40 τούτων οἷς ἀπήχθετο ὀνειδίζοι ὡς ὑπὸ Κρίτωνος ὠφελού-
μενος κολακεύοι αὐτόν, "Πότερον οὖν," ἔφη ὁ Ἀρχέδημος,
"αἰσχρόν ἐστιν εὐεργετούμενον ὑπὸ χρηστῶν ἀνθρώπων
καὶ ἀντευεργετοῦντα τοὺς μὲν τοιούτους φίλους ποιεῖσθαι,
τοῖς δὲ πονηροῖς διαφέρεσθαι, ἢ τοὺς μὲν καλοὺς κἀγα-
45 θοὺς ἀδικεῖν πειρώμενον ἐχθροὺς ποιεῖσθαι, τοῖς δὲ πο-
νηροῖς συνεργοῦντα πειρᾶσθαι φίλους ποιεῖσθαι καὶ
χρῆσθαι τούτοις ἀντ' ἐκείνων;" ἐκ δὲ τούτου εἷς τε τῶν
Κρίτωνος φίλων Ἀρχέδημος ἦν καὶ ὑπὸ τῶν ἄλλων
Κρίτωνος φίλων ἐτιμᾶτο.

Οἶδα δὲ καὶ Διοδώρῳ αὐτὸν ἑταίρῳ ὄντι τοιάδε δια- 10
λεχθέντα· "Εἰπέ μοι," ἔφη, "ὦ Διόδωρε, ἄν τίς σοι τῶν
οἰκετῶν ἀποδρᾷ ἐπιμελῇ ὅπως ἀνασώσῃ;" "Καὶ ἄλλους 2
γε νὴ Δί'," ἔφη, "παρακαλῶ σῶστρα τούτου ἀνακηρύσ-
5 σων." "Τί γάρ;" ἔφη, "ἐάν τίς σοι κάμνῃ τῶν οἰκε-
τῶν, τούτου ἐπιμελῇ καὶ παρακαλεῖς ἰατροὺς ὅπως μὴ
ἀποθάνῃ;" "Σφόδρα γ'," ἔφη. "Εἰ δέ τίς σοι τῶν γνω-
ρίμων," ἔφη, "πολὺ τῶν οἰκετῶν χρησιμώτερος ὢν κιν-
δυνεύει δι' ἔνδειαν ἀπολέσθαι, οὐκ οἴει σοι ἄξιον εἶναι
10 ἐπιμεληθῆναι ὅπως διασωθῇ; καὶ μὴν οἶσθά γε ὅτι 3
οὐκ ἀγνώμων ἐστὶν Ἑρμογένης· αἰσχύνοιτο δ' ἄν, εἰ

---

— εἰ ὀνειδίζοι, ἔφη : like ὁπότε θύοι,
ἐκάλει in 4. — διαφέρεσθαι : to be at
variance with. — ἤ : sc. αἰσχρόν ἐστιν.
— πειρᾶσθαι φίλους ποιεῖσθαι : Xen-
ophon seems to imply that true
friendship among rascals is impos-
sible.

10. *Socrates persuades Diodōrus
to extend aid to Hermogenes, a poor
but worthy acquaintance, and thereby
to win his friendship ; and points out
that it is well worth while to gain
friends so easily.*

1. Διοδώρῳ : otherwise unknown.
— σοὶ ἀποδρᾷ : for the dat. of dis-
advantage, see G. 1170 ; H. 767 a.
Cf. ἀποφεύγειν μοι Oec. ii. 14. For
the acc. with ἀποδρᾷ, cf. ἤν τις
ἀποδρᾷ σε τῶν οἰκετῶν Cyr. i. 4. 13.

2. καί, γέ : "yes, indeed, and."
— τούτου : i.e. the runaway. — τί
γάρ : see on ii. 6. 2. — κινδυνεύει :
indic., anticipating the special case
of Hermogenes.

3. καὶ μήν : as in i. 6. 3. —
Ἑρμογένης : a loyal follower of

ὠφελούμενος ὑπὸ σοῦ μὴ ἀντωφελοίη σε. καίτοι τὸ ὑπηρέτην
ἑκόντα τε καὶ εὔνουν καὶ παραμόνιμον καὶ τὸ κελευόμενον
ἱκανὸν ποιεῖν ἔχειν καὶ μὴ μόνον τὸ κελευόμενον ἱκανὸν
15 ὄντα ποιεῖν, ἀλλὰ δυνάμενόν καὶ ἀφ᾽ ἑαυτοῦ χρήσιμον
εἶναι καὶ προνοεῖν καὶ προβουλεύεσθαι, πολλῶν οἰκετῶν
οἶμαι ἀντάξιον εἶναι. οἱ μέντοι ἀγαθοὶ οἰκονόμοι, ὅταν 4
τὸ πολλοῦ ἄξιον μικροῦ ἐξῇ πρίασθαι, τότε φασὶ δεῖν
ὠνεῖσθαι· νῦν δὲ διὰ τὰ πράγματα εὐωνοτάτους ἔστι
20 φίλους ἀγαθοὺς κτήσασθαι." καὶ ὁ Διόδωρος, "Ἀλλὰ 5
καλῶς γε," ἔφη, "λέγεις, ὦ Σώκρατες, καὶ κέλευσον
ἐλθεῖν ὡς ἐμὲ τὸν Ἑρμογένην." "Μὰ Δί'," ἔφη, "οὐκ
ἔγωγε· νομίζω γὰρ οὔτε σοὶ κάλλιον εἶναι τὸ καλέσαι
ἐκεῖνον τοῦ αὐτὸν ἐλθεῖν πρὸς ἐκεῖνον οὔτε ἐκείνῳ μεῖζον
25 ἀγαθὸν τὸ πραχθῆναι ταῦτα ἢ σοί." οὕτω δὴ ὁ Διόδω- 6
ρος ᾤχετο πρὸς τὸν Ἑρμογένην καὶ οὐ πολὺ τελέσας
ἐκτήσατο φίλον ὃς ἔργον εἶχε σκοπεῖν ὅ τι ἂν ἢ λέγων ἢ
πράττων ὠφελοίη τε καὶ εὐφραίνοι Διόδωρον.

Socrates. He was a son of the rich
Hipponīcus, but lived in great
poverty, the father's immense
wealth having passed to Callias, a son
by another wife. Cf. Sym. iii. 14;
iv. 46–50; Plato Crat. 384 c, 391 c. —
τὸ ὑπηρέτην ἔχειν, οἶμαι ἀντάξιον
εἶναι: the possession of an assistant
is, in my judgment, an equivalent. —
παραμόνιμον: lit. remaining with,
loyal, in contrast with the runaway
slave. Cf. ii. 4. 5.
4. διὰ τὰ πράγματα: by reason
of the hard times. Cf. ii. 7. 2 fin.

On the thought, cf. vilis ami-
corum est annona, bonis ubi
quid deest Horace Epist. i. 12. 24.
5. ἀλλά: see on ii. 7. 11. —
αὑτόν: yourself. — τὸ πραχθῆναι
ταῦτα: for this (the friendship
between you) to be brought about.
6. οὐ πολὺ τελέσας: without
much outlay. Cf. ἀργύριον τελέσαι ii.
9. 1. — ἔργον εἶχε: made it his task.
Cf. ἀεὶ δὲ τιθεὶς τὰ τῶν φίλων ἀσφαλῶς
ἀεὶ ἀμαυροῦν (to impair) τὰ τῶν πολε-
μίων ἔργον εἶχε Ages. xi. 12. — ὅ τι:
const. with both participles.

# Γ

Ὅτι δὲ τοὺς ὀρεγομένους τῶν καλῶν ἐπιμελεῖς ὧν **1**
ὀρέγοιντο ποιῶν ὠφέλει, νῦν τοῦτο διηγήσομαι. ἀκούσας
γάρ ποτε Διονυσόδωρον εἰς τὴν πόλιν ἥκειν ἐπαγγελλό-
μενον στρατηγεῖν διδάξειν, ἔλεξε πρός τινα τῶν συνόν-
5 των, ὃν ᾐσθάνετο βουλόμενον τῆς τιμῆς ταύτης ἐν τῇ
πόλει τυγχάνειν· "Αἰσχρὸν μέντοι, ὦ νεανία, τὸν βουλό- **2**
μενον ἐν τῇ πόλει στρατηγεῖν, ἐξὸν τοῦτο μαθεῖν, ἀμε-
λῆσαι αὐτοῦ· καὶ δικαίως ἂν οὗτος ὑπὸ τῆς πόλεως
ζημιοῖτο πολὺ μᾶλλον ἢ εἴ τις ἀνδριάντας ἐργολαβοίη μὴ

**1.** *The man who aspires to the commandership of an army must understand the art of war, if he would not bring disaster upon the state which he serves. Good generalship necessarily includes other qualifications besides an acquaintance with tactics. A good commander must above all know how to secure the best disposition of his forces. In order to do this, he should be able accurately to estimate the good or bad qualities of his troops, so as to make the best use of each division when occasion demands.*

**1.** ὅτι: instead of the more usual ὡς *how*. So ἐντεθύμησαι ὅτι iii. 3. 11. *Cf.* ὅτι δὲ ἐπεμελεῖτο, νῦν τοῦτο λέξω iv. 7. 1. — τῶν καλῶν : *public honors*, such as the καλοὶ κἀγαθοί should aspire to ; a phrase borrowed from the Spartans, *cf. De Rep. Lac.* iii. 3 ; iv. 4 ; *Cyr.* vii. 3. 16. — ἐπιμελεῖς : *studious of.* — ὀρέγοιντο : for the opt.,

see on i. 2. 57. — Διονυσόδωρον : a Sophist from Chios, who, with his brother Euthydemus (not the one mentioned in iv. 2), taught rhetoric and the art of war in Athens. *Cf.* Plato *Euthyd.* 271 c. — ἐπαγγελλόμενον : *professing.* — ἐν τῇ πόλει : "among his fellow-citizens," *i.e.* not as a mercenary from abroad.

**2.** μέντοι : *really.* — στρατηγεῖν : the Athenians divided the military command among ten generals, chosen annually. As late as the first Persian war (490 B.C.), they held the supreme command in rotation (*cf.* the well-known story of Miltiades and his colleagues, Hdt. vi. 110). In later wars, it rarely happened that the entire board of strategi took the field. For an account of their military and civil functions, see Schömann, *Antiq. of Greece*, p. 420 ff. — αὐτοῦ : *i.e.* τοῦ μαθεῖν.

10 μεμαθηκὼς ἀνδριαντοποιεῖν. ὅλης γὰρ τῆς πόλεως ἐν 3
τοῖς πολεμικοῖς κινδύνοις ἐπιτρεπομένης τῷ στρατηγῷ,
μεγάλα τά τε ἀγαθὰ κατορθοῦντος αὐτοῦ καὶ τὰ κακὰ
διαμαρτάνοντος εἰκὸς γίγνεσθαι. πῶς οὖν οὐκ ἂν δικαίως
ὁ τοῦ μὲν μανθάνειν τοῦτο ἀμελῶν, τοῦ δὲ αἱρεθῆναι
15 ἐπιμελόμενος ζημιοῖτο;"    τοιαῦτα μὲν δὴ λέγων ἔπεισεν
αὐτὸν ἐλθόντα μανθάνειν.    ἐπεὶ δὲ μεμαθηκὼς ἧκε, προσ- 4
έπαιζεν αὐτῷ λέγων·  "Οὐ δοκεῖ ὑμῖν, ὦ ἄνδρες, ὥσπερ
Ὅμηρος τὸν Ἀγαμέμνονα γεραρὸν ἔφη εἶναι, οὕτω καὶ ὅδε
στρατηγεῖν μαθὼν γεραρώτερος φαίνεσθαι;  καὶ γὰρ
20 ὥσπερ ὁ κιθαρίζειν μαθών, καὶ ἐὰν μὴ κιθαρίζῃ, κιθαρι-
στής ἐστι, καὶ ὁ μαθὼν ἰᾶσθαι, κἂν μὴ ἰατρεύῃ, ὅμως
ἰατρός ἐστιν, οὕτω καὶ ὅδε ἀπὸ τοῦδε τοῦ χρόνου διατελεῖ
στρατηγὸς ὤν, κἂν μηδεὶς αὐτὸν ἕληται· ὁ δὲ μὴ ἐπι-
στάμενος οὔτε στρατηγὸς οὔτε ἰατρός ἐστιν, οὐδ᾽ ἐὰν ὑπὸ
25 πάντων ἀνθρώπων αἱρεθῇ.  ἀτάρ," ἔφη, "ἵνα καὶ ἐὰν 5
ἡμῶν τις ἢ ταξιαρχῇ ἢ λοχαγῇ σοι, ἐπιστημονέστεροι
τῶν πολεμικῶν ὦμεν, λέξον ἡμῖν πόθεν ἤρξατό σε διδά-
σκειν τὴν στρατηγίαν."    καὶ ὅς, "Ἐκ τοῦ αὐτοῦ," ἔφη,
"εἰς ὅπερ καὶ ἐτελεύτα· τὰ γὰρ τακτικὰ ἐμέ γε καὶ
30 ἄλλο οὐδὲν ἐδίδαξεν."  "Ἀλλὰ μήν," ἔφη ὁ Σωκράτης, 6
"τοῦτό γε πολλοστὸν μέρος ἐστὶ στρατηγίας· καὶ γὰρ

---

**3.** ὅλης τῆς πόλεως: the state's whole interests. For the position of ὅλης, see G. 979; H. 672 and c. — μεγάλα: pred. with γίγνεσθαι. — ἐλθόντα μανθάνειν: to go and learn. Cf. ἐλθόντας Κῦρον αἰτεῖν πλοῖα An. i. 3. 14.

**4.** μεμαθηκώς: "after finishing his course." — Ὅμηρος κτλ.: the passage is in Γ 169, 170, where Priam says of Agamemnon καλὸν δ᾽ οὕτω ἐγὼν οὔπω ἴδον ὀφθαλμοῖσιν | οὐδ᾽ οὕτω

γεραρόν· βασιλῆϊ γὰρ ἀνδρὶ ἔοικεν. — γεραρόν: stately. — οὔτε στρατηγός: before these words οὔτε κιθαριστής might be expected; prob. omitted as inappropriate to οὐδ᾽ ἐὰν αἱρεθῇ.

**5.** σοί: under you. For the dat. with verbs of serving, see G. 1159; H. 764, 2. — πόθεν: at what point. — τὰ τακτικά: tactics, i.e. military drill.

**6.** ἀλλὰ μήν: atqui. — πολλοστὸν μέρος: a very small part. Cf.

παρασκευαστικὸν τῶν εἰς τὸν πόλεμον.τὸν στρατηγὸν εἶναι
χρὴ καὶ ποριστικὸν τῶν ἐπιτηδείων τοῖς στρατιώταις καὶ
μηχανικὸν καὶ ἐργαστικὸν καὶ ἐπιμελῆ καὶ καρτερικὸν
35 καὶ ἀγχίνουν καὶ φιλόφρονά τε καὶ ὠμόν, καὶ ἁπλοῦν τε
καὶ ἐπίβουλον, καὶ φυλακτικόν τε καὶ κλέπτην, καὶ προ-
ετικὸν καὶ ἅρπαγα, καὶ φιλόδωρον καὶ πλεονέκτην, καὶ
ἀσφαλῆ καὶ ἐπιθετικόν, καὶ ἄλλα πολλὰ καὶ φύσει καὶ
ἐπιστήμῃ δεῖ τὸν εὖ στρατηγήσοντα ἔχειν.    καλὸν δὲ 7
40 καὶ τὸ τακτικὸν εἶναι· πολὺ γὰρ διαφέρει στράτευμα τετα-
γμένον ἀτάκτου, ὥσπερ λίθοι τε καὶ πλίνθοι καὶ ξύλα καὶ
κέραμος ἀτάκτως μὲν ἐρριμμένα οὐδὲν χρήσιμά ἐστιν,
ἐπειδὰν δὲ ταχθῇ κάτω μὲν καὶ ἐπιπολῆς τὰ μήτε σηπό-
μενα μήτε τηκόμενα, οἵ τε λίθοι καὶ ὁ κέραμος, ἐν μέσῳ δὲ
45 αἵ τε πλίνθοι καὶ τὰ ξύλα, ὥσπερ ἐν οἰκοδομίᾳ συντίθεται,
τότε γίγνεται πολλοῦ ἄξιον κτῆμα οἰκία." "Ἀλλὰ πάνυ," 8
ἔφη ὁ νεανίσκος, "ὅμοιον, ὦ Σώκρατες, εἴρηκας· καὶ γὰρ
ἐν τῷ πολέμῳ πρώτους τοὺς ἀρίστους δεῖ τάττειν καὶ
τελευταίους, ἐν μέσῳ δὲ τοὺς χειρίστους, ἵνα ὑπὸ μὲν τῶν

---

μικρὸν τι μέρος εἴη στρατηγίας τὰ τακ-
τικά Cyr. i. 6. 14. — τῶν εἰς τὸν πόλε-
μον: the material of war.    For the
gen., see G. 1142 ; H. 754 b. —
μηχανικόν: fertile in device. — φυλακ-
τικόν, κλέπτην: on his guard (against
plunderers), ready to seize (another's
property by stealth). — ἀσφαλῆ: safe
(i.e. cautious), in movement. — φύσει
καὶ ἐπιστήμῃ: by nature and science.
7. κέραμος : tile, in collective
sense. The same comparison of a
well-built house with an army occurs
in Cyr. vi. 3. 25.—ἀτάκτως ἐρριμμένα:
thrown together in confusion.—ἐπιπο-
λῆς: on top, refers to the roof of tile
(κέραμος). Similarly, λίθος belongs to

κάτω. — συντίθεται : sing., agreeing
with the nearest substantive (τὰ
ξύλα), or having as subj. the entire
mass of material, thought of as
neuter.
8. πάνυ ὅμοιον: rem plane si-
milem, a very apt comparison. —
πρώτους τοὺς ἀρίστους κτλ.: cf. the
arrangement of Nestor's forces, ἱπ-
πῆας μὲν πρῶτα σὺν ἵπποισιν καὶ ὄχε-
σφιν | πέζους δ' ἐξόπιθε στῆσεν πολέας τε
καὶ ἐσθλούς, | ἕρκος ἔμεν πολέμοιο· κακοὺς
δ' ἐς μέσσον ἔλασσεν, | ὄφρα καὶ οὐκ ἐθέ-
λων τις ἀναγκαίῃ πολεμίζοι Hom. Δ 297-
300. — ὑπὸ μὲν τῶν, ὑπὸ δὲ τῶν: for
ὑπὸ τῶν μέν, ὑπὸ τῶν δέ, not uncom-
mon in Attic.    Cf. ii. 2. 2.

50 ἄγωνται, ὑπὸ δὲ τῶν ὠθῶνται." "Εἰ μὲν τοίνυν," ἔφη, 9
"καὶ διαγιγνώσκειν σε τοὺς ἀγαθοὺς καὶ τοὺς κακοὺς ἐδί-
δαξεν· εἰ δὲ μή, τί σοι ὄφελος ὧν ἔμαθες; οὐδὲ γὰρ εἴ σε
ἀργύριον ἐκέλευσε πρῶτον μὲν καὶ τελευταῖον τὸ κάλλι-
στον τάττειν, ἐν μέσῳ δὲ τὸ χείριστον, μὴ διδάξας διαγι-
55 γνώσκειν τό τε καλὸν καὶ τὸ κίβδηλον, οὐδὲν ἄν σοι ὄφελος
ἦν." "Ἀλλὰ μὰ Δί'," ἔφη, "οὐκ ἐδίδαξεν· ὥστε αὐτοὺς
ἂν ἡμᾶς δέοι τούς τε ἀγαθοὺς καὶ τοὺς κακοὺς κρίνειν."
"Τί οὖν οὐ σκοποῦμεν," ἔφη, "πῶς ἂν αὐτῶν μὴ διαμαρ- 10
τάνοιμεν;" "Βούλομαι," ἔφη ὁ νεανίσκος. "Οὐκοῦν,"
60 ἔφη, "εἰ μὲν ἀργύριον δέοι ἁρπάζειν, τοὺς φιλαργυ-
ρωτάτους πρώτους καθιστάντες ὀρθῶς ἂν τάττοιμεν;"
"Ἔμοιγε δοκεῖ." "Τί δὲ τοὺς κινδυνεύειν μέλλοντας;
ἆρα τοὺς φιλοτιμοτάτους προτακτέον;" "Οὗτοι γοῦν
εἰσιν," ἔφη, "οἱ ἕνεκα ἐπαίνου κινδυνεύειν ἐθέλοντες.  οὐ
65 τοίνυν οὗτοί γε ἄδηλοι, ἀλλ' ἐπιφανεῖς πανταχοῦ ὄντες
εὑεύρετοι ἂν εἶεν." "Ἀτάρ," ἔφη, "πότερά σε τάττειν 11
μόνον ἐδίδαξεν, ἢ καὶ ὅπη καὶ ὅπως χρηστέον ἑκάστῳ
τῶν ταγμάτων;" "Οὐ πάνυ," ἔφη. "Καὶ μὴν πολλά γ'

9. εἰ μὲν κτλ.: with apod. omitted, a not unusual ellipsis. See G. 1416; H. 904 a, and cf. εἰ μὲν δώσουσι γέρας if they shall give me a prize (sc. well and good) Hom. A 135, καὶ νῦν, ἂν μὲν ὁ Κῦρος βούληται (sc. παρέστω σὺν ὑμῖν), εἰ δὲ μή, ὑμεῖς τὴν ταχίστην πάρεστε Cyr. iv. 5. 10. — τό τε καλὸν καὶ τὸ κίβδηλον: the correlatives τέ, καί, are sometimes used to connect two objects which are to be distinguished or compared, where the Eng. usage would employ a simple 'and.' So τούς τε ἀγαθοὺς καὶ τοὺς κακούς below. Cf. διαφέρει ὁ τυραννικός τε καὶ ὁ ἰδιω-τικὸς βίος Hiero i. 2.

10. τί οὖν οὐ σκοποῦμεν: equivalent to σκοπῶμεν let us consider. — πῶς ἂν αὐτῶν μὴ διαμαρτάνοιμεν: how we can avoid mistaking them.  For μή with the potential opt. in questions, see GMT. 292, 2. — τί δὲ τοὺς κινδυ-νεύειν μέλλοντας: sc. ποιήσομεν what shall we do with those about to engage in a hazardous enterprise? — οἱ ἕνεκα ἐπαίνου κινδυνεύειν ἐθέλοντες: cf. ' Seeking the bubble reputation | Even in the cannon's mouth' Shak. As You Like It ii. 7.

11. οὐ πάνυ: not at all, answers the last half of the previous question. — καὶ μήν: see on i. 4. 12. — πολλά,

ἐστὶ πρὸς ἃ οὔτε τάττειν οὔτε ἄγειν ὡσαύτως προσήκει."
70 "Ἀλλὰ μὰ Δί'," ἔφη, "οὐ διεσαφήνιζε ταῦτα."   "Νὴ Δί',"
ἔφη, "πάλιν τοίνυν ἐλθὼν ἐπανερώτα· ἢν γὰρ ἐπίστηται
καὶ μὴ ἀναιδὴς ᾖ, αἰσχυνεῖται ἀργύριον εἰληφὼς ἐνδεᾶ σε
ἀποπέμψασθαι."

Ἐντυχὼν δέ ποτε στρατηγεῖν ᾑρημένῳ τῳ, "Τοῦ ἕνε- 2
κεν," ἔφη, "Ὅμηρον οἴει τὸν Ἀγαμέμνονα προσαγορεῦσαι
ποιμένα λαῶν; ἆρά γε ὅτι ὥσπερ τὸν ποιμένα δεῖ ἐπι-
μελεῖσθαι ὅπως σῶαί τε ἔσονται αἱ ὄϊες καὶ τὰ ἐπιτήδεια
5 ἕξουσι, καὶ οὗ ἕνεκα τρέφονται, τοῦτο ἔσται, οὕτω καὶ τὸν
στρατηγὸν ἐπιμελεῖσθαι δεῖ ὅπως σῶοί τε οἱ στρατιῶται
ἔσονται καὶ τὰ ἐπιτήδεια ἕξουσι, καὶ οὗ ἕνεκα στρατεύον-
ται, τοῦτο ἔσται; στρατεύονται δὲ ἵνα κρατοῦντες τῶν
πολεμίων εὐδαιμονέστεροι ὦσιν.   ἢ τί δήποτε οὕτως 2
10 ἐπήνεσε τὸν Ἀγαμέμνονα εἰπών·

'ἀμφότερον, βασιλεύς τ' ἀγαθὸς κρατερός τ' αἰχμητής';

ἆρά γε ὅτι 'αἰχμητής τε κρατερὸς' ἂν εἴη, οὐκ εἰ μόνος
αὐτὸς εὖ ἀγωνίζοιτο πρὸς τοὺς πολεμίους, ἀλλ' εἰ καὶ
παντὶ τῷ στρατοπέδῳ τούτου αἴτιος εἴη; καὶ 'βασιλεὺς

---

πρὸς ἅ: "many occasions, where."
— ὡσαύτως: in the same way, sc. as
on others. — ἐνδεᾶ: the missing gen.
can readily be supplied. — ἀποπέμψα-
σθαι: for the inf. with αἰσχύνομαι,
instead of the supplementary par-
ticiple, see G. 1581; H. 986.

2. A general should make it his
chief care to secure the welfare of his
troops.

1. Ὅμηρον: in Β 243. — ἆρα:
the connection shows that an affirm-
ative answer is expected.   See on ii.
6. 1. — ὄϊες: see on ii. 7. 13, and, for

the thought, cf. Cyr. viii. 2. 14. — καὶ
οὗ ἕνεκα τρέφονται, τοῦτο ἔσται: and
that the purpose for which they are
reared shall be attained.

2. τί δήποτε: see on τίσι ποτέ i.
1. 1. — ἀμφότερον κτλ.: Hom. Γ
179.   For the gender, see on χρησι-
μώτερον ii. 3. 1.   Plutarch tells us
that this was the favorite verse of
Alexander the Great, who always
carried a copy of the Iliad with him
on his campaigns. — ἆρά γε: sc. ἐπή-
νεσεν αὐτόν. — οὐκ εἰ: not in case that.
— καὶ βασιλεὺς ἀγαθός: i.e. καὶ ὅτι

15 ἀγαθός,' οὐκ εἰ μόνον τοῦ ἑαυτοῦ βίου καλῶς προ-
εστήκοι, ἀλλ' εἰ καὶ ὧν βασιλεύοι, τούτοις εὐδαιμονίας
αἴτιος εἴη; καὶ γὰρ βασιλεὺς αἱρεῖται οὐχ ἵνα ἑαυτοῦ 3
καλῶς ἐπιμελῆται, ἀλλ' ἵνα καὶ οἱ ἑλόμενοι δι' αὐτὸν εὖ
πράττωσι· καὶ στρατεύονται δὲ πάντες, ἵνα ὁ βίος αὐτοῖς
20 ὡς βέλτιστος ᾖ, καὶ στρατηγοὺς αἱροῦνται τούτου ἕνεκα,
ἵνα πρὸς τοῦτο αὐτοῖς ἡγεμόνες ὦσι. δεῖ οὖν τὸν 4
στρατηγοῦντα τοῦτο παρασκευάζειν τοῖς ἑλομένοις αὐτὸν
στρατηγόν· καὶ γὰρ οὔτε κάλλιον τούτου ἄλλο ῥᾴδιον
εὑρεῖν οὔτε αἴσχιον τοῦ ἐναντίου." καὶ οὕτως ἐπισκοπῶν
25 τίς εἴη ἀγαθοῦ ἡγεμόνος ἀρετή, τὰ μὲν ἄλλα περιῄρει,
κατέλιπε δὲ τὸ εὐδαίμονας ποιεῖν ὧν ἂν ἡγῆται.

Καὶ ἱππαρχεῖν δέ τινι ᾑρημένῳ οἶδά ποτε αὐτὸν τοιάδε 3
διαλεχθέντα· "Ἔχοις ἄν," ἔφη, "ὦ νεανία, εἰπεῖν ἡμῖν
ὅτου ἕνεκα ἐπεθύμησας ἱππαρχεῖν; οὐ γὰρ δὴ τοῦ πρώ-
τος τῶν ἱππέων ἐλαύνειν· καὶ γὰρ οἱ ἱπποτοξόται τούτου

---

βασιλεὺς ἀγαθὸς ἂν εἴη. — προεστήκοι :
should conduct.

3. ἑαυτοῦ : it is not necessary to
supply μόνον, as the sole aim in choos-
ing him was the welfare of the peo-
ple. As he would naturally, however,
care for his own interest, ἵνα καί
appropriately follows. — καί, δέ : and
also. Cf. i. 1. 3.

4. στρατηγόν : is not redundant,
but refers with emphasis to τὸν
στρατηγοῦντα. — κάλλιον, αἴσχιον :
const. with ἄλλο, the obj. of εὑρεῖν.
— τὰ μὲν ἄλλα περιῄρει κτλ. : "dis-
missing consideration of all other
qualities, he emphasized only this,
that a general must provide for the
welfare of those under him." On
περιῄρει, κατέλιπε, cf. τῶν πολεμικῶν
περιελὼν καὶ τὸ τόξῳ μελετᾶν καὶ ἀκοντίῳ

κατέλιπε τοῦτο μόνον αὐτοῖς τὸ σὺν
μαχαίρᾳ μάχεσθαι Cyr. ii. 1. 21.

3. The commander of cavalry
must himself see that his horses are
in good condition. His men must
be trained in riding and in prompt
obedience. The leader must above all
be able to do anything he requires of
his men ; and must know how to
stimulate by words the ambition of
his subordinates.

1. ἱππαρχεῖν : in Athens, two
commanders of cavalry (ἵππαρχοι)
were chosen in addition to the ten
generals of infantry. Xenophon has
left us a special treatise (Ἱππαρχικός)
on the duties of the hipparchs. — οὐ
γὰρ δή : for surely not. — τοῦ ἐλαύ-
νειν : sc. ἕνεκα. For the articular
inf., see on i. 1. 12. — ἱπποτοξόται :

5 γε ἀξιοῦνται· προελαύνουσι γοῦν καὶ τῶν ἱππάρχων."
"Ἀληθῆ λέγεις," ἔφη. "Ἀλλὰ μὴν οὐδὲ τοῦ γνωσθῆναί
γε· ἐπεὶ καὶ οἱ μαινόμενοί γε ὑπὸ πάντων γιγνώσκονται."
"Ἀληθές," ἔφη, "καὶ τοῦτο λέγεις." "Ἀλλ᾽ ἆρα ὅτι τὸ 2
ἱππικὸν οἴει τῇ πόλει βέλτιον ἂν ποιήσας παραδοῦναι, καὶ
10 εἴ τις χρεία γίγνοιτο ἱππέων, τούτων ἡγούμενος ἀγαθοῦ
τινος αἴτιος γενέσθαι τῇ πόλει;" "Καὶ μάλα," ἔφη.
"Καὶ ἔστι γε νὴ Δί᾽," ἔφη ὁ Σωκράτης, "καλόν, ἐὰν δύνῃ
ταῦτα ποιῆσαι. ἡ δὲ ἀρχή που ἐφ᾽ ἣν ᾔρησαι, ἵππων τε
καὶ ἀμβατῶν ἐστιν;" "Ἔστι γὰρ οὖν," ἔφη. "Ἴθι δὴ 3
15 λέξον ἡμῖν τοῦτο πρῶτον, ὅπως διανοῇ τοὺς ἵππους βελ-
τίους ποιῆσαι;" καὶ ὅς, "Ἀλλὰ τοῦτο μέν," ἔφη, "οὐκ
ἐμὸν οἶμαι τὸ ἔργον εἶναι, ἀλλὰ ἰδίᾳ ἕκαστον δεῖν τοῦ
ἑαυτοῦ ἵππου ἐπιμελεῖσθαι." "Ἐὰν οὖν," ἔφη ὁ Σωκρά- 4
της, "παρέχωνταί σοι τοὺς ἵππους οἱ μὲν οὕτως κακό-
20 ποδας ἢ κακοσκελεῖς ἢ ἀσθενεῖς, οἱ δὲ οὕτως ἀτρόφους,
ὥστε μὴ δύνασθαι ἀκολουθεῖν, οἱ δὲ οὕτως ἀναγώγους
ὥστε μὴ μένειν ὅπου ἂν σὺ τάξῃς, οἱ δὲ οὕτως λακτιστὰς
ὥστε μηδὲ τάξαι δυνατὸν εἶναι, τί σοι τοῦ ἱππικοῦ ὄφελος
ἔσται; ἢ πῶς δυνήσῃ τοιούτων ἡγούμενος ἀγαθόν τι
25 ποιῆσαι τὴν πόλιν;" καὶ ὅς, "Ἀλλὰ καλῶς τε λέγεις,"
ἔφη, "καὶ πειράσομαι τῶν ἵππων εἰς τὸ δυνατὸν

a body of mounted archers, 200 in
number, thrown out as light skir-
mishers in advance of the main
army. — τοῦ γνωσθῆναι: *for the sake
of becoming known.* — ἐπεὶ καί: cf.
ii. 8. 5.

2. ἀλλ᾽ ἆρα: sc. ἱππαρχεῖν ἐπεθύ-
μησας. — ἂν παραδοῦναι: sc. εἰ ἱππαρ-
χοίης. — πού: *I suppose*, with a touch
of irony. Cf. ὅτι μὲν γὰρ ἐκ τῆς
χειρὸς δεῖ ῥίπτεσθαι τὸ σπέρμα καὶ σύ
που οἶσθα Oec. xvii. 7. — ἀμβατῶν:

by 'apocope' from ἀναβατῶν. So
ἀνάμβατος Cyr. iv. 5. 46. See G. 53;
H. 84 D. — γὰρ οὖν: *yes, of course.*
For γάρ, see on i. 4. 9.

3. τοῦτο (after ἀλλά): connect
with τὸ ἔργον. — ἰδίᾳ: "for himself."

4. οἱ μέν, οἱ δέ: the well-to-do
citizens of Athens were expected to
serve in the cavalry, and to furnish
their own horses. See Gow, *Com-
panion to School Classics*, p. 123.

— καλῶς τε λέγεις, καὶ πειράσομαι:

ἐπιμελεῖσθαι." "Τί δέ; τοὺς ἱππέας οὐκ ἐπιχειρήσεις," ἔφη, 5
"βελτίονας ποιῆσαι;" "Ἔγωγ'," ἔφη. "Οὐκοῦν πρῶτον
μὲν ἀναβατικωτέρους ἐπὶ τοὺς ἵππους ποιήσεις αὐτούς;"
30 "Δεῖ γοῦν," ἔφη· "καὶ γὰρ εἴ τις αὐτῶν καταπέσοι, μᾶλ-
λον ἂν οὕτω σῴζοιτο." "Τί γάρ; ἐάν που κινδυνεύειν 6
δέῃ, πότερον ἐπάγειν τοὺς πολεμίους ἐπὶ τὴν ἄμμον
κελεύσεις, ἔνθαπερ εἰώθατε ἱππεύειν, ἢ πειράσῃ τὰς μελέ-
τας ἐν τοιούτοις ποιεῖσθαι χωρίοις, ἐν οἷοισπερ οἱ πόλε-
35 μοι γίγνονται;" "Βέλτιον γοῦν," ἔφη. "Τί γάρ; τοῦ 7
βάλλειν ὡς πλείστους ἀπὸ τῶν ἵππων ἐπιμέλειάν τινα
ποιήσῃ;" "Βέλτιον γοῦν," ἔφη, "καὶ τοῦτο." "Θήγειν
δὲ τὰς ψυχὰς τῶν ἱππέων καὶ ἐξοργίζειν πρὸς τοὺς πολε-
μίους, ἅπερ ἀλκιμωτέρους ποιεῖ, διανενόησαι;" "Εἰ δὲ
40 μή, ἀλλὰ νῦν γε πειράσομαι," ἔφη. "Ὅπως δέ σοι 8
πείθωνται οἱ ἱππεῖς, πεφρόντικάς τι; ἄνευ γὰρ δὴ τούτου
οὔτε ἵππων οὔτε ἱππέων ἀγαθῶν καὶ ἀλκίμων οὐδὲν ὄφε-
λος." "Ἀληθῆ λέγεις," ἔφη· "ἀλλὰ πῶς ἄν τις μάλιστα,
ὦ Σώκρατες, ἐπὶ τοῦτο αὐτοὺς προτρέψαιτο;" "Ἐκεῖνο 9

cf. ἀλλὰ δέχομαί τε καὶ τοῦτο ἔστω *An.* i. 8. 17.

**5. ἀναβατικωτέρους :** cf. πρῶτον μὲν τοὺς ἱππέας ἀσκητέον, ὅπως ἐπὶ τοὺς ἵππους ἀναπηδᾶν (*to leap on*) δύνωνται *Hipp.* i. 5. — **καταπέσοι :** the Greek rider sat without stirrups, on the horse's bare back; and hence had to reckon with the danger of falling off, in case of attack. In the encouraging speech which Xenophon makes to his men (*An.* iii. 2. 19), he emphasizes this danger as a weak point of the enemy's cavalry.

**6. τὴν ἄμμον :** *sandy ground, the race-track.* — **ἢ πειράσῃ . . . γίγνονται :** cf. δεύτερον δέ, ὅπως ἐν παντοίοις χωρίοις ἱππάζεσθαι δυνήσονται. καὶ γὰρ οἱ πολέμιοι ἄλλοτε ἐν ἀλλοίοις τόποις γίγνονται (*appear*) *Hipp.* i. 5. — **βέλτιον :** refers to the second of the two suggestions.

**7. τοῦ βάλλειν :** obj. gen. with ἐπιμέλειαν. — **ὡς πλείστους :** subj. of βάλλειν. Cf. *Hipp.* i. 6. — **ἀλλὰ νῦν γε :** like at in Lat., ἀλλά sometimes follows a cond. sent. in the sense of *yet at any rate.* G. 1422; H. 1046, 2 (a).

**8. πείθωνται :** cf. ἐκ τούτων παρασκευαστέον, ὅπως εὐπειθεῖς οἱ ἄνδρες ὦσιν *Hipp.* i. 7.

**9.** On the passage, cf. *Hipp.* iv. 4. — **ἐκεῖνο :** see on ii. 4. 1.

45 μὲν δήπου οἶσθα, ὅτι ἐν παντὶ πράγματι οἱ ἄνθρωποι τού-
τοις μάλιστα ἐθέλουσι πείθεσθαι οὓς ἂν ἡγῶνται βελτί-
στους εἶναι.   καὶ γὰρ ἐν νόσῳ ὃν ἂν ἡγῶνται ἰατρικώτατον
εἶναι, τούτῳ μάλιστα πείθονται, καὶ ἐν πλῷ ὃν ἂν κυβερ-
νητικώτατον,  καὶ  ἐν  γεωργίᾳ  ὃν  ἂν  γεωργικώτατον."
50 "Καὶ μάλα," ἔφη.  "Οὐκοῦν εἰκός," ἔφη, "καὶ ἐν ἱππικῇ
ὃς ἂν μάλιστα εἰδὼς φαίνηται ἃ δεῖ ποιεῖν, τούτῳ μάλιστα
ἐθέλειν τοὺς ἄλλους πείθεσθαι."  "'Εὰν οὖν," ἔφη, "ἐγώ, ὦ 10
Σώκρατες, βέλτιστος ὢν αὐτῶν δῆλος ὦ, ἀρκέσει μοι
τοῦτο εἰς τὸ πείθεσθαι αὐτοὺς ἐμοί;"  "'Εάν γε πρὸς
55 τούτῳ," ἔφη, "διδάξῃς αὐτοὺς ὡς τὸ πείθεσθαί σοι κάλ-
λιόν τε καὶ σωτηριώτερον αὐτοῖς ἔσται."  "Πῶς οὖν,"
ἔφη, "τοῦτο διδάξω;"  "Πολὺ νὴ Δί'," ἔφη, "ῥᾷον ἢ εἰ
σοι δέοι διδάσκειν ὡς τὰ κακὰ τῶν ἀγαθῶν ἀμείνω καὶ
λυσιτελέστερά ἐστι."  "Λέγεις," ἔφη, "σὺ τὸν ἵππαρχον 11
60 πρὸς τοῖς ἄλλοις ἐπιμελεῖσθαι δεῖν καὶ τοῦ λέγειν δύνα-
σθαι;"  "Σὺ δ' ᾤου," ἔφη, "χρῆναι σιωπῇ ἱππαρχεῖν; ἢ
οὐκ ἐντεθύμησαι ὅτι ὅσα τε νόμῳ μεμαθήκαμεν κάλλιστα
ὄντα, δι' ὧν γε ζῆν ἐπιστάμεθα, ταῦτα πάντα διὰ λόγου
ἐμάθομεν, καὶ εἴ τι ἄλλο καλὸν μανθάνει τις μάθημα, διὰ
65 λόγου μανθάνει, καὶ οἱ ἄριστα διδάσκοντες μάλιστα λόγῳ
χρῶνται, καὶ οἱ τὰ σπουδαιότατα μάλιστα ἐπιστάμενοι

10. εἰς τὸ πείθεσθαι αὐτοὺς ἐμοί :
to secure me their obedience. — ἐάν γε :
yes, if. — διδάξω : for the interr. subjv.,
see on i. 2. 36. — On the passage, cf.
εἴς γε μὴν τὸ εὐπειθεῖς εἶναι τοὺς ἀρχο-
μένους μέγα μὲν καὶ τὸ λόγῳ διδάσκειν
ὅσα ἀγαθὰ ἔνι ἐν τῷ πειθαρχεῖν, μέγα δὲ
καὶ τὸ ἔργῳ [κατὰ τὸν νόμον] πλεονεκτεῖν
μὲν ποιεῖν τοὺς εὐτάκτους, μειονεκτεῖν δὲ
ἐν πᾶσι τοὺς ἀτακτοῦντας *Hipp.* i. 24.

11. ἐπιμελεῖσθαι δεῖν καὶ τοῦ
λέγειν δύνασθαι : *should cultivate also*

the ability to speak.   For the artic-
ular inf. with ἐπιμελεῖσθαι, see GMT.
793, 798. — ὅσα τε : correlative with
καὶ εἴ τι ἄλλο. — νόμῳ : more, "as
laid down by law and custom." —
ζῆν : "to order our lives," in the
best sense. — διὰ λόγου : cf. ἑρμηνείαν,
δι' ἧς iv. 3. 12. — μάθημα : i.e. what
one is impelled by his own taste
to learn. — ἄριστα : adverb. — τὰ
σπουδαιότατα : *matters of greatest
importance.*

κάλλιστα διαλέγονται; ἢ τόδε οὐκ ἐντεθύμησαι, ὡς ὅταν 12
γε χορὸς εἷς ἐκ τῆσδε τῆς πόλεως γίγνηται, ὥσπερ ὁ
εἰς Δῆλον πεμπόμενος, οὐδεὶς ἄλλοθεν οὐδαμόθεν τούτῳ
70 ἐφάμιλλος γίγνεται οὐδὲ εὐανδρία ἐν ἄλλῃ πόλει ὁμοία
τῇ ἐνθάδε συνάγεται;" "Ἀληθῆ λέγεις," ἔφη. "Ἀλλὰ 13
μὴν οὔτε εὐφωνίᾳ τοσοῦτον διαφέρουσιν Ἀθηναῖοι τῶν
ἄλλων οὔτε σωμάτων μεγέθει καὶ ῥώμῃ ὅσον φιλοτιμίᾳ,
ἥπερ μάλιστα παροξύνει πρὸς τὰ καλὰ καὶ ἔντιμα."
75 "Ἀληθές," ἔφη, "καὶ τοῦτο." "Οὐκοῦν οἴει," ἔφη, "καὶ τοῦ 14
ἱππικοῦ τοῦ ἐνθάδε εἴ τις ἐπιμεληθείη, ὡς πολὺ ἂν καὶ τούτῳ
διενέγκοιεν τῶν ἄλλων, ὅπλων τε καὶ ἵππων παρασκευῇ καὶ
εὐταξίᾳ καὶ τῷ ἑτοίμως κινδυνεύειν πρὸς τοὺς πολεμίους, εἰ
νομίσειαν ταῦτα ποιοῦντες ἐπαίνου καὶ τιμῆς τεύξεσθαι;"
80 "Εἰκός γε," ἔφη. "Μὴ τοίνυν ὄκνει," ἔφη, "ἀλλὰ πειρῶ 15
τοὺς ἄνδρας ἐπὶ ταῦτα προτρέπειν ἀφ᾽ ὧν αὐτός τε ὠφε-
λήσῃ καὶ οἱ ἄλλοι πολῖται διὰ σέ." "Ἀλλὰ νὴ Δία
πειράσομαι," ἔφη.

12. **χορὸς εἷς** : contrasted with οὐδεὶς ἄλλοθεν οὐδαμόθεν. "None of the numerous choruses sent by the various states can compete with the one sent from Athens." Every four years festival delegations, including choruses, were sent to Delos from the different states of Hellas, in honor of Apollo and Artemis. — **εὐανδρία** : "a collection of fine-looking men." The handsomest men were chosen to head the procession. So, also, at the Panathenaic festival, the θαλλοφόροι (bearers of the sacred olive branch) were chosen from among the finest-looking old men. Cf. θαλλοφόρους γὰρ τῇ Ἀθηνᾷ τοὺς καλοὺς γέροντας ἐκλέγονται Sym. iv. 17.

13. **ἀλλὰ μὴν κτλ.** : the thought of the passage is, that the Athenians excel all other Greeks in sweetness of voice (εὐφωνίᾳ, referring back to χορός) and in physical beauty (σωμάτων μεγέθει καὶ ῥώμῃ, referring to εὐανδρία), and, above all, in ambition (φιλοτιμίᾳ), the motive to all noble action. Cf. iii. 5. 3.

14. **ὡς** : uncommon after οἶμαι, ὅτι being the usual conjunction. Cf. Hell. vi. 3. 12. — **τούτῳ** : anticipative, referring to ὅπλων τε καὶ ἵππων παρασκευῇ κτλ. See G. 1005; H. 696 a. — **διενέγκοιεν** : sc. οἱ Ἀθηναῖοι.

15. **ὄκνει** : delay. — **ὠφελήσῃ** : fut. mid. for passive. Cf. ii. 7. 8. — **ἀλλὰ νὴ Δία** : see on ii. 7. 11.

Ἰδὼν δέ ποτε Νικομαχίδην ἐξ ἀρχαιρεσιῶν ἀπιόντα 4
ἤρετο· "Τίνες, ὦ Νικομαχίδη, στρατηγοὶ ᾕρηνται;"    καὶ
ὅς, "Οὐ γάρ," ἔφη, "ὦ Σώκρατες, τοιοῦτοί εἰσιν Ἀθηναῖοι,
ὥστε ἐμὲ μὲν οὐχ εἵλοντο, ὃς ἐκ καταλόγου στρατευόμε-
5 νος κατατέτριμμαι καὶ λοχαγῶν καὶ ταξιαρχῶν καὶ τραύ-
ματα ὑπὸ τῶν πολεμίων τοσαῦτα ἔχω," — ἅμα δὲ καὶ τὰς
οὐλὰς τῶν τραυμάτων ἀπογυμνούμενος ἐπεδείκνυεν —
"Ἀντισθένην δέ," ἔφη, "εἵλοντο, τὸν οὔτε ὁπλίτην πώποτε
στρατευσάμενον ἔν τε τοῖς ἱππεῦσιν οὐδὲν περίβλεπτον
10 ποιήσαντα ἐπιστάμενόν τε ἄλλο οὐδὲν ἢ χρήματα συλλέ-
γειν;"  "Οὔκουν," ἔφη ὁ Σωκράτης, "τοῦτο μὲν ἀγαθόν, εἴ 2
γε τοῖς στρατιώταις ἱκανὸς ἔσται τὰ ἐπιτήδεια πορίζειν;"
"Καὶ γὰρ οἱ ἔμποροι," ἔφη ὁ Νικομαχίδης, "χρήματα

4. *Nicomachides complains that in the election of generals the Athenians have ignored him, an experienced officer, and have chosen a man who has no knowledge of war. But Socrates urges that a man who can successfully equip and train a chorus, and especially a man who can successfully manage his own house, must possess qualities which will render him a useful general; for the demands on ability are essentially the same in all these positions.*

1. στρατηγοί : predicate. — οὐ γὰρ τοιοῦτοί εἰσιν Ἀθηναῖοι: "now is not that just like the Athenians?" — ἐκ καταλόγου στρατευόμενος : "in serving the State as a private soldier on the list." The κατάλογος was the roll which contained the name of every Athenian capable of bearing arms. It will be noticed that Nicomachides bases his claim to be chosen general simply on his long service as private, captain, and colonel. — κατατέτριμμαι : *I have worn myself out.* Cf. the Lat. detritus. — λοχαγῶν, ταξιαρχῶν : circumstantial participles with κατατέτριμμαι. — ὑπό : takes the gen. of agent, as τραύματα ἔχω is equivalent to τετραυμάτισμαι. — ἅμα . . . ἐπεδείκνυεν : cf. nudasse deinde se dicitur et quo quaeque bello vulnera accepta essent, retulisse Livy xlv. 39. — Ἀντισθένην : like Nicomachides, unknown. — ἐν ἱππεῦσιν : the ἱππεῖς or knights were the second of the four property classes established by Solon. See Schömann, *Antiq. of Greece*, p. 329. — περίβλεπτον : cf. the Lat. respectabilis. — τέ : correlative with οὔτε, as in i. 2. 47.

2. οὔκουν : as in i. 4. 5. — ἔμποροι : *traders, i.e.* importers, not retailers.

συλλέγειν ἱκανοί εἰσιν· ἀλλ' οὐχ ἕνεκα τούτου καὶ στρα-
15 τηγεῖν δύναιντ' ἄν." καὶ ὁ Σωκράτης ἔφη· "Ἀλλὰ καὶ 3
φιλόνικος Ἀντισθένης ἐστίν, ὃ στρατηγῷ προσεῖναι
ἐπιτήδειόν ἐστιν· οὐχ ὁρᾷς ὅτι καὶ ὁσάκις κεχορήγηκε,
πᾶσι τοῖς χοροῖς νενίκηκε;" "Μὰ Δί'," ἔφη ὁ Νικομα-
χίδης, "ἀλλ' οὐδὲν ὅμοιόν ἐστι χοροῦ τε καὶ στρατεύμα-
20 τος προεστάναι." "Καὶ μήν," ἔφη ὁ Σωκράτης, "οὐδὲ 4
ᾠδῆς γε ὁ Ἀντισθένης οὐδὲ χορῶν διδασκαλίας ἔμπειρος
ὢν ὅμως ἐγένετο ἱκανὸς εὑρεῖν τοὺς κρατίστους ταῦτα."
"Καὶ ἐν τῇ στρατιᾷ οὖν," ἔφη ὁ Νικομαχίδης, "ἄλλους
μὲν εὑρήσει τοὺς τάξοντας ἀνθ' ἑαυτοῦ, ἄλλους δὲ τοὺς
25 μαχουμένους." "Οὐκοῦν," ἔφη ὁ Σωκράτης, "ἐάν γε καὶ 5
ἐν τοῖς πολεμικοῖς τοὺς κρατίστους, ὥσπερ ἐν τοῖς χορι-
κοῖς, ἐξευρίσκῃ τε καὶ προαιρῆται, εἰκότως ἂν καὶ τούτου
νικηφόρος εἴη· καὶ δαπανᾶν δ' αὐτὸν εἰκὸς μᾶλλον ἂν
ἐθέλειν εἰς τὴν σὺν ὅλῃ τῇ πόλει τῶν πολεμικῶν νίκην ἢ
30 εἰς τὴν σὺν τῇ φυλῇ τῶν χορικῶν." "Λέγεις σύ," ἔφη, 6

3. ὅ: a quality which, refers to
φιλόνικος. Cf. 5. 3. — κεχορήγηκε: it
was the duty of the χορηγός to equip
and train a chorus to represent his
tribe (φυλή) at public festivals.
This was one of the regular public
services (λειτουργίαι) imposed on
wealthy citizens. See on ii. 7. 6. —
μὰ Δία: see on i. 4. 9. — τὲ καί:
the Eng. idiom uses a simple and.
Cf. iii. 7. 4; iv. 4. 12. So Cicero
(Tusc. Disp. v. 3. 9) similem
sibi videri vitam hominum
et mercatum eum qui habere-
tur maximo ludorum appa-
ratu totius Graeciae cele-
britate.

4. καὶ μήν: see on i. 4. 12. —
ᾠδῆς: song, i.e. music in general.

— ἐγένετο ἱκανός: proved himself
competent. — τοὺς κρατίστους ταῦτα:
those who were most skilled in these
matters, sc. ᾠδήν and διδασκαλίαν. —
καί, οὖν: and so, also. — ἄλλους μέν,
τοὺς τάξοντας: some who will draw
up (the troops).

5. ἐάν γε: provided that. — ἐὰν
ἐξευρίσκῃ, ἂν νικηφόρος εἴη: for the
form of cond. sent., see on ii. 5. 4.
— τούτου: instead of the preceding
τοῖς πολεμικοῖς, a generic word of
similar meaning is to be supplied as
the antec. of the demonstrative. So
in ii. 2. 4. — καί, δέ: see on i. 1. 3.
— σὺν τῇ φυλῇ: see on 3. Attica
was then divided into ten tribes,
named after legendary national
heroes.

"ὦ Σώκρατες, ὡς τοῦ αὐτοῦ ἀνδρός ἐστι χορηγεῖν τε
καλῶς καὶ στρατηγεῖν;" "Λέγω ἔγωγ᾽," ἔφη, "ὡς ὅτου
ἄν τις προστατεύῃ, ἐὰν γιγνώσκῃ τε ὧν δεῖ καὶ ταῦτα
πορίζεσθαι δύνηται, ἀγαθὸς ἂν εἴη προστάτης, εἴτε χοροῦ
35 εἴτε οἴκου εἴτε πόλεως εἴτε στρατεύματος προστατεύοι."
Καὶ ὁ Νικομαχίδης, "Μὰ Δί᾽," ἔφη, "ὦ Σώκρατες, οὐκ ἂν 7
ποτε ᾤμην ἐγὼ σοῦ ἀκοῦσαι ὡς οἱ ἀγαθοὶ οἰκονόμοι
ἀγαθοὶ στρατηγοὶ ἂν εἶεν." "Ἴθι δή," ἔφη, "ἐξετάσωμεν
τὰ ἔργα ἑκατέρου αὐτῶν, ἵνα εἰδῶμεν πότερον τὰ αὐτά
40 ἐστιν ἢ διαφέρει τι." "Πάνυ γε," ἔφη. "Οὐκοῦν," ἔφη, 8
"τὸ μὲν τοὺς ἀρχομένους κατηκόους τε καὶ εὐπειθεῖς
ἑαυτοῖς παρασκευάζειν ἀμφοτέρων ἐστὶν ἔργον;" "Καὶ
μάλα," ἔφη. "Τί δέ, τὸ προστάττειν ἕκαστα τοῖς ἐπιτη-
δείοις πράττειν;" "Καὶ τοῦτ᾽," ἔφη. "Καὶ μὴν καὶ τὸ
45 τοὺς κακοὺς κολάζειν καὶ τοὺς ἀγαθοὺς τιμᾶν ἀμφοτέ-
ροις οἶμαι προσήκειν." "Πάνυ μὲν οὖν," ἔφη. "Τὸ δὲ 9
τοὺς ὑπηκόους εὐμενεῖς ποιεῖσθαι πῶς οὐ καλὸν ἀμφο-
τέροις;" "Καὶ τοῦτ᾽," ἔφη. "Συμμάχους δὲ καὶ βοηθοὺς
προσάγεσθαι δοκεῖ σοι συμφέρειν ἀμφοτέροις ἢ οὔ;"
50 "Πάνυ μὲν οὖν," ἔφη. "Ἀλλὰ φυλακτικοὺς τῶν ὄντων
οὐκ ἀμφοτέρους εἶναι προσήκει;" "Σφόδρα γ᾽," ἔφη.
"Οὐκοῦν καὶ ἐπιμελεῖς καὶ φιλοπόνους ἀμφοτέρους εἶναι
προσήκει περὶ τὰ αὐτῶν ἔργα;" "Ταῦτα μέν," ἔφη, 10

6. τοῦ αὐτοῦ ἀνδρός ἐστι: *it is in
the nature of the same man.* For the
pred. gen. of characteristic, see on
τῶν ἀσκούντων i. 2. 10. — ἐὰν γιγνώ-
σκῃ, ἀγαθὸς ἂν εἴη: see on 5.

7. οὐκ ἂν ᾤμην: for the potential
indic., see GMT. 243, 244. *Cf.* θᾶττον
ἢ ως τις ἂν ᾤετο *An.* i. 5. 8. — ἀκοῦσαι:
since ᾤμην is here a verb of expecting,
the inf. is not in indirect discourse.
For its tense, see G. 1286; H. 948 a.

8. τοὺς ἀρχομένους: *their subor-
dinates.* — ἕκαστα: *every duty.* —
πράττειν: for the inf. of purpose,
see on παιδεῦσαι i. 5. 2. — οἶμαι:
affirmative, instead of the usual
Socratic question.

9. προσάγεσθαι: *to attach to
themselves.* — φυλακτικοὺς τῶν ὄντων:
*watchful of their property.* Cf.
iii. 1. 6. — ἀμφοτέρους εἶναι προσήκει:
the impers. προσήκει here takes the

"πάντα ὁμοίως ἀμφοτέρων ἐστίν· ἀλλὰ τὸ μάχεσθαι
55 οὐκέτι ἀμφοτέρων." "'Αλλ' ἐχθροί γέ τοι ἀμφοτέροις
γίγνονται;" "Καὶ μάλα," ἔφη, "τοῦτό γε." "Οὐκοῦν τὸ
περιγενέσθαι τούτων ἀμφοτέροις συμφέρει;" "Πάνυ γε," 11
ἔφη· "ἀλλ' ἐκεῖνο παρίης, ἂν δέῃ μάχεσθαι, τί ὠφελήσει
ἡ οἰκονομική;" "'Ενταῦθα δήπου καὶ πλεῖστον," ἔφη·
60 "ὁ γὰρ ἀγαθὸς οἰκονόμος, εἰδὼς ὅτι οὐδὲν οὕτω λυσιτελές
τε καὶ κερδαλέον ἐστὶν ὡς τὸ μαχόμενον τοὺς πολεμίους
νικᾶν, οὐδὲ οὕτως ἀλυσιτελές τε καὶ ζημιῶδες ὡς τὸ
ἡττᾶσθαι, προθύμως μὲν τὰ πρὸς τὸ νικᾶν συμφέροντα
ζητήσει καὶ παρασκευάσεται, ἐπιμελῶς δὲ τὰ πρὸς τὸ
65 ἡττᾶσθαι φέροντα σκέψεται καὶ φυλάξεται, ἐνεργῶς δ',
ἂν τὴν παρασκευὴν ὁρᾷ νικητικὴν οὖσαν, μαχεῖται, οὐχ
ἥκιστα δὲ τούτων, ἐὰν ἀπαράσκευος ᾖ, φυλάξεται συν-
άπτειν μάχην.   μὴ καταφρόνει," ἔφη, "ὦ Νικομαχίδη, τῶν 12
οἰκονομικῶν ἀνδρῶν· ἡ γὰρ τῶν ἰδίων ἐπιμέλεια πλήθει
70 μόνον διαφέρει τῆς τῶν κοινῶν, τὰ δὲ ἄλλα παραπλήσια
ἔχει, τὸ δὲ μέγιστον, ὅτι οὔτε ἄνευ ἀνθρώπων οὐδετέρα

acc. and inf., in 8 the dative. For
a similar use of the two consts. near
each other, *cf.* προσήκει δὲ τοῖς μὲν
ἄλλοις στέργειν, σὲ δὲ νομίζειν Isoc. v.
127.

10. οὐκέτι : *no longer, i.e.* the
comparison cannot hold, when fight-
ing is in question. For a similar
use of οὐκέτι, *cf. An.* i. 10. 12. —
ἐχθροί γέ τοι : *enemies surely, at any
rate.* — τοῦτό γε : sc. ἀληθές ἐστιν.

11. ἡ οἰκονομική (sc. τέχνη) *the
art of domestic management.* —
ἐνταῦθα : *in that case.* — πλεῖστον
(sc. ὠφελήσει) : *will be of the greatest
service.* — ὡς : *as,* in a comparison.
— μαχόμενον : acc. sing. masc., agree-
ing with omitted subj. of νικᾶν. — οὐδ'

οὕτως : sc. τὶ from the preceding
οὐδέν. — οὐχ ἥκιστα δὲ τούτων : "and
what is of most importance among
all these," *i.e.* "when he has made
preparations for victory and is re-
solved on battle under favorable
conditions, he will yet" *etc.* For
the 'litotes,' *cf.* i. 2. 23. — φυλάξεται
συνάπτειν : for the inf., see on προ-
ιέναι ii. 6. 23.

12. τὸ δὲ μέγιστον : *the fact of
greatest significance.* For neuter
words in apposition with a sent.,
see H. 626 b. — οὐδετέρα : *neither
sphere of action.* The whole section
shows that Socrates regarded a well-
managed household as differing only
in degree from a well-managed state.

γίγνεται, οὔτε δι᾽ ἄλλων μὲν ἀνθρώπων τὰ ἴδια πράττεται,
δι᾽ ἄλλων δὲ τὰ κοινά.  οὐ γὰρ ἄλλοις τισὶν ἀνθρώποις
οἱ τῶν κοινῶν ἐπιμελόμενοι χρῶνται ἢ οἷσπερ οἱ τὰ ἴδια
75 οἰκονομοῦντες·  οἷς οἱ ἐπιστάμενοι χρῆσθαι καὶ τὰ ἴδια
καὶ τὰ κοινὰ καλῶς πράττουσιν, οἱ δὲ μὴ ἐπιστάμενοι
ἀμφοτέρωθι πλημμελοῦσιν."

Περικλεῖ δέ ποτε τῷ τοῦ πάνυ Περικλέους υἱῷ διαλεγό- 5
μενος, "᾿Εγώ τοι," ἔφη, "ὦ Περίκλεις, ἐλπίδα ἔχω σοῦ
στρατηγήσαντος ἀμείνω τε καὶ ἐνδοξοτέραν τὴν πόλιν εἰς
τὰ πολεμικὰ ἔσεσθαι καὶ τῶν πολεμίων κρατήσειν."  καὶ
5 ὁ Περικλῆς, "Βουλοίμην ἄν," ἔφη, "ὦ Σώκρατες, ἃ λέγεις·
ὅπως δὲ ταῦτα γένοιτ᾽ ἄν, οὐ δύναμαι γνῶναι."  "Βούλει
οὖν," ἔφη ὁ Σωκράτης, "διαλογιζόμενοι περὶ αὐτῶν

Xenophon elaborated his own views
on household management (put-
ting them into the mouth of
Socrates) in a special treatise, the
*Oeconomicus.*

**5.** *Socrates sets before the
younger Pericles the best way to
recall the Athenians to their pristine
courage and energy. The successive
reverses which the Athenians have
suffered at the hands of the Thebans
have demoralized their public spirit
and obscured the undoubted fact of
their natural superiority. Delium
and Lebadēa (Coronēa) were severe
lessons, but should be made profit-
able. The citizens should, above all,
be reminded of the lofty fame of their
ancestors; and if that is not enough,
they should be urged to imitate the
steady and effective discipline of the
Lacedaemonians. Then, too, their
generals should be chosen with greater
care than at present. Finally, Soc-
rates expresses the hope that Pericles,*

*who has been elected as one of the
generals, has qualified himself for the
position; and suggests that it would
be well to employ the younger citizen
soldiery in an effective defense of the
Attic frontier.*

1. Περικλεῖ : third son of the
great Pericles.  His mother was of
foreign birth, the beautiful and ac-
complished Aspasia of Miletus, and
he was consequently not entitled to
Athenian citizenship; but after the
death of his two brothers he was
legitimated by the Athenians and
accepted as a citizen, for his father's
sake.  He was one of the six
generals who were executed for
their failure to rescue the ship-
wrecked crews after the battle of
the Arginusae.  See on i. 1. 18, and
cf. Plutarch *Pericles* 37. — τοῦ πάνυ
Περικλέους : the celebrated Pericles.
So οἱ πάνυ τῶν στρατιωτῶν Thuc. viii.
1. 1. — στρατηγήσαντος : see on βου-
λεύσας i. 1. 18. — βούλει, ἐπισκοπῶμεν :

ἐπισκοπῶμεν ὅπου ἤδη τὸ δυνατόν ἐστιν ;" "Βούλομαι,"
ἔφη. "Οὐκοῦν οἶσθα," ἔφη, "ὅτι πλήθει μὲν οὐδὲν μείους 2
10 εἰσὶν Ἀθηναῖοι Βοιωτῶν ;" "Οἶδα γάρ," ἔφη. "Σώματα
δὲ ἀγάθα καὶ καλὰ πότερον ἐκ Βοιωτῶν οἴει πλείω ἂν
ἐκλεχθῆναι ἢ ἐξ Ἀθηναίων ;" "Οὐδὲ ταύτῃ μοι δοκοῦσι
λείπεσθαι." "Εὐμενεστέρους δὲ ποτέρους ἑαυτοῖς εἶναι
νομίζεις ;" "Ἀθηναίους ἔγωγε· Βοιωτῶν μὲν γὰρ πολ-
15 λοὶ πλεονεκτούμενοι ὑπὸ Θηβαίων δυσμενῶς αὐτοῖς
ἔχουσιν, Ἀθήνησι δὲ οὐδὲν ὁρῶ τοιοῦτον." "Ἀλλὰ μὴν 3
φιλοτιμότατοί γε καὶ μεγαλοφρονέστατοι πάντων εἰσίν,
ἅπερ οὐχ ἥκιστα παροξύνει κινδυνεύειν ὑπὲρ εὐδοξίας τε
καὶ πατρίδος." "Οὐδὲ ἐν τούτοις Ἀθηναῖοι μεμπτοί."
20 "Καὶ μὴν προγόνων γε καλὰ ἔργα οὐκ ἔστιν οἷς μείζω
καὶ πλείω ὑπάρχει ἢ Ἀθηναίοις· ᾧ πολλοὶ ἐπαιρόμενοι
προτρέπονταί τε ἀρετῆς ἐπιμελεῖσθαι καὶ ἄλκιμοι γίγνε-
σθαι." "Ταῦτα μὲν ἀληθῆ λέγεις πάντα, ὦ Σώκρατες· 4
ἀλλ᾽ ὁρᾷς ὅτι ἀφ᾽ οὗ ἥ τε σὺν Τολμίδῃ τῶν χιλίων

as in ii. 1. 1.— ὅπου ἤδη τὸ δυνατόν
ἐστι : *wherein now the possibility
lies.*

2. οὐκοῦν : see on ii. 1. 2. — ὅτι
πλήθει κτλ. : the population of Attica
(including slaves) was prob. not
more than half a million ; that of
the Boeotian confederacy consider-
ably less. As every free citizen of
Attica was a citizen of Athens, the
comparison of Ἀθηναῖοι with Βοιωτῶν
is a proper one. Athens and Attica
were politically identical ; not so
Thebes and Boeotia. — σώματα ἀγα-
θὰ καὶ καλά : "sturdy, fine-looking
men." — ἂν ἐκλεχθῆναι : *could be
picked out.* For the inf. with ἄν,
see G. 1308 ; H. 964. The 2 aor.
pass. -λεγῆναι is more common in

Attic. — ταύτῃ : *in this respect.* For
the dat., see G. 1182 ; H. 780. —
δοκοῦσι λείπεσθαι : sc. οἱ Ἀθηναῖοι
τῶν Βοιωτῶν. — ἑαυτοῖς : inter se
*among themselves.* Cf. φθονοῦσιν
ἑαυτοῖς 16, and see on ii. 6. 20. —
Ἀθήνησι : for the locative, see G.
296 ; H. 220.

3. εἰσίν : sc. οἱ Ἀθηναῖοι. — ἅπερ :
cf. ὅ 4. 3. — ἔστιν οἷς : see on i. 4.
2. Cf. καὶ μὴν ἐπί γε τοῖς προγόνοις
οὐ μεῖον Ἀθηναῖοι ἢ Βοιωτοὶ φρονοῦ-
σιν ( *pride themselves* ) *Hipp.* vii. 3,
where the claim is more modest. —
προτρέπονταί τε : for the position
of the encl., cf. ἅ τε ἐνόμιζεν iv.
2. 40.

4. ἀληθῆ : for the pred. adj.,
see G. 919 ; H. 614. — ἀφ᾽ οὗ : *i.e.*

25 ἐν Λεβαδείᾳ συμφορὰ ἐγένετο καὶ ἡ μεθ᾽ Ἱπποκράτους ἐπὶ
Δηλίῳ, ἐκ τούτων τεταπείνωται μὲν ἡ τῶν Ἀθηναίων δόξα
πρὸς τοὺς Βοιωτούς, ἐπῆρται δὲ τὸ τῶν Θηβαίων φρόνημα
πρὸς τοὺς Ἀθηναίους, ὥστε Βοιωτοὶ μέν, οἱ πρόσθεν οὐδ᾽
ἐν τῇ ἑαυτῶν τολμῶντες Ἀθηναίοις ἄνευ Λακεδαιμονίων
30 τε καὶ τῶν ἄλλων Πελοποννησίων ἀντιτάττεσθαι, νῦν
ἀπειλοῦσιν αὐτοὶ καθ᾽ αὑτοὺς ἐμβαλεῖν εἰς τὴν Ἀττικήν,
Ἀθηναῖοι δέ, οἱ πρότερον [ὅτε Βοιωτοὶ μόνοι ἐγένοντο]
πορθοῦντες τὴν Βοιωτίαν, φοβοῦνται μὴ Βοιωτοὶ δῃώσωσι
τὴν Ἀττικήν." καὶ ὁ Σωκράτης, "Ἀλλ᾽ αἰσθάνομαι μέν," 5
35 ἔφη, "ταῦτα οὕτως ἔχοντα· δοκεῖ δέ μοι ἀνδρὶ ἀγαθῷ
ἄρχοντι νῦν εὐαρεστοτέρως διακεῖσθαι ἡ πόλις.   τὸ μὲν
γὰρ θάρσος ἀμέλειάν τε καὶ ῥᾳθυμίαν καὶ ἀπείθειαν
ἐμβάλλει, ὁ δὲ φόβος προσεκτικωτέρους τε καὶ εὐπειθε-
στέρους καὶ εὐτακτοτέρους ποιεῖ.   τεκμήραιο δ᾽ ἂν τοῦτο 6
40 καὶ ἀπὸ τῶν ἐν ταῖς ναυσίν· ὅταν μὲν γὰρ δήπου μηδὲν
φοβῶνται, μεστοί εἰσιν ἀταξίας· ἔστ᾽ ἂν δὲ ᾖ χειμῶνα ἤ

ἀπὸ τοῦ χρόνου, ἐν ᾧ.— ἐν Λεβαδείᾳ :
by the victory of Oenophȳta (456
B.C.), the Athenians gained com-
plete ascendency over the Boeotian
towns, and established in them
democratic forms of government.
Many of the banished oligarchs
banded together, raised an army,
and, in 447 B.C., inflicted an over-
whelming defeat on the Athenian
army under Tolmides, who lost his
life in the battle.   The conflict took
place between Lebadēa and Coronēa
in Boeotia, and is usually known as
the battle of Coronēa.   Cf. Thuc. i.
108, 113, and see Grote, Hist. of
Greece, c. xlv. — ἐπὶ Δηλίῳ : not ἐν
Δηλίῳ, as at that time (424 B.C.)
Delium was only an enclosure and

temple sacred to Apollo, near Orōpus
on the Boeotian frontier.   Cf. Plato
Apol. 28 E.   In this battle the Athe-
nian general was defeated and slain.
Socrates is said to have shown great
gallantry in the retreat which en-
sued.   See Introd. 2, 6[1]. — ἐκ τού-
των: since these events, repeats ἀφ᾽ οὗ.
— πρὸς τοὺς Βοιωτούς: see on πρὸς
ἑαυτόν i. 2. 52. — ἐν τῇ ἑαυτῶν: sc.
χώρᾳ. — οἱ τολμῶντες : rel., who
ventured.   The participle is ' imper-
fect.'   See G. 1289; H. 856 a.   So
πορθοῦντες below.

5. εὐαρεστοτέρως διακεῖσθαι : " is
more favorably disposed." — θάρσος :
over-confidence. — ἐμβάλλει : begets.

6. τῶν ἐν ταῖς ναυσίν : i.e. τῶν
ναυτῶν. — ἔστ᾽ ἄν: quamdiu.   For

πολεμίους δείσωσιν, οὐ μόνον τὰ κελευόμενα πάντα ποιοῦ-
σιν, ἀλλὰ καὶ σιγῶσι καραδοκοῦντες τὰ προσταχθησό-
μενα, ὥσπερ χορευταί." "'Αλλὰ μήν," ἔφη ὁ Περικλῆς, 7
45 " εἰ γε νῦν μάλιστα πείθοιντο, ὥρα ἂν εἴη λέγειν πῶς ἂν
αὐτοὺς προτρεψαίμεθα πάλιν ἀνερασθῆναι τῆς ἀρχαίας
ἀρετῆς τε καὶ εὐκλείας καὶ εὐδαιμονίας." "Οὐκοῦν," ἔφη 8
ὁ Σωκράτης, "εἰ μὲν ἐβουλόμεθα χρημάτων αὐτοὺς ὧν
ἄλλοι εἶχον ἀντιποιεῖσθαι, ἀποδεικνύντες αὐτοῖς ταῦτα
50 πατρῷά τε ὄντα καὶ προσήκοντα, μάλιστ᾽ ἂν οὕτως
αὐτοὺς ἐξορμῷμεν ἀντέχεσθαι τούτων· ἐπεὶ δὲ τοῦ μετ᾽
ἀρετῆς πρωτεύειν αὐτοὺς ἐπιμελεῖσθαι βουλόμεθα, τοῦτ᾽
αὖ δεικτέον ἐκ παλαιοῦ μάλιστα προσῆκον αὐτοῖς, καὶ ὡς
τούτου ἐπιμελούμενοι πάντων ἂν εἶεν κράτιστοι." "Πῶς 9
55 οὖν ἂν τοῦτο διδάσκοιμεν;" "Οἶμαι μέν, εἰ τούς γε
παλαιοτάτους ὧν ἀκούομεν προγόνους αὐτῶν ἀναμιμνή-
σκοιμεν αὐτοὺς ἀκηκοότας ἀρίστους γεγονέναι." "῏Αρα 10

---

temporal clauses with ἄν and the
subjv., see G. 1465; H. 923. — κapa-
δοκοῦντες: *eagerly expecting*, lit. *with
outstretched head*, an Ionic expres-
sion. *Cf.* Πάριοι δὲ ὑπολειφθέντες ἐν
Κύθνῳ, ἐκαραδόκεον τὸν πόλεμον κῇ
ἀποβήσεται Hdt. viii. 67. — ὥσπερ
χορευταί: *like members of a chorus*,
who keep their eyes on the leader
during the whole performance.

7. ὥρα: *the proper time.* For
the inf. with substs., see G. 1521;
H. 952. — ἀνερασθῆναι: *to yearn
anew for.*

8. οὐκοῦν: *well, then.* — εἰ ἐβου-
λόμεθα: see on εἰ προσετέθησαν i. 4.
5. — εἶχον: see on ἃ ἐβούλετο i. 4. 14.
—ἐξορμῷμεν: for the potential opt.
in apod. after the ind. in prot., see
on ἂν εἴη i. 2. 45. — τοῦ μετ᾽ ἀρετῆς

πρωτεύειν: "preëminence in valor."
— τοῦτο: *sc.* τὸ μετ᾽ ἀρετῆς πρωτεύειν.
— δεικτέον: impers. const.; it takes
as objs. both τοῦτο . . . αὐτοῖς and
ὡς . . . κράτιστοι.

9. οἶμαι μέν: as in ii. 6. 5. — εἰ
τούς γε παλαιοτάτους κτλ.: the Eng.
order of thought seems to be εἰ ἀνα-
μιμνήσκοιμεν αὐτοὺς ἀκηκοότας τούς γε
παλαιοτάτους ὧν (equivalent to τούτων,
οὕς) ἀκούομεν προγόνους αὐτῶν ἀρίστους
γεγονέναι. "We have only to re-
mind them of the fact, which they
have heard often enough (at school
and elsewhere), that their ancestors,
as far back as we have any record,
were men of highest valor." The
omitted apod. is, of course, διδά-
σκοιμεν ἄν, to be const. (with ὡς or ὅτι)
as obj. of οἶμαι.

λέγεις τὴν τῶν θεῶν κρίσιν, ἣν οἱ περὶ Κέκροπα δι'
ἀρετὴν ἔκριναν;" "Λέγω γάρ, καὶ τὴν Ἐρεχθέως γε
60 τροφὴν καὶ γένεσιν, καὶ τὸν πόλεμον τὸν ἐπ' ἐκείνου γενό-
μενον πρὸς τοὺς ἐκ τῆς ἐχομένης ἠπείρου πάσης, καὶ τὸν
ἐφ' Ἡρακλειδῶν πρὸς τοὺς ἐν Πελοποννήσῳ, καὶ πάντας
τοὺς ἐπὶ Θησέως πολεμηθέντας, ἐν οἷς πᾶσιν ἐκεῖνοι δῆλοι
γεγόνασι τῶν καθ' ἑαυτοὺς ἀνθρώπων ἀριστεύσαντες· εἰ 11
65 δὲ βούλει, ἃ ὕστερον οἱ ἐκείνων μὲν ἀπόγονοι, οὐ πολὺ δὲ
πρὸ ἡμῶν γεγονότες, ἔπραξαν, τὰ μὲν αὐτοὶ καθ' αὑτοὺς
ἀγωνιζόμενοι πρὸς τοὺς κυριεύοντας τῆς τε Ἀσίας πάσης

10. **τὴν τῶν θεῶν κρίσιν**: the de-
cision between the deities. θεῶν is
objective genitive. The reference is
to the contest between Athena and
Poseidon for the sovereignty of
Attica, which was decided by
Cecrops, legendary king of Athens.
Cf. Apollodorus iii. 14. The legend
formed the subject of the sculptures
in the west pediment of the Par-
thenon. — **οἱ περὶ Κέκροπα**: seems
to indicate Cecrops himself and the
tribunal over which he presided.
Cf. τοὺς ἀμφὶ Θράσυλλον i. 1. 18. —
**Ἐρεχθέως**: another legendary hero
and king of Attica, who shared with
Athena the honor of a temple (the
Erechtheum) on the Acropolis. —
**τροφὴν καὶ γένεσιν**: for the 'hysteron
proteron,' by which the more im-
portant or obvious action is men-
tioned before another which pre-
ceded it in order of time, cf. ἅμα
τράφεν ἠδὲ γένοντο Hom. A 251, 'For
I was bred and born | not three
hours' travel from this very place.'
Shak. Twelfth Night i. 2, and mo-
riamur, et in media arma
ruamus Virgil Aen. ii. 353. —

**ἐπ' ἐκείνου**: in his reign. — **πρὸς τοὺς
... πάσης**: in very early times the
Thracians were said to have occu-
pied the country as far as the bor-
ders of Attica, and to have been
repulsed from Athens by Erechtheus.
— **τὸν ἐφ' Ἡρακλειδῶν**: the sons of
Heracles sought and obtained aid
from Athens against Eurystheus. —
**τοὺς ἐπὶ Θησέως πολεμηθέντας** (sc.
πολέμους): i.e. the wars against the
Amazons and Thracians. For these
legendary events, cf. Isoc. iv. 65, 68;
Hdt. ix. 27; Thuc. ii. 15. — **τῶν καθ'
ἑαυτούς**: the men of their day. Cf.
the eulogy on Athenian achieve-
ments in Plato Menex. 239 B ff.

11. **εἰ δὲ βούλει**: polite formula,
marks a transition to another phase
of the subject. — **αὐτοὶ καθ' αὑτούς**:
contrasted with καὶ μετὰ Πελοποννη-
σίων below. The battle of Marathon
(490 B.C.) is meant. Although the
Athenians had on that occasion
the assistance of 1,000 Plataeans,
the phrase αὐτοὶ κτλ. may pass,
as a rhetorical exaggeration. —
**τοὺς κυριεύοντας κτλ.**: i.e. the Per-
sians. See Grote, Hist. of Greece,

καὶ τῆς Εὐρώπης μέχρι Μακεδονίας καὶ πλείστην τῶν
προγεγονότων δύναμιν καὶ ἀφορμὴν κεκτημένους καὶ
70 μέγιστα ἔργα κατειργασμένους, τὰ δὲ καὶ μετὰ Πελοπον-
νησίων ἀριστεύοντες καὶ κατὰ γῆν καὶ κατὰ θάλατταν·
οἳ δὴ καὶ λέγονται πολὺ διενεγκεῖν τῶν καθ' αὑτοὺς
ἀνθρώπων." "Λέγονται γάρ," ἔφη. "Τοιγαροῦν πολλῶν 12
μὲν μεταναστάσεων ἐν τῇ Ἑλλάδι γεγονυιῶν διέμειναν ἐν
75 τῇ ἑαυτῶν, πολλοὶ δὲ ὑπὲρ δικαίων ἀντιλέγοντες ἐπέτρεπον
ἐκείνοις, πολλοὶ δὲ ὑπὸ κρειττόνων ὑβριζόμενοι κατέφευ-
γον πρὸς ἐκείνους." καὶ ὁ Περικλῆς, "Καὶ θαυμάζω γε," 13
ἔφη, "ὦ Σώκρατες, ἡ πόλις ὅπως ποτ' ἐπὶ τὸ χεῖρον
ἔκλινεν." "Ἐγὼ μέν," ἔφη, "οἶμαι, ὁ Σωκράτης, "ὥσπερ
80 καὶ ἀθληταί τινες διὰ τὸ πολὺ ὑπερενεγκεῖν καὶ κρατι-
στεῦσαι καταρρᾳθυμήσαντες ὑστερίζουσι τῶν ἀντιπάλων,
οὕτω καὶ Ἀθηναίους πολὺ διενεγκόντας ἀμελῆσαι ἑαυτῶν

---

cc. xxxii–xxxiv. — **πλείστην τῶν
προγεγονότων** : equivalent to πλείονα
τῆς τῶν προγεγονότων. See on καινό-
τερον τῶν ἄλλων i. 1. 3. — **μέγιστα
ἔργα** : *i.e.* the achievements of Cyrus
and Darius in establishing the Per-
sian empire. — **οἳ δὴ καί**: who also,
we see, refers to οἱ ἐκείνων ἀπόγονοι,
and hence does not include the
Peloponnesians, whom the argument
does not touch. — **λέγονται γάρ** :
they are indeed. Cf. οἶδα γάρ i.

12. **πολλῶν μεταναστάσεων** : e.g.,
those which followed the inroads of
the Dorians. — **διέμειναν** : held their
ground. The Attic Greeks were
proud of being αὐτόχθονες and γηγε-
νεῖς. Cf. ταύτην (τὴν πόλιν) γὰρ
οἰκοῦμεν οὐχ ἑτέρους ἐκβαλόντες (by
dispossessing) οὐδὲ ἐρήμην καταλα-
βόντες οὐδὲ ἐκ πολλῶν ἐθνῶν μιγάδες

συλλεγέντες (as mingled immigrants)
ἀλλ' οὕτω καλῶς καὶ γνησίως γεγό-
ναμεν, ὥστε ἐξ ἧσπερ (γῆς) ἔφυμεν,
ταύτην ἔχοντες ἅπαντα τὸν χρόνον
διατελοῦμεν, αὐτόχθονες ὄντες Isoc. iv.
24. Cf. also Thuc. i. 2. — **ἐπέτρεπον** :
entrusted their cause (τὰ δίκαια).

13. **καὶ θαυμάζω γε** : yes, and I
marvel. — **ἐγὼ μέν, ἔφη, οἶμαι, ὁ Σω-
κράτης** : for a similar order of words,
cf. καὶ τί δέ, ἔφη, ὁρᾷς, ἡ γυνή Oec.
vii. 16, quid igitur, inquit, est
causae, Brutus Cic. Brut. 91. —
**ὥσπερ καί, οὕτω καί**: see on i. 1. 6.
On the comparison with athletes,
cf. i. 2. 24. — **τῶν ἀντιπάλων** : for the
gen. with verbs of comparison, see G.
1120; H. 749. Cf. ὁρῶν ὑστερίζουσαν
τὴν πόλιν τῶν καιρῶν seeing the city
falling behind its opportunities Dem.
xviii. 102.

καὶ διὰ τοῦτο χείρους γεγονέναι." "Νῦν οὖν," ἔφη, "τί 14
ἂν ποιοῦντες ἀναλάβοιεν τὴν ἀρχαίαν ἀρετήν;" καὶ ὁ
85 Σωκράτης· "Οὐδὲν ἀπόκρυφον δοκεῖ μοι εἶναι, ἀλλ', εἰ
μὲν ἐξευρόντες τὰ τῶν προγόνων ἐπιτηδεύματα μηδὲν
χεῖρον ἐκείνων ἐπιτηδεύοιεν, οὐδὲν ἂν χείρους ἐκείνων
γενέσθαι· εἰ δὲ μή, τούς γε νῦν πρωτεύοντας μιμούμενοι
καὶ τούτοις τὰ αὐτὰ ἐπιτηδεύοντες, ὁμοίως μὲν τοῖς αὐτοῖς
90 χρώμενοι οὐδὲν ἂν χείρους ἐκείνων εἶεν, εἰ δ' ἐπιμελέστε-
ρον, καὶ βελτίους." "Λέγεις," ἔφη, "πόρρω που εἶναι τῇ 15
πόλει τὴν καλοκἀγαθίαν. πότε γὰρ οὕτως Ἀθηναῖοι
ὥσπερ Λακεδαιμόνιοι ἢ πρεσβυτέρους αἰδέσονται, οἳ ἀπὸ
τῶν πατέρων ἄρχονται καταφρονεῖν τῶν γεραιτέρων, ἢ
95 σωμασκήσουσιν οὕτως, οἳ οὐ μόνον αὐτοὶ εὐεξίας ἀμε-
λοῦσιν, ἀλλὰ καὶ τῶν ἐπιμελουμένων καταγελῶσι; πότε 16
δὲ οὕτω πείσονται τοῖς ἄρχουσιν, οἳ καὶ ἀγάλλονται ἐπὶ
τῷ καταφρονεῖν τῶν ἀρχόντων; ἢ πότε οὕτως ὁμονοήσου-
σιν, οἵ γε ἀντὶ μὲν τοῦ συνεργεῖν ἑαυτοῖς τὰ συμφέροντα

14. **οὐδὲν ἀπόκρυφον** : no secret.
— **ἂν χείρους γενέσθαι** : depends on
δοκεῖ μοι understood after ἀλλά, or
δοκοῦσιν may be supplied, making the
const. personal. For an example of
both consts. in the same sent., cf.
ἔδοξεν αὐτῷ βροντῆς γενομένης σκηπτὸς
πεσεῖν εἰς τὴν πατρῴαν οἰκίαν, καὶ ἐκ
τούτου λάμπεσθαι πᾶσαν An. iii. 1. 11.
See G. 1522, 2 ; H. 944 a. — **εἰ δὲ
μή** : and if not (that). — **τοὺς πρω-
τεύοντας** : i.e. the Lacedaemonians.
Xenophon never omits an oppor-
tunity to praise Spartan institutions.
— **τούτοις τὰ αὐτά** : the same things
that they do. For the abridged com-
parison, see on τῶν ἄλλων i. 1. 3. — **εἰ
δ' ἐπιμελέστερον** : sc. χρῷντο. — **καί** :
even.

15. "You are then, I take it, of
the opinion that the Athenians have
fallen far away from their pristine
virtue, and you wish them to take
for their model the Lacedaemonians,
who certainly could give them many
a good lesson." — **πού** : see on iii. 3.
2. — **ὥσπερ Λακεδαιμόνιοι** : cf. De
Rep. Lac. x. 2, and Cic. de Sen.
xviii. 63, where Lysander boasts
Lacedaemona esse honestissi-
mum domicilium senectutis.
— **οἵ** : so ὅς i. 2. 64. — **ἀπὸ τῶν πατέ-
ρων κτλ.** : starting with their fathers,
look down on.

16. **ἑαυτοῖς** : const. with τὰ συμ-
φέροντα. This and the two other
refl. prons. (ἑαυτοῖς, αὐτούς) in this sec-
tion are equivalent to the reciprocal.

100 ἐπηρεάζουσιν ἀλλήλοις καὶ φθονοῦσιν ἑαυτοῖς μᾶλλον ἢ
τοῖς ἄλλοις ἀνθρώποις, μάλιστα δὲ πάντων ἔν τε ταῖς
ἰδίαις συνόδοις καὶ ταῖς κοιναῖς διαφέρονται καὶ πλείστας
δίκας ἀλλήλοις δικάζονται καὶ προαιροῦνται μᾶλλον οὕτω
κερδαίνειν ἀπ' ἀλλήλων ἢ συνωφελοῦντες αὑτούς, τοῖς δὲ
105 κοινοῖς ὥσπερ ἀλλοτρίοις χρώμενοι περὶ τούτων αὖ
μάχονται καὶ ταῖς εἰς τὰ τοιαῦτα δυνάμεσι μάλιστα χαί-
ρουσιν· ἐξ ὧν πολλὴ μὲν ἀτηρία καὶ κακία τῇ πόλει 17
ἐμφύεται, πολλὴ δὲ ἔχθρα καὶ μῖσος ἀλλήλων τοῖς πολί-
ταις ἐγγίγνεται, δι' ἃ ἔγωγε μάλα φοβοῦμαι ἀεὶ μή τι
110 μεῖζον ἢ ὥστε φέρειν δύνασθαι κακὸν τῇ πόλει συμβῇ."
"Μηδαμῶς," ἔφη ὁ Σωκράτης, "ὦ Περίκλεις, οὕτως ἡγοῦ 18
ἀνηκέστῳ πονηρίᾳ νοσεῖν Ἀθηναίους. οὐχ ὁρᾷς ὡς
εὔτακτοι μέν εἰσιν ἐν τοῖς ναυτικοῖς, εὐτάκτως δ' ἐν τοῖς
γυμνικοῖς ἀγῶσι πείθονται τοῖς ἐπιστάταις, οὐδένων δὲ
115 καταδεέστερον ἐν τοῖς χοροῖς ὑπηρετοῦσι τοῖς διδασκά-
λοις;" "Τοῦτο γάρ τοι," ἔφη, "καὶ θαυμαστόν ἐστι, τὸ 19
τοὺς μὲν τοιούτους πειθαρχεῖν τοῖς ἐφεστῶσι, τοὺς δὲ

*Cf.* 2. — **ἀλλήλοις δικάζονται**: the
verb, as indicating strife, takes the
dat., like *φθονοῦσιν* above. The fond-
ness of the Athenians for litigation is
evidenced by their numerous courts,
and the large body of their extant
forensic literature. Aristophanes
lashed this love of lawsuits in his
*Wasps.* — **συνωφελοῦντες** : for the
circumstantial participle of means,
see on i. 1. 9. — **αὖ** : item, with
reference to *διαφέρονται* and *δικά-
ζονται*. — **ταῖς ... χαίρουσιν** : "they
delight especially in having their
faculties trained for such strife."
17. **ἐξ ὧν** : *i.e.* because they
neglect physical training and de-
spise discipline ; hence arise *ἀτη-*

*ρία* and *κακία*, while *ἔχθρα* and *μῖσος*
are an immediate result of the
continual strife with one another. —
**ἢ ὥστε** : see on i. 4. 10.
18. **πονηρίᾳ νοσεῖν** : a common
metaphor with the Greeks, as with
us. *Cf.* τὰ Ὀδρυσῶν πράγματα ἐνόση-
σεν *An.* vii. 2. 32. For the causal
dative, see G. 1181 ; H. 776. — **τοῖς
ἐπιστάταις** : *i.e.* the trainers. —
**οὐδένων καταδεέστερον** : *in a manner
unsurpassed by any. Cf.* i. 5. 6.
19. **τοῦτο γάρ τοι καὶ θαυμαστόν
ἐστι** : *that is just what is so strange.*
*τοῦτο* serves as energetic introduc-
tion to τὸ πειθαρχεῖν, εἶναι. *Cf.* ii.
4. 1. — **τοιούτους** : *i.e.* sailors,
gymnasts, dancers, *etc.*, who were

ὁπλίτας καὶ τοὺς ἱππεῖς, οἳ δοκοῦσι καλοκἀγαθίᾳ προκε-
κρίσθαι τῶν πολιτῶν, ἀπειθεστάτους εἶναι πάντων." καὶ 20
120 ὁ Σωκράτης ἔφη· "Ἡ δὲ ἐν Ἀρείῳ πάγῳ βουλή, ὦ Περί-
κλεις, οὐκ ἐκ τῶν δεδοκιμασμένων καθίσταται;" "Καὶ
μάλα," ἔφη. "Οἶσθα οὖν τινας," ἔφη, "κάλλιον ἢ νομιμώ-
τερον ἢ σεμνότερον ἢ δικαιότερον τάς τε δίκας δικάζοντας
καὶ τἆλλα πάντα πράττοντας;" "Οὐ μέμφομαι," ἔφη,
125 "τούτοις." "Οὐ τοίνυν," ἔφη, "δεῖ ἀθυμεῖν ὡς οὐκ
εὐτάκτων ὄντων Ἀθηναίων." "Καὶ μὴν ἕν γε τοῖς στρα- 21
τιωτικοῖς," ἔφη, "ἔνθα μάλιστα δεῖ σωφρονεῖν τε καὶ
εὐτακτεῖν καὶ πειθαρχεῖν, οὐδενὶ τούτων προσέχουσιν."
"Ἴσως γάρ," ἔφη ὁ Σωκράτης, "ἐν τούτοις οἱ ἥκιστα
130 ἐπιστάμενοι ἄρχουσιν αὐτῶν. οὐχ ὁρᾷς ὅτι κιθαριστῶν
μὲν καὶ χορευτῶν καὶ ὀρχηστῶν οὐδὲ εἷς ἐπιχειρεῖ ἄρχειν
μὴ ἐπιστάμενος, οὐδὲ παλαιστῶν οὐδὲ παγκρατιαστῶν;
ἀλλὰ πάντες οἱ τούτων ἄρχοντες ἔχουσι δεῖξαι ὁπόθεν
ἔμαθον ταῦτα ἐφ᾽ οἷς ἐφεστᾶσι, τῶν δὲ στρατηγῶν οἱ
135 πλεῖστοι αὐτοσχεδιάζουσιν. οὐ μέντοι σέ γε τοιοῦτον 22

generally of the lower classes; while
hoplites and cavalry were composed
of the free and well-to-do citizens. —
καλοκἀγαθίᾳ : dat. of respect.

20. ἡ δὲ ἐν Ἀρείῳ πάγῳ βουλή :
this ancient court derived its name
from the sacred hill of Ares (west of
the Acropolis, and separated from it
only by a narrow and shallow valley),
where its sittings were held. It was
composed of ex-archons who had
'clean records,' as established by the
δοκιμασία (official investigation); and
it had jurisdiction over cases of
intentional homicide, poisoning, and
arson. See Schömann, *Antiq. of
Greece, passim.* — οὐ μέμφομαι : I

have no fault to find. —τούτοις : i.e.
τοῖς Ἀρειοπαγίταις. For another
example of ‘synesis,’ cf. οἱ νέοι after
θιάσου ii. 1. 31. See H. 633. — ὡς,
ὄντων : see on i. 1. 4.

21. καὶ μήν : and yet. See on
i. 4. 12. — τούτων : i.e. σωφρονεῖν,
εὐτακτεῖν, πειθαρχεῖν. — προσέχουσιν :
they give heed to. — ἐν τούτοις : i.e.
τοῖς στρατιωτικοῖς. — οὐδὲ εἷς : see on
i. 6. 2. — ἔχουσι : are able. — αὐτο-
σχεδιάζουσιν : "hold command
without preparation." Cf. the con-
versation with Euthydemus in iv. 2,
where Socrates scores the presump-
tion of would-be impromptu states-
men.

ἐγὼ νομίζω εἶναι, ἀλλ᾽ οἶμαί σε οὐδὲν ἧττον ἔχειν εἰπεῖν
ὁπότε στρατηγεῖν ἢ ὁπότε παλαίειν ἤρξω μανθάνειν. καὶ
πολλὰ μὲν οἶμαί σε τῶν πατρῴων στρατηγημάτων παρει-
ληφότα διασῴζειν, πολλὰ δὲ πανταχόθεν συνηχέναι,
140 ὁπόθεν οἷόν τε ἦν μαθεῖν τι ὠφέλιμον εἰς στρατηγίαν.
οἶμαι δέ σε πολλὰ μεριμνᾶν, ὅπως μὴ λάθῃς σεαυτὸν 23
ἀγνοῶν τι τῶν εἰς στρατηγίαν ὠφελίμων, καὶ ἐάν τι τοιοῦ-
τον αἴσθῃ σεαυτὸν μὴ εἰδότα, ζητεῖν τοὺς ἐπισταμένους
ταῦτα, οὔτε δώρων οὔτε χαρίτων φειδόμενον, ὅπως μάθῃς
145 παρ᾽ αὐτῶν ἃ μὴ ἐπίστασαι καὶ συνεργοὺς ἀγαθοὺς ἔχῃς."
καὶ ὁ Περικλῆς, "Οὐ λανθάνεις με, ὦ Σώκρατες," ἔφη, "ὅτι 24
οὐδ᾽ οἰόμενός με τούτων ἐπιμελεῖσθαι ταῦτα λέγεις, ἀλλ᾽
ἐγχειρῶν με διδάσκειν ὅτι τὸν μέλλοντα στρατηγεῖν τούτων
ἁπάντων ἐπιμελεῖσθαι δεῖ· ὁμολογῶ μέντοι κἀγώ σοι
150 ταῦτα." "Τοῦτο δ᾽," ἔφη, "ὦ Περίκλεις, κατανενόηκας, 25
ὅτι πρόκειται τῆς χώρας ἡμῶν ὄρη μεγάλα, καθήκοντα
ἐπὶ τὴν Βοιωτίαν, δι᾽ ὧν εἰς τὴν χώραν εἴσοδοι στεναί τε
καὶ προσάντεις εἰσί, καὶ ὅτι μέση διέζωσται ὄρεσιν
ἐρυμνοῖς;" "Καὶ μάλα," ἔφη. "Τί δέ; ἐκεῖνο ἀκήκοας, 26
155 ὅτι Μυσοὶ καὶ Πισίδαι ἐν τῇ βασιλέως χώρᾳ κατέχοντες

22. οὐδὲν ἧττον : connect with ἤ
after στρατηγεῖν. — τῶν πατρῴων
στρατηγημάτων : *your father's prin-
ciples of generalship.*

23. πολλὰ μεριμνᾶν : see on i. i.
11. — λάθῃς σεαυτὸν ἀγνοῶν : see on
i. 2. 34. — μὴ εἰδότα : instead of οὐκ
εἰδότα, because of the force of the pre-
ceding ἐάν, making the participle part
of the condition. G. 1614 ; H. 1027.

24. οὐ λανθάνεις με, ὅτι : *you do
not elude me,* "I fully understand
that," with pers. for impers. con-
struction. *Cf.* ὅτι πονηρότατοί γέ
εἰσιν, οὐδὲ σὲ λανθάνουσιν Oec. i. 19. —

οὐδ᾽ οἰόμενος : in 22 and 23, Socra-
tes used the word οἶμαι. Pericles
perceives the underlying irony, and
says, "You do not even *believe* it (to
say nothing of *knowing* it)."

25. ὄρη : Cithaeron and others. —
μέση : *sc.* ἡ χώρα. — ὄρεσιν ἐρυμνοῖς :
Parnes, Pentelicus, and Hymettus.

26. Μυσοὶ καὶ Πισίδαι : *cf.* οἶδα
γὰρ ὑμῖν Μυσοὺς λυπηροὺς (*trouble-
some*) ὄντας, οἶδα δὲ καὶ Πισίδας *An.*
ii. 5. 13. Cyrus the Younger made
a defensive campaign against the
Pisidians the pretext for muster-
ing one of his armies. — βασιλέως,

ἐρυμνὰ πάνυ χωρία καὶ κούφως ὡπλισμένοι δύνανται
πολλὰ μὲν τὴν βασιλέως χώραν καταθέοντες κακοποιεῖν,
αὐτοὶ δὲ ζῆν ἐλεύθεροι;"  "Καὶ τοῦτό γ'," ἔφη, "ἀκούω."
"'Αθηναίους δ' οὐκ ἂν οἴει," ἔφη, "μέχρι τῆς ἐλαφρᾶς 27
160 ἡλικίας ὡπλισμένους κουφοτέροις ὅπλοις καὶ τὰ προκεί-
μενα τῆς χώρας ὄρη κατέχοντας βλαβεροὺς μὲν τοῖς
πολεμίοις εἶναι, μεγάλην δὲ προβολὴν τοῖς πολίταις τῆς
χώρας κατεσκευάσθαι;"  καὶ ὁ Περικλῆς, "Πάντ' οἶμαι,"
ἔφη, "ὦ Σώκρατες, καὶ ταῦτα χρήσιμα εἶναι."  "Εἰ 28
165 τοίνυν," ἔφη ὁ Σωκράτης, "ἀρέσκει σοι ταῦτα, ἐπιχείρει
αὐτοῖς, ὦ ἄριστε· ὅ τι μὲν γὰρ ἂν τούτων καταπρά-
ξῃς, καὶ σοὶ καλὸν ἔσται καὶ τῇ πόλει ἀγαθόν· ἐὰν
δέ τι ἀδυνατῇς, οὔτε τὴν πόλιν βλάψεις οὔτε σαυτὸν
καταισχυνεῖς."

without the art., *the Great King*,
the king of Persia ; so freq. in the
*Anabasis.* — **πάνυ** : follows its adj.
for emphasis. — **ὡπλισμένοι** : circum-
stantial participle of cause, rather
than of concession. — **πολλά** (*sc.*
*κακά*) : cognate acc. with *κακοποιεῖν*.
For the double acc., see on *τὴν πόλιν*
i. 2. 12.

27. **μέχρι τῆς ἐλαφρᾶς ἡλικίας** :
*so long as they are of the active age*,
*i.e.* from 18 to 20.  The Athenian
youth of this age served in the army
as *περίπολοι*, a kind of home guard,
or constabulary force, to serve only
in Attica. — **ὡπλισμένους, κατέχον-**
**τας** : equivalent to *εἰ ὡπλισμένοι εἶεν*,
*εἰ κατέχοιεν*, serving as prots. to *ἂν*
(before *οἴει*) *εἶναι*, *κατεσκευάσθαι*.
For the circumstantial participle of
cond., see on *πιστεύων* i. 1. 5. —
**προβολὴν κατεσκευάσθαι** : *form a*
*rampart.*

28. **ὅ τι μὲν ἄν, ἐὰν δέ τι** : for
a similar change of const., *cf.* i.
7. 5.

6. *Glauco, a brother of Plato, a*
*youth of less than twenty years, is*
*eager to take a leading part in public*
*affairs.  Socrates shows him that he*
*is unacquainted with any of the*
*details of government, and earnestly*
*warns him against taking up, for*
*public speech or action, matters on*
*which he has not first informed him-*
*self thoroughly.*

In this and the succeeding chap-
ter, we have a pair of contrasted
pictures : first, of the conceited strip-
ling, whose zeal is without knowl-
edge ; and second, of the modest
man of abilities, who withholds his
valuable services from the state.
Socrates performs a public duty in
showing each of these men his
mistake.

Γλαύκωνα δὲ τὸν Ἀρίστωνος, ὅτ᾽ ἐπεχείρει δημηγο- 6
ρεῖν, ἐπιθυμῶν προστατεύειν τῆς πόλεως οὐδέπω εἴκοσιν
ἔτη γεγονώς, τῶν ἄλλων οἰκείων τε καὶ φίλων οὐδεὶς
ἐδύνατο παῦσαι ἑλκόμενόν τε ἀπὸ τοῦ βήματος καὶ κατα-
5 γέλαστον ὄντα· Σωκράτης δὲ εὔνους ὢν αὐτῷ διά τε Χαρ-
μίδην τὸν Γλαύκωνος καὶ διὰ Πλάτωνα μόνος ἔπαυσεν.
ἐντυχὼν γὰρ αὐτῷ πρῶτον μὲν εἰς τὸ ἐθελῆσαι ἀκούειν 2
τοιάδε λέξας κατέσχεν· "Ὦ Γλαύκων," ἔφη, "προστα-
τεύειν ἡμῖν διανενόησαι τῆς πόλεως;" "Ἔγωγ᾽," ἔφη, "ὦ
10 Σώκρατες." "Νὴ Δί᾽," ἔφη, "καλὸν γάρ, εἴπερ τι καὶ
ἄλλο τῶν ἐν ἀνθρώποις. δῆλον γὰρ ὅτι ἐὰν τοῦτο δια-
πράξῃ, δυνατὸς μὲν ἔσῃ αὐτὸς τυγχάνειν ὅτου ἂν ἐπιθυ-
μῇς, ἱκανὸς δὲ τοὺς φίλους ὠφελεῖν, ἐπαρεῖς δὲ τὸν
πατρῷον οἶκον, αὐξήσεις δὲ τὴν πατρίδα, ὀνομαστὸς δ᾽
15 ἔσῃ πρῶτον μὲν ἐν τῇ πόλει, ἔπειτα ἐν τῇ Ἑλλάδι, ἴσως

1. **Γλαύκωνα**: a brother of Plato.
The Glauco mentioned just be-
low was the father of Perictione,
Aristo's wife, and of Charmides,
uncle of Plato and Glauco. — **οὐδέπω**
**εἴκοσιν ἔτη**: at eighteen an Athenian
youth attained the rights of citizen-
ship, but from eighteen to twenty
military service claimed most of his
time. To some offices, like the sena-
torship and the judgeship (*cf.* i. 1. 1),
he was not eligible before the age of
thirty. — **ἑλκόμενον ἀπὸ τοῦ βήματος**:
unpopular or intolerable speakers
were occasionally hooted from the
*bema*, or led away by the police
(τοξόται). *Cf.* Aristophanes *Knights*
665; *Acharnians* 45 ff.; Plato *Prot.*
319 c. For the supplementary par-
ticiple with παῦσαι, see G. 1580; H.
981. *Cf.* τοὺς βαρβάρους ἔπαυσεν ὑβρί-

ζοντας Isocrates xii. 83. — **καταγέ-**
**λαστον ὄντα**: *being a laughing-stock.*
— **Χαρμίδην**: see on iii. 7. 1. —
**Πλάτωνα**: the only mention of Plato
in Xenophon's writings. In the
*Republic*, Plato gives a very differ-
ent representation of his brother
Glauco.

2. **πρῶτον μέν**: corresponds to
μετὰ δὲ ταῦτα 3. — **εἰς τὸ ἐθελῆσαι**
**ἀκούειν**: "in order to make him
willing to hear," the purpose of
λέξας. For εἰς with the articular inf.,
*cf.* εἰς τὸ φοβεῖσθαι *An.* vii. 8. 20. —
**κατέσχεν** (sc. αὐτόν): *he checked him.*
— ἡμῖν: ethical dative. G. 1171; H.
770. — **εἴπερ τι καὶ ἄλλο** (sc. ἐστίν): so
in iv. 3. 14. *Cf.* also *Cyr.* iii. 3. 42.
— **ἐν ἀνθρώποις**: *in the world.* *Cf.*
εὖ ἴσθι, πάντων τῶν ἐν ἀνθρώποις
κάλλιστον καὶ μακαριώτατον κτῆμα

δὲ ὥσπερ Θεμιστοκλῆς καὶ ἐν τοῖς βαρβάροις· ὅπου δ᾽
ἂν ᾖς, πανταχοῦ περίβλεπτος ἔσῃ." ταῦτ᾽ οὖν ἀκούων ὁ 3
Γλαύκων ἐμεγαλύνετο καὶ ἡδέως παρέμενε. μετὰ δὲ
ταῦτα ὁ Σωκράτης, "Οὐκοῦν," ἔφη, "τοῦτο μέν, ὦ Γλαύ-
20 κων, δῆλον ὅτι εἴπερ τιμᾶσθαι βούλει, ὠφελητέα σοι ἡ
πόλις ἐστίν;" "Πάνυ μὲν οὖν," ἔφη. "Πρὸς θεῶν," ἔφη,
"μὴ τοίνυν ἀποκρύψῃ, ἀλλ᾽ εἶπον ἡμῖν ἐκ τίνος ἄρξῃ τὴν
πόλιν εὐεργετεῖν." ἐπεὶ δὲ ὁ Γλαύκων διεσιώπησεν, ὡς 4
ἂν τότε σκοπῶν ὁπόθεν ἄρχοιτο, "Ἆρ᾽," ἔφη ὁ Σωκράτης,
25 "ὥσπερ φίλου οἶκον εἰ αὐξῆσαι βούλοιο, πλουσιώτερον
αὐτὸν ἐπιχειροίης ἂν ποιεῖν, οὕτω καὶ τὴν πόλιν πειράσῃ
πλουσιωτέραν ποιῆσαι;" "Πάνυ μὲν οὖν," ἔφη. "Οὐκοῦν 5
πλουσιωτέρα γ᾽ ἂν εἴη προσόδων αὐτῇ πλειόνων γενομέ-
νων;" "Εἰκὸς γοῦν," ἔφη. "Λέξον δή," ἔφη, "ἐκ τίνων
30 νῦν αἱ πρόσοδοι τῇ πόλει καὶ πόσαι τινές εἰσι; δῆλον
γὰρ ὅτι ἔσκεψαι, ἵνα εἰ μέν τινες αὐτῶν ἐνδεῶς ἔχου-
σιν, ἐκπληρώσῃς, εἰ δὲ παραλείπονται, προσπορίσῃς."
"Ἀλλὰ μὰ Δί᾽," ἔφη ὁ Γλαύκων, "ταῦτά γε οὐκ ἐπέσκεμ-
μαι." "Ἀλλ᾽ εἰ τοῦτο," ἔφη, "παρέλιπες, τάς γε δαπάνας 6

---

κεκτήσῃ Hiero xi. 15. — Θεμιστοκλῆς:
see on ii. 6. 13; iv. 2. 2. — περίβλεπτος:
'the observed of all observers.'

3. ἐμεγαλύνετο : was greatly
elated. — ὠφελητέα : for the pers.
const. of the verbal in -τέος, see G.
1595; H. 989. — ἀποκρύψῃ : for the
aor. subjv. in prohibitions, see G.
1346; H. 874. On the use of the
mid., Kühner remarks, ἀποκρύπτειν
τι refertur ad res extra nos
positas (occulere aliquid);
ἀποκρύπτεσθαι contra ad id,
quod in nobis est (celare
aliquid). — εἶπον: first aor. imv.
active. See on ii. 2. 8.

4. διεσιώπησεν :    lapsed into
silence. — ὡς ἂν τότε σκοπῶν : sc.
διασιωπήσειε. τότε is equivalent to
tum demum then for the first time.
Cf. καὶ τὸν Κῦρον ἐπερέσθαι προπετῶς,
ὡς ἂν παῖς μηδέπω ὑποπτήσσων and
Cyrus asked eagerly, as a child
(would) who had not yet learned
to be shy Cyr. i. 3. 8. — αὐτόν :
i.e. τὸν οἶκον. — πειράσῃ : fut. indic.
middle.

5. οὐκοῦν : see on ii. 1. 2. — εἰκός :
sc. ἐστί. — πόσαι τινές : see on i. 1.
1. — αὐτῶν : depends on τινές. —
ἐνδεῶς ἔχουσιν : are insufficient. —
παραλείπονται : are being neglected.

35 τῆς πόλεως ἡμῖν εἰπέ· δῆλον γὰρ ὅτι καὶ τούτων τὰς
περιττὰς ἀφαιρεῖν διανοῇ." "'Αλλὰ μὰ τὸν Δί'," ἔφη,
"οὐδὲ πρὸς ταῦτά πω ἐσχόλασα." "Οὐκοῦν," ἔφη, "τὸ
μὲν πλουσιωτέραν τὴν πόλιν ποιεῖν ἀναβαλούμεθα· πῶς
γὰρ οἷόν τε μὴ εἰδότα γε τὰ ἀναλώματα καὶ τὰς προσ-
40 όδους ἐπιμεληθῆναι τούτων ;" "'Αλλ', ὦ Σώκρατες," ἔφη ὁ 7
Γλαύκων, "δυνατόν ἐστι καὶ ἀπὸ πολεμίων τὴν πόλιν
πλουτίζειν." "Νὴ Δία σφόδρα γ'," ἔφη ὁ Σωκράτης, "ἐάν
τις αὐτῶν κρείττων ᾖ· ἥττων δὲ ὢν καὶ τὰ ὄντα προσαπο-
βάλοι ἄν." "'Αληθῆ λέγεις," ἔφη. "Οὐκοῦν," ἔφη, "τόν 8
45 γε βουλευσόμενον πρὸς οὕστινας δεῖ πολεμεῖν, τήν τε τῆς
πόλεως δύναμιν καὶ τὴν τῶν ἐναντίων εἰδέναι δεῖ, ἵνα ἐὰν
μὲν ἡ τῆς πόλεως κρείττων ᾖ, συμβουλεύῃ ἐπιχειρεῖν τῷ
πολέμῳ, ἐὰν δὲ ἥττων τῶν ἐναντίων, εὐλαβεῖσθαι πείθῃ."
"'Ορθῶς λέγεις," ἔφη. "Πρῶτον μὲν τοίνυν," ἔφη, "λέξον 9
50 ἡμῖν τῆς πόλεως τήν τε πεζικὴν καὶ τὴν ναυτικὴν δύναμιν,
εἶτα τὴν τῶν ἐναντίων." "'Αλλὰ μὰ τὸν Δί'," ἔφη, "οὐκ
ἂν ἔχοιμί σοι οὕτως γε ἀπὸ στόματος εἰπεῖν." "'Αλλ', εἰ
γέγραπταί σοι, ἔνεγκε," ἔφη · "πάνυ γὰρ ἡδέως ἂν τοῦτο
ἀκούσαιμι." "'Αλλὰ μὰ τὸν Δί'," ἔφη, "οὐδὲ γέγραπταί
55 μοί πω." "Οὐκοῦν," ἔφη, "καὶ περὶ πολέμου συμβου- 10
λεύειν τήν γε πρώτην ἐπισχήσομεν· ἴσως γὰρ καὶ διὰ τὸ
μέγεθος αὐτῶν ἄρτι ἀρχόμενος τῆς προστατείας οὔπω

---

6. ἀφαιρεῖν : retrench. — ἐσχό-
λασα : found time. — ἀναβαλούμεθα :
we will postpone. — μὴ εἰδότα : see
on πιστεύων i. 1. 5.

7. σφόδρα : sc. πλουτίζειν. — καὶ
τὰ ὄντα : even what he had, to say
nothing of what he had hoped to
win from the enemy.

8. ἥττων : sc. ἡ τῆς πόλεως δύνα-
μις τῆς τῶν ἐναντίων. For a similar
instance of ʻ brachylogy,ʼ cf. iii. 5. 4.

9. ἀπὸ στόματος : by word of
mouth, i.e. from memory. Cf. ἔχοις
ἂν διηγήσασθαι (repeat them) ; Οὐ μὰ
τὸν Δία οὔκουν οὕτω γε ἀπὸ στόματος
Plato Theaet. 142 D. — εἰ γέγραπταί
σοι : if you have it written down.

10. τὴν γε πρώτην (sc. ὥραν or
ὁδόν) : for the present. For the
omission of the noun, see G. 932, 2 ;
H. 621 c ; and, for the adv. acc.,
G. 1060 ; H. 719. — αὐτῶν : i.e. τῶν

ἐξήτακας. ἀλλά τοι περί γε φυλακῆς τῆς χώρας οἶδ᾽ ὅτι
ἤδη σοι μεμέληκε, καὶ οἶσθα ὁπόσαι τε φυλακαὶ ἐπίκαιροί
60 εἰσι καὶ ὁπόσαι μή, καὶ ὁπόσοι τε φρουροὶ ἱκανοί εἰσι καὶ
ὁπόσοι μή εἰσι· καὶ τὰς μὲν ἐπικαίρους φυλακὰς συμ-
βουλεύσεις μείζονας ποιεῖν, τὰς δὲ περιττὰς ἀφαιρεῖν."
"Νὴ Δί'," ἔφη ὁ Γλαύκων, "ἁπάσας μὲν οὖν ἔγωγε, ἕνεκά 11
γε τοῦ οὕτως αὐτὰς φυλάττεσθαι ὥστε κλέπτεσθαι τὰ ἐκ
65 τῆς χώρας." "Ἐὰν δέ τις ἀφέλῃ γ'," ἔφη, "τὰς φυλακάς,
οὐκ οἴει καὶ ἁρπάζειν ἐξουσίαν ἔσεσθαι τῷ βουλομένῳ;
ἀτάρ," ἔφη, "πότερον ἐλθὼν αὐτὸς ἐξήτακας τοῦτο, ἢ
πῶς οἶσθα ὅτι κακῶς φυλάττονται;" "Εἰκάζω," ἔφη.
"Οὔκουν," ἔφη, "καὶ περὶ τούτων, ὅταν μηκέτι εἰκάζωμεν
70 ἀλλ᾽ ἤδη εἰδῶμεν, τότε συμβουλεύσομεν;" "Ἴσως," ἔφη
ὁ Γλαύκων, "βέλτιον." "Εἴς γε μήν," ἔφη, "τἀργύρεια 12
οἶδ᾽ ὅτι οὐκ ἀφῖξαι, ὥστ᾽ ἔχειν εἰπεῖν διότι νῦν ἐλάττω ἢ
πρόσθεν προσέρχεται αὐτόθεν." "Οὐ γὰρ οὖν ἐλήλυθα,"
ἔφη. "Καὶ γὰρ νὴ Δί'," ἔφη ὁ Σωκράτης, "λέγεται βαρὺ
75 τὸ χωρίον εἶναι, ὥστε ὅταν περὶ τούτου δέῃ συμβουλεύειν,
αὕτη σοι ἡ πρόφασις ἀρκέσει." "Σκώπτομαι," ἔφη ὁ

---

τοῦ πολέμου implied in πολέμου. —
ἐξήτακας : from ἐξετάζω. — οἶδ᾽ ὅτι : a
formula of assurance, here (as in
13) ironical. — ὁπόσαι φυλακαὶ ἐπί-
καιροί εἰσι : how many outposts are
advantageously placed. — φρουροί :
garrisons.

11. ἁπάσας : sc. ἀφαιρεῖν συμβου-
λεύσω. — τὰ ἐκ τῆς χώρας : condensed
form of τὰ ἐν τῇ χώρᾳ ἐξ αὐτῆς. H.
788 a. Cf. ἁρπασόμενοι τὰ ἐκ τῶν
οἰκιῶν Cyr. vii. 2. 5. — ἁρπάζειν :
to rob openly, contrasted with κλέ-
πτειν to steal. — ἔφη : he continued. —
ἐλθὼν αὐτὸς κτλ. : have you gone in
person and investigated this? —

εἰκάζωμεν, εἰδῶμεν : the use of the
first pers. pl., and perhaps the
assonance of the verbs, serve to
heighten the playful irony of the
passage. — βέλτιον : sc. ἂν εἴη.

12. τἀργύρεια : the silver mines,
at Laurium. See on ii. 5. 2. — οὐ
γὰρ οὖν : certainly not. For οὖν
adding emphasis to an affirmative,
see on iii. 3. 2. — καὶ γάρ : and with
good reason, for. — λέγεται βαρὺ τὸ
χωρίον εἶναι : the district is said to be
unhealthy. — αὕτη σοι ἡ πρόφασις
ἀρκέσει : this will serve you as an
excuse. — σκώπτομαι : you are mock-
ing me. Cf. οἴμοι γελῶμαι Soph. Ant.

Γλαύκων. "'Αλλ' ἐκείνου γέ τοι," ἔφη, "οἶδ' ὅτι οὐκ ἠμέ-13
ληκας, ἀλλ' ἔσκεψαι πόσον χρόνον ἱκανός ἐστιν ὁ ἐκ τῆς
χώρας γιγνόμενος σῖτος διατρέφειν τὴν πόλιν, καὶ πόσου
80 εἰς τὸν ἐνιαυτὸν προσδεῖται, ἵνα μὴ τοῦτό γε λάθῃ σέ ποτε
ἡ πόλις ἐνδεὴς γενομένη, ἀλλ' εἰδὼς ἔχῃς ὑπὲρ τῶν ἀναγ-
καίων συμβουλεύων τῇ πόλει βοηθεῖν τε καὶ σῴζειν αὐτήν."
"Λέγεις," ἔφη ὁ Γλαύκων, "παμμέγεθες πρᾶγμα, εἴ γε
καὶ τῶν τοιούτων ἐπιμελεῖσθαι δεήσει."    "'Αλλὰ μέντοι,"14
85 ἔφη ὁ Σωκράτης, "οὐδ' ἂν τὸν ἑαυτοῦ ποτε οἶκον καλῶς
τις οἰκήσειεν, εἰ μὴ πάντα μὲν εἴσεται ὧν προσδεῖται,
πάντων δὲ ἐπιμελόμενος ἐκπληρώσει· ἀλλ' ἐπεὶ ἡ μὲν
πόλις ἐκ πλειόνων ἢ μυρίων οἰκιῶν συνέστηκε, χαλεπὸν
δέ ἐστιν ἅμα τοσούτων οἴκων ἐπιμελεῖσθαι, πῶς οὐχ ἕνα,
90 τὸν τοῦ θείου, πρῶτον ἐπειράθης αὐξῆσαι; δεῖται δέ.
κἂν μὲν τοῦτον δύνῃ, καὶ πλείοσιν ἐπιχειρήσεις· ἕνα δὲ
μὴ δυνάμενος ὠφελῆσαι πῶς ἂν πολλούς γε δυνηθείης;
ὥσπερ εἴ τις ἕν τάλαντον μὴ δύναιτο φέρειν, πῶς οὐ
φανερὸν ὅτι πλείω γε φέρειν οὐδ' ἐπιχειρητέον αὐτῷ;"
95 "'Αλλ' ἔγωγ'," ἔφη ὁ Γλαύκων, "ὠφελοίην ἂν τὸν τοῦ15

---

832, ὑβριζόμεθα Aristophanes *Peace*
1264.  Glauco is as earnest as he is
foolish, and Socrates now adopts a
more serious tone.

13. **προσδεῖται** (sc. ἡ πόλις): *re-*
*quires in addition,* i.e. by importa-
tion.— **ἵνα μὴ τοῦτό γε . . . γενομένη :**
"in order that the city may never
run short of grain through your over-
sight."— **εἰδὼς ἔχῃς συμβουλεύων:**
*you may be able, by giving advice*
*based on knowledge.* — **παμμέγεθες**
**πρᾶγμα :** *an enormous task.*

14. **οὐδ' ἂν οἰκήσειεν, εἰ μὴ**
**εἴσεται :** for the 'mixed form' of
cond. sent., see on i. 2. 45.—

**μυρίων :** a similar approximate esti-
mate of the number of houses in
Athens is given by Ischomachus,
*Oec.* viii. 22. — **οἰκιῶν, οἴκων,** *houses,*
*households.* — **τοῦ θείου :** *mother's-*
*brother, uncle.* Charmides is meant.
The Greek was much more exact in
terms of relationship than the Eng-
lish. — **δεῖται δέ :** for the use of δέ
where the Eng. would employ a
conj. of cause or reason, *cf.* ἦρχον δέ
*An.* vi. 6. 9.  It is freq. in Homer,
*cf.* βίηφι δὲ φέρτεροι ἦσαν ζ 6. — **ἐν**
**τάλαντον :** about 57 lbs.  For Greek
weights, see Gow, *Companion to*
*School Classics,* p. 88.

θείου οἶκον, εἴ μοι ἐθέλοι πείθεσθαι." "Εἶτα," ἔφη ὁ
Σωκράτης, "τὸν θεῖον οὐ δυνάμενος πείθειν, Ἀθηναίους
πάντας μετὰ τοῦ θείου νομίζεις δυνήσεσθαι ποιῆσαι πεί-
θεσθαί σοι; φυλάττου," ἔφη, "ὦ Γλαύκων, ὅπως μὴ τοῦ 16
100 εὐδοξεῖν ἐπιθυμῶν εἰς τοὐναντίον ἔλθῃς· ἢ οὐχ ὁρᾷς ὡς
σφαλερόν ἐστι τὸ ἃ μὴ οἶδέ τις ταῦτα ἢ λέγειν ἢ πράτ-
τειν; ἐνθυμοῦ δὲ τῶν ἄλλων, ὅσους οἶσθα τοιούτους, οἷοι
φαίνονται καὶ λέγοντες ἃ μὴ ἴσασι καὶ πράττοντες,
πότερά σοι δοκοῦσιν ἐπὶ τοῖς τοιούτοις ἐπαίνου μᾶλλον ἢ
105 ψόγου τυγχάνειν καὶ πότερον θαυμάζεσθαι μᾶλλον ἢ
καταφρονεῖσθαι· ἐνθυμοῦ δὲ καὶ τῶν εἰδότων ὅ τι τε 17
λέγουσι καὶ ὅ τι ποιοῦσι· καί, ὡς ἐγὼ νομίζω, εὑρήσεις
ἐν πᾶσιν ἔργοις τοὺς μὲν εὐδοκιμοῦντάς τε καὶ θαυμα-
ζομένους ἐκ τῶν μάλιστα ἐπισταμένων ὄντας, τοὺς
110 δὲ κακοδοξοῦντάς τε καὶ καταφρονουμένους ἐκ τῶν
ἀμαθεστάτων. εἰ οὖν ἐπιθυμεῖς εὐδοκιμεῖν τε καὶ θαυμά- 18
ζεσθαι ἐν τῇ πόλει, πειρῶ κατεργάσασθαι ὡς μάλιστα τὸ
εἰδέναι ἃ βούλει πράττειν· ἐὰν γὰρ τούτῳ διενέγκας
τῶν ἄλλων ἐπιχειρῇς τὰ τῆς πόλεως πράττειν, οὐκ ἂν
115 θαυμάσαιμι εἰ πάνυ ῥᾳδίως τύχοις ὧν ἐπιθυμεῖς."

---

15. **μετὰ τοῦ θείου** : *uncle and all.*
—**δυνήσεσθαι ποιῆσαι πείθεσθαι** : an
accumulation of infs. contrasting
awkwardly with Xenophon's usual
well-balanced arrangement.

16. **ὅπως μὴ ἔλθῃς** : for obj.
clauses after φυλάττομαι, see GMT.
370 ; H. 885 b. — **ἃ μὴ οἶδέ τις** : for
the rel. cond. assumed as real, see
G. 1430 ; H. 914 A. — **ἐνθυμοῦ δὲ τῶν
ἄλλων** : const. with πότερά σοι δο-
κοῦσιν. See on αὐτῶν ἐσκόπει, πότερα
i. 1. 12. Socrates says τῶν ἄλλων,
reckoning Glauco among those who

would seem to know what they do
not know.

17. **ἐνθυμοῦ, καὶ εὑρήσεις** : see on
ἐγχείρει, καὶ ὑπακούσεται ii. 3. 16.
The obj. of εὑρήσεις (the fact that
everywhere the well-informed are
respected, and the ignorant are
despised) is felt also, as obj., with
ἐνθυμοῦ. — **ἐκ, ὄντας** : *consist of.*

18. **τῶν ἄλλων** : *i.e.* your fellow-
citizens. — **οὐκ ἂν θαυμάσαιμι** : apod.
to εἰ τύχοις. — **εἰ τύχοις** : a true fut.
cond. of the 'less vivid' form, not
(as freq. after θαυμάζω) causal.

Χαρμίδην δὲ τὸν Γλαύκωνος ὁρῶν ἀξιόλογον μὲν ἄνδρα 7
ὄντα καὶ πολλῷ δυνατώτερον τῶν τὰ πολιτικὰ τότε πρατ-
τόντων, ὀκνοῦντα δὲ προσιέναι τῷ δήμῳ καὶ τῶν τῆς
πόλεως πραγμάτων ἐπιμελεῖσθαι, "Εἰπέ μοι," ἔφη, "ὦ
5 Χαρμίδη, εἴ τις ἱκανὸς ὢν τοὺς στεφανίτας ἀγῶνας νικᾶν
καὶ διὰ τοῦτο αὐτός τε τιμᾶσθαι καὶ τὴν πατρίδα ἐν τῇ
Ἑλλάδι εὐδοκιμωτέραν ποιεῖν, μὴ θέλοι ἀγωνίζεσθαι,
ποῖόν τινα τοῦτον νομίζοις ἂν τὸν ἄνδρα εἶναι;" "Δῆλον
ὅτι," ἔφη, "μαλακόν τε καὶ δειλόν." "Εἰ δέ τις," ἔφη, 2
10 "δυνατὸς ὢν τῶν τῆς πόλεως πραγμάτων ἐπιμελόμενος
τήν τε πόλιν αὔξειν καὶ αὐτὸς διὰ τοῦτο τιμᾶσθαι, ὀκνοίη
δὴ τοῦτο πράττειν, οὐκ ἂν εἰκότως δειλὸς νομίζοιτο;"
"Ἴσως," ἔφη· "ἀτὰρ πρὸς τί με ταῦτ' ἐρωτᾷς;" "Ὅτι,"
ἔφη, "οἶμαί σε δυνατὸν ὄντα ὀκνεῖν ἐπιμελεῖσθαι, καὶ ταῦτα

---

**7.** *Charmides, a man who is
thoroughly acquainted with public
affairs, but has yet, by reason of
excessive modesty, never ventured to
speak in public, is urged by Socrates
no longer to withhold his services
from the state. As he has not hesi-
tated in private to give advice which
was accepted by the most experienced
statesmen, he will be able to speak in
the presence of the less intelligent
multitude in a manner which will re-
dound to his own credit and the
welfare of the commonwealth.*

1. Χαρμίδην : brother-in-law of
Aristo, who had married his sister
Perictione, and hence uncle of Plato
and the younger Glauco. (See on
iii. 6. 1.) His kinsman and guard-
ian Critias had introduced him to
Socrates after the siege of Potidaea
(432 B.C.); *cf.* Plato *Charm.* 154.
Together with Critias he fought on

the side of the oligarchy, and fell in
the fight at the Piraeus (403 B.C.).
*Cf. Hell.* ii. 4. 19. — δυνατώτερον :
*sc.* πράττειν τὰ πολιτικά. — προσιέναι
τῷ δήμῳ : *to come forward as speaker
in the popular assembly.* — τοὺς στε-
φανίτας ἀγῶνας νικᾶν : for the acc.
with νικᾶν, see on ii. 6. 26. The
ἀγῶνες were of two kinds, χρηματῖται
and στεφανῖται, the former offering
a prize of money value, the latter
(and more distinguished) the coveted
wreath of olive, bay, or parsley. —
ποῖόν τινα : see on τοιάδε τις i. 1. 1.
— δῆλον ὅτι : was generally regarded
as one word, hence the position of
ἔφη after ὅτι, as in iv. 2. 14, 4. 23.
*Cf.* iv. 2. 39.

2. ἐπιμελόμενος : *by giving atten-
tion,* modifies αὔξειν. — ὀκνοίη δή :
*should then hesitate.* δή glances
back to the words δυνατὸς ὢν κτλ. —
καὶ ταῦτα : *and that too, sc.* τούτων

15 ὧν ἀνάγκη σοι μετέχειν πολίτῃ γε ὄντι." "Τὴν δὲ 3
ἐμὴν δύναμιν," ἔφη ὁ Χαρμίδης, "ἐν ποίῳ ἔργῳ καταμα-
θὼν ταῦτά μου καταγιγνώσκεις;" "Ἐν ταῖς συνουσίαις,"
ἔφη, "αἷς σύνει τοῖς τὰ τῆς πόλεως πράττουσι· καὶ γὰρ
ὅταν τι ἀνακοινῶνταί σοι, ὁρῶ σε καλῶς συμβουλεύοντα,
20 καὶ ὅταν τι ἁμαρτάνωσιν, ὀρθῶς ἐπιτιμῶντα." "Οὐ ταὐ- 4
τόν ἐστιν," ἔφη, "ὦ Σώκρατες, ἰδίᾳ τε διαλέγεσθαι καὶ ἐν
τῷ πλήθει ἀγωνίζεσθαι." "Καὶ μήν," ἔφη, "ὅ γε ἀρι-
θμεῖν δυνάμενος οὐδὲν ἧττον ἐν τῷ πλήθει ἢ μόνος ἀριθμεῖ,
καὶ οἱ κατὰ μόνας ἄριστα κιθαρίζοντες οὗτοι καὶ ἐν τῷ
25 πλήθει κρατιστεύουσιν." "Αἰδῶ δὲ καὶ φόβον," ἔφη, 5
"οὐχ ὁρᾷς ἔμφυτά τε ἀνθρώποις ὄντα καὶ πολλῷ μᾶλλον
ἐν τοῖς ὄχλοις ἢ ἐν ταῖς ἰδίαις ὁμιλίαις παριστάμενα;"
"Καὶ σέ γε διδάξων," ἔφη, "ὥρμημαι, ὅτι οὔτε τοὺς φρο-
νιμωτάτους αἰδούμενος οὔτε τοὺς ἰσχυροτάτους φοβούμε-
30 νος ἐν τοῖς ἀφρονεστάτοις τε καὶ ἀσθενεστάτοις αἰσχύνῃ
λέγειν· πότερον γὰρ τοὺς γναφεῖς αὐτῶν ἢ τοὺς σκυτεῖς 6

ἐπιμελεῖσθαι. G. 1573; H. 612 a. —
πολίτῃ γε ὄντι: as a citizen.

3. ταῦτά μου καταγιγνώσκεις: do
you pass this criticism on me. Cf.
i. 3. 10. — αἷς: equivalent to ἐν αἷς.
See on ii. 1. 32. — ἀνακοινῶνταί σοι:
consult with you. So Xenophon (An.
iii. 1. 5) referred (ἀνακοινοῦται) the
invitation of Proxenus to Socrates,
for his advice. — ὀρθῶς ἐπιτιμῶντα:
rightly assigning the blame.

4. τέ, καί: as in iii. 4. 3. — κατὰ
μόνας (sc. μοίρας or δυνάμεις): "by
themselves." Cf. αὐτοὶ κατὰ μόνας
ἀπεωσάμεθα Κορινθίους we by ourselves
repulsed the Corinthians Thuc. i.
32. — κρατιστεύουσι: excel. For a
different meaning, cf. i. 4. 14; ii.
6. 26.

5. ἐν τοῖς ὄχλοις: i.e. in public
meetings, but with a depreciatory
added meaning. Cf. ἐν δικαστηρίοις
τε καὶ ἄλλοις ὄχλοις Plato Gorg. 454 E.
— καὶ σέ γε διδάξων κτλ.: Charmides
has just said that bashfulness in
speaking before a public audience
has a rational ground in the nature
of man. Socrates retorts, "Not so;
for you, who do not hesitate to speak
before the most intelligent individu-
als, yet shrink from addressing the
unintelligent populace," — which is
not nature, but perversity. — διδάξων
ὥρμημαι: I desire to show, lit. I have
set out with the intention of showing.
For the fut. participle of intention,
see G. 1563, 4; H. 969 c. — αἰσχύνῃ
λέγειν: see on iii. 1. 11.

ἢ τοὺς τέκτονας ἢ τοὺς χαλκεῖς ἢ τοὺς γεωργοὺς ἢ τοὺς
ἐμπόρους ἢ τοὺς ἐν τῇ ἀγορᾷ μεταβαλλομένους καὶ φρον-
τίζοντας ὅ τι ἐλάττονος πριάμενοι πλείονος ἀποδῶνται,
35 αἰσχύνῃ; ἐκ γὰρ τούτων ἁπάντων ἡ ἐκκλησία συνίστα-
ται.   τί δὲ οἴει διαφέρειν ὃ σὺ ποιεῖς ἢ τῶν ἀσκητῶν ὄντα  7
κρείττω τοὺς ἰδιώτας φοβεῖσθαι; σὺ γάρ, τοῖς πρωτεύου-
σιν ἐν τῇ πόλει, ὧν ἔνιοι καταφρονοῦσί σου, ῥᾳδίως
διαλεγόμενος καὶ τῶν ἐπιμελομένων τοῦ τῇ πόλει διαλέ-
40 γεσθαι πολὺ περιών, ἐν τοῖς μηδὲ πώποτε φροντίσασι τῶν
πολιτικῶν μηδὲ σοῦ καταπεφρονηκόσιν ὀκνεῖς λέγειν,
δεδιὼς μὴ καταγελασθῇς."  "Τί δ';"  ἔφη, "οὐ δοκοῦσί  8
σοι πολλάκις οἱ ἐν τῇ ἐκκλησίᾳ τῶν ὀρθῶς λεγόν-
των καταγελᾶν;"  "Καὶ γὰρ οἱ ἕτεροι," ἔφη·  "διὸ καὶ
45 θαυμάζω σου εἰ ἐκείνους, ὅταν τοῦτο ποιῶσι, ῥᾳδίως χει-
ρούμενος, τούτοις μηδένα τρόπον οἴει δυνήσεσθαι προσ-
ενεχθῆναι.   ὠγαθέ, μὴ ἀγνόει σεαυτόν, μηδὲ ἁμάρτανε ἃ  9

6. **τοὺς μεταβαλλομένους** (*sc. τὰ
ὤνια*): *shopkeepers*, opposed to *ἐμπό-
ρους merchants* (*i.e.* importers).  See
on ἔμποροι iii. 4. 2.   Cf. the distinc-
tion made in England (but not in
America) between 'tradesmen' and
'merchants.'   For this and the other
accs. with αἰσχύνῃ, see G. 1049 ; H.
712.

7. **τί δὲ οἴει διαφέρειν** κτλ.: *and
how do you suppose your behavior is
any wiser than that of the athlete who,
when proved superior to trained
opponents, yet fears the untrained?*
*Cf.* ἀσκηταὶ ὄντες τῶν καλῶν κἀγαθῶν
ἔργων ἴωμεν ἐπὶ τοὺς πολεμίους, ἰδιώτας
ὄντας *Cyr.* i. 5. 11.   The Olympic
victors are contrasted with ἰδιῶται in
iii. 12. 1. — **ἐν τῇ πόλει** : "in public
life." — **φροντίσασι, μηδὲ κατεφρονη-**

**κόσι** : note the difference between
the aor. and the pf. participle, *men
who never gave a thought, and have
conceived no contempt for you.*

8. **οἱ ἕτεροι** : *the others*, sc. in
private circles, mentioned in 3. —
**θαυμάζω σου εἰ** : see on ἐθαύμαζε εἰ
i. 1. 13. — **ἐκείνους** : refers to οἱ ἕτεροι,
nearest mentioned, but farther from
the speaker's thought. — **τούτοις** :
*i.e.* the people in the public as-
sembly. — **προσενεχθῆναι** : "to face."

9. **μὴ ἀγνόει σεαυτόν** : *do not
underestimate your own powers.   Cf.*
cessator esse noli (μὴ ἀπορραθύ-
μει) et illud γνῶθι σεαυτόν noli
putare ad arrogantiam minu-
endam solum esse dictum,
verum etiam, ut bona nostra
norimus Cic. *Ep. ad Quint.* iii. 6.

οἱ πλεῖστοι ἁμαρτάνουσιν· οἱ γὰρ πολλοὶ ὡρμηκότες ἐπὶ
τὸ σκοπεῖν τὰ τῶν ἄλλων πράγματα οὐ τρέπονται ἐπὶ τὸ
50 ἑαυτοὺς ἐξετάζειν. μὴ οὖν ἀπορραθύμει τούτου, ἀλλὰ
διατείνου μᾶλλον πρὸς τὸ σεαυτῷ προσέχειν· καὶ μὴ
ἀμέλει τῶν τῆς πόλεως, εἴ τι δυνατόν ἐστι διὰ σὲ βέλτιον
ἔχειν· τούτων γὰρ καλῶς ἐχόντων οὐ μόνον οἱ ἄλλοι
πολῖται, ἀλλὰ καὶ οἱ σοὶ φίλοι καὶ αὐτὸς σὺ οὐκ ἐλάχιστα
55 ὠφελήσῃ."

Ἀριστίππου δ᾽ ἐπιχειροῦντος ἐλέγχειν τὸν Σωκράτην, 8
ὥσπερ αὐτὸς ὑπ᾽ ἐκείνου τὸ πρότερον ἠλέγχετο, βουλόμενος
τοὺς συνόντας ὠφελεῖν ὁ Σωκράτης ἀπεκρίνατο οὐχ
ὥσπερ οἱ φυλαττόμενοι μή πῃ ὁ λόγος ἐπαλλαχθῇ, ἀλλ᾽
5 ὡς ἂν πεπεισμένοι μάλιστα πράττειν τὰ δέοντα. ὁ μὲν 2
γὰρ αὐτὸν ἤρετο εἴ τι εἰδείη ἀγαθόν, ἵνα εἴ τι εἴποι τῶν
τοιούτων, οἷον ἢ σιτίον ἢ ποτὸν ἢ χρήματα ἢ ὑγίειαν
ἢ ῥώμην ἢ τόλμαν, δεικνύοι δὴ τοῦτο κακὸν ἐνίοτε
ὄν· ὁ δὲ εἰδὼς ὅτι ἐάν τι ἐνοχλῇ ἡμᾶς, δεόμεθα

— τούτου : gen. of separation with
ἀπορραθύμει. — ὠφελήσῃ : middle as
passive, as in i. 6. 14 ; iii. 3. 15.

8. 'Good' and 'beautiful' are
relative terms. The same thing can
be good or bad, beautiful or ugly,
according as it answers its purpose.
Houses, temples, and altars are most
beautiful when they best serve the end
for which they were constructed.

1. Ἀριστίππου : see on i. 2. 60,
and ii. 1. 1. — ἠλέγχετο : the impf.
may mean that Xenophon here had
in mind other conversations than
the one recorded in ii. 1. — οὐχ
ὥσπερ κτλ. : not like those who are
on their guard lest their words be
perverted. — ὡς ἂν πεπεισμένοι (sc.
ἀποκρίναιντο) κτλ. : as they would

answer if persuaded that they are
above all things doing what is right.
Cf. ὁ τὰ δέοντα πράττων οὐ σωφρονεῖ ;
Plato Charm. 164 B. Socrates's
method of discussion, which aimed
at the discovery of truth, is con-
trasted with the ways of the
Sophists, who were chiefly con-
cerned with wresting the victory
from an opponent by rhetorical
artifice.

2. δεικνύοι δή : for δή, see on iii.
7. 2. — ἐάν τι ἐνοχλῇ ἡμᾶς κτλ. :
Socrates, knowing well that if any-
thing annoys us, we seek the
remedy, felt that the word ἀγαθόν
could best be explained as a relative
term by applying it to special cases,
as, e.g., 'good for a fever,' 'good

10 τοῦ παύσοντος, ἀπεκρίνατο ἧπερ καὶ ποιεῖν κράτιστον.
"Ἆρά γε," ἔφη, "ἐρωτᾷς με εἴ τι οἶδα πυρετοῦ ἀγαθόν;" 3
"Οὐκ ἔγωγ'," ἔφη. "Ἀλλ' ὀφθαλμίας;" "Οὐδὲ τοῦτο."
"Ἀλλὰ λιμοῦ;" "Οὐδὲ λιμοῦ." "Ἀλλὰ μήν," ἔφη, "εἴ
γ' ἐρωτᾷς με εἴ τι ἀγαθὸν οἶδα ὃ μηδενὸς ἀγαθόν ἐστιν,
15 οὔτ' οἶδα," ἔφη, "οὔτε δέομαι."

Πάλιν δὲ τοῦ Ἀριστίππου ἐρωτῶντος αὐτὸν εἴ τι εἰδείη 4
καλόν, "Καὶ πολλά," ἔφη. "Ἆρ' οὖν," ἔφη, "πάντα
ὅμοια ἀλλήλοις;" "Ὡς οἷόν τε μὲν οὖν," ἔφη, "ἀνομοιό-
τατα ἔνια." "Πῶς οὖν," ἔφη, "τὸ τῷ καλῷ ἀνόμοιον
20 καλὸν ἂν εἴη;" "Ὅτι νὴ Δί'," ἔφη, "ἔστι μὲν τῷ καλῷ
πρὸς δρόμον ἀνθρώπῳ ἄλλος ἀνόμοιος καλὸς πρὸς πάλην,
ἔστι δὲ ἀσπὶς καλὴ πρὸς τὸ προβάλλεσθαι ὡς ἔνι ἀνο-
μοιοτάτη τῷ ἀκοντίῳ, καλῷ πρὸς τὸ σφόδρα τε καὶ ταχὺ
φέρεσθαι." "Οὐδὲν διαφερόντως," ἔφη, "ἀποκρίνῃ μοι ἢ 5
25 ὅτε σε ἠρώτησα εἴ τι ἀγαθὸν εἰδείης." "Σὺ δ' οἴει," ἔφη,
"ἄλλο μὲν ἀγαθόν, ἄλλο δὲ καλὸν εἶναι; οὐκ οἶσθ' ὅτι
πρὸς ταὐτὰ πάντα καλά τε κἀγαθά ἐστι; πρῶτον μὲν γὰρ
ἡ ἀρετὴ οὐ πρὸς ἄλλα μὲν ἀγαθόν, πρὸς ἄλλα δὲ καλόν
ἐστιν, ἔπειτα οἱ ἄνθρωποι τὸ αὐτό τε καὶ πρὸς τὰ αὐτὰ
30 καλοί τε κἀγαθοὶ λέγονται, πρὸς τὰ αὐτὰ δὲ καὶ τὰ

---

for hunger,' *etc.* It should be re-
membered that the Platonic Socrates
held a very different view. *Cf.* Plato
*Alc.* I, 116 A ff. See Introd. § 20 ff.
— **τοῦ παύσοντος** (sc. τὸ ἐνοχλοῦν):
*something to check it.* — **ποιεῖν**: *i.e.*
ἀποκρίνεσθαι. Like f a c e r e in Lat.
and ' do ' in Eng., ποιεῖν is often
made to do duty for another verb,
to avoid repetition. — **κράτιστον**:
sc. ἦν.

3. **ἐρωτᾷς**: *do you mean to ask.*
— **πυρετοῦ**: *for a fever*, obj. genitive.

— **ἀλλὰ μήν**: at vero, introduces
the conclusive statement. — **δέομαι**:
sc. εἰδέναι.

4. **καὶ πολλά**: *aye, many things.*
**ὡς οἷόν τε** (sc. ἐστί) **ἀνομοιότατα**: *as
unlike as it is possible to be.* — **ὡς
ἔνι** (equivalent to ἔνεστι): like ὡς
οἷόν τε above. — **ἔστι**: for the accent,
see G. 144, 5; H. 480. For the
thought of the passage, *cf.* iv. 6. 9.

5. **ἢ ὅτε**: *than* (you did) *when.*
— **πρὸς ταὐτά**: *with reference to the
same objects.* — **τὸ αὐτό**: *in the same*

σώματα τῶν ἀνθρώπων καλά τε κἀγαθὰ φαίνεται, πρὸς
ταῦτα δὲ καὶ τἆλλα πάντα οἷς ἄνθρωποι χρῶνται, καλά τε
κἀγαθὰ νομίζεται πρὸς ἅπερ ἂν εὔχρηστα ᾖ." "Ἆρ᾽ 6
οὖν," ἔφη, "καὶ κόφινος κοπροφόρος καλόν ἐστιν;" "Νὴ
35 Δί᾽," ἔφη, "καὶ χρυσῆ γε ἀσπὶς αἰσχρόν, ἐὰν πρὸς τὰ
ἑαυτῶν ἔργα ὁ μὲν καλῶς πεποιημένος ᾖ, ἡ δὲ κακῶς."
"Λέγεις σύ," ἔφη, "καλά τε καὶ αἰσχρὰ τὰ αὐτὰ εἶναι;"
"Καὶ νὴ Δί᾽ ἔγωγ᾽," ἔφη, "ἀγαθά τε καὶ κακά· πολλάκις 7
γὰρ τό τε λιμοῦ ἀγαθὸν πυρετοῦ κακόν ἐστι, καὶ τὸ πυρε-
40 τοῦ ἀγαθὸν λιμοῦ κακόν ἐστι· πολλάκις δὲ τὸ μὲν πρὸς
δρόμον καλὸν πρὸς πάλην αἰσχρόν, τὸ δὲ πρὸς πάλην
καλὸν πρὸς δρόμον αἰσχρόν· πάντα γὰρ ἀγαθὰ μὲν καὶ
καλά ἐστι πρὸς ἃ ἂν εὖ ἔχῃ, κακὰ δὲ καὶ αἰσχρὰ πρὸς ἃ
ἂν κακῶς."

45 Καὶ οἰκίας δὲ λέγων τὰς αὐτὰς καλάς τε εἶναι καὶ χρη- 8
σίμους παιδεύειν ἔμοιγ᾽ ἐδόκει οἵας χρὴ οἰκοδομεῖσθαι.
ἐπεσκόπει δὲ ὧδε· "Ἆρά γε τὸν μέλλοντα οἰκίαν οἵαν
χρὴ ἔχειν τοῦτο δεῖ μηχανᾶσθαι, ὅπως ἡδίστη τε ἐνδιαι-
τᾶσθαι καὶ χρησιμωτάτη ἔσται;" τούτου δὲ ὁμολογου- 9
50 μένου· "Οὐκοῦν ἡδὺ μὲν θέρους ψυχεινὴν ἔχειν, ἡδὺ δὲ
χειμῶνος ἀλεεινήν;" ἐπειδὴ δὲ καὶ τοῦτο συμφαῖεν·

---

way. — πρὸς ἅπερ κτλ. : added in
explanation of πρὸς ταῦτα, "with
reference to their usefulness."

6. καί, γε : and even. — τὰ ἑαυτῶν
ἔργα : "their respective uses." —
τὰ αὐτά : subj., with καλά and
αἰσχρά for preds. in this sent., and
ἀγαθά and κακά in the next.

7. λιμοῦ, πυρετοῦ : as in 3. Food is
good for hunger, but we must 'starve
a fever.' — τὸ πρὸς δρόμον καλόν :
what is admirable for running. — εὖ
ἔχῃ : are well adapted.

8. παιδεύειν : to be giving us a
lesson. — οἵας χρὴ οἰκοδομεῖσθαι : obj.
of παιδεύειν, what kind of houses we
ought to build. — τοῦτο : see on ii. 4.
1. — ἡδίστη ἐνδιαιτᾶσθαι : for the
inf. act. or mid. with adjs., see
GMT. 763 ; H. 952, and a.

9. ἐπειδὴ συμφαῖεν : see on ἐπεὶ
διομολογήσαιτο i. 2. 57. The subj. is
the persons who on each occasion
were conversing with Socrates.
This sent. shows, too, that τούτου
ὁμολογουμένου above is equivalent to

"Οὐκοῦν ἐν ταῖς πρὸς μεσημβρίαν βλεπούσαις οἰκίαις
τοῦ μὲν χειμῶνος ὁ ἥλιος εἰς τὰς παστάδας ὑπολάμπει,
τοῦ δὲ θέρους ὑπὲρ ἡμῶν αὐτῶν καὶ τῶν στεγῶν πορευ-
55 όμενος σκιὰν παρέχει; οὔκουν, εἴ γε καλῶς ἔχει ταῦτα
οὕτω γίγνεσθαι, οἰκοδομεῖν δεῖ ὑψηλότερα μὲν τὰ πρὸς
μεσημβρίαν, ἵνα ὁ χειμερινὸς ἥλιος μὴ ἀποκλείηται, χθα-
μαλώτερα δὲ τὰ πρὸς ἄρκτον, ἵνα οἱ ψυχροὶ μὴ ἐμπίπτω-
σιν ἄνεμοι; ὡς δὲ συνελόντι εἰπεῖν, ὅποι πάσας ὥρας 10
60 αὐτός τε ἂν ἥδιστα καταφεύγοι καὶ τὰ ὄντα ἀσφαλέστατα
τιθοῖτο, αὕτη ἂν εἰκότως ἡδίστη τε καὶ καλλίστη οἴκη-
σις εἴη. γραφαὶ δὲ καὶ ποικιλίαι πλείονας εὐφροσύνας
ἀποστεροῦσιν ἢ παρέχουσι." ναοῖς γε μὴν καὶ βωμοῖς
χώραν ἔφη εἶναι πρεπωδεστάτην ἥτις ἐμφανεστάτη οὖσα
65 ἀστιβεστάτη εἴη· ἡδὺ μὲν γὰρ ἰδόντας προσεύξασθαι,
ἡδὺ δὲ ἁγνῶς ἔχοντας προσιέναι.

ὁπότε ὁμολογοῖεν (sc. οἱ παρόντες). —
**πρὸς μεσημβρίαν βλεπούσαις** : so we
say 'looking toward the south.' Cf.
Oec. ix. 4. The house should be
built high and open toward the
south, so that the slanting rays
of the sun in winter may enter
the portico (παστάς) at the front of
the open court in the center of
the dwelling. Toward the north it
should be low and protected against
storms.

10. **ὡς συνελόντι εἰπεῖν** : to sum it
up in a word. For the dat., see G.
1172, 2 ; H. 771 b, and, for the abs.
inf., G. 1534 ; H. 956. — **αὐτός** : the
owner, in distinction from his
property (τὰ ὄντα). — **ἂν καταφεύγοι** :
potential opt. in cond. rel. clause.
See GMT. 557. — **γραφαὶ καὶ**
**ποικιλίαι** : paintings and wall-
decorations. It is not clear whether

Socrates objects to these because so
much money is 'locked up' in them,
or on the ground that they 'are
more trouble than they are worth.'
— **ναοῖς** : instead of the 'Attic'
form νεώς. So ναόν An. v. 3. 9. —
**χώραν** : a situation. — **ἐμφανεστάτη** :
most conspicuous, being on high
ground. — **οὖσα** : concessive. — **ἀστι-**
**βεστάτη** : lit. most untrodden, 'far
from the madding crowd.' — **ἰδόντας** :
sc. from a distance. — **ἁγνῶς ἔχοντας**
**προσιέναι** : helps to explain ἀστιβε-
στάτη, "to approach it unsullied"
sc. by contact with the throng.

9. Socrates discusses and defines
the terms ἀνδρεία (courage), σοφία
(wisdom), φθόνος (envy), σχολή (leis-
ure), βασιλεύς and ἄρχων (king and
commander), εὐπραξία (good conduct),
and εὐτυχία (good fortune). See
Introd. §§ 20, 22.

Πάλιν δὲ ἐρωτώμενος, ἡ ἀνδρεία πότερον εἴη διδακτὸν 9
ἢ φυσικόν, "Οἶμαι μέν," ἔφη, "ὥσπερ σῶμα σώματος
ἰσχυρότερον πρὸς τοὺς πόνους φύεται, οὕτω καὶ ψυχὴν
ψυχῆς ἐρρωμενεστέραν πρὸς τὰ δεινὰ φύσει γίγνεσθαι·
5 ὁρῶ γὰρ ἐν τοῖς αὐτοῖς νόμοις τε καὶ ἔθεσι τρεφομένους
πολὺ διαφέροντας ἀλλήλων τόλμῃ. νομίζω μέντοι πᾶσαν 2
φύσιν μαθήσει καὶ μελέτῃ πρὸς ἀνδρείαν αὔξεσθαι·
δῆλον μὲν γὰρ ὅτι Σκύθαι καὶ Θρᾷκες οὐκ ἂν τολμήσειαν
ἀσπίδας καὶ δόρατα λαβόντες Λακεδαιμονίοις διαμάχε-
10 σθαι, φανερὸν δὲ ὅτι καὶ Λακεδαιμόνιοι οὔτ᾽ ἂν Θρᾳξὶ
πέλταις καὶ ἀκοντίοις οὔτε Σκύθαις τόξοις ἐθέλοιεν ἂν
διαγωνίζεσθαι. ὁρῶ δ᾽ ἔγωγε καὶ ἐπὶ τῶν ἄλλων πάντων 3
ὁμοίως καὶ φύσει διαφέροντας ἀλλήλων τοὺς ἀνθρώπους
καὶ ἐπιμελείᾳ πολὺ ἐπιδιδόντας. ἐκ δὲ τούτων δῆλόν
15 ἐστιν ὅτι πάντας χρὴ καὶ τοὺς εὐφυεστέρους καὶ τοὺς
ἀμβλυτέρους τὴν φύσιν ἐν οἷς ἂν ἀξιόλογοι βούλωνται
γενέσθαι, ταῦτα καὶ μανθάνειν καὶ μελετᾶν."

1. **ἡ ἀνδρεία πότερον**: for the same
order, see ii. 7. 8. *Cf.* iv. 6. 10, 11,
and i. 1. 16, where Xenophon speaks
of Socrates as discussing just such
themes as these in this chapter. —
**διδακτὸν ἢ φυσικόν**: *capable of
being taught, or a gift of nature.*
For the gender, see on χρησιμώτερον
ii. 3. 1. — **οἶμαι μέν**: corresponds
to νομίζω μέντοι in 2. *Cf.* ii. 1. 12,
and *An.* ii. 1. 13. — **ἰσχυρότερον
φύεται**: *is by nature stronger.* — **τὰ
δεινά**: as in i. 1. 14. — **γίγνεσθαι**:
*grows.*

2. **μαθήσει καὶ μελέτῃ**: *cf.* ii. 6.
39. — **πρὸς ἀνδρείαν**: *as regards
courage.* — **Σκύθαι καὶ Θρᾷκες**: races
often cited by Greek writers as ex-
amples of half-savage daring. "Yet

even these, brave as they are, would
scarce venture to fight with shield
and spear against the veteran in-
fantry of Lacedaemon." *Cf.* the
story of David in Saul's armor,
1 *Sam.* xvii. 39. — **τολμήσειαν**: for
the potential opt., see G. 1328;
H. 872. — **διαμάχεσθαι**: *to fight it
out.* — **οὔτ᾽ ἄν, ἐθέλοιεν ἄν**: for the
repetition of the particle, see on
i. 4. 14. — **πέλταις**: Thracian peltasts
formed a considerable part of the
army of Cyrus the Younger. *Cf. An.*
i. 2. 9.

3. **ἐπὶ τῶν ἄλλων πάντων ὁμοίως**:
*similarly in all other matters.* — **ἐπιδι-
δόντας**: intr., *improving. Cf.* Lat.
proficere. — **εὐφυεστέρους**: *more
highly endowed by nature.*

Σοφίαν δὲ καὶ σωφροσύνην οὐ διώριζεν, ἀλλὰ τῷ τὰ 4
μὲν καλά τε καὶ ἀγαθὰ γιγνώσκοντα χρῆσθαι αὐτοῖς καὶ
20 τῷ τὰ αἰσχρὰ εἰδότα εὐλαβεῖσθαι σοφόν τε καὶ σώφρονα
ἔκρινεν. προσερωτώμενος δὲ εἰ τοὺς ἐπισταμένους μὲν ἃ
δεῖ πράττειν, ποιοῦντας δὲ τἀναντία σοφούς τε καὶ ἐγκρα-
τεῖς εἶναι νομίζοι, "Οὐδέν γε μᾶλλον," ἔφη, "ἢ ἀσόφους
τε καὶ ἀκρατεῖς· πάντας γὰρ οἶμαι προαιρουμένους ἐκ
25 τῶν ἐνδεχομένων ἃ οἴονται συμφορώτατα αὐτοῖς εἶναι,
ταῦτα πράττειν. νομίζω οὖν τοὺς μὴ ὀρθῶς πράττοντας
οὔτε σοφοὺς οὔτε σώφρονας εἶναι." ἔφη δὲ καὶ τὴν 5
δικαιοσύνην καὶ τὴν ἄλλην πᾶσαν ἀρετὴν σοφίαν εἶναι·
τά τε γὰρ δίκαια καὶ πάντα ὅσα ἀρετῇ πράττεται, καλά τε
30 καὶ ἀγαθὰ εἶναι· καὶ οὔτ' ἂν τοὺς ταῦτα εἰδότας ἄλλο
ἀντὶ τούτων οὐδὲν προελέσθαι οὔτε τοὺς μὴ ἐπισταμένους
δύνασθαι πράττειν, ἀλλὰ καὶ ἐὰν ἐγχειρῶσιν, ἁμαρτάνειν.
οὕτω [καὶ] τὰ καλά τε καὶ ἀγαθὰ τοὺς μὲν σοφοὺς πράτ-
τειν, τοὺς δὲ μὴ σοφοὺς οὐ δύνασθαι, ἀλλὰ καὶ ἐὰν ἐγχει-
35 ρῶσιν, ἁμαρτάνειν· ἐπεὶ οὖν τά τε δίκαια καὶ τὰ ἄλλα

---

**4. σοφίαν καὶ σωφροσύνην** : *pru-
dence and temperance.* Σοφία (*wis-
dom* or *prudence*) is right judgment
about what ought to be done; σωφρο-
σύνη is temperance, self-control or
self-regulation, in acting. *Cf.* So-
crates primus philosophiam
devocavit a caelo et in urbi-
bus collocavit et in domos
etiam introduxit, et coëgit
de vita et moribus rebusque
bonis et malis quaerere Cic.
*Tusc. Disp.* v. 4. 41. — **ἀλλὰ τῷ τὰ
μὲν καλὰ** κτλ. : "but by a man's
knowing and practicing the higher
virtues, and recognizing and avoid-
ing baseness, he judged him to be
both wise and virtuous." τῷ χρῆ-
σθαι is dat. of instrument, and as
inf. has for its subj. ἄνθρωπον under-
stood, with which γιγνώσκοντα agrees.
The condensed form of expression
in this sent. seems to emphasize the
identity of 'knowing' and 'doing.'

**5. δικαιοσύνην** : it is difficult to
find an Eng. equivalent; perhaps
*righteousness* is nearest it. — **ἐὰν
ἐγχειρῶσιν** : direct discourse const.
retained for vividness. — **ἐπεὶ οὖν
τά τε δίκαια** κτλ. : the logical form
which this argument takes may be
condensed as follows : "righteous-
ness is included in wisdom. For,
(a) upright and virtuously-wrought

καλά τε καὶ ἀγαθὰ πάντα ἀρετῇ πράττεται, δῆλον εἶναι
ὅτι καὶ δικαιοσύνη καὶ ἡ ἄλλη πᾶσα ἀρετὴ σοφία ἐστί.
μανίαν γε μὴν ἐναντίον μὲν ἔφη εἶναι σοφίᾳ, οὐ μέντοι γε 6
τὴν ἀνεπιστημοσύνην μανίαν ἐνόμιζε. τὸ δὲ ἀγνοεῖν
40 ἑαυτὸν καὶ ἃ μὴ οἶδε δοξάζειν τε καὶ οἴεσθαι γιγνώσκειν
ἐγγυτάτω μανίας ἐλογίζετο εἶναι. τοὺς μέντοι πολλοὺς
ἔφη, ἃ μὲν οἱ πλεῖστοι ἀγνοοῦσι, τοὺς διημαρτηκότας τού-
των οὐ φάσκειν μαίνεσθαι, τοὺς δὲ διημαρτηκότας ὧν οἱ
πολλοὶ γιγνώσκουσι μαινομένους καλεῖν· ἐάν τε γάρ τις 7
45 μέγας οὕτως οἴηται εἶναι ὥστε κύπτειν τὰς πύλας τοῦ
τείχους διεξιών, ἐάν τε οὕτως ἰσχυρὸς ὥστ' ἐπιχειρεῖν
οἰκίας αἴρεσθαι ἢ ἄλλῳ τῳ ἐπιθέσθαι τῶν πᾶσι δήλων
ὅτι ἀδύνατά ἐστι, τοῦτον μαίνεσθαι φάσκειν, τοὺς δὲ
μικρὸν διαμαρτάνοντας οὐ δοκεῖν τοῖς πολλοῖς μαίνε-
50 σθαι, ἀλλ' ὥσπερ τὴν ἰσχυρὰν ἐπιθυμίαν ἔρωτα καλοῦ-
σιν, οὕτω καὶ τὴν μεγάλην παράνοιαν μανίαν αὐτοὺς
καλεῖν.

actions are καλὰ κἀγαθά, (b) the
wise and they alone choose τὰ
καλὰ κἀγαθά. Hence the wise and
they alone choose righteousness;
so wisdom includes righteousness."
See Introd. § 19 ff. — δικαιοσύνη :
for the omission of the art., see on
i. 2. 23. — ἡ ἄλλη ἀρετή : reliqua
virtus. Cf. Plato Prot. 323 A.

6. μανίαν : in accordance with
the definition of Socrates, madness
(μανία, insania) is logically op-
posed to wisdom (σοφία, sapien-
tia), and hence is ignorance of one's
own strength and weakness ; wisdom
being distinguished by its knowledge
of these. But people in general give
the name of madness to the igno-
rance of other things. Cf. the vagaries

of μαινόμενοι as described in i. 1. 14.—
γὲ μήν : as in iii. 8. 10. — οἶδε : the
subj. (τὶς) is to be supplied from the
subj. (τινά) of the infs. ἀγνοεῖν etc. —
ἐγγυτάτω : for the adv. as pred., cf. i.
6. 10. — τοὺς μέντοι πολλούς : subj. of
φάσκειν and καλεῖν. — ἃ . . . ἀγνοοῦσι :
rel. clause preceding its grammatical
antec. τούτων.

7. μέγας : tall. — οὕτως : placed
with emphasis after μέγας. See on
i. 2. 4. — ἄλλῳ τῳ ἐπιθέσθαι : to
attempt anything else. — τῶν πᾶσι
δήλων ὅτι ἀδύνατά ἐστι : see on
ἀδήλων (ὄντων) i. 1. 6. — φάσκειν :
sc. τοὺς πολλούς as subject. — ὥσπερ
τὴν κτλ. : just as they call strong
desire love, so they call great mental
disorder madness.

Φθόνον δὲ σκοπῶν ὅ τι εἴη, λύπην μέν τινα ἐξεύρισκεν 8
αὐτὸν ὄντα, οὔτε μέντοι τὴν ἐπὶ φίλων ἀτυχίαις οὔτε τὴν
55 ἐπ' ἐχθρῶν εὐτυχίαις γιγνομένην, ἀλλὰ μόνους ἔφη φθο-
νεῖν τοὺς ἐπὶ ταῖς τῶν φίλων εὐπραξίαις ἀνιωμένους.
θαυμαζόντων δέ τινων εἴ τις φιλῶν τινα ἐπὶ τῇ εὐπραξίᾳ
αὐτοῦ λυποῖτο, ὑπεμίμνῃσκεν ὅτι πολλοὶ οὕτως πρός τινας
ἔχουσιν ὥστε κακῶς μὲν πράττοντας μὴ δύνασθαι περι-
60 ὁρᾶν ἀλλὰ βοηθεῖν ἀτυχοῦσιν, εὐτυχούντων δὲ λυπεῖσθαι.
τοῦτο μέντοι φρονίμῳ μὲν ἀνδρὶ οὐκ ἂν συμβῆναι, τοὺς
ἠλιθίους δὲ ἀεὶ πάσχειν αὐτό.

Σχολὴν δὲ σκοπῶν τί εἴη, ποιοῦντας μέν τι τοὺς πλεί- 9
στους εὑρίσκειν ἔφη· καὶ γὰρ τοὺς πεττεύοντας καὶ τοὺς
65 γελωτοποιοῦντας ποιεῖν τι· πάντας δὲ τούτους ἔφη σχολά-
ζειν· ἐξεῖναι γὰρ αὐτοῖς ἰέναι πράξοντας τὰ βελτίω τού-
των· ἀπὸ μέντοι τῶν βελτιόνων ἐπὶ τὰ χείρω ἰέναι οὐδένα
σχολάζειν· εἰ δέ τις ἴοι, τοῦτον ἀσχολίας αὐτῷ οὔσης
κακῶς ἔφη τοῦτο πράττειν.

8. **φθόνον, ὅ τι εἴη**: for the 'pro-
lepsis,' see on i. 2. 13. So σχολήν,
τί εἴη in 9. — **λύπην τινά**: *a kind of
pain.* — **οὔτε τὴν ἐπ' ἐχθρῶν εὐτυχίαις
γιγνομένην**: for this feature of the
Socratic ethics, see on ii. 6. 35. — **εἰ
τις φιλῶν τινα**: *that any one who
really loved a friend.* For εἰ after
verbs of wondering, *cf.* 7. 8. —
**βοηθεῖν**: grammatically co-ord. with
δύνασθαι, but opposed in thought
to περιορᾶν. — **ἀτυχοῦσιν**: "in their
misfortune." — **φρονίμῳ**: *sensible.* —
**πάσχειν αὐτό**: *have this feeling. Cf.,*
on this passage, Rochefoucauld's
cynical maxim, that 'there is some-
thing not wholly displeasing to us
in the misfortunes of our best
friends.'

9. **τί εἴη**: for τί in indir. ques-
tions, see on i. 1. 1. — **καὶ γὰρ τοὺς
πεττεύοντας**: *cf.* i. 2. 57, where τοὺς
κυβεύοντας (*dicers*) is the term used for
gamblers. The game of πεττοί was
something like our draughts and was
played on a board of thirty-six squares.
— **γελωτοποιοῦντας**: *buffoons.* — **σχο-
λάζειν**: *were idlers.* Idleness, thus,
is a relative term; when we could be
better employed than we are, we are
idle. — **ἐξεῖναι γὰρ αὐτοῖς κτλ.** : *for it
was in their power to go and do better
things than these.* — **οὐδένα σχολά-
ζειν**: *no one had leisure,* in the better
sense of the word. — **ἀσχολίας αὐτῷ
οὔσης**: *as he had no leisure* (for
such things). — **κακῶς τοῦτο πράτ-
τειν**: *acted badly in this respect.*

70    Βασιλεῖς δὲ καὶ ἄρχοντας οὐ τοὺς τὰ σκῆπτρα ἔχοντας 10
ἔφη εἶναι οὐδὲ τοὺς ὑπὸ τῶν τυχόντων αἱρεθέντας οὐδὲ
τοὺς κλήρῳ λαχόντας οὐδὲ τοὺς βιασαμένους οὐδὲ τοὺς
ἐξαπατήσαντας, ἀλλὰ τοὺς ἐπισταμένους ἄρχειν.    ὁπότε 11
γάρ τις ὁμολογήσειε τοῦ μὲν ἄρχοντος εἶναι τὸ προστάτ-
75 τειν ὅ τι χρὴ ποιεῖν, τοῦ δὲ ἀρχομένου τὸ πείθεσθαι, ἐπε-
δείκνυεν ἔν τε νηῒ τὸν μὲν ἐπιστάμενον ἄρχοντα, τὸν δὲ
ναύκληρον καὶ τοὺς ἄλλους τοὺς ἐν τῇ νηῒ πάντας πειθο-
μένους τῷ ἐπισταμένῳ, καὶ ἐν γεωργίᾳ τοὺς κεκτημένους
ἀγρούς, καὶ ἐν νόσῳ τοὺς νοσοῦντας, καὶ ἐν σωμασκίᾳ
80 τοὺς σωμασκοῦντας, καὶ τοὺς ἄλλους πάντας οἷς ὑπάρχει
τι ἐπιμελείας δεόμενον, ἂν μὲν αὐτοὶ ἡγῶνται ἐπίστασθαι
ἐπιμελεῖσθαι — εἰ δὲ μή, τοῖς ἐπισταμένοις οὐ μόνον
παροῦσι πειθομένους, ἀλλὰ καὶ ἀπόντας μεταπεμπομέ-
νους, ὅπως ἐκείνοις πειθόμενοι τὰ δέοντα πράττωσιν· ἐν
85 δὲ ταλασίᾳ καὶ τὰς γυναῖκας ἐπεδείκνυεν ἀρχούσας τῶν
ἀνδρῶν διὰ τὸ τὰς μὲν εἰδέναι ὅπως χρὴ ταλασιουργεῖν,
τοὺς δὲ μὴ εἰδέναι.    εἰ δέ τις πρὸς ταῦτα λέγοι ὅτι τῷ 12
τυράννῳ ἔξεστι μὴ πείθεσθαι τοῖς ὀρθῶς λέγουσι, "Καὶ πῶς
ἄν," ἔφη, "ἐξείη μὴ πείθεσθαι, ἐπικειμένης γε ζημίας ἐάν
90 τις τῷ εὖ λέγοντι μὴ πείθηται; ἐν ᾧ γὰρ ἄν τις πράγματι
μὴ πείθηται τῷ εὖ λέγοντι, ἁμαρτήσεται δήπου, ἁμαρτάνων

10. ὑπὸ τῶν τυχόντων : "by the
multitude." See on τὰ τυχόντα i. 1.
14. —λαχόντας : sc. τὸ ἄρχειν. — τοὺς
βιασαμένους : those who have won it
by violence.
11. ὁμολογήσειε : opt. in past
general cond. rel. clause, like
συμφαῖεν in iii. 8. 9.    So εἴ τις λέγοι
in 12. — τὸν ναύκληρον : the ship-
owner, here distinguished from τῷ
ἐπισταμένῳ, i.e. the captain. — καὶ
τοὺς ἄλλους πάντας κτλ. : and so

all others who have anything needing
attention, if they think they know
how to attend to it, (do so) ; other-
wise, etc.    The ellipsis after ἐπίστα-
σθαι ἐπιμελεῖσθαι may be filled with
ἐπιμελομένους, supplementary parti-
ciple with ἐπεδείκνυεν, which governs
also the participles πειθομένους and
μεταπεμπομένους.
12. δήπου : opinor, credo. —
ἁμαρτάνων : circumstantial participle
of condition.

δὲ ζημιωθήσεται." εἰ δὲ φαίη τις τῷ τυράννῳ ἐξεῖναι καὶ 13
ἀποκτεῖναι τὸν εὖ φρονοῦντα, "Τὸν δὲ ἀποκτείνοντα," ἔφη,
"τοὺς κρατίστους τῶν συμμάχων οἴει ἀζήμιον γίγνεσθαι
95 ἢ ὡς ἔτυχε ζημιοῦσθαι; πότερα γὰρ ἂν μᾶλλον οἴει
σῴζεσθαι τὸν τοῦτο ποιοῦντα ἢ οὕτω καὶ τάχιστ᾽ ἂν
ἀπολέσθαι;"

Ἐρομένου δέ τινος αὐτὸν τί δοκοίη αὐτῷ κράτιστον 14
ἀνδρὶ ἐπιτήδευμα εἶναι, ἀπεκρίνατο, "Εὐπραξίαν." ἐρο-
100 μένου δὲ πάλιν εἰ καὶ τὴν εὐτυχίαν ἐπιτήδευμα νομίζοι
εἶναι, "Πᾶν μὲν οὖν τοὐναντίον ἔγωγ᾽," ἔφη, "τύχην καὶ
πρᾶξιν ἡγοῦμαι· τὸ μὲν γὰρ μὴ ζητοῦντα ἐπιτυχεῖν τινι
τῶν δεόντων εὐτυχίαν οἶμαι εἶναι, τὸ δὲ μαθόντα τε καὶ
μελετήσαντά τι εὖ ποιεῖν εὐπραξίαν νομίζω, καὶ οἱ τοῦτο
105 ἐπιτηδεύοντες δοκοῦσί μοι εὖ πράττειν." καὶ ἀρίστους 15
δὲ καὶ θεοφιλεστάτους ἔφη εἶναι ἐν μὲν γεωργίᾳ τοὺς
τὰ γεωργικὰ εὖ πράττοντας, ἐν δ᾽ ἰατρείᾳ τοὺς τὰ ἰατρικά,
ἐν δὲ πολιτείᾳ τοὺς τὰ πολιτικά· τὸν δὲ μηδὲν εὖ πράτ-
τοντα οὔτε χρήσιμον οὐδὲν ἔφη εἶναι οὔτε θεοφιλῆ.

---

**13.** καί : *even.* — ἢ ὡς ἔτυχε
ζημιοῦσθαι : "or gets off with a
light punishment." — ἂν μᾶλλον
σῴζεσθαι : *would be more secure.*
— ἢ . . . ἀπολέσθαι : *or in this way,
and speedily, would perish.*

**14.** κράτιστον ἐπιτήδευμα : *the
best pursuit.* — εὐπραξίαν : *good con-
duct.* The questioner of Socrates
understands εὐπραξία and εὖ πράττειν
in their usual sense of *success* and
*succeed,* synonymous with εὐτυχία
and εὐτυχεῖν (so used in 8); and nat-
urally asks if Socrates considers
this a pursuit. — τὸ ἐπιτυχεῖν : *sc.*
τινά as subj., easily supplied from
ζητοῦντα. — εὖ ποιεῖν : *to do well.*

**15.** θεοφιλεστάτους : *most be-
loved by the gods.* Distinguish this
compound from φιλόθεος *loving the
gods.*

**10.** *The subject of the painter's
art is whatever falls under his eye.
He attains his ideal form by combin-
ing the best features of the actual,
and can even represent mental char-
acteristics, so far as these express
themselves outwardly. In like man-
ner, sculpture expresses not only the
outward form of the body, but also
the varying moods of the soul. The
artisan, on the other hand, has only
the actual and material to keep in
mind: his work must fulfill its*

Ἀλλὰ μὴν καὶ εἴ ποτε τῶν τὰς τέχνας ἐχόντων καὶ 10
ἐργασίας ἔνεκα χρωμένων αὐταῖς διαλέγοιτό τινι, καὶ
τούτοις ὠφέλιμος ἦν.  εἰσελθὼν μὲν γάρ ποτε πρὸς Παρ-
ράσιον τὸν ζωγράφον καὶ διαλεγόμενος αὐτῷ, "Ἆρα," ἔφη,
5 "ὦ Παρράσιε, γραφική ἐστιν ἡ εἰκασία τῶν ὁρωμένων; τὰ
γοῦν κοῖλα καὶ τὰ ὑψηλὰ καὶ τὰ σκοτεινὰ καὶ τὰ φωτεινὰ
καὶ τὰ σκληρὰ καὶ τὰ μαλακὰ καὶ τὰ τραχέα καὶ τὰ λεῖα
καὶ τὰ νέα καὶ τὰ παλαιὰ σώματα διὰ τῶν χρωμάτων
ἀπεικάζοντες ἐκμιμεῖσθε."  "Ἀληθῆ λέγεις," ἔφη.  "Καὶ 2
10 μὴν τά γε καλὰ εἴδη ἀφομοιοῦντες, ἐπειδὴ οὐ ῥᾴδιον ἑνὶ
ἀνθρώπῳ περιτυχεῖν ἄμεμπτα πάντα ἔχοντι, ἐκ πολλῶν
συνάγοντες τὰ ἐξ ἑκάστου κάλλιστα οὕτως ὅλα τὰ
σώματα καλὰ ποιεῖτε φαίνεσθαι."  "Ποιοῦμεν γάρ," ἔφη,
"οὕτως."  "Τί γάρ;" ἔφη, "τὸ πιθανώτατον καὶ ἥδιστον 3
15 καὶ φιλικώτατον καὶ ποθεινότατον καὶ ἐρασμιώτατον ἀπο-
μιμεῖσθε τῆς ψυχῆς ἦθος;  ἢ οὐδὲ μιμητόν ἐστι τοῦτο;"
"Πῶς γὰρ ἄν," ἔφη, "μιμητὸν εἴη, ὦ Σώκρατες, ὃ μήτε
συμμετρίαν μήτε χρῶμα μήτε ὧν σὺ εἶπας ἄρτι μηδὲν

---

design.  _Every coat of mail that fits,_
_finds in that its true harmony._

1. ἐχόντων: devoted to.  See on
ἔχῃ i. 6. 13. — ἐργασίας ἔνεκα: as
a profession. — τινί, τούτοις: as
in i. 2. 62. — εἰσελθὼν μέν: cor-
responds to πρὸς δὲ Κλείτωνα εἰσελ-
θών in 6. — Παρράσιον: a famous
painter from Ephesus, who resided
at Athens, and at this time was a
young man, perhaps thirty years
the junior of Zeuxis (i. 4. 3).
Pliny says of him primus
symmetriam picturae dedit,
primus argutias vultus, ele-
gantiam capilli, venustatem
oris, confessione artificum in

lineis extremis palmam adep-
tus _Hist. Nat._ xxxv. 10. — γραφική:
without the art., as σωφροσύνη i. 2.
23.  The pred. εἰκασία, as containing
the definition, takes the article. —
ἐκμιμεῖσθε: _you reproduce to the_
_life._

2. τὰ καλὰ εἴδη: _beautiful fig-_
_ures._ — ἀφομοιοῦντες: circumstan-
tial participle of time. — ἄμεμπτα:
_faultless._ — ἐξ ἑκάστου: _in each._  See
on τὰ ἐκ τῆς χώρας iii. 6. 11. — ὅλα:
_as a whole._  For its predicate posi-
tion, see G. 979; H. 672 c.

3. τί γάρ: see on ii. 6. 2. —
ποθεινότατον: _most provocative of_
_desire._ — ἦθος: _character._ — ὧν σὺ

ἔχει, μηδὲ ὅλως ὁρατόν ἐστιν;" "᾽Αρ᾽ οὖν," ἔφη, "γίγνε- 4
20 ται ἐν ἀνθρώπῳ τό τε φιλοφρόνως καὶ τὸ ἐχθρῶς βλέπειν
πρός τινας;" "Ἔμοιγε δοκεῖ," ἔφη. "Οὐκουν τοῦτό γε
μιμητὸν ἐν τοῖς ὄμμασιν;" "Καὶ μάλα," ἔφη. "᾽Επὶ δὲ
τοῖς τῶν φίλων ἀγαθοῖς καὶ τοῖς κακοῖς ὁμοίως σοι δοκοῦ-
σιν ἔχειν τὰ πρόσωπα οἵ τε φροντίζοντες καὶ οἱ μή;"
25 "Μὰ Δί᾽ οὐ δῆτα," ἔφη· "ἐπὶ μὲν γὰρ τοῖς ἀγαθοῖς φαι-
δροί, ἐπὶ δὲ τοῖς κακοῖς σκυθρωποὶ γίγνονται." "Οὐκοῦν,"
ἔφη, "καὶ ταῦτα δυνατὸν ἀπεικάζειν;" "Καὶ μάλα," ἔφη.
"᾽Αλλὰ μὴν καὶ τὸ μεγαλοπρεπές τε καὶ ἐλευθέριον καὶ τὸ 5
ταπεινόν τε καὶ ἀνελεύθερον καὶ τὸ σωφρονικόν τε καὶ
30 φρόνιμον καὶ τὸ ὑβριστικόν τε καὶ ἀπειρόκαλον καὶ διὰ
τοῦ προσώπου καὶ διὰ τῶν σχημάτων καὶ ἑστώτων καὶ
κινουμένων ἀνθρώπων διαφαίνει." "᾽Αληθῆ λέγεις," ἔφη.
"Οὐκοῦν καὶ ταῦτα μιμητά;" "Καὶ μάλα," ἔφη. "Πότε-
ρον οὖν," ἔφη, "νομίζεις ἥδιον ὁρᾶν τοὺς ἀνθρώπους δι᾽
35 ὧν τὰ καλά τε καὶ ἀγαθὰ καὶ ἀγαπητὰ ἤθη φαίνεται, ἢ
δι᾽ ὧν τὰ αἰσχρά τε καὶ πονηρὰ καὶ μισητά;" "Πολὺ νὴ
Δί᾽," ἔφη, "διαφέρει, ὦ Σώκρατες."
Πρὸς δὲ Κλείτωνα τὸν ἀνδριαντοποιὸν εἰσελθών ποτε 6
καὶ διαλεγόμενος αὐτῷ, "Ὅτι μέν," ἔφη, "ὦ Κλείτων, ἀλ-
40 λοίους ποιεῖς δρομεῖς τε καὶ παλαιστὰς καὶ πύκτας καὶ

---

εἶπας : i.e. in 1, τὰ κοῖλα etc. — ὅλως :
"in a word."

4. γίγνεται ἐν ἀνθρώπῳ κτλ. : "does
it ever happen among men that
friendship or hatred for any one is
shown by a look?" — ὁμοίως ἔχειν :
equivalent to ὅμοιοι εἶναι. — πρόσωπα :
acc. of specification.— οἱ φροντίζοντες :
"those who sympathize." Const.
with ἐπὶ τοῖς ἀγαθοῖς καὶ τοῖς κακοῖς.

5. τὸ μεγαλοπρεπὲς κτλ. : the
adjs. are contrasted pair with pair.

— σχημάτων : bearing. — διαφαίνει :
(intr.) shows through. — ἥδιον (sc.
εἶναι) ὁρᾶν : is pleasanter to con-
template. — τοὺς ἀνθρώπους : obj. of
ὁρᾶν. The answer of Parrhasius,
though not direct, is perfectly nat-
ural, and leaves no doubt as to his
full assent to the views of Socrates.

6. Κλείτωνα : not mentioned else-
where. — ἀλλοίους : "of various ap-
pearances and postures." — δρομεῖς
κτλ. : for the Greek athletic contests,

παγκρατιαστάς, ὁρῶ τε καὶ οἶδα· ὃ δὲ μάλιστα ψυχαγω-
γεῖ διὰ τῆς ὄψεως τοὺς ἀνθρώπους, τὸ ζωτικὸν φαίνεσθαι,
πῶς τοῦτο ἐνεργάζῃ τοῖς ἀνδριᾶσιν;" ἐπεὶ δὲ ἀπορῶν ὁ 7
Κλείτων οὐ ταχὺ ἀπεκρίνατο, "᾽Αρ᾽," ἔφη, "τοῖς τῶν ζώντων
45 εἴδεσιν ἀπεικάζων τὸ ἔργον ζωτικωτέρους ποιεῖς φαίνε-
σθαι τοὺς ἀνδριάντας;" "Καὶ μάλα," ἔφη. "Οὐκοῦν τά
τε ὑπὸ τῶν σχημάτων κατασπώμενα καὶ τἀνασπώμενα
ἐν τοῖς σώμασι καὶ τὰ συμπιεζόμενα καὶ τὰ διελκόμενα
καὶ τὰ ἐντεινόμενα καὶ τὰ ἀνιέμενα ἀπεικάζων ὁμοιότερά
50 τε τοῖς ἀληθινοῖς καὶ πιθανώτερα ποιεῖς φαίνεσθαι;" ·
"Πάνυ μὲν οὖν," ἔφη. "Τὸ δὲ καὶ τὰ πάθη τῶν ποιούν- 8
των τι σωμάτων ἀπομιμεῖσθαι οὐ ποιεῖ τινα τέρψιν τοῖς
θεωμένοις;" "Εἰκὸς γοῦν," ἔφη. "Οὐκοῦν καὶ τῶν μὲν
μαχομένων ἀπειλητικὰ τὰ ὄμματα ἀπεικαστέον, τῶν δὲ
55 νενικηκότων εὐφραινομένων ἡ ὄψις μιμητέα;" "Σφόδρα

---

see Smith's *Dict. Antiq. s.v. Ludus.*
— **ψυχαγωγεῖ** : *allures.* — **τὸ ζωτικὸν
φαίνεσθαι** : *the lifelike appearance.*
It is interesting to remember that
Socrates himself was trained as a
sculptor by his father Sophroniscus;
and that a marble group of the
Graces (αἱ Χάριτες), said to have
been executed by him, was seen by
Pausanias near the entrance to the
Acropolis. See Introd. § 1.

7. **ταχύ** : *immediately.* — **ἀπει-
κάζων τὸ ἔργον** : *by assimilating
the work* (before you). — **ὑπὸ τῶν
σχημάτων** : *in consequence of the*
(various) *positions.* — **συμπιεζόμενα** :
*compressed.* — **πιθανώτερα** : "*more
impressive.*"

8. **τὰ πάθη** : *the emotions.* Obs.
the gradual increase in the demands
made upon the artist : first, the

various classes are distinguished, —
runners, wrestlers, *etc.;* then, the
various σχήματα in each class; and
lastly, the various emotions ex-
pressed by these. *Cf.* the lines
of Schiller which were on the wall
of the old Gewandhaus in Leipzig:
'Leben athmet die bildende Kunst,
Geist fordr' ich vom Dichter, | Aber
die Seele spricht nur Polyhymnia
aus,' where the lyric Muse is
allowed to express the soul's deepest
emotions. — **τὰ ὄμματα ἀπεικαστέον,
ἡ ὄψις μιμητέα** : obs. the use of both
the pers. and impers. constructions.
— **ἀπειλητικά** : pred. adj., *with
menacing glance.* — **εὐφραινομένων** :
joined with τῶν νενικηκότων instead
of with ὄψις (as ἀπειλητικά with
ὄμματα) because εὐφραίνεσθαι is more
appropriately attributed to the person

γ´," ἔφη. "Δεῖ ἄρα," ἔφη, "τὸν ἀνδριαντοποιὸν τὰ τῆς ψυχῆς ἔργα τῷ εἴδει προσεικάζειν."

Πρὸς δὲ Πιστίαν τὸν θωρακοποιὸν εἰσελθών, ἐπιδείξαν- 9 τος αὐτοῦ τῷ Σωκράτει θώρακας εὖ εἰργασμένους, "Νὴ 60 τὴν Ἥραν," ἔφη, "καλόν γε, ὦ Πιστία, τὸ εὕρημα τὸ τὰ μὲν δεόμενα σκέπης τοῦ ἀνθρώπου σκεπάζειν τὸν θώρακα, ταῖς δὲ χερσὶ μὴ κωλύειν χρῆσθαι. ἀτάρ," ἔφη, "λέξον 10 μοι, ὦ Πιστία, διὰ τί οὔτε ἰσχυροτέρους οὔτε πολυτελεστέ- ρους τῶν ἄλλων ποιῶν τοὺς θώρακας πλείονος πωλεῖς;" 65 "Ὅτι," ἔφη, "ὦ Σώκρατες, εὐρυθμοτέρους ποιῶ." "Τὸν δὲ ῥυθμόν," ἔφη, "πότερα μέτρῳ ἢ σταθμῷ ἀποδεικνύων πλείονος τιμᾷ; οὐ γὰρ δὴ ἴσους γε πάντας οὐδὲ ὁμοίους οἶμαί σε ποιεῖν, εἴ γε ἁρμόττοντας ποιεῖς." "Ἀλλὰ νὴ Δί´," ἔφη, "ποιῶ· οὐδὲν γὰρ ὄφελός ἐστι θώρακος ἄνευ 70 τούτου." "Οὔκουν," ἔφη, "σώματά γε ἀνθρώπων τὰ μὲν 11 εὔρυθμά ἐστι, τὰ δὲ ἄρρυθμα;" "Πάνυ μὲν οὖν," ἔφη. "Πῶς οὖν," ἔφη, "τῷ ἀρρύθμῳ σώματι ἁρμόττοντα τὸν θώρακα εὔρυθμον ποιεῖς;" "Ὥσπερ καὶ ἁρμόττοντα," ἔφη· "ὁ ἁρμόττων γάρ ἐστιν εὔρυθμος." "Δοκεῖς μοι," 12 75 ἔφη ὁ Σωκράτης, "τὸ εὔρυθμον οὐ καθ᾿ ἑαυτὸ λέγειν, ἀλλὰ πρὸς τὸν χρώμενον, ὥσπερ ἂν εἰ φαίης ἀσπίδα ᾧ ἂν ἁρμόττῃ, τούτῳ εὔρυθμον εἶναι, καὶ χλαμύδα, καὶ τἆλλα

---

than to τῇ ὄψει. — τὰ τῆς ψυχῆς ἔργα : the workings of the soul.

9. καλὸν τὸ εὕρημα, τὸ σκεπάζειν τὸν θώρακα : it is an excellent in-vention, that the corslet should cover. The τό belongs to both infs. (σκεπά-ζειν and κωλύειν).

10. ἔφη : he continued. — πλείο-νος : sc. τῶν ἄλλων. For the gen. of price, see G. 1134; H. 746. — εὐρυθμο-τέρους : better proportioned. — τὸν δὲ ῥυθμὸν . . . πλείονος τιμᾷ: do you show

this proportion in the measurement or weight (of your corselets), and so get a better price for them? — εἴ γε : at least, if. — ποιῶ : I do make (them to fit).

11. ὥσπερ καὶ ἁρμόττοντα (sc. ποιῶ): precisely as I make it fit, i.e., a good 'fit' is good proportion. For καί, see on i. 1. 6.

12. καθ᾿ ἑαυτό : per se, in and for itself. — πρός : with reference to. — ὥσπερ ἂν εἰ φαίης : i.e. ὥσπερ ἂν

ὡσαύτως ἔοικεν ἔχειν τῷ σῷ λόγῳ.  ἴσως δὲ καὶ ἄλλο τι 13
οὐ μικρὸν ἀγαθὸν τῷ ἁρμόττειν πρόσεστι."  "Δίδαξον,"
80 ἔφη, "ὦ Σώκρατες, εἴ τι ἔχεις."  "Ἧττον," ἔφη, "τῷ βάρει
πιέζουσιν οἱ ἁρμόττοντες τῶν ἀναρμόστων τὸν αὐτὸν
σταθμὸν ἔχοντες· οἱ μὲν γὰρ ἀνάρμοστοι ἢ ὅλοι ἐκ τῶν
ὤμων κρεμάμενοι ἢ καὶ ἄλλο τι τοῦ σώματος σφόδρα
πιέζοντες δύσφοροι καὶ χαλεποὶ γίγνονται· οἱ δὲ ἁρμότ-
85 τοντες, διειλημμένοι τὸ βάρος τὸ μὲν ὑπὸ τῶν κλειδῶν καὶ
ἐπωμίδων, τὸ δὲ ὑπὸ τῶν ὤμων, τὸ δὲ ὑπὸ τοῦ στήθους, τὸ
δὲ ὑπὸ τοῦ νώτου, τὸ δὲ ὑπὸ τῆς γαστρός, ὀλίγου δεῖν οὐ
φορήματι, ἀλλὰ προσθήματι ἐοίκασιν."  "Εἴρηκας," ἔφη, 14
"αὐτὸ δι᾽ ὅπερ ἔγωγε τὰ ἐμὰ ἔργα πλείστου ἄξια νομίζω
90 εἶναι· ἔνιοι μέντοι τοὺς ποικίλους καὶ τοὺς ἐπιχρύσους
θώρακας μᾶλλον ὠνοῦνται."  "᾽Αλλὰ μήν," ἔφη, "εἴ γε
διὰ ταῦτα μὴ ἁρμόττοντας ὠνοῦνται, κακὸν ἔμοιγε δοκοῦσι
ποικίλον τε καὶ ἐπίχρυσον ὠνεῖσθαι.  ἀτάρ," ἔφη, "τοῦ 15
σώματος μὴ μένοντος, ἀλλὰ τοτὲ μὲν κυρτουμένου, τοτὲ δὲ
95 ὀρθουμένου, πῶς ἂν ἀκριβεῖς θώρακες ἁρμόττοιεν;"
"Οὐδαμῶς," ἔφη.  "Λέγεις," ἔφη, "ἁρμόττειν οὐ τοὺς
ἀκριβεῖς, ἀλλὰ τοὺς μὴ λυποῦντας ἐν τῇ χρείᾳ."
"Αὐτός," ἔφη, "τοῦτο λέγεις, ὦ Σώκρατες, καὶ πάνυ ὀρθῶς
ἀποδέχῃ."

---

φαίης, εἰ φαίης, our common Eng.
just as if you should say. — τῷ σῷ
λόγῳ: according to what you say.
Cf. κατά γε τοῦτον τὸν λόγον iv.
2. 32.
    13. ἔχεις : as in i. 6. 13. — πιέ-
ζουσιν : oppress. — τὸν αὐτὸν στα-
θμὸν ἔχοντες : although having the
same weight. — διειλημμένοι τὸ βάρος :
by distributing their weight. — ὑπό :
sc. some partic. like φερόμενον. —
ὀλίγου δεῖν : almost.  For the abs.

inf., see on iii. 8. 10. — προσθήματι :
"a natural appendage."
    14. αὐτό : the very quality. —
κακὸν ποικίλον τε καὶ ἐπίχρυσον : a
decorated and gilded nuisance.
    15. ἔφη : he added. — μὴ μένον-
τος : does not remain (long in one po-
sition). — ἀκριβεῖς : accurately fitted.
— αὐτὸς λέγεις : ita est.  Cf. the
emphatic σὺ εἶπας of Matt. xxvi. 25.
— πάνυ ὀρθῶς ἀποδέχῃ : you have
the idea exactly.

Γυναικὸς δέ ποτε οὔσης ἐν τῇ πόλει καλῆς, ᾗ ὄνομα 11
ἦν Θεοδότη, καὶ οἵας συνεῖναι τῷ πείθοντι, μνησθέντος
αὐτῆς τῶν παρόντων τινὸς καὶ εἰπόντος ὅτι κρεῖττον εἴη
λόγου τὸ κάλλος τῆς γυναικός, καὶ ζωγράφους φήσαντος
5 εἰσιέναι πρὸς αὐτὴν ἀπεικασομένους, οἷς ἐκείνην ἐπιδει-
κνύειν ἑαυτῆς ὅσα καλῶς ἔχοι, "Ἰτέον ἂν εἴη θεασομέ-
νους," ἔφη ὁ Σωκράτης· "οὐ γὰρ δὴ ἀκούσασί γε τὸ
λόγου κρεῖττον ἔστι καταμαθεῖν."    καὶ ὁ διηγησάμενος,
"Οὐκ ἂν φθάνοιτ'," ἔφη, "ἀκολουθοῦντες."    οὕτω μὲν δὴ 2
10 πορευθέντες πρὸς τὴν Θεοδότην καὶ καταλαβόντες ζω-
γράφῳ τινὶ παρεστηκυῖαν ἐθεάσαντο.    παυσαμένου δὲ
τοῦ ζωγράφου, "Ὦ ἄνδρες," ἔφη ὁ Σωκράτης, "πότερον
ἡμᾶς δεῖ μᾶλλον Θεοδότῃ χάριν ἔχειν, ὅτι ἡμῖν τὸ κάλλος
ἑαυτῆς ἐπέδειξεν, ἢ ταύτην ἡμῖν, ὅτι ἐθεασάμεθα ; ἆρ' εἰ
15 μὲν ταύτῃ ὠφελιμωτέρα ἐστὶν ἡ ἐπίδειξις, ταύτην ἡμῖν
χάριν ἐκτέον, εἰ δὲ ἡμῖν ἡ θέα, ἡμᾶς ταύτῃ;"    εἰπόντος 3

---

**11.** *Socrates holds a conversation with Theodota, a courtesan famed for her beauty, on the best method of winning and keeping friends. Beauty alone cannot accomplish this : there must be added good nature and moderation in the bestowal of favors.  Theodota expresses a willingness to learn from Socrates the art of winning lovers.*

**1.** Θεοδότη : afterward the mistress of Alcibiades, whom she is said to have buried after he was slain in Phrygia. *Cf.* Cornelius Nep. *Alc.* 10. 6.  Plutarch (*Alc.* 39) says it was Timandra who buried him. — οἵας : *ready.*  See on i. 4. 6. — τῷ πείθοντι : sc. by solicitation or gifts. — κρεῖττον εἴη λόγου : equivalent to κρεῖττον ἢ ὥστε λέγειν "was beyond the power of description." *Cf.*

(with the adj. in unfavorable sense) κρεῖσσον λόγου τὸ εἶδος τῆς νόσου Thuc. ii. 50. — ἐπιδεικνύειν : for the inf., see on ὧν εἶναι i. 1. 8. — ἑαυτῆς : *of her person.* — ὅσα καλῶς ἔχοι : "as much as decorum permitted." — θεασομένους : acc., since ἰτέον ἂν εἶναι is equivalent to δέοι ἂν ἰέναι.  See GMT. 923 ; H. 991 a. — οὐ γὰρ . . . καταμαθεῖν : *for it is impossible to judge by hearsay of that which passes description.* — ὁ διηγησάμενος : *i.e.* the first speaker, introduced above by the words μνησθέντος τινός. — οὐκ ἂν φθάνοιτ' ἀκολουθοῦντες : see on ii. 3. 11.

**2.** παρεστηκυῖαν : *posing,* as model.  The pf. marks the 'pose' as already assumed. — ταύτην (with ἐκτέον) : acc. like θεασαμένους in 1. — θέα : *sight.*

δέ τινος ὅτι δίκαια λέγοι, "Οὐκοῦν," ἔφη, "αὕτη μὲν ἤδη
τε τὸν παρ᾽ ἡμῶν ἔπαινον κερδαίνει, καὶ ἐπειδὰν εἰς
πλείους διαγγείλωμεν, πλείω ὠφελήσεται, ἡμεῖς δὲ ἤδη τε
20 ὧν ἐθεασάμεθα ἐπιθυμοῦμεν ἅψασθαι καὶ ἄπιμεν ὑποκνι-
ζόμενοι καὶ ἀπελθόντες ποθήσομεν· ἐκ δὲ τούτων εἰκὸς
ἡμᾶς μὲν θεραπεύειν, ταύτην δὲ θεραπεύεσθαι." καὶ ἡ
Θεοδότη, "Νὴ Δί᾽," ἔφη, "εἰ τοίνυν ταῦθ᾽ οὕτως ἔχει, ἐμὲ
ἂν δέοι ὑμῖν τῆς θέας χάριν ἔχειν." ἐκ δὲ τούτου ὁ 4
25 Σωκράτης ὁρῶν αὐτήν τε πολυτελῶς κεκοσμημένην καὶ
μητέρα παροῦσαν αὐτῇ ἐν ἐσθῆτί τε καὶ θεραπείᾳ οὐ τῇ
τυχούσῃ, καὶ θεραπαίνας πολλὰς καὶ εὐειδεῖς καὶ οὐδὲ
ταύτας ἠμελημένως ἐχούσας, καὶ τοῖς ἄλλοις τὴν οἰκίαν
ἀφθόνως κατεσκευασμένην, "Εἰπέ μοι," ἔφη, "ὦ Θεοδότη,
30 ἔστι σοι ἀγρός;" "Οὐκ ἔμοιγ᾽," ἔφη.  "᾽Αλλ᾽ ἄρα οἰκία
προσόδους ἔχουσα;" "Οὐδὲ οἰκία," ἔφη.  "᾽Αλλὰ μὴ
χειροτέχναι τινές;" "Οὐδὲ χειροτέχναι," ἔφη.  "Πόθεν
οὖν," ἔφη, "τἀπιτήδεια ἔχεις;" "᾽Εάν τις," ἔφη, "φίλος
μοι γενόμενος εὖ ποιεῖν ἐθέλῃ, οὗτός μοι βίος ἐστί."
35 "Νὴ τὴν Ἥραν," ἔφη, "ὦ Θεοδότη, καλόν γε τὸ κτῆμα καὶ 5
πολλῷ κρεῖττον οἴων τε καὶ αἰγῶν καὶ βοῶν φίλων ἀγέλην

---

3. ὠφελήσεται : in pass. sense.
Cf. iii. 3. 15, 7. 9. — ὑποκνιζόμενοι :
with a sting in us. — θεραπεύεσθαι :
"receive our homage." — εἰ ἔχει, ἂν
δέοι : for the 'mixed' form of cond.,
see on i. 2. 45.

4. θεραπείᾳ οὐ τῇ τυχούσῃ : orna-
ments of no ordinary kind. Cf. τὰ
τυχόντα i. 1. 14. For the costume
of Greek women, see Becker, Char-
icles, p. 247. — οὐδὲ ταύτας ἠμε-
λημένως ἐχούσας : cf. Terence's
description of a meretrix, ancillas
adduxit plus decem, oneratas

veste atque auro Heaut. iii. 1. 40.
— τοῖς ἄλλοις : in all other respects.
— ἀφθόνως κατεσκευασμένην : lav-
ishly furnished. — ἀλλ᾽ ἄρα : well,
then. — χειροτέχναι : skilled slaves,
by the sale of whose labor their
mistress might profit. — οὗτός μοι
βίος ἐστί : he constitutes my liveli-
hood.

5. νὴ τὴν Ἥραν : see on i. 5. 5.
— οἴων, βοῶν : sc. ἀγέλην with ἤ be-
fore οἴων. For the condensed com-
parison, see on τῶν ἄλλων i. 1. 3, and,
for the form of οἴων, on ii. 7. 13.

κεκτῆσθαι. ἀτάρ," ἔφη, "πότερον τῇ τύχῃ ἐπιτρέπεις, ἐάν
τίς σοι φίλος ὥσπερ μυῖα πρόσπτηται, ἢ καὶ αὐτή τι
μηχανᾷ;" "Πῶς δ' ἄν," ἔφη, "ἐγὼ τούτου μηχανὴν 6
40 εὕροιμι;" "Πολὺ νὴ Δί'," ἔφη, "προσηκόντως μᾶλλον ἢ
αἱ φάλαγγες· οἶσθα γὰρ ὡς ἐκεῖναι θηρῶσι τὰ πρὸς τὸν
βίον· ἀράχνια γὰρ δήπου λεπτὰ ὑφηνάμεναι, ὅ τι ἂν
ἐνταῦθα ἐμπέσῃ, τούτῳ τροφῇ χρῶνται." "Καὶ ἐμοὶ οὖν," 7
ἔφη, "συμβουλεύεις ὑφήνασθαί τι θήρατρον;" "Οὐ γὰρ
45 δὴ οὕτως γε ἀτέχνως οἴεσθαι χρὴ τὸ πλείστου ἄξιον
ἄγρευμα, φίλους, θηράσειν· οὐχ ὁρᾷς ὅτι καὶ τὸ μικροῦ
ἄξιον, τοὺς λαγώς, θηρῶντες πολλὰ τεχνάζουσιν; ὅτι μὲν
γὰρ τῆς νυκτὸς νέμονται, κύνας νυκτερευτικὰς πορισά-
μενοι ταύταις αὐτοὺς θηρῶσιν· ὅτι δὲ μεθ' ἡμέραν ἀποδι- 8
50 δράσκουσιν, ἄλλας κτῶνται κύνας, αἵτινες ᾗ ἂν ἐκ τῆς
νομῆς εἰς τὴν εὐνὴν ἀπέλθωσι, τῇ ὀσμῇ αἰσθανόμεναι
εὑρίσκουσιν αὐτούς· ὅτι δὲ ποδώκεις εἰσίν, ὥστε καὶ ἐκ
τοῦ φανεροῦ τρέχοντες ἀποφεύγειν, ἄλλας αὖ κύνας
ταχείας παρασκευάζονται, ἵνα κατὰ πόδας ἁλίσκωνται·
55 ὅτι δὲ καὶ ταύτας αὐτῶν τινες ἀποφεύγουσι, δίκτυα
ἱστᾶσιν εἰς τὰς ἀτραποὺς ᾗ φεύγουσιν, ἵν' εἰς ταῦτα
ἐμπίπτοντες συμποδίζωνται." "Τίνι οὖν," ἔφη, "τοιούτῳ 9
φίλους ἂν ἐγὼ θηρῴην;" "Ἐὰν νὴ Δί'," ἔφη, "ἀντὶ
κυνὸς κτήσῃ ὅστις σοι ἰχνεύων μὲν τοὺς φιλοκάλους καὶ
60 πλουσίους εὑρήσει, εὑρὼν δὲ μηχανήσεται ὅπως ἐμβάλῃ

---

—ἐπιτρέπεις: do you leave it to.—
ἐάν: whether.

6. τούτου: for this purpose.—
προσηκόντως: fitly.— τροφῇ: for
food. See on δούλοις ii. 1. 12.

7. οὕτως γε ἀτέχνως: so, without
any artifice.— ἄγρευμα: game.—
νέμονται: sc. οἱ λαγῴ.— κύνας νυκτε-
ρευτικάς: dogs which hunt by night.

For the gender, see on iv. 1. 3.

8. μεθ' ἡμέραν: after day has
dawned.— ᾗ: sc. ὁδῷ. The clause
is obj. of αἰσθανόμεναι.— εὐνήν: the
hare's lair or 'form.'— ἐκ τοῦ
φανεροῦ: "in full view."— κατὰ
πόδας: as in ii. 6. 9.

9. κτήσῃ: sc. φίλον. The omitted
apod. is readily supplied.

αὐτοὺς εἰς τὰ σὰ δίκτυα." "Καὶ ποῖα," ἔφη, "ἐγὼ δίκτυα 10
ἔχω;" "Ἐν μὲν δήπου," ἔφη, "καὶ μάλα εὖ περιπλεκό-
μενον, τὸ σῶμα· ἐν δὲ τούτῳ ψυχήν, ᾗ καταμανθάνεις καὶ
ὡς ἂν ἐμβλέπουσα χαρίζοιο καὶ ὅ τι ἂν λέγουσα εὐφραί-
65 νοις, καὶ ὅτι δεῖ τὸν μὲν ἐπιμελόμενον ἀσμένως ὑποδέχε-
σθαι, τὸν δὲ τρυφῶντα ἀποκλείειν, καὶ ἀρρωστήσαντός γε
φίλου φροντιστικῶς ἐπισκέψασθαι καὶ καλόν τι πράξαν-
τος σφόδρα συνησθῆναι καὶ τῷ σφόδρα σοῦ φροντίζοντι
ὅλῃ τῇ ψυχῇ κεχαρίσθαι· φιλεῖν γε μὴν εὖ οἶδ' ὅτι
70 ἐπίστασαι οὐ μόνον μαλακῶς, ἀλλὰ καὶ εὐνοϊκῶς· καὶ ὅτι
ἀρεστοί σοί εἰσιν οἱ φίλοι, οἶδ' ὅτι οὐ λόγῳ ἀλλ' ἔργῳ
ἀναπείθεις." "Μὰ τὸν Δί'," ἔφη ἡ Θεοδότη, "ἐγὼ τούτων
οὐδὲν μηχανῶμαι." "Καὶ μήν," ἔφη, "πολὺ διαφέρει τὸ 11
κατὰ φύσιν τε καὶ ὀρθῶς ἀνθρώπῳ προσφέρεσθαι· καὶ
75 γὰρ δὴ βίᾳ μὲν οὔτ' ἂν ἕλοις οὔτε κατάσχοις φίλον,
εὐεργεσίᾳ δὲ καὶ ἡδονῇ τὸ θηρίον τοῦτο ἁλώσιμόν τε καὶ
παραμόνιμόν ἐστιν." "Ἀληθῆ λέγεις," ἔφη. "Δεῖ τοί- 12
νυν," ἔφη, "πρῶτον μὲν τοὺς φροντίζοντάς σου τοιαῦτα
ἀξιοῦν οἷα ποιοῦσιν αὐτοῖς μικρότατα μελήσει, ἔπειτα δὲ
80 αὐτὴν ἀμείβεσθαι χαριζομένην τὸν αὐτὸν τρόπον· οὕτω
γὰρ ἂν μάλιστα φίλοι γίγνοιντο καὶ πλεῖστον χρόνον
φιλοῖεν καὶ μέγιστα εὐεργετοῖεν. χαρίζοιο δ' ἂν μάλιστα, 13

---

10. **ὡς ἐμβλέπουσα** : *with what
kind of looks.* — **τὸν ἐπιμελόμενον** : *the
attentive lover,* opposed to τὸν τρυ-
φῶντα *the self-conceited, insolent* one.
— **ὑποδέχεσθαι, ἀποκλείειν** : pres.,
denoting customary action ; the
aor. infs. in the next sent. indicate
special cases. — **κεχαρίσθαι** : *to be
devoted.* — **γὲ μήν** : see on i. 4. 5. —
**εὖ οἶδ' ὅτι** : see on iii. ΰ. 10.
11. **καὶ μήν** : *and yet.* — **πολὺ
διαφέρει** : multum interest, *it*

*is of great importance.* So in iii. 12.
5. — **θηρίον** : *creature,* appropriately
used of man, after the illustrations
in 6 and 7.
12. **τοιαῦτα** : *sc.* ποιεῖν. — **οἷα
ποιοῦσιν αὐτοῖς** κτλ. : "as will least
trouble them to perform." — **αὐτήν** :
*you yourself.* — **τὸν αὐτὸν τρόπον** :
*i.e.* as freely as they oblige you. —
**μέγιστα** : for the neut. adj. repre-
senting a cognate acc., see on i.
1. 11.

εἰ δεομένοις δωροῖο τὰ παρὰ σεαυτῆς· ὁρᾷς γὰρ ὅτι καὶ
τῶν βρωμάτων τὰ ἥδιστα, ἐὰν μέν τις προσφέρῃ πρὶν
85 ἐπιθυμεῖν, ἀηδῆ φαίνεται, κεκορεσμένοις δὲ καὶ βδελυ-
γμίαν παρέχει· ἐὰν δέ τις προσφέρῃ λιμὸν ἐμποιήσας, κἂν
φαυλότερα ᾖ, πάνυ ἡδέα φαίνεται." "Πῶς οὖν ἄν," ἔφη, 14
"ἐγὼ λιμὸν ἐμποιεῖν τῷ τῶν παρ' ἐμοὶ δυναίμην;" "Εἰ
νὴ Δί'," ἔφη, "πρῶτον μὲν τοῖς κεκορεσμένοις μήτε προσ-
90 φέροις μήτε ὑπομιμνήσκοις, ἕως ἂν τῆς πλησμονῆς
παυσάμενοι πάλιν δέωνται, ἔπειτα τοὺς δεομένους ὑπομι-
μνήσκοις ὡς κοσμιωτάτῃ τε ὁμιλίᾳ καὶ τῷ φαίνεσθαι βου-
λομένη χαρίζεσθαι καὶ διαφεύγουσα, ἕως ἂν ὡς μάλιστα
δεηθῶσι· τηνικαῦτα γὰρ πολὺ διαφέρει τὰ αὐτὰ δῶρα
95 ἢ πρὶν ἐπιθυμῆσαι διδόναι." καὶ ἡ Θεοδότη, "Τί οὖν 15
οὐ σύ μοι," ἔφη, "ὦ Σώκρατες, ἐγένου συνθηρατὴς τῶν
φίλων;" "'Εάν γε νὴ Δί'," ἔφη, "πείθῃς με σύ." "Πῶς
οὖν ἄν," ἔφη, "πείσαιμί σε;" "Ζητήσεις," ἔφη, "τοῦτο
αὐτὴ καὶ μηχανήσῃ, ἐάν τί μου δέῃ." "Εἴσιθι τοίνυν,"
100 ἔφη, "θαμινά." καὶ ὁ Σωκράτης ἐπισκώπτων τὴν αὑτοῦ 16
ἀπραγμοσύνην, "'Αλλ', ὦ Θεοδότη," ἔφη, "οὐ πάνυ μοι
ῥᾴδιόν ἐστι σχολάσαι· καὶ γὰρ ἴδια πράγματα πολλὰ καὶ

13. **δεομένοις** : *only when they request them.* — **τὰ παρὰ σεαυτῆς** : "your favors." — **ὁρᾷς γὰρ ὅτι κτλ.** : *cf.* the contrast between the followers of Vice and those of Virtue ii. 1. 30, 33. — **βδελυγμίαν** : *loathing.*

14. **τῶν παρ' ἐμοί**: const. with λιμόν. — **εἰ προσφέροις** : *sc.* τὰ παρὰ σεαυτῆς. The omitted apod. is easily supplied from the preceding sentence. So with ἐὰν πείθῃς 15. — **ἔπειτα** : without δέ, as often in Xenophon. See on i. 2. 1. — **ὡς κοσμιωτάτῃ ὁμιλίᾳ** : *by the most modest demeanor.* — **τῷ φαίνεσθαι βουλομένη, καὶ διαφεύγουσα** : *by*

*showing yourself desirous* (to please), *and yet drawing back.* Socrates is 'giving points' to a professional coquette. For the nom. of the participles, see on τῷ φανερὸς εἶναι τοιοῦτος ὤν i. 2. 3. — **πολὺ διαφέρει** : *it is far better.*

15. **τί οὖν οὐ σὺ ἐγένου** : *why then do you not become.* The aor. implies surprise that the action has not taken place, and hence conveys a more emphatic invitation than the pres. would. GMT. 62 ; H. 839. *Cf.* iv. 6. 14. — **εἴσιθι** : *sc.* εἰς τὴν ἐμὴν οἰκίαν.

δημόσια παρέχει μοι ἀσχολίαν· εἰσὶ δὲ καὶ φίλαι μοι, αἳ
οὔτε ἡμέρας οὔτε νυκτὸς ἀφ᾽ αὑτῶν ἐάσουσί με ἀπιέναι,
105 φίλτρα τε μανθάνουσαι παρ᾽ ἐμοῦ καὶ ἐπῳδάς." "Ἐπί- 17
στασαι γάρ," ἔφη, "καὶ ταῦτα, ὦ Σώκρατες;" "Ἀλλὰ διὰ
τί οἴει," ἔφη, "Ἀπολλόδωρόν τε τόνδε καὶ Ἀντισθένην
οὐδέποτέ μου ἀπολείπεσθαι; διὰ τί δὲ καὶ Κέβητα καὶ
Σιμμίαν Θήβηθεν παραγίγνεσθαι; εὖ ἴσθι ὅτι ταῦτα οὐκ
110 ἄνευ πολλῶν φίλτρων τε καὶ ἐπῳδῶν καὶ ἰύγγων ἐστί."
"Χρῆσον τοίνυν μοι," ἔφη, "τὴν ἴυγγα, ἵνα ἐπὶ σοὶ 18
πρῶτον ἕλκω αὐτήν." "Ἀλλὰ μὰ Δί᾽," ἔφη, "οὐκ αὐτὸς
ἕλκεσθαι πρὸς σὲ βούλομαι, ἀλλὰ σὲ πρὸς ἐμὲ πορεύε-
σθαι." "Ἀλλὰ πορεύσομαι," ἔφη· "μόνον ὑποδέχου."
115 "Ἀλλ᾽ ὑποδέξομαί σε," ἔφη, "ἐὰν μή τις φιλωτέρα σου
ἔνδον ᾖ."

16. δημόσια: said in jest, as Soc-
rates took no part in public affairs.
*Cf.* i. 6. 15. — φίλαι: he playfully uses
the fem. in speaking of his friends.
— φίλτρα, ἐπῳδάς: *cf.* ii. 6. 10 ff.
On the real meaning of ἐπῳδάς, *cf.*
τὰς δ᾽ ἐπῳδὰς ταύτας τοὺς λόγους εἶναι
τοὺς καλούς Plato *Charm.* 157 A, also
*Phaedo* 114 D.

17. Ἀπολλόδωρον: one of the
most devoted companions of Soc-
rates, mentioned by Plato as present
both at the trial (*Apol.* 34 A) and
at the death scene in the cell (*Phaedo*
117 D), where his almost hysterical
grief was rebuked by the philos-
opher. — Ἀντισθένην: see on ii. 5. 1.
— Κέβητα καὶ Σιμμίαν: see on i. 2.
48. These, as well as Antisthenes
and Apollodorus, were present at
the death of Socrates. — ἰύγγων:
*magic wheels.* The ἴυγξ was a small
bird (Lat. torquilla, Fr. *torcou*,

Ger. *Wendehals*, Eng. 'wryneck'),
which, when bound to a revolving
wheel, was supposed by its motions
to influence the affections; hence its
name was applied to the wheel.

18. χρῆσόν μοι: *lend me.* — ἐπὶ
σοὶ ἕλκω: *set it spinning for you,*
the usual phrase for putting the ἴυγξ
in motion. For ἐπὶ σοί, see on ἐφ᾽
οἷς σπουδάσειεν i. 3. 11. — φιλωτέρα:
see on φίλαι 16. For various forms
of the comp. of φίλος, see L. & S.
*s.v.* — ἐὰν . . . ἔνδον ᾖ: wittily said,
for the usual excuse of the ἑταῖραι in
shutting out a would-be visitor was
ἔνδον ἕτερος. *Cf.* ἀπέκλεισα ἐλθόντα,
'Ἔνδον ἕτερος' εἰποῦσα Lucian *Dial.*
*Meretr.* xii. 310. The whole con-
versation is inconceivable from a
modern standpoint, remembering
who and what the speakers were;
but it throws a strong side light on
one phase of Greek society.

Ἐπιγένην δὲ τῶν συνόντων τινά, νέον τε ὄντα καὶ τὸ **12**
σῶμα κακῶς ἔχοντα, ἰδών, "Ὡς ἰδιωτικῶς," ἔφη, "τὸ
σῶμα ἔχεις, ὦ Ἐπίγενες." καὶ ὅς, "Ἰδιώτης γάρ," ἔφη,
"εἰμί, ὦ Σώκρατες." "Οὐδέν γε μᾶλλον," ἔφη, "τῶν ἐν
5 Ὀλυμπίᾳ μελλόντων ἀγωνίζεσθαι· ἢ δοκεῖ σοι μικρὸς
εἶναι ὁ περὶ τῆς ψυχῆς πρὸς τοὺς πολεμίους ἀγών, ὃν
Ἀθηναῖοι θήσουσιν, ὅταν τύχωσι; καὶ μὴν οὐκ ὀλίγοι **2**
μὲν διὰ τὴν τοῦ σώματος καχεξίαν ἀποθνήσκουσί τε ἐν
τοῖς πολεμικοῖς κινδύνοις καὶ αἰσχρῶς σῴζονται, πολλοὶ
10 δὲ δι' αὐτὸ τοῦτο ζῶντές τε ἁλίσκονται καὶ ἁλόντες ἤτοι
δουλεύουσι τὸν λοιπὸν βίον, ἐὰν οὕτω τύχωσι, τὴν χαλε-
πωτάτην δουλείαν, ἢ εἰς τὰς ἀνάγκας τὰς ἀλγεινοτάτας
ἐμπεσόντες καὶ ἐκτείσαντες ἐνίοτε πλείω τῶν ὑπαρχόντων
αὐτοῖς τὸν λοιπὸν βίον ἐνδεεῖς τῶν ἀναγκαίων ὄντες καὶ
15 κακοπαθοῦντες διαζῶσι· πολλοὶ δὲ δόξαν αἰσχρὰν
κτῶνται διὰ τὴν τοῦ σώματος ἀδυναμίαν δοκοῦντες
ἀποδειλιᾶν. ἢ καταφρονεῖς τῶν ἐπιτιμίων τῆς καχεξίας **3**
τούτων, καὶ ῥᾳδίως ἂν οἴει φέρειν τὰ τοιαῦτα; καὶ μὴν

---

**12.** *Physical exercise strengthens
the body, and renders a man not only
fit for the pursuits of war, but also
better equipped for any line of work.
Best of all, it assists mental action.*

**1.** Ἐπιγένην : son of Antiphon,
of the deme Cephisia. *Cf.* Plato
*Apol.* 33 E, *Phaedo* 59 B. — ἰδιω-
τικῶς : *i.e.* unlike an athlete. —
ἰδιώτης : lit. *a private citizen,* here
*non-professional,* so far as con-
cerns athletics. "I have no object
in training, not being an athlete
(ἀσκητής)." To which Socrates re-
torts, "You need training fully as
much as those who are to contend
in the Olympian games." See on

iii. 7. 7. — θήσουσιν : *will make,*
certamina decernent. — ὅταν
τύχωσι : *sc.* ἀγῶνα θέντες.

**2.** ἀποθνήσκουσί τε, καὶ αἰσχρῶς
σῴζονται : vel pereunt, vel tur-
piter servantur.— δι' αὐτὸ τοῦτο :
*i.e.* διὰ τὸ κακῶς ἔχειν τὰ σώματα. —
ἐὰν οὕτω τύχωσι : "if this (*i.e.*
slavery) should happen to them."
— ἐκτείσαντες : *paying out,* for
their ransom. — πλείω τῶν ὑπαρχόν-
των : *more than their property
amounted to.* — δοκοῦντες ἀποδειλιᾶν :
*having the reputation of being cowards.*

**3.** ἐπιτιμίων : *penalties, i.e.* dis-
advantages. — τούτων : agrees with
ἐπιτιμίων. — καὶ μήν : see on i. 6. 3.

οἶμαί γε πολλῷ ῥᾴω καὶ ἡδίω τούτων εἶναι, ἃ δεῖ ὑπομέ-
20 νειν τὸν ἐπιμελόμενον τῆς τοῦ σώματος εὐεξίας· ἢ ὑγιεινό-
τερόν τε καὶ εἰς τἄλλα χρησιμώτερον νομίζεις εἶναι τὴν
καχεξίαν τῆς εὐεξίας; ἢ τῶν διὰ τὴν εὐεξίαν γιγνομένων
καταφρονεῖς; καὶ μὴν πάντα γε τἀναντία συμβαίνει τοῖς 4
εὖ τὰ σώματα ἔχουσιν ἢ τοῖς κακῶς. καὶ γὰρ ὑγιαίνου-
25 σιν οἱ τὰ σώματα εὖ ἔχοντες καὶ ἰσχύουσι· καὶ πολλοὶ
μὲν διὰ τοῦτο ἐκ τῶν πολεμικῶν ἀγώνων σῴζονταί τε
εὐσχημόνως καὶ τὰ δεινὰ πάντα διαφεύγουσι, πολλοὶ δὲ
φίλοις τε βοηθοῦσι καὶ τὴν πατρίδα εὐεργετοῦσι καὶ διὰ
ταῦτα χάριτός τε ἀξιοῦνται καὶ δόξαν μεγάλην κτῶνται
30 καὶ τιμῶν καλλίστων τυγχάνουσι καὶ διὰ ταῦτα τόν τε
λοιπὸν βίον ἥδιον καὶ κάλλιον διαζῶσι καὶ τοῖς ἑαυτῶν
παισὶ καλλίους ἀφορμὰς εἰς τὸν βίον καταλείπουσιν.
οὗτοι χρὴ ὅτι οὐκ ἀσκεῖ δημοσίᾳ ἡ πόλις τὰ πρὸς τὸν 5
πόλεμον, διὰ τοῦτο καὶ ἰδίᾳ ἀμελεῖν, ἀλλὰ μηδὲν ἧττον
35 ἐπιμελεῖσθαι. εὖ γὰρ ἴσθι ὅτι οὐδὲ ἐν ἄλλῳ οὐδενὶ ἀγῶνι
οὐδὲ ἐν πράξει οὐδεμιᾷ μεῖον ἕξεις διὰ τὸ βέλτιον τὸ
σῶμα παρεσκευάσθαι. πρὸς πάντα γὰρ ὅσα πράττουσιν
ἄνθρωποι, χρήσιμον τὸ σῶμά ἐστιν· ἐν πάσαις δὲ ταῖς
τοῦ σώματος χρείαις πολὺ διαφέρει ὡς βέλτιστα τὸ σῶμα
40 ἔχειν· ἐπεὶ καὶ ἐν ᾧ δοκεῖς ἐλαχίστην σώματος χρείαν 6
εἶναι, ἐν τῷ διανοεῖσθαι, τίς οὐκ οἶδεν ὅτι καὶ ἐν τούτῳ

---

—πολλῷ ῥᾴω . . . ἃ δεῖ: const.,
τούτων (τῶν ἐπιτιμίων) πολλῷ ῥᾴω καὶ
ἡδίω (ταῦτα) εἶναι, ἃ δεῖ κτλ. — ὑγιεινό-
τερον, χρησιμώτερον : for the gender,
see on ii. 3. 1.

4. διὰ τοῦτο : *by virtue of this
quality.* — ἀφορμάς : see on ii. 7. 11.

5. ὅτι οὐκ ἀσκεῖ κτλ.: Xenophon,
in recording this fact, may be
praising the Lacedaemonians tacitly,

as he openly does in iii. 5. 15. —
ἀλλὰ μηδὲν ἧττον: sc. χρή. — ἐν
ἄλλῳ οὐδενὶ ἀγῶνι κτλ.: war is
contrasted with any other contest,
and then with any occupation. —
μεῖον ἕξεις : equivalent to μείων ἔσῃ.
— πολὺ διαφέρει : as in iii. 11. 11.

6. ἐπεί : *for.* — δοκεῖς: *you think.*
— ἐν τῷ διανοεῖσθαι: *in pure thinking.*
— τίς οὐκ οἶδεν : the sent. begins

πολλοὶ μεγάλα σφάλλονται διὰ τὸ μὴ ὑγιαίνειν τὸ σῶμα;
καὶ λήθη δὲ καὶ ἀθυμία καὶ δυσκολία καὶ μανία πολλάκις
πολλοῖς διὰ τὴν τοῦ σώματος καχεξίαν εἰς τὴν διάνοιαν
45 ἐμπίπτουσιν οὕτως ὥστε καὶ τὰς ἐπιστήμας ἐκβάλλειν.
τοῖς δὲ τὰ σώματα εὖ ἔχουσι πολλὴ ἀσφάλεια καὶ οὐδεὶς 7
κίνδυνος διά γε τὴν τοῦ σώματος καχεξίαν τοιοῦτόν τι
παθεῖν, εἰκὸς δὲ μᾶλλον πρὸς τὰ ἐναντία τῶν διὰ τὴν καχε-
ξίαν γιγνομένων τὴν εὐεξίαν χρήσιμον εἶναι· καίτοι τῶν
50 γε τοῖς εἰρημένοις ἐναντίων ἕνεκα τί οὐκ ἄν τις νοῦν ἔχων
ὑπομείνειεν; αἰσχρὸν δὲ καὶ τὸ διὰ τὴν ἀμέλειαν γηρᾶναι, 8
πρὶν ἰδεῖν ἑαυτὸν ποῖος ἂν κάλλιστος καὶ κράτιστος τῷ
σώματι γένοιτο· ταῦτα δὲ οὐκ ἔστιν ἰδεῖν ἀμελοῦντα· οὐ
γὰρ ἐθέλει αὐτόματα γίγνεσθαι."

Ὀργιζομένου δέ ποτέ τινος ὅτι προσειπών τινα χαί-13
ρειν οὐκ ἀντιπροσερρήθη, "Γελοῖον," ἔφη, "τὸ εἰ μὲν τὸ
σῶμα κάκιον ἔχοντι ἀπήντησάς τῳ, μὴ ἂν ὀργίζεσθαι, ὅτι
δὲ τὴν ψυχὴν ἀγροικοτέρως διακειμένῳ περιέτυχες, τοῦτό
5 σε λυπεῖ."

with ἐπεί, as if πάντες ἴσασιν were
to follow, but the transition to
the interr. is natural and lively. —
πολλοῖς: in the case of many, dat. of
interest. — τὰς ἐπιστήμας: "all that
they know." — ἐκβάλλειν: for the
inf. of result which a previous ac-
tion tends to produce, see GMT. 587,
1; H. 953.

7. κίνδυνος: sc. ἐστί. — γέ: added,
because τοιοῦτόν τι παθεῖν is possible
from other causes than καχεξία τοῦ
σώματος. — εἰκὸς δὲ μᾶλλον: it is far
more likely. — πρὸς τὰ ἐναντία: to
results the reverse. — ἕνεκα: const. with
ἐναντίων. — νοῦν ἔχων: with any sense.

8. ἰδεῖν ἑαυτόν, ποῖος: for the
'prolepsis,' see on i. 2. 13. — ταῦτα:

these qualities. — ἐθέλει: are wont.
Cf. ὅσα ἡ γῆ φύειν θέλει Oec. 4. 13.

13. Several brief sayings of Soc-
rates, giving sensible advice on vari-
ous matters of everyday life.

1. ὅτι: because. — προσειπών
τινα χαίρειν: the usual form of de-
scribing a greeting; cf. the Lat.
salve. For the dat. in this formula,
cf. ἀλλήλοις χαίρειν προσεῖπον Hell. iv.
1. 31. — γελοῖον: odd, cf. the Ger.
komisch, and our colloquial use
of 'funny.' — τὸ μὴ ἂν ὀργίζεσθαι:
for the articular inf. with modi-
fiers as a noun, see G. 1555; H. 959,
and for the inf. with ἄν, see on ἂν
ἐκλεχθῆναι iii. 5. 2. — διακειμένῳ: dis-
posed.

Ἄλλου δὲ λέγοντος ὅτι ἀηδῶς ἐσθίοι, "Ἀκουμενός," 2
ἔφη, "τούτου φάρμακον ἀγαθὸν διδάσκει." ἐρομένου δέ,
"Ποῖον ;"   "Παύσασθαι ἐσθίοντα," ἔφη, "καὶ ἥδιόν τε καὶ
εὐτελέστερον καὶ ὑγιεινότερον διάξειν παυσάμενον."
10   Ἄλλου δ᾽ αὖ λέγοντος ὅτι θερμὸν εἴη παρ᾽ ἑαυτῷ τὸ 3
ὕδωρ ὃ πίνοι, "Ὅταν ἄρ᾽," ἔφη, "βούλῃ θερμῷ λούσασθαι,
ἕτοιμον ἔσται σοι."   "Ἀλλὰ ψυχρόν," ἔφη, "ἐστὶν ὥστε
λούσασθαι."   "Ἆρ᾽ οὖν," ἔφη, "καὶ οἱ οἰκέται σου ἄχθον-
ται πίνοντές τε αὐτὸ καὶ λουόμενοι αὐτῷ ;"   "Μὰ τὸν Δί᾽,"
15 ἔφη·   "ἀλλὰ καὶ πολλάκις τεθαύμακα ὡς ἡδέως αὐτῷ
πρὸς ἀμφότερα ταῦτα χρῶνται."   "Πότερον δέ," ἔφη, "τὸ
παρὰ σοὶ ὕδωρ θερμότερον πιεῖν ἐστιν ἢ τὸ ἐν Ἀσκλη-
πιοῦ ;"   "Τὸ ἐν Ἀσκληπιοῦ," ἔφη.   "Πότερον δὲ λούσα-
σθαι ψυχρότερον, τὸ παρὰ σοὶ ἢ τὸ ἐν Ἀμφιαράου ;"
20 "Τὸ ἐν Ἀμφιαράου," ἔφη.   "Ἐνθυμοῦ οὖν," ἔφη, "ὅτι κιν-
δυνεύεις δυσαρεστότερος εἶναι τῶν τε οἰκετῶν καὶ τῶν
ἀρρωστούντων."

2. **ἀηδῶς** : _without appetite._ _Cf._
ἡδέως ii. 1. 30. — **Ἀκουμενός** : a
physician, and friend of Socrates.
_Cf._ Plato _Phaedr._ 227 A, 268 A, B. —
**τούτου φάρμακον** : see on iii. 8. 3. —
**διδάσκει** :   _prescribes._ — **παύσασθαι**
**ἐσθίοντα** : _to stop eating._ For the
supplementary participle, see on ii. 1.
24. The 'appetite cure' has been
known to physicians and philoso-
phers from Acumenus and Galen
down to Abernethy and Mark Twain.
— **καί, διάξειν** (_sc._ φησί) : see on καὶ
ὑπακούσεται ii. 3. 16. — **παυσάμενον** :
circumstantial participle of condi-
tion.
    3. **παρ᾽ ἑαυτῷ** : see on ii. 7. 4. —
**ὃ πίνοι** : _which he had to drink._ —
**ψυχρόν, ὥστε λούσασθαι** : for the inf.

with ὡς or ὥστε and a positive adj.
(instead of comp. with ἤ), see GMT.
588. So we say 'cold for bathing.'
_Cf._ ὀλίγοι ἐσμέν, ὥστε ἐγκρατεῖς εἶναι
αὐτῶν _Cyr._ iv. 5. 15. — **μὰ τὸν Δία** :
see on i. 4. 11. — **ἀλλὰ καί** : "in-
deed, on the contrary." — **τὸ ἐν**
**Ἀσκληπιοῦ** (_sc._ νεῴ) : on the south
side of·the Acropolis at Athens.
Pausanias refers to this spring, and
modern travelers speak of the water
as not noticeably warm. — **λούσα-**
**σθαι** : for the inf. with adjs., see
GMT. 763 ; H. 952, and a. — **ἐν**
**Ἀμφιαράου** (_sc._ νεῴ) : the temple
of Amphiarāus (one of the 'Seven
against Thebes') was at Orōpus in
Boeotia ; it, too, had a sacred foun-
tain. _Cf._ Paus. i. 34. 3.

Κολάσαντος δέ τινος ἰσχυρῶς ἀκόλουθον, ἤρετο τί 4
χαλεπαίνοι τῷ θεράποντι.   "Ότι," ἔφη, "ὀψοφαγίστατός
25 τε ὢν βλακότατός ἐστι καὶ φιλαργυρώτατος ὢν ἀργότα-
τος."   "Ἤδη ποτὲ οὖν ἐπεσκέψω πότερος πλειόνων πληγῶν
δεῖται, σὺ ἢ ὁ θεράπων ;"

Φοβουμένου δέ τινος τὴν εἰς Ὀλυμπίαν ὁδόν, "Τί," ἔφη, 5
"φοβῇ τὴν πορείαν;   οὐ καὶ οἴκοι σχεδὸν ὅλην τὴν
30 ἡμέραν περιπατεῖς καὶ ἐκεῖσε πορευόμενος περιπατήσας
ἀριστήσεις, περιπατήσας δειπνήσεις καὶ ἀναπαύσῃ; οὐκ
οἶσθα ὅτι εἰ ἐκτείναις τοὺς περιπάτους οὓς ἐν πέντε ἢ ἓξ
ἡμέραις περιπατεῖς, ῥᾳδίως ἂν Ἀθήνηθεν εἰς Ὀλυμπίαν
ἀφίκοιο; χαριέστερον δὲ καὶ προεξορμᾶν ἡμέρᾳ μιᾷ μᾶλ-
35 λον ἢ ὑστερίζειν· τὸ μὲν γὰρ ἀναγκάζεσθαι περαιτέρω
τοῦ μετρίου μηκύνειν τὰς ὁδοὺς χαλεπόν, τὸ δὲ μιᾷ ἡμέρᾳ
πλείονας πορευθῆναι πολλὴν ῥᾳστώνην παρέχει· κρεῖτ-
τον οὖν ἐν τῇ ὁρμῇ σπεύδειν ἢ ἐν τῇ ὁδῷ."

Ἄλλου δὲ λέγοντος ὡς παρετάθη μακρὰν ὁδὸν πορευ- 6
40 θείς, ἤρετο αὐτὸν εἰ καὶ φορτίον ἔφερε.   "Μὰ Δί' οὐκ
ἔγωγ'," ἔφη, "ἀλλὰ τὸ ἱμάτιον."   "Μόνος δ' ἐπορεύου,"
ἔφη, "ἢ καὶ ἀκόλουθός σοι ἠκολούθει;"   "Ἠκολούθει,"
ἔφη.   "Πότερον κενός," ἔφη, "ἢ φέρων τι;"   "Φέρων νὴ
Δί'," ἔφη, "τά τε στρώματα καὶ τἆλλα σκεύη."   "Καὶ

4. ἀκόλουθον: *an attendant*, the slave whose duty it was to accompany his master when he went out. *Cf.* 6.

5. φοβουμένου: *expressing apprehension of.* — οἴκοι: for the accent, see on i. 1. 2. — πορευόμενος: *while on the journey.* — περιπατήσας ἀριστήσεις, περιπατήσας δειπνήσεις: *you will simply take a walk and eat your luncheon, take another and eat dinner.* — εἰ ἐκτείναις: *if you should*

stretch out, in one line. — οὓς περιπατεῖς: *sc.* in Athens. οὕς is cognate accusative. — Ἀθήνηθεν εἰς Ὀλυμπίαν: a distance of about 130 miles. — ἡμέρᾳ μιᾷ: dat. of degree of difference. — μᾶλλον: *rather,* belongs to ἐξορμᾶν. — πλείονας (*sc.* ὁδούς): *i.e.* the days' journeys.

6. παρετάθη: *worn out*, lit. *stretched out.* — καί: *besides.* — ἀλλά: "nothing except." — κενός: *empty-handed.* — στρώματα: *bedding*

45 πῶς," ἔφη, "ἀπήλλαχεν ἐκ τῆς ὁδοῦ;"   "Ἐμοὶ μὲν δοκεῖ,"
ἔφη, "βέλτιον ἐμοῦ."   "Τί οὖν;" ἔφη, "εἰ τὸ ἐκείνου φορ-
τίον ἔδει σὲ φέρειν, πῶς ἂν οἴει διατεθῆναι;"   "Κακῶς νὴ
Δί'," ἔφη· "μᾶλλον δὲ οὐδ' ἂν ἠδυνήθην κομίσαι."   "Τὸ
οὖν τοσοῦτον ἧττον τοῦ παιδὸς δύνασθαι πονεῖν πῶς
50 ἠσκημένου δοκεῖ σοι ἀνδρὸς εἶναι;"

Ὁπότε δὲ τῶν συνιόντων ἐπὶ δεῖπνον οἱ μὲν μικρὸν 14
ὄψον, οἱ δὲ πολὺ φέροιεν, ἐκέλευεν ὁ Σωκράτης τὸν παῖδα
τὸ μικρὸν ἢ εἰς τὸ κοινὸν τιθέναι ἢ διανέμειν ἑκάστῳ τὸ
μέρος.   οἱ οὖν τὸ πολὺ φέροντες ᾐσχύνοντο τό τε μὴ
5 κοινωνεῖν τοῦ εἰς τὸ κοινὸν τιθεμένου καὶ τὸ μὴ ἀντιτιθέναι
τὸ ἑαυτῶν· ἐτίθεσαν οὖν καὶ τὸ ἑαυτῶν εἰς τὸ κοινόν· καὶ
ἐπεὶ οὐδὲν πλέον εἶχον τῶν μικρὸν φερομένων, ἐπαύοντο
πολλοῦ ὀψωνοῦντες.

Καταμαθὼν δέ ποτε τῶν συνδειπνούντων τινὰ τοῦ μὲν 2
10 σίτου πεπαυμένον, τὸ δὲ ὄψον αὐτὸ καθ' αὑτὸ ἐσθίοντα,
λόγου ὄντος περὶ ὀνομάτων, ἐφ' οἵῳ ἔργῳ ἕκαστον εἴη,
"Ἔχοιμεν ἄν," ἔφη, "ὦ ἄνδρες, εἰπεῖν ἐπὶ ποίῳ ποτὲ ἔργῳ
ἄνθρωπος ὀψοφάγος καλεῖται; ἐσθίουσι μὲν γὰρ δὴ

—ἀπήλλαχεν ἐκ : come off from (i.e.
stand) the trip. — ἂν διατεθῆναι :
would have fared. — τοῦ παιδός: the
slave. Cf. the old Eng. use of
'knave' (Ger. Knabe) equivalent to
'servant,' and the former use of the
word 'boy' for 'slave' in our
Southern States. Slaves were ex-
cluded from the exercises of the
palaestra, and hence were οὐκ ἠσκη-
μένοι. — ἠσκημένου ἀνδρός : cf. iii.
12. 1, 5.
14. *Some table talk of Socrates
in praise of moderation in eating.*
1. συνιόντων ἐπὶ δεῖπνον : the
feast seems to have been what was

known as ἔρανος (a picnic or 'basket
party'), to which each guest brought
his own share of the food. — ὄψον :
meat, fish, or sauce, originally any-
thing eaten with bread. — εἰς τὸ
κοινὸν τιθέναι : to place on the table
for common participation. — τό τε
μὴ κοινωνεῖν καί : both to refrain from
sharing, and. — ἐπεί : since. — ἐπαύ-
οντο πολλοῦ ὀψωνοῦντες : they stopped
buying meat at a high price. For the
partic., see on ἐσθίοντα 13. 2.
2. σίτου : equivalent to ἄρτου
bread, as distinguished from ὄψον. —
ἐφ' οἵῳ ἔργῳ ἕκαστον εἴη : for what
action each was given. — ποίῳ ποτέ :

πάντες ἐπὶ τῷ σίτῳ ὄψον, ὅταν παρῇ· ἀλλ᾽ οὐκ οἶμαί πω
15 ἐπὶ τούτῳ γε ὀψοφάγοι καλοῦνται." "Οὐ γὰρ οὖν," ἔφη τις
τῶν παρόντων. "Τί γάρ;" ἔφη, "ἐάν τις ἄνευ τοῦ σίτου 3
τὸ ὄψον αὐτὸ ἐσθίῃ μὴ ἀσκήσεως, ἀλλ᾽ ἡδονῆς ἕνεκα,
πότερον ὀψοφάγος εἶναι δοκεῖ ἢ οὔ;" "Σχολῇ γ᾽ ἄν," ἔφη,
"ἄλλος τις ὀψοφάγος εἴη." καί τις ἄλλος τῶν παρόντων,
20 " Ὁ δὲ μικρῷ σίτῳ," ἔφη, "πολὺ ὄψον ἐπεσθίων;" " Ἐμοὶ
μέν," ἔφη ὁ Σωκράτης, "καὶ οὗτος δοκεῖ δικαίως ἂν ὀψο-
φάγος καλεῖσθαι· καὶ ὅταν γε οἱ ἄλλοι ἄνθρωποι τοῖς
θεοῖς εὔχωνται πολυκαρπίαν, εἰκότως ἂν οὗτος πολυοψίαν
εὔχοιτο." ταῦτα δὲ τοῦ Σωκράτους εἰπόντος, νομίσας ὁ 4
25 νεανίσκος εἰς αὐτὸν εἰρῆσθαι τὰ λεχθέντα, τὸ μὲν ὄψον
οὐκ ἐπαύσατο ἐσθίων, ἄρτον δὲ προσέλαβε. καὶ ὁ Σω-
κράτης καταμαθών, "Παρατηρεῖτ᾽," ἔφη, "τοῦτον οἱ πλη-
σίον, ὁπότερα τῷ σίτῳ ὄψῳ ἢ τῷ ὄψῳ σίτῳ χρήσεται."

Ἄλλον δέ ποτε τῶν συνδείπνων ἰδὼν ἐπὶ τῷ ἑνὶ ψωμῷ 5
30 πλειόνων ὄψων γευόμενον, " Ἆρα γένοιτ᾽ ἄν," ἔφη, "πολυ-
τελεστέρα ὀψοποιία ἢ μᾶλλον τὰ ὄψα λυμαινομένη ἢ ἢν
ὀψοποιεῖται ὁ ἅμα πολλὰ ἐσθίων καὶ ἅμα παντοδαπὰ
ἡδύσματα εἰς τὸ στόμα λαμβάνων; πλείω μέν γε τῶν
ὀψοποιῶν συμμειγνύων πολυτελέστερα ποιεῖ· ἃ δὲ ἐκεῖνοι

see on i. 1. 1. — γὰρ οὖν: see on iii.
6. 12.

3. τὸ ὄψον αὐτό: *his meat by it-
self.* — ἀσκήσεως: *of training,* like
that of the athletes, who ate a great
deal of meat to strengthen them. —
σχολῇ: *hardly.* — πολυκαρπίαν, πο-
λυοψίαν: "a good year for crops, a
good year for meat."

4. καταμαθών: *observing.* — τοῦ-
τον: note the 'prolepsis.' — οἱ πλη-
σίον (sc. ὄντες): in appos. with the
ὑμεῖς implied in παρατηρεῖτε. —

ὁπότερα: a rare substitute for πό-
τερα. — τῷ σίτῳ . . . χρήσεται: "will
make a relish of the staple, or a
staple of the relish" (Dakyns). For
the dats., see on δούλοις ii. 1. 12.

5. τῷ ψωμῷ: *sc.* ἄρτου or σίτου.
ψωμός is a sop or morsel of bread, in
N. T. ψωμίον, *cf.* John xii. 26, 30.
— ὄψων: here, *dainty dishes.* —
λυμαινομένη: *calculated to spoil.* — ἢ
ἢν ὀψοποιεῖται, ὁ: *than that which he
practices, who.* — πλείω μέν γε τῶν ὀψο-
ποιῶν συμμειγνύων: *as he mingles*

35 μὴ συμμειγνύουσιν ὡς οὐχ ἁρμόττοντα, ὁ συμμειγνύων,
εἴπερ ἐκεῖνοι ὀρθῶς ποιοῦσιν, ἁμαρτάνει τε καὶ καταλύει
τὴν τέχνην αὐτῶν. καίτοι πῶς οὐ γελοῖόν ἐστι παρα- 6
σκευάζεσθαι μὲν ὀψοποιοὺς τοὺς ἄριστα ἐπισταμένους,
αὐτὸν δὲ μηδ᾽ ἀντιποιούμενον τῆς τέχνης ταύτης τὰ ὑπ᾽
40 ἐκείνων ποιούμενα μετατιθέναι; καὶ ἄλλο δέ τι προσγί-
γνεται τῷ ἅμα πολλὰ ἐσθίειν ἐθισθέντι· μὴ παρόντων γὰρ
πολλῶν μειονεκτεῖν ἄν τι δοκοίη ποθῶν τὸ σύνηθες· ὁ δὲ
συνεθισθεὶς τὸν ἕνα ψωμὸν ἑνὶ ὄψῳ προπέμπειν, ὅτε μὴ
παρείη πολλά, δύναιτ᾽ ἂν ἀλύπως τῷ ἑνὶ χρῆσθαι."
45 Ἔλεγε δὲ καὶ ὡς τὸ εὐωχεῖσθαι ἐν τῇ Ἀθηναίων 7
γλώττῃ ἐσθίειν καλοῖτο· τὸ δὲ εὖ προσκεῖσθαι ἔφη ἐπὶ
τῷ ταῦτα ἐσθίειν ἅτινα μήτε τὴν ψυχὴν μήτε τὸ σῶμα
λυποίη μηδὲ δυσεύρετα εἴη· ὥστε καὶ τὸ εὐωχεῖσθαι τοῖς
κοσμίως διαιτωμένοις ἀνετίθει.

---

more ingredients even than the
cooks. For the abridged compar-
ison, see on κοινότερον τῶν ἄλλων i. 1.
3. — ἃ δὲ . . . ὁ συμμειγνύων : equiv-
alent to ταῦτα δέ, ἃ ἐκεῖνοι μὴ συμ-
μειγνύουσιν, συμμειγνύων. — ἐκεῖνοι : i.e.
οἱ ὀψοποιοί. — καταλύει : renders use-
less. Cf. καταλύει τὸν ἱππέα Eq. xii. 5.
6. μηδ᾽ ἀντιποιούμενον τῆς τέχνης
ταύτης : pretending to no skill in this
art. — μετατιθέναι : to alter. — μειον-
εκτεῖν : to be stinted. Cf. μεῖον ἕξεις
12. 5. — τὸν ἕνα ψωμὸν κτλ. : to ac-
company one piece of bread by one

of meat. — ὅτε μὴ παρείη : for ὅταν
μὴ παρῇ, by assimilation to the mode
of the main sentence.
7. ἔλεγε : he used to remark. — τὸ
εὐωχεῖσθαι : the phrase 'good cheer.'
For the neut. art. before any word
or expression made the obj. of
thought, see G. 955, 2 ; H. 125 e. —
καλοῖτο : signified. — τὸ εὖ : the adverb
εὖ. — ἐπὶ τῷ ἐσθίειν : "to express the
eating." — ἀνετίθει : he used to apply.
'Good cheer' comes only when we
eat wholesome viands and in mod-
eration.

# Δ

Οὗτω δὲ Σωκράτης ἦν ἐν παντὶ πράγματι καὶ πάντα 1
τρόπον ὠφέλιμος, ὥστε τῷ σκοπουμένῳ τοῦτο καὶ μετρίως
αἰσθανομένῳ φανερὸν εἶναι ὅτι οὐδὲν ὠφελιμώτερον ἦν
τοῦ Σωκράτει συνεῖναι καὶ μετ᾽ ἐκείνου διατρίβειν ὁπουοῦν
5 καὶ ἐν ὁτῳοῦν πράγματι· ἐπεὶ καὶ τὸ ἐκείνου μεμνῆσθαι
μὴ παρόντος οὐ μικρὰ ὠφέλει τοὺς εἰωθότας τε αὐτῷ
συνεῖναι καὶ ἀποδεχομένους ἐκεῖνον· καὶ γὰρ παίζων
οὐδὲν ἧττον ἢ σπουδάζων ἐλυσιτέλει τοῖς συνδιατρίβουσι.
πολλάκις γὰρ ἔφη μὲν ἄν τινος ἐρᾶν, φανερὸς δ᾽ ἦν οὐ 2
10 τῶν τὰ σώματα πρὸς ὥραν, ἀλλὰ τῶν τὰς ψυχὰς πρὸς
ἀρετὴν εὖ πεφυκότων ἐφιέμενος. ἐτεκμαίρετο δὲ τὰς ἀγα-
θὰς φύσεις ἐκ τοῦ ταχύ τε μανθάνειν οἷς προσέχοιεν καὶ

**1.** *Socrates loved the companion-ship of young men, but of those only in whom he discerned natural abilities and an enthusiasm for what was noble. These, he held, stood especially in need of instruction; for enthusiasm and force, when misdirected, may lead to the most disastrous consequences. On the other hand, those who thought themselves able to dispense with in-struction because they were rich, he regarded as the greatest of fools.*

**1.** καὶ μετρίως αἰσθανομένῳ : con-cessive, *even of moderate discernment.* For αἰσθάνομαι in the sense of general intelligence, *cf.* οὐδὲ πρὸς ἀνθρώπων τῶν αἰσθανομένων Thuc. i. 71. — **ὁτῳοῦν,** ὁτῳοῦν : see on ὁπωστιοῦν i. 6. 11. — **ἀποδεχομένους ἐκεῖνον :** "receiving

and accepting his teachings." *Cf.* τοὺς ἀποδεξαμένους ἅπερ αὐτὸς ἐδοκίμαζεν i. 2. 8. — **παίζων, σπουδάζων :** *cf.* ἔπαιζεν ἅμα σπουδάζων i. 3. 8. An instance of the playfulness is found in the ἐρᾶν of 2, a word usually directed toward physical attractions. Another is the amusing προοίμιον of 2. 4 and 5.

**2.** ἔφη, ἄν : *sc.* as often as occasion arose. For the iterative ἄν, see on ἂν ἔδωκε ii. 9. 4, and *cf.* iv. 6. 13. — **τῶν, τῶν :** const. with εὖ πεφυκότων *those who were well endowed by nature.* — **ὥραν, ἀρετήν :** without the art., see on i. 2. 23. — **ἐτεκμαίρετο :** *he used to infer.* — **τοῦ μανθάνειν :** *sc.* αὐτούς as subject. — **οἷς προσέχοιεν :** for οἷς ἂν προσέχωσι of direct discourse. G.

195

μνημονεύειν ἃ μάθοιεν καὶ ἐπιθυμεῖν τῶν μαθημάτων πάν-
των δι' ὧν ἔστιν οἰκίαν τε καλῶς οἰκεῖν καὶ πόλιν καὶ τὸ
15 ὅλον ἀνθρώποις τε καὶ τοῖς ἀνθρωπίνοις πράγμασιν εὖ
χρῆσθαι· τοὺς γὰρ τοιούτους ἡγεῖτο παιδευθέντας οὐκ ἂν
μόνον αὐτούς τε εὐδαίμονας εἶναι καὶ τοὺς ἑαυτῶν οἴκους
καλῶς οἰκεῖν, ἀλλὰ καὶ ἄλλους ἀνθρώπους καὶ πόλεις
δύνασθαι εὐδαίμονας ποιεῖν.    οὐ τὸν αὐτὸν δὲ τρόπον ἐπὶ 3
20 πάντας ᾔει, ἀλλὰ τοὺς μὲν οἰομένους φύσει ἀγαθοὺς εἶναι,
μαθήσεως δὲ καταφρονοῦντας, ἐδίδασκεν ὅτι αἱ ἄρισται
δοκοῦσαι εἶναι φύσεις μάλιστα παιδείας δέονται, ἐπιδεικ-
νύων τῶν τε ἵππων τοὺς εὐφυεστάτους θυμοειδεῖς τε καὶ
σφοδροὺς ὄντας, εἰ μὲν ἐκ νέων δαμασθεῖεν, εὐχρηστοτά-
25 τους καὶ ἀρίστους γιγνομένους, εἰ δὲ ἀδάμαστοι γένοιντο,
δυσκαθεκτοτάτους καὶ φαυλοτάτους· καὶ τῶν κυνῶν τῶν
εὐφυεστάτων, φιλοπόνων τε οὐσῶν καὶ ἐπιθετικῶν τοῖς
θηρίοις, τὰς μὲν καλῶς ἀχθείσας ἀρίστας γίγνεσθαι πρὸς
τὰς θήρας καὶ χρησιμωτάτας, ἀναγώγους δὲ γιγνομένας
30 ματαίους τε καὶ μανιώδεις καὶ δυσπειθεστάτας.    ὁμοίως 4
δὲ καὶ τῶν ἀνθρώπων τοὺς εὐφυεστάτους, ἐρρωμενεστάτους

---

1431, 1497, 2; H. 914, 934. — οἰκίαν:
we might expect οἶκον, after the anal-
ogy of i. 1. 7, 2. 64; ii. 1. 19. — τὸ
ὅλον: omnino. — τοὺς γὰρ τοιούτους
παιδευθέντας: for such natures when
trained.  This sent. contains the rea-
son for the preceding τῶν εὖ πεφυκότων
ἐφιέμενος.

3. οὐ τὸν αὐτὸν τρόπον: like St.
Paul, Socrates could be 'all things to
all men.' This variety in his methods
is ridiculed by Aristophanes Clouds
478–480. — τοὺς μέν: corresponds to
τοὺς δέ in 5. — εἰ δαμασθεῖεν: if they
should be broken in. — οὐσῶν: when
hounds are meant, κυών is generally

grammatically feminine.   Cf. iii. 11.
8. — ἐπιθετικῶν: eager to attack. —
ἀχθείσας (ἄγω): the usual term for
training hunting dogs. — γίγνεσθαι:
note the change from the participle
(γιγνομένους) to the inf., permissible
from the fact that ἐπιδεικνύειν is a
verbum declarandi. — ἀναγώγους δὲ
γιγνομένας: but if they should remain
untrained, a slight 'anacoluthon,'
since τὰς μέν preceded.

4. ὁμοίως δὲ καὶ τῶν ἀνθρώπων
κτλ.: the thought that the very worst
of characters are developed from the
most richly endowed natures is fre-
quent in Plato.  Cf. Rep. 491; Gorg.

τε ταῖς ψυχαῖς ὄντας καὶ ἐξεργαστικωτάτους ὧν ἂν
ἐγχειρῶσι, παιδευθέντας μὲν καὶ μαθόντας ἃ δεῖ πράττειν
ἀρίστους τε καὶ ὠφελιμωτάτους γίγνεσθαι· πλεῖστα γὰρ
35 καὶ μέγιστα ἀγαθὰ ἐργάζεσθαι· ἀπαιδεύτους δὲ καὶ
ἀμαθεῖς γενομένους κακίστους τε καὶ βλαβερωτάτους γί-
γνεσθαι· κρίνειν γὰρ οὐκ ἐπισταμένους ἃ δεῖ πράττειν,
πολλάκις πονηροῖς ἐπιχειρεῖν πράγμασι, μεγαλείους δὲ
καὶ σφοδροὺς ὄντας δυσκαθέκτους τε καὶ δυσαποτρέπτους
40 εἶναι· διὸ πλεῖστα καὶ μέγιστα κακὰ ἐργάζεσθαι.   τοὺς 5
δ' ἐπὶ πλούτῳ μέγα φρονοῦντας καὶ νομίζοντας οὐδὲν
προσδεῖσθαι παιδείας, ἐξαρκέσειν δὲ σφίσι τὸν πλοῦτον
οἰομένους πρὸς τὸ διαπράττεσθαί τε ὅ τι ἂν βούλωνται
καὶ τιμᾶσθαι ὑπὸ τῶν ἀνθρώπων, ἐφρένου λέγων ὅτι
45 μωρὸς μὲν εἴη, εἴ τις οἴεται μὴ μαθὼν τά τε ὠφέλιμα καὶ
τὰ βλαβερὰ τῶν πραγμάτων διαγνώσεσθαι, μωρὸς δ' εἴ
τις μὴ διαγιγνώσκων μὲν ταῦτα, διὰ δὲ τὸν πλοῦτον ὅ τι
ἂν βούληται ποριζόμενος οἴεται δυνήσεσθαι τὰ συμφέ-
ροντα πράττειν, ἠλίθιος δ' εἴ τις μὴ δυνάμενος τὰ συμφέ-
50 ροντα πράττειν εὖ τε πράττειν οἴεται καὶ τὰ πρὸς τὸν βίον
αὑτῷ ἢ καλῶς ἢ ἱκανῶς παρεσκευάσθαι, ἠλίθιος δὲ καὶ εἴ
τις οἴεται διὰ τὸν πλοῦτον μηδὲν ἐπιστάμενος δόξειν τι
ἀγαθὸς εἶναι ἢ μηδὲν ἀγαθὸς εἶναι δοκῶν εὐδοκιμήσειν.

---

526 A. — ὧν ἂν ἐγχειρῶσι : equivalent
to τούτων, ἃ ἂν ἐγχειρῶσιν ἐξεργάζε-
σθαι.  For the gen., see on τῶν εἰς τὸν
πόλεμον iii. 1. 6. — ἐργάζεσθαι : for
the inf., see on ὧν οὐδὲν εἶναι i.
1. 8.

5. ἐφρένου : *he tried to bring to
reason. Cf.* ii. 6. 1. — εἴη : the subj.
is to be supplied from the following
clause. — εἴ τις οἴεται : for the indic.
in subord. clauses of indirect dis-
course, see G. 1497, 2 ; H. 933. —

τά τε, καὶ τά, διαγνώσεσθαι : for τέ
and καί with words of discrimi-
nation, see on iii. 4. 3. — πράττειν εὖ
τε πράττειν : for a similar play on
words, *cf.* i. 6. 8. — εὐδοκιμήσειν :
*will win esteem.*

2. 1–20.  *How well Socrates knew
how to bring to their senses young
men who were filled with conceit of
their fancied wisdom, is illustrated in
his talks with Euthydēmus.   This
youth wished to become a statesman,*

Τοῖς δὲ νομίζουσι παιδείας τε τῆς ἀρίστης τετυχη- 2
κέναι καὶ μέγα φρονοῦσιν ἐπὶ σοφίᾳ ὡς προσεφέρετο, νῦν
διηγήσομαι. καταμαθὼν γὰρ Εὐθύδημον τὸν καλὸν γράμ-
ματα πολλὰ συνειλεγμένον ποιητῶν τε καὶ σοφιστῶν τῶν
5 εὐδοκιμωτάτων καὶ ἐκ τούτων ἤδη τε νομίζοντα διαφέρειν
τῶν ἡλικιωτῶν ἐν σοφίᾳ καὶ μεγάλας ἐλπίδας ἔχοντα πάν-
των διοίσειν τῷ δύνασθαι λέγειν τε καὶ πράττειν, πρῶτον
μέν, αἰσθανόμενος αὐτὸν διὰ νεότητα οὔπω εἰς τὴν ἀγορὰν
εἰσιόντα, εἰ δέ τι βούλοιτο διαπράξασθαι, καθίζοντα εἰς
10 ἡνιοποιεῖόν τι τῶν ἐγγὺς τῆς ἀγορᾶς, εἰς τοῦτο καὶ αὐτὸς
ᾔει τῶν μεθ᾽ ἑαυτοῦ τινας ἔχων. καὶ πρῶτον μὲν πυνθα- 2
νομένου τινὸς πότερον Θεμιστοκλῆς διὰ συνουσίαν τινὸς
τῶν σοφῶν ἢ φύσει τοσοῦτον διήνεγκε τῶν πολιτῶν ὥστε
πρὸς ἐκεῖνον ἀποβλέπειν τὴν πόλιν ὁπότε σπουδαίου
15 ἀνδρὸς δεηθείη, ὁ Σωκράτης βουλόμενος κινεῖν τὸν Εὐθύ-
δημον εὔηθες ἔφη εἶναι τὸ οἴεσθαι τὰς μὲν ὀλίγου ἀξίας
τέχνας μὴ γίγνεσθαι σπουδαίους ἄνευ διδασκάλων ἱκανῶν,

but had no idea of going through any
preliminary course of study or train-
ing. Socrates shows him that he
needs this, since he has no clear ideas
even about what is just and unjust,
which surely a statesman must un-
derstand.

1. Εὐθύδημον : cf. i. 2. 29. —
γράμματα πολλὰ συνειλεγμένον : had
collected many writings, as we should
say, 'had a good library.' He may
have had several dozen manuscripts.
Cf. what Socrates says of himself,
τοὺς θησαυροὺς τῶν πάλαι σοφῶν
ἀνδρῶν, οὓς ἐκεῖνοι κατέλιπον ἐν βιβλί-
οις γράψαντες κτλ. i. 6. 14. — σοφι-
στῶν : see on i. ι. 11. — ἐκ τούτων :
as a result of this. — πρῶτον μέν : cor-
responds to ἐπεὶ δέ in 6. — διὰ νεότητα :

perhaps he was not yet eighteen.
See on iii. 6. 1. — ἡνιοποιεῖόν τι τῶν :
equivalent to τί τῶν ἡνιοποιείων τῶν.
On such shops as places of resort, see
Becker, Charicles, p. 279. — ᾔει : the
main verb at last, preceded by the
circumstantial participles καταμαθών
and αἰσθανόμενος, and followed by
ἔχων. — τῶν μεθ᾽ ἑαυτοῦ : companions.
In the Anabasis the phrase generally
means attendants or retinue.

2. πρῶτον μέν : corresponds to
πάλιν δέ in 3. — πυνθανομένου τινός :
on some one's raising the question. —
Θεμιστοκλῆς : see on ii. 6. 13. — διὰ
συνουσίαν τινὸς τῶν σοφῶν : cf. σοφοὶ
τύραννοι τῶν σοφῶν ξυνουσίᾳ Soph. Fr.
12. — κινεῖν : to draw out, lit. to stir.
— τὰς τέχνας : acc. of specification

τὸ δὲ προεστάναι πόλεως, πάντων ἔργων μέγιστον ὄν, ἀπὸ
ταὐτομάτου παραγίγνεσθαι τοῖς ἀνθρώποις. πάλιν δέ 3
20 ποτε παρόντος τοῦ Εὐθυδήμου, ὁρῶν αὐτὸν ἀποχωροῦντα
τῆς συνεδρίας καὶ φυλαττόμενον μὴ δόξῃ τὸν Σωκράτην
θαυμάζειν ἐπὶ σοφίᾳ, "Ὅτι μέν," ἔφη, "ὦ ἄνδρες, Εὐθύδη-
μος οὑτοσὶ ἐν ἡλικίᾳ γενόμενος, τῆς πόλεως λόγον περί
τινος προτιθείσης, οὐκ ἀφέξεται τοῦ συμβουλεύειν, εὔδηλόν
25 ἐστιν ἐξ ὧν ἐπιτηδεύει· δοκεῖ δέ μοι καλὸν προοίμιον
τῶν δημηγοριῶν παρασκευάσασθαι φυλαττόμενος μὴ δόξῃ
μανθάνειν τι παρά του. δῆλον γὰρ ὅτι λέγειν ἀρχόμενος
ὧδε προοιμιάσεται· 'Παρ' οὐδενὸς μὲν πώποτε, ὦ ἄνδρες 4
Ἀθηναῖοι, οὐδὲν ἔμαθον οὐδ' ἀκούων τινὰς εἶναι λέγειν τε
30 καὶ πράττειν ἱκανοὺς ἐζήτησα τούτοις ἐντυχεῖν οὐδ' ἐπε-
μελήθην τοῦ διδάσκαλόν τινά μοι γενέσθαι τῶν ἐπισταμέ-
νων, ἀλλὰ καὶ τἀναντία· διατετέλεκα γὰρ φεύγων οὐ
μόνον τὸ μανθάνειν τι παρά τινος, ἀλλὰ καὶ τὸ δόξαι·
ὅμως δὲ ὅ τι ἂν ἀπὸ ταὐτομάτου ἐπίῃ μοι, συμβουλεύσω
35 ὑμῖν.' ἁρμόσειε δ' ἂν οὕτω προοιμιάζεσθαι καὶ τοῖς 5
βουλομένοις παρὰ τῆς πόλεως ἰατρικὸν ἔργον λαβεῖν·

with σπουδαίους *skilled.* — ἀπὸ ταὐτο-
μάτου: equivalent to φύσει above. *Cf.*
λέγεται (ὁ Περικλῆς) . . . οὐκ ἀπὸ ταὐτο-
μάτου σοφὸς γεγονέναι, ἀλλὰ πολλοῖς
καὶ σοφοῖς συγγεγονέναι Plato *Alc.* I,
118 d. So Demosthenes (xviii. 205)
speaks of τὸν ταὐτόματον θάνατον, *i.e.*
natural death.

3. ἀποχωροῦντα : *withdrawing
from.* — θαυμάζειν ἐπὶ σοφίᾳ: cf. i. 4.
3. — Εὐθύδημος οὑτοσί: *our friend
Euthydemus here,* with a gesture.
For the 'deictic' form of prons.,
see G. 412 ; H. 274. — ἐν ἡλικίᾳ
γενόμενος : *when he has reached
the proper age.* — προτιθείσης : sc.

through the herald. *Cf.* ἠρώτα μὲν
ὁ κῆρυξ· τίς ἀγορεύειν βούλεται ; Dem.
xviii. 170. — προοίμιον : the *exor-
dium,* or introduction of an oration.

4. καὶ τἀναντία (sc. ἐποίησα): *pre-
cisely the reverse.* — διατετέλεκα φεύ-
γων : *I have constantly avoided.* For
the supplementary participle with
διατελέω, see G. 1587 ; H. 981. — τὸ
δόξαι : sc. μεμαθηκέναι τι παρά τινος.
*Cf.* 5. — ἐπίῃ μοι : *may occur to me.*
So σοὶ ἐπῆλθεν ἐνθυμηθῆναι iv. 3. 3.
*Cf.* ἐσῆλθέ με Hdt. vii. 46.

5. ἁρμόσειε : *would be appropriate
for.* — ἰατρικὸν ἔργον : *the office of city
physician.* Certain physicians were,

ἐπιτήδειόν γ᾽ ἂν αὐτοῖς εἴη τοῦ λόγου ἄρχεσθαι ἐντεῦθεν·
'Παρ᾽ οὐδενὸς μὲν πώποτε, ὦ ἄνδρες 'Αθηναῖοι, τὴν ἰατρι-
κὴν τέχνην ἔμαθον οὐδ᾽ ἐζήτησα διδάσκαλον ἐμαυτῷ
40 γενέσθαι τῶν ἰατρῶν οὐδένα· διατετέλεκα γὰρ φυλαττό-
μενος οὐ μόνον τὸ μαθεῖν τι παρὰ τῶν ἰατρῶν, ἀλλὰ καὶ
τὸ δόξαι μεμαθηκέναι τὴν τέχνην ταύτην· ὅμως δέ μοι τὸ
ἰατρικὸν ἔργον δότε· πειράσομαι γὰρ ἐν ὑμῖν ἀποκινδυ-
νεύων μανθάνειν.' " πάντες οὖν οἱ παρόντες ἐγέλασαν
45 ἐπὶ τῷ προοιμίῳ. ἐπεὶ δὲ φανερὸς ἦν ὁ Εὐθύδημος ἤδη   6
μὲν οἷς ὁ Σωκράτης λέγοι προσέχων, ἔτι δὲ φυλαττόμενος
αὐτός τι φθέγγεσθαι καὶ νομίζων τῇ σιωπῇ σωφροσύνης
δόξαν περιβάλλεσθαι, τότε ὁ Σωκράτης βουλόμενος αὐτὸν
παῦσαι τούτου, "Θαυμαστὸν γάρ," ἔφη, "τί ποτε οἱ βου-
50 λόμενοι κιθαρίζειν ἢ αὐλεῖν ἢ ἱππεύειν ἢ ἄλλο τι τῶν
τοιούτων ἱκανοὶ γενέσθαι πειρῶνται ὡς συνεχέστατα
ποιεῖν ὅ τι ἂν βούλωνται δυνατοὶ γενέσθαι, καὶ οὐ καθ᾽
ἑαυτοὺς ἀλλὰ παρὰ τοῖς ἀρίστοις δοκοῦσιν εἶναι, πάντα
ποιοῦντες καὶ ὑπομένοντες ἕνεκα τοῦ μηδὲν ἄνευ τῆς
55 ἐκείνων γνώμης ποιεῖν, ὡς οὐκ ἂν ἄλλως ἀξιόλογοι
γενόμενοι· τῶν δὲ βουλομένων δυνατῶν γενέσθαι λέγειν τε

in Athens, elected by the popular
assembly (ἐκκλησία) and paid by the
state, to care for the sick among the
poorer citizens. — ἀποκινδυνεύων : *by
trying experiments, at your risk.* —
οὖν : *so,* naturally.

6. προσέχων : as Euthydemus
was represented in 3 as departing
(ἀποχωροῦντα), either he must have
changed his mind, or the present dis-
course is to be referred to another
occasion. — νομίζων περιβάλλεσθαι :
the pres. inf. is especially appropriate
here : " thinking that all the time he

was wrapping himself in." — θαυμα-
στὸν γάρ : *now it is surprising.* — τί
ποτε : see on i. 1. 1. The irony is
somewhat strengthened by ποτέ. —
παρὰ τοῖς ἀρίστοις κτλ. : " with
teachers of the highest reputation."
— πάντα : *everything imaginable.* See
on ii. 2. 6. — ἕνεκα τοῦ ποιεῖν : *that they
may do.* — ὡς οὐκ ἂν ἄλλως γενόμενοι :
*in the belief that otherwise they could
not become.* — τῶν δὲ βουλομένων :
*while of those who wish,* part. gen. with
τινές. The argument is *a fortiori,*
a favorite form with Socrates ; *cf.* 2.

καὶ πράττειν τὰ πολιτικὰ νομίζουσί τινες ἄνευ παρασκευῆς
καὶ ἐπιμελείας αὐτόματοι ἐξαίφνης δυνατοὶ ταῦτα ποιεῖν
ἔσεσθαι.  καίτοι γε τοσούτῳ ταῦτα ἐκείνων δυσκατεργα-  7
60 στότερα φαίνεται, ὅσῳπερ πλειόνων περὶ ταῦτα πραγμα-
τευομένων ἐλάττους οἱ κατεργαζόμενοι γίγνονται· δῆλον
οὖν ὅτι καὶ ἐπιμελείας δέονται πλείονος καὶ ἰσχυροτέρας
οἱ τούτων ἐφιέμενοι ἢ οἱ ἐκείνων." κατ' ἀρχὰς μὲν οὖν  8
ἀκούοντος Εὐθυδήμου τοιούτους λόγους ἔλεγε Σωκράτης·
65 ὡς δ' ᾔσθετο αὐτὸν ἑτοιμότερον ὑπομένοντα, ὅτε διαλέγοιτο,
καὶ προθυμότερον ἀκούοντα, μόνος ἦλθεν εἰς τὸ ἡνιο-
ποιεῖον, παρακαθεζομένου δ' αὐτῷ τοῦ Εὐθυδήμου, "Εἰπέ
μοι," ἔφη, "ὦ Εὐθύδημε, τῷ ὄντι, ὥσπερ ἐγὼ ἀκούω, πολλὰ
γράμματα συνῆχας τῶν λεγομένων σοφῶν ἀνδρῶν γεγονέ-
70 ναι;" καὶ ὁ Εὐθύδημος, "Νὴ τὸν Δί'," ἔφη, "ὦ Σώκρατες·
καὶ ἔτι γε συνάγω, ἕως ἂν κτήσωμαι ὡς ἂν δύνωμαι
πλεῖστα." "Νὴ τὴν Ἥραν," ἔφη ὁ Σωκράτης, "ἄγαμαί γέ  9
σου, διότι οὐκ ἀργυρίου καὶ χρυσίου προείλου θησαυροὺς
κεκτῆσθαι μᾶλλον ἢ σοφίας· δῆλον γὰρ ὅτι· νομίζεις
75 ἀργύριον καὶ χρυσίον οὐδὲν βελτίους ποιεῖν τοὺς ἀνθρώ-
πους, τὰς δὲ τῶν σοφῶν ἀνδρῶν γνώμας ἀρετῇ πλουτίζειν
τοὺς κεκτημένους." καὶ ὁ Εὐθύδημος ἔχαιρεν ἀκούων
ταῦτα, νομίζων δοκεῖν τῷ Σωκράτει ὀρθῶς μετιέναι τὴν

---

7. **καίτοι γε τοσούτῳ . . . γίγνον-
ται**: and yet success in these pur-
suits (collectively, statesmanship) is
more difficult of attainment than in
those (cithara playing etc.) just in
proportion as, out of the larger num-
ber engaging in these, fewer achieve
success. πλειόνων may be either part.
gen. or gen. abs. of concession al-
though a larger number engage etc.

8. **κατ' ἀρχάς**: at first. — **ἀκούοντος
Εὐθυδήμου**: in the hearing of Euthyde-

mus. — **ὑπομένοντα**: staying behind. —
**μόνος**: contrasted with τῶν μεθ' ἑαυτοῦ
τινας ἔχων of 1. — **εἰπέ**: for the accent,
see on i. 2. 41. — **τῶν λεγομένων σοφῶν
γεγονέναι**: for the pred. adj., see G.
931; H. 940 a. — **ἕως ἂν κτήσωμαι**: for
temporal clauses implying purpose,
see G. 1467; H. 921, and Remark.

9. **νὴ τὴν Ἥραν**: see on i. 5. 5.
— **προείλου μᾶλλον**: cf. Lat. potius
malle. — **γνώμας**: precepts. — **μετιέ-
ναι**: to be pursuing.

σοφίαν. ὁ δὲ καταμαθὼν αὐτὸν ἡσθέντα τῷ ἐπαίνῳ τούτῳ, 10
80 "Τί δὲ δὴ βουλόμενος ἀγαθὸς γενέσθαι," ἔφη, "ὦ Εὐθύ-
δημε, συλλέγεις τὰ γράμματα;" ἐπεὶ δὲ διεσιώπησεν
ὁ Εὐθύδημος σκοπῶν ὅ τι ἀποκρίναιτο, πάλιν ὁ Σωκρά-
της, "Ἆρα μὴ ἰατρός;" ἔφη· "πολλὰ γὰρ καὶ ἰατρῶν
ἐστι συγγράμματα." καὶ ὁ Εὐθύδημος, "Μὰ Δί'," ἔφη,
85 "οὐκ ἔγωγε." "Ἀλλὰ μὴ ἀρχιτέκτων βούλει γενέσθαι;
γνωμονικοῦ γὰρ ἀνδρὸς καὶ τοῦτο δεῖ." "Οὔκουν ἔγωγ',"
ἔφη. "Ἀλλὰ μὴ γεωμέτρης ἐπιθυμεῖς," ἔφη, "γενέσθαι
ἀγαθός, ὥσπερ ὁ Θεόδωρος;" "Οὐδὲ γεωμέτρης," ἔφη.
"Ἀλλὰ μὴ ἀστρολόγος," ἔφη, "βούλει γενέσθαι;" ὡς δὲ
90 καὶ τοῦτο ἠρνεῖτο, "Ἀλλὰ μὴ ῥαψῳδός;" ἔφη· "καὶ γὰρ
τὰ Ὁμήρου σέ φασιν ἔπη πάντα κεκτῆσθαι." "Μὰ Δί'
οὐκ ἔγωγ'," ἔφη· "τοὺς γάρ τοι ῥαψῳδοὺς οἶδα τὰ μὲν ἔπη
ἀκριβοῦντας, αὐτοὺς δὲ πάνυ ἠλιθίους ὄντας." καὶ ὁ Σω- 11
κράτης ἔφη· "Οὐ δήπου, ὦ Εὐθύδημε, ταύτης τῆς ἀρετῆς
95 ἐφίεσαι δι' ἣν ἄνθρωποι πολιτικοὶ γίγνονται καὶ οἰκονο-
μικοὶ καὶ ἄρχειν ἱκανοὶ καὶ ὠφέλιμοι τοῖς τε ἄλλοις
ἀνθρώποις καὶ ἑαυτοῖς;" καὶ ὁ Εὐθύδημος, "Σφόδρα γ',"
ἔφη, "ὦ Σώκρατες, ταύτης τῆς ἀρετῆς δέομαι." "Νὴ Δί',"
ἔφη ὁ Σωκράτης, "τῆς καλλίστης ἀρετῆς καὶ μεγίστης
100 ἐφίεσαι τέχνης· ἔστι γὰρ τῶν βασιλέων αὕτη καὶ καλεῖ-
ται βασιλική. ἀτάρ," ἔφη, "κατανενόηκας εἰ οἷόν τ' ἐστὶ

---

10. τί : modifies ἀγαθός. — ἆρα μὴ
ἰατρός : sc. βουλόμενος γενέσθαι, in
loose connection with the preceding
τί δὲ δὴ βουλόμενος ἀγαθὸς γενέσθαι,
after which something like ἆρα μὴ
τὴν ἰατρικήν might be expected. —
γνωμονικοῦ ἀνδρός : with reference to
the γνώμας of 9. — οὔκουν: no in-
deed. — Θεόδωρος : of Cyrene, said
to have been a teacher of Socrates.

— ἀστρολόγος : an astronomer.  Cf.
iv. 7. 4. — πάνυ ἠλιθίους : sufficiently
represents the opinion of Socrates's
time, that the professional rhapsodes
declaimed the Homeric poems with
little real understanding.  Cf. Sym.
iii. 6 ; Plato Ion 530 B ff.

11. οὐ δήπου : as in ii. 3. 1. —
ἀτάρ : a significant but, marking
the second stage of the lesson. —

μὴ ὄντα δίκαιον ἀγαθὸν ταῦτα γενέσθαι;" "Καὶ μάλα," ἔφη, "καὶ οὐχ οἷόν τέ γε ἄνευ δικαιοσύνης ἀγαθὸν πολίτην γενέσθαι." "Τί οὖν;" ἔφη, "σὺ δὴ τοῦτο κατείργασαι;" 12
105 "Οἶμαί γε," ἔφη, "ὦ Σώκρατες, οὐδενὸς ἂν ἧττον φανῆναι δίκαιος." "Ἆρ' οὖν," ἔφη, "τῶν δικαίων ἐστὶν ἔργα ὥσπερ τῶν τεκτόνων;" "Ἔστι μέντοι," ἔφη. "Ἆρ' οὖν," ἔφη, "ὥσπερ οἱ τέκτονες ἔχουσι τὰ ἑαυτῶν ἔργα ἐπιδεῖξαι, οὕτως οἱ δίκαιοι τὰ αὑτῶν ἔχοιεν ἂν ἐξηγήσασθαι;"
110 "Μὴ οὖν," ἔφη ὁ Εὐθύδημος, "οὐ δύνωμαι ἐγὼ τὰ τῆς δικαιοσύνης ἔργα ἐξηγήσασθαι; καὶ νὴ Δί' ἔγωγε τὰ τῆς ἀδικίας· ἐπεὶ οὐκ ὀλίγα ἔστι καθ' ἑκάστην ἡμέραν τοιαῦτα ὁρᾶν τε καὶ ἀκούειν." "Βούλει οὖν," ἔφη ὁ 13 Σωκράτης, "γράψωμεν ἐνταυθοῖ μὲν δέλτα, ἐνταυθοῖ δὲ
115 ἄλφα; εἶτα ὅ τι μὲν ἂν δοκῇ ἡμῖν τῆς δικαιοσύνης ἔργον εἶναι, πρὸς τὸ δέλτα τιθῶμεν, ὅ τι δ' ἂν τῆς ἀδικίας, πρὸς τὸ ἄλφα;" "Εἴ τί σοι δοκεῖ," ἔφη, "προσδεῖν τούτων, ποίει ταῦτα." καὶ ὁ Σωκράτης γράψας ὥσπερ εἶπεν, 14 "Οὐκοῦν," ἔφη, "ἔστιν ἐν ἀνθρώποις ψεύδεσθαι;" "Ἔστι
120 μέντοι," ἔφη. "Ποτέρωσε οὖν," ἔφη, "θῶμεν τοῦτο;" "Δῆλον," ἔφη, "ὅτι πρὸς τὴν ἀδικίαν." "Οὐκοῦν," ἔφη, "καὶ ἐξαπατᾶν ἔστι;" "Καὶ μάλα," ἔφη. "Τοῦτο οὖν ποτέρωσε θῶμεν;" "Καὶ τοῦτο δῆλον ὅτι," ἔφη, "πρὸς

καὶ μάλα : sc. κατανενόηκα. — οὐχ οἷόν τέ γε : the γέ adds emphasis to the answer, in which the words of the question are in part repeated.

12. τοῦτο : i.e. δίκαιος γενέσθαι. — οὐδενὸς ἧττον δίκαιος : as upright as any one. See on i. 5. 6. — ἔργα : characteristic works. — ἔχοιεν ἄν : doubly potential, in meaning and syntax. — μὴ οὖν οὐ δύνωμαι : (do you fear) that I may be unable. G. 1350 ; H. 867. — καί : nay.

13. βούλει, γράψωμεν : see on βούλει σκοπῶμεν ii. 1. 1. — δέλτα, ἄλφα : to stand, of course, for δικαιοσύνη and ἀδικία. — τιθῶμεν : pres. as denoting repeated action (hence ποίει in the answer) ; afterward, when a single action is spoken of, θῶμεν is used.

14. εἶπεν : "suggested." — δῆλον, ἔφη, ὅτι : i.e. δῆλόν ἐστι, ἔφη, ὅτι. The condensed form δῆλον ὅτι, manifestly, occurs just below. With both

τὴν ἀδικίαν." "Τί δὲ τὸ κακουργεῖν;" "Καὶ τοῦτο," ἔφη.
125 "Τὸ δὲ ἀνδραποδίζεσθαι;" "Καὶ τοῦτο." "Πρὸς δὲ τῇ
δικαιοσύνῃ οὐδὲν ἡμῖν τούτων κείσεται, ὦ Εὐθύδημε;"
"Δεινὸν γὰρ ἂν εἴη," ἔφη. "Τί δ'; ἐάν τις στρατηγὸς 15
αἱρεθεὶς ἄδικόν τε καὶ ἐχθρὰν πόλιν ἐξανδραποδίσηται,
φήσομεν τοῦτον ἀδικεῖν;" "Οὐ δῆτα," ἔφη. "Δίκαια δὲ
130 ποιεῖν οὐ φήσομεν;" "Καὶ μάλα." "Τί δ'; ἐὰν ἐξ-
απατᾷ πολεμῶν αὐτοῖς;" "Δίκαιον," ἔφη, "καὶ τοῦτο."
"Ἐὰν δὲ κλέπτῃ τε καὶ ἁρπάζῃ τὰ τούτων, οὐ δίκαια
ποιήσει;" "Καὶ μάλα," ἔφη· "ἀλλ' ἐγώ σε τὸ πρῶτον
ὑπελάμβανον πρὸς τοὺς φίλους μόνον ταῦτα ἐρωτᾶν."
135 "Οὐκοῦν," ἔφη, "ὅσα πρὸς τῇ ἀδικίᾳ ἐθήκαμεν, ταῦτα καὶ
πρὸς τῇ δικαιοσύνῃ θετέον ἂν εἴη;" "Ἔοικεν," ἔφη.
"Βούλει οὖν," ἔφη, "ταῦτα οὕτω θέντες διορισώμεθα πάλιν, 16
πρὸς μὲν τοὺς πολεμίους δίκαιον εἶναι τὰ τοιαῦτα ποιεῖν,
πρὸς δὲ τοὺς φίλους ἄδικον, ἀλλὰ δεῖν πρός γε τούτους ὡς
140 ἁπλούστατον εἶναι;" "Πάνυ μὲν οὖν," ἔφη ὁ Εὐθύδημος.
"Τί οὖν;" ἔφη ὁ Σωκράτης, "ἐάν τις στρατηγὸς ὁρῶν 17

---

forms, sc. θετέον ἐστίν. — τὸ κακουργεῖν
(sc. ποτέρωσε θῶμεν): doing mischief.
Note the increasing brevity of ques-
tions and answers. — ἡμῖν: in our
opinion. For the dat. of relation,
see G. 1172; H. 771.

15. στρατηγός: pred. with αἱρε-
θείς. — δίκαια (sc. ἔργα) ποιεῖν: sc.
αὐτόν as subj. of the infinitive. —
πολεμῶν: in the course of the war. —
αὐτοῖς: i.e. the citizens implied in
πόλιν above. — κλέπτῃ τε καὶ ἁρπάζῃ:
an example of κακουργεῖν. — ὑπελάμ-
βανον: I was assuming. — πρός:
with reference to. — πρὸς τῇ ἀδικίᾳ:
for prep. and dat. with verbs of
motion, see H. 788. Little distinc-

tion seems to be made in the use of
πρός with the dat. and with the acc.
in this and the preceding section. —
ἐθήκαμεν: for the pl. forms of the
1 aor. with κ, see on ἔδωκαν i. 1. 9.
Cf. An. iii. 2. 5; ἐδώκαμεν Hell. vi.
3. 6; παρεδώκαμεν Oec. ix. 9. Both
forms occur in ἀριστεῖα ἔδωκαν, καὶ
οἰκεῖν ἀτέλειαν ἔδοσαν τῷ βουλομένῳ
Hell. i. 2. 10.

16. βούλει: as in 13. — διορισώ-
μεθα πάλιν: make a new distinction.
— ἀλλά: The Eng. idiom would per-
mit and here, since this clause is not
opposed in thought to the preceding
one. — ὡς ἁπλούστατον εἶναι: to be
perfectly straightforward.

ἀθύμως ἔχον τὸ στράτευμα ψευσάμενος φήσῃ συμμάχους
προσιέναι καὶ τῷ ψεύδει τούτῳ παύσῃ τῆς ἀθυμίας τοὺς
στρατιώτας, ποτέρωθι τὴν ἀπάτην ταύτην θήσομεν;"
145 "Δοκεῖ μοι," ἔφη, "πρὸς τὴν δικαιοσύνην." "Ἐὰν δέ τις
υἱὸν ἑαυτοῦ δεόμενον φαρμακείας καὶ μὴ προσιέμενον
φάρμακον ἐξαπατήσας ὡς σιτίον τὸ φάρμακον δῷ καὶ τῷ
ψεύδει χρησάμενος οὕτως ὑγιᾶ ποιήσῃ, ταύτην αὖ τὴν
ἀπάτην ποῖ θετέον;" "Δοκεῖ μοι," ἔφη, "καὶ ταύτην εἰς
150 τὸ αὐτό." "Τί δ'; ἐάν τις, ἐν ἀθυμίᾳ ὄντος φίλου, δείσας
μὴ διαχρήσηται ἑαυτόν, κλέψῃ ἢ ἁρπάσῃ ἢ ξίφος ἢ ἄλλο
τι τοιοῦτον, τοῦτο αὖ ποτέρωσε θετέον;" "Καὶ τοῦτο νὴ
Δί'," ἔφη, "πρὸς τὴν δικαιοσύνην." "Λέγεις," ἔφη, "σὺ 18
οὐδὲ πρὸς τοὺς φίλους ἅπαντα δεῖν ἁπλοΐζεσθαι;" "Μὰ
155 Δί' οὐ δῆτα," ἔφη· "ἀλλὰ μετατίθεμαι τὰ εἰρημένα, εἴπερ
ἔξεστι." "Δεῖ γέ τοι," ἔφη ὁ Σωκράτης, "ἐξεῖναι πολὺ
μᾶλλον ἢ μὴ ὀρθῶς τιθέναι. τῶν δὲ δὴ τοὺς φίλους 19
ἐξαπατώντων ἐπὶ βλάβῃ, ἵνα μηδὲ τοῦτο παραλίπωμεν
ἄσκεπτον, πότερος ἀδικώτερός ἐστιν, ὁ ἑκὼν ἢ ὁ ἄκων;"
160 "Ἀλλ', ὦ Σώκρατες, οὐκέτι μὲν ἔγωγε πιστεύω οἷς ἀποκρί-
νομαι· καὶ γὰρ τὰ πρόσθεν πάντα νῦν ἄλλως ἔχειν δοκεῖ
μοι ἢ ὡς ἐγὼ τότε ᾠόμην· ὅμως δὲ εἰρήσθω μοι ἀδικώτε-
ρον εἶναι τὸν ἑκόντα ψευδόμενον τοῦ ἄκοντος." "Δοκεῖ 20
δέ σοι μάθησις καὶ ἐπιστήμη τοῦ δικαίου εἶναι ὥσπερ

---

17. ἀθύμως ἔχον : in a despondent
condition. — παύσῃ : free. — εἰς τὸ
αὐτό : on the same side. — μὴ διαχρή-
σηται : lest he make away with him-
self. Cf. διαχρᾶσθαι Hdt. i. 24. For
a similar treatment of the ordinary
view of δικαιοσύνη, cf. Plato Rep.
331 c ff.

18. ἅπαντα ἁπλοΐζεσθαι : with
reference to the ὡς ἁπλούστατον εἶναι

of 16. — μετατίθεμαι : much like ἀνα-
τίθεμαι in i. 2. 44. Cf. Hdt. vii. 18.
— δεῖ ἐξεῖναι : sc. μετατίθεσθαι.

19. ἐξαπατώντων ἐπὶ βλάβῃ : in
17 and 18 the argument dealt with
justifiable violations of the moral
law for a good purpose; we are
now to consider malicious deceit
towards friends. — ἑκών : intention-
ally.

165 τῶν γραμμάτων;" "Ἔμοιγε." "Πότερον δὲ γραμματικώτε-
ρον κρίνεις, ὃς ἂν ἑκὼν μὴ ὀρθῶς γράφῃ καὶ ἀναγιγνώσκῃ
ἢ ὃς ἂν ἄκων;" "Ὃς ἂν ἑκών, ἔγωγε· δύναιτο γὰρ ἄν,
ὁπότε βούλοιτο, καὶ ὀρθῶς αὐτὰ ποιεῖν." "Οὐκοῦν ὁ μὲν
ἑκὼν μὴ ὀρθῶς γράφων γραμματικὸς ἂν εἴη, ὁ δὲ ἄκων
170 ἀγράμματος;" "Πῶς γὰρ οὔ;" "Τὰ δίκαια δὲ πότε-
ρον ὁ ἑκὼν ψευδόμενος καὶ ἐξαπατῶν οἶδεν ἢ ὁ ἄκων;"
"Δῆλον ὅτι ὁ ἑκών." "Οὔκουν γραμματικώτερον μὲν τὸν
ἐπιστάμενον γράμματα τοῦ μὴ ἐπισταμένου φῂς εἶναι;"
"Ναί." "Δικαιότερον δὲ τὸν ἐπιστάμενον τὰ δίκαια τοῦ
175 μὴ ἐπισταμένου;" "Φαίνομαι· δοκῶ δέ μοι καὶ ταῦτα
οὐκ οἶδ' ὅπως λέγειν." "Τί δὲ δή; ὃς ἂν βουλόμενος 21
τἀληθῆ λέγειν μηδέποτε τὰ αὐτὰ περὶ τῶν αὐτῶν λέγῃ,
ἀλλ' ὁδόν τε φράζων τὴν αὐτὴν τοτὲ μὲν πρὸς ἔω, τοτὲ δὲ
πρὸς ἑσπέραν φράζῃ καὶ λογισμὸν ἀποφαινόμενος τὸν
180 αὐτὸν τοτὲ μὲν πλείω, τοτὲ δ' ἐλάττω ἀποφαίνηται, τί

---

20. **τῶν γραμμάτων**: lit. *letters;*
here, the rudiments of learning,
*reading and writing.* — **ὁπότε βού-
λοιτο**: for the assimilation of mode,
see on αἰσθανοίμεθα i. 5. 1. — **δικαιότε-
ρον** κτλ. : the fallacy, of course, con-
sists in the assumption that he who
knows what is right will always do
it ; a confusing of knowledge with
character. He who knows the right
is not 'righter,' but only 'more
knowing' than he who does not
know it. While we recognize this
argument as a weak place in
Socrates's reasoning, it is not
necessary to regard him as insincere
in making use of it to convict the
young man of ignorance. It is
clear that to him the term 'knowl-
edge' included more than we under-
stand by it. See Introd. §§ 18–21.
— **φαίνομαι** (sc. τοῦτο λέγων) : "evi-
dently I am saying this." — **οὐκ
οἶδ' ὅπως**: *somehow or other.*

21–29. *Euthydemus is made to
confess that he does not know what
he thought he knew. Socrates, hav-
ing destroyed the young man's self-
confidence, impresses on him the
importance of self-knowledge ; and, by
a series of searching questions, brings
him to see and confess how sadly he
needs this knowledge.*

21. **ὃς ἂν μηδέποτε τὰ αὐτὰ περὶ
τῶν αὐτῶν λέγῃ** : a fault frequently
committed by Euthydemus in the
preceding portion of the dialogue.
*Cf.* Plato *Gorg.* 491 B, c. — **φράζων** :
*describing.* — **λογισμὸν τὸν αὐτόν** :
*one and the same calculation.* —

σοὶ δοκεῖ ὁ τοιοῦτος;" "Δῆλος νὴ Δί' εἶναι ὅτι ἃ ᾤετο
εἰδέναι οὐκ οἶδεν." "Οἶσθα δέ τινας ἀνδραποδώδεις 22
καλουμένους;" "Ἔγωγε." "Πότερον διὰ σοφίαν ἢ δι'
ἀμαθίαν;" "Δῆλον ὅτι δι' ἀμαθίαν." "Ἆρ' οὖν διὰ τὴν
185 τοῦ χαλκεύειν ἀμαθίαν τοῦ ὀνόματος τούτου τυγχάνουσιν;"
"Οὐ δῆτα." "Ἀλλ' ἄρα διὰ τὴν τοῦ τεκταίνεσθαι;"
"Οὐδὲ διὰ ταύτην." "Ἀλλὰ διὰ τὴν τοῦ σκυτεύειν;"
"Οὐδὲ δι' ἓν τούτων," ἔφη, "ἀλλὰ καὶ τοὐναντίον· οἱ γὰρ
πλεῖστοι τῶν γε τὰ τοιαῦτα ἐπισταμένων ἀνδραποδώδεις
190 εἰσίν." "Ἆρ' οὖν τῶν τὰ καλὰ καὶ ἀγαθὰ καὶ δίκαια μὴ
εἰδότων τὸ ὄνομα τοῦτ' ἐστίν;" "Ἔμοιγε δοκεῖ," ἔφη.
"Οὐκοῦν δεῖ παντὶ τρόπῳ διατειναμένους φεύγειν ὅπως μὴ 23
ἀνδράποδα ὦμεν." "Ἀλλὰ νὴ τοὺς θεούς," ἔφη, "ὦ Σώ-
κρατες, πάνυ ᾤμην φιλοσοφεῖν φιλοσοφίαν δι' ἧς ἂν
195 μάλιστα ἐνόμιζον παιδευθῆναι τὰ προσήκοντα ἀνδρὶ
καλοκἀγαθίας ὀρεγομένῳ· νῦν δὲ πῶς οἴει με ἀθύμως
ἔχειν ὁρῶντα ἐμαυτὸν διὰ μὲν τὰ προπεπονημένα οὐδὲ τὸ
ἐρωτώμενον ἀποκρίνεσθαι δυνάμενον ὑπὲρ ὧν μάλιστα
χρὴ εἰδέναι, ἄλλην δὲ ὁδὸν οὐδεμίαν ἔχοντα ἣν ἂν

---

**δῆλος, ὅτι οἶδεν** : see on οὐ λανθάνεις
με, ὅτι iii. 5. 24.

**22. ἀνδραποδώδεις** : *servile*. See
on i. 1. 16. — **ἀλλ' ἄρα** : "at for-
tasse." *Cf.* iii. 11. 4. — **τοὐναντίον** :
adverbial. See on i. 2. 60. — **οὐδὲ
δι' ἓν τούτων** : more emphatic than
δι' οὐδὲν τούτων would be. — **τὸ ὄνομα
τοῦτ' ἐστίν** : *does this name belong.*

**23. ἀνδράποδα** : lit. *slaves*, here
indicates the opposite of καλοὶ κἀγα-
θοί, hence *boors*, the ignobile vul-
gus. See on καλοὺς κἀγαθούς i. 1. 16.
— **πάνυ ᾤμην** : *I certainly supposed.*
— **φιλοσοφεῖν φιλοσοφίαν** : "that I
was following a plan of study." —

**ἂν παιδευθῆναι** : for the inf. with ἄν
in indirect discourse, see on iii. 5. 2.
— **τὰ προσήκοντα** : for one of two
accs. retained in the pass. with verbs
of teaching, see G. 1239; H. 724 a.
— **ὀρεγομένῳ** : for the attrib. parti-
ciple, see G. 1559; H. 965. — **πῶς** :
exclamatory rather than interr., be-
longs to ἀθύμως. — **διά** : in view of
the following neg., suggests the
meaning "after," "in spite of."
Similarly ἕνεκα iv. 3. 3. — **ὑπὲρ ὧν** :
i.e. ὑπὲρ τούτων, ἅ. Const. with τὸ
ἐρωτώμενον ἃ *question in regard to
matters which.* — **ἣν πορευόμενος** : *by
pursuing which.*

200 πορευόμενος βελτίων γενοίμην;" καὶ ὁ Σωκράτης, "Εἰπέ 24
μοι," ἔφη, "ὦ Εὐθύδημε, εἰς Δελφοὺς δὲ ἤδη πώποτε
ἀφίκου;" "Καὶ δίς γε νὴ Δία," ἔφη. "Κατέμαθες οὖν
πρὸς τῷ ναῷ που γεγραμμένον τὸ 'Γνῶθι σαυτόν;'"
"Ἔγωγε." "Πότερον οὖν οὐδέν σοι τοῦ γράμματος
205 ἐμέλησεν, ἢ προσέσχες τε καὶ ἐπεχείρησας σαυτὸν
ἐπισκοπεῖν ὅστις εἴης;" "Μὰ Δί' οὐ δῆτα," ἔφη· "καὶ
γὰρ δὴ πάνυ τοῦτό γε ᾤμην εἰδέναι· σχολῇ γὰρ ἂν ἄλλο
τι ᾔδειν, εἴ γε μηδ' ἐμαυτὸν ἐγίγνωσκον." "Πότερα δέ 25
σοι δοκεῖ γιγνώσκειν ἑαυτὸν ὅστις τοὔνομα τὸ ἑαυτοῦ
210 μόνον οἶδεν, ἢ ὅστις, ὥσπερ οἱ τοὺς ἵππους ὠνούμενοι οὐ
πρότερον οἴονται γιγνώσκειν ὃν ἂν βούλωνται γνῶναι,
πρὶν ἂν ἐπισκέψωνται πότερον εὐπειθής ἐστιν ἢ δυσπει-
θής, καὶ πότερον ἰσχυρὸς ἢ ἀσθενής, καὶ πότερον ταχὺς
ἢ βραδύς, καὶ τἆλλα τὰ πρὸς τὴν τοῦ ἵππου χρείαν ἐπι-
215 τήδειά τε καὶ ἀνεπιτήδεια ὅπως ἔχει, οὕτως ὁ ἑαυτὸν
ἐπισκεψάμενος ὁποῖός ἐστι πρὸς τὴν ἀνθρωπίνην χρείαν,
ἔγνωκε τὴν αὑτοῦ δύναμιν;" "Οὕτως ἔμοιγε δοκεῖ," ἔφη,

---

24. εἰς Δελφοὺς δέ : the δέ seems
to oppose its sent. to the preceding:
"You say you have no other road
to travel; have you ever gone to
Delphi?" Delphi was the home of
Apollo's most celebrated oracle, on
the slopes of Mt. Parnassus in
Phocis. The modern village which
occupied the site of the ancient Delphi
has been purchased and removed;
and extensive excavations have been
made by French archaeologists. —
ναῷ: see on iii. 8. 10. — τὸ 'Γνῶθι
σαυτόν': the famous 'Know thy-
self.' This celebrated saying, vari-
ously attributed to Bias, Chilo, and
others of the Seven Wise Men, was a

favorite one with Socrates, as em-
bodying the essence of his philos-
ophy. Cf. οὐ δύναμαί πω κατὰ τὸ Δελ-
φικὸν γράμμα (inscription) γνῶναι
ἐμαυτόν Plato Phaedr. 229 E. Cf. also
Cic. Tusc. Disp. i. 22. 52. — σχολῇ
ἂν ᾔδειν : the neg. effect of σχολῇ
(hardly) is well shown in this apod. of
an unfulfilled condition. Cf. iii. 14. 3.

25. ὅν : i.e. τὸν ἵππον, ὅν. —
τἆλλα πρὸς τὴν χρείαν, ὅπως ἔχει :
how he is in the other points pertain-
ing to the use. — οὕτως ὁ ἑαυτὸν
ἐπισκεψάμενος: after the long com-
parison beginning with ὥσπερ, the
subj. ὅστις is renewed by the article.
— δοκεῖ: the personal construction.

"ὁ μὴ εἰδὼς τὴν ἑαυτοῦ δύναμιν ἀγνοεῖν ἑαυτόν."

"Ἐκεῖνο δὲ οὐ φανερόν," ἔφη, "ὅτι διὰ μὲν τὸ εἰδέναι 26
220 ἑαυτοὺς πλεῖστα ἀγαθὰ πάσχουσιν ἄνθρωποι, διὰ δὲ τὸ
ἐψεῦσθαι ἑαυτῶν πλεῖστα κακά; οἱ μὲν γὰρ εἰδότες ἑαυ-
τοὺς τά τε ἐπιτήδεια ἑαυτοῖς ἴσασι καὶ διαγιγνώσκουσιν ἅ
τε δύνανται καὶ ἃ μή· καὶ ἃ μὲν ἐπίστανται πράττοντες
πορίζονταί τε ὧν δέονται καὶ εὖ πράττουσιν, ὧν δὲ μὴ
225 ἐπίστανται ἀπεχόμενοι ἀναμάρτητοι γίγνονται καὶ δια-
φεύγουσι τὸ κακῶς πράττειν· διὰ τοῦτο δὲ καὶ τοὺς
ἄλλους ἀνθρώπους δυνάμενοι δοκιμάζειν καὶ διὰ τῆς τῶν
ἄλλων χρείας τά τε ἀγαθὰ πορίζονται καὶ τὰ κακὰ φυλάτ-
τονται.   οἱ δὲ μὴ εἰδότες, ἀλλὰ διεψευσμένοι τῆς ἑαυτῶν 27
230 δυνάμεως, πρός τε τοὺς ἄλλους ἀνθρώπους καὶ τἆλλα
ἀνθρώπινα πράγματα ὁμοίως διάκεινται· καὶ οὔτε ὧν
δέονται ἴσασιν οὔτε ὅ τι πράττουσιν οὔτε οἷς χρῶνται,
ἀλλὰ πάντων τούτων διαμαρτάνοντες τῶν τε ἀγαθῶν ἀπο-
τυγχάνουσι καὶ τοῖς κακοῖς περιπίπτουσι.   καὶ οἱ μὲν 28
235 εἰδότες ὅ τι ποιοῦσιν, ἐπιτυγχάνοντες ὧν πράττουσιν,
εὔδοξοί τε καὶ τίμιοι γίγνονται· καὶ οἵ τε ὅμοιοι τούτοις
ἡδέως χρῶνται, οἵ τε ἀποτυγχάνοντες τῶν πραγμάτων
ἐπιθυμοῦσι τούτους ὑπὲρ αὐτῶν βουλεύεσθαι, καὶ προ-
ἵστασθαί γε αὐτῶν τούτους, καὶ τὰς ἐλπίδας τῶν ἀγαθῶν
240 ἐν τούτοις ἔχουσι, καὶ διὰ πάντα ταῦτα πάντων μάλι-
στα τούτους ἀγαπῶσιν.   οἱ δὲ μὴ εἰδότες ὅ τι ποιοῦσι, 29

26. **ἄνθρωποι** : without the ar-
ticle, as often. — **διὰ τὸ ἐψεῦσθαι**
**ἑαυτῶν** : for the gen. with verbs of
failing, deceiving, etc., see G. 1099 ;
H. 748. — **διαγιγνώσκουσιν ἅ τε, καὶ**
**ἅ** : see on iii. 1. 9. — **καὶ τοὺς ἄλλους** :
sc. as well as themselves.

27. **εἰδότες** : sc. ἑαυτούς. — **διεψευ-**
**σμένοι** : the διά denotes complete-
ness, *thoroughly deceived*. — **ὁμοίως**
**διάκεινται** : *are in the same condition*,
sc. of ignorance as to other men
and other affairs.

28. **οἵ τε ὅμοιοι** : *i.e.* those who
have similar knowledge. — **καί, γέ** :
*and, even*.   Obs. the emphatic repe-
tition of the dem. pron. οὗτος. —
**ἔχουσι** : "they rest."

κακῶς τε αἱρούμενοι καὶ οἷς ἂν ἐπιχειρήσωσιν ἀποτυγχά-
νοντες, οὐ μόνον ἐν αὐτοῖς τούτοις ζημιοῦνταί τε καὶ κολά-
ζονται, ἀλλὰ καὶ ἀδοξοῦσι διὰ ταῦτα καὶ καταγέλαστοι
245 γίγνονται καὶ καταφρονούμενοι καὶ ἀτιμαζόμενοι ζῶσιν.
ὁρᾷς δὲ καὶ τῶν πόλεων ὅτι ὅσαι ἂν ἀγνοήσασαι τὴν ἑαυ-
τῶν δύναμιν κρείττοσι πολεμήσωσιν, αἱ μὲν ἀνάστατοι
γίγνονται, αἱ δ᾽ ἐξ ἐλευθέρων δοῦλαι." καὶ ὁ Εὐθύδημος, 30
" Ὡς πάνυ μοι δοκοῦν," ἔφη, " ὦ Σώκρατες, περὶ πολλοῦ ποι-
250 ητέον εἶναι τὸ ἑαυτὸν γιγνώσκειν, οὕτως ἴσθι· ὁπόθεν δὲ χρὴ
ἄρξασθαι ἐπισκοπεῖν ἑαυτόν, τοῦτο πρὸς σὲ ἀποβλέπω εἰ
μοι ἐθελήσαις ἂν ἐξηγήσασθαι." "Οὐκοῦν," ἔφη ὁ Σωκρά- 31
της, "τὰ μὲν ἀγαθὰ καὶ τὰ κακὰ ὁποῖά ἐστι, πάντως που
γιγνώσκεις." "Νὴ Δί᾽," ἔφη, "εἰ γὰρ μηδὲ ταῦτα οἶδα,
255 καὶ τῶν ἀνδραπόδων φαυλότερος ἂν εἴην." " Ἴθι δή,"
ἔφη, " καὶ ἐμοὶ ἐξήγησαι αὐτά." " Ἀλλ᾽ οὐ χαλεπόν," ἔφη ·

29. **κακῶς αἱρούμενοι** : *making
unfortunate choices*, in cases where
they have to decide what is suited
to their powers. — **ἀλλὰ καὶ ἀδοξοῦσι** :
*but they also lose reputation.* In ad-
dition to the concrete losses sustained
by the failure of their plans, come
chagrin and ill repute. — **τῶν πόλεων
ὅτι** : emphatic position before ὅσαι,
to heighten the contrast of πόλεων
with the individuals just mentioned.
— **ἐξ ἐλευθέρων** : *from a condition
of freedom.* See on ἐκ παίδων ii.
1. 21.

30–39. *Socrates shows Euthy-
demus that he still lacks the most
necessary conditions of self-knowl-
edge. His conception of good and
evil is far from satisfactory ; and,
while professing an ambition to share
in the leadership of a democratic*
state, *he is at the same time unable to
say what the* δῆμος *really is.*

30. **ὡς πάνυ μοι δοκοῦν, οὕτως
ἴσθι** : "rest assured that I fully be-
lieve," lit. *in the belief that this seems
so to me, understand accordingly.*
The participle is acc. absolute. For
this use of the circumstantial parti-
ciple, see GMT. 917 ; H. 973. *Cf.* ἀλλ᾽
ὡς φανέν γε τοὔπος ὧδ᾽ ἐπίστασο Soph.
*Oed. Tyr.* 848. — **ὁπόθεν δέ** : *but as to
the point from which.* — **τοῦτο** : em-
phatic position, obj. of ἐξηγήσασθαι.
— **εἰ ἐθελήσαις ἄν** : (to see) *whether
you would be willing,* an indirect
question after ἀποβλέπω, and also a
potential opt. with faintly conceived
protasis. G. 1327,1605 ; H. 872, 1016.

31. **πού** : with irony, as in iii. 3.
2. — **εἰ μὴ οἶδα, ἄν εἴην** : for the
' mixed ' cond., see on εἰ ἔστι, καλῶς

"πρῶτον μὲν γὰρ αὐτὸ τὸ ὑγιαίνειν ἀγαθὸν εἶναι νομίζω,
τὸ δὲ νοσεῖν κακόν· ἔπειτα καὶ τὰ αἴτια ἑκατέρου αὐτῶν,
καὶ ποτὰ καὶ βρωτὰ καὶ ἐπιτηδεύματα, τὰ μὲν πρὸς τὸ
260 ὑγιαίνειν φέροντα ἀγαθά, τὰ δὲ πρὸς τὸ νοσεῖν κακά."

"Οὐκοῦν," ἔφη, "καὶ τὸ ὑγιαίνειν καὶ τὸ νοσεῖν, ὅταν μὲν 32
ἀγαθοῦ τινος αἴτια γίγνηται, ἀγαθὰ ἂν εἴη, ὅταν δὲ κακοῦ,
κακά;" "Πότε δ' ἄν," ἔφη, "τὸ μὲν ὑγιαίνειν κακοῦ
αἴτιον γένοιτο, τὸ δὲ νοσεῖν ἀγαθοῦ;" "Ὅταν νὴ Δί',"
265 ἔφη, "στρατείας τε αἰσχρᾶς καὶ ναυτιλίας βλαβερᾶς καὶ
ἄλλων πολλῶν τοιούτων οἱ μὲν διὰ ῥώμην μετασχόντες
ἀπόλωνται, οἱ δὲ δι' ἀσθένειαν ἀπολειφθέντες σωθῶσιν."

"Ἀληθῆ λέγεις· ἀλλ' ὁρᾷς," ἔφη, "ὅτι καὶ τῶν ὠφε-
λίμων οἱ μὲν διὰ ῥώμην μετέχουσιν, οἱ δὲ δι' ἀσθένειαν
270 ἀπολείπονται." "Ταῦτα οὖν," ἔφη, "ποτὲ μὲν ὠφελοῦντα,
ποτὲ δὲ βλάπτοντα, μᾶλλον ἀγαθὰ ἢ κακά ἐστιν;" "Οὐ-
δὲν μὰ Δία φαίνεται κατά γε τοῦτον τὸν λόγον. ἀλλ' ἦ 33
γέ τοι σοφία, ὦ Σώκρατες, ἀναμφισβητήτως ἀγαθόν ἐστιν.
ποῖον γὰρ ἄν τις πρᾶγμα οὐ βέλτιον πράττοι σοφὸς ὢν
275 ἢ ἀμαθής;" "Τί δαί; τὸν Δαίδαλον," ἔφη, "οὐκ ἀκήκοας,
ὅτι ληφθεὶς ὑπὸ Μίνω διὰ τὴν σοφίαν ἠναγκάζετο ἐκείνῳ
δουλεύειν καὶ τῆς τε πατρίδος ἅμα καὶ τῆς ἐλευθερίας
ἐστερήθη καὶ ἐπιχειρῶν ἀποδιδράσκειν μετὰ τοῦ υἱοῦ τόν

---

ἂν ἔχοι ii. 5. 4. — αὐτὸ τὸ ὑγιαίνειν :
health itself, contrasted with τὰ αἴτια
the causes. — ἔπειτα : without δέ, as
in i. 4. 11. — ἐπιτηδεύματα : occupa-
tions. — τὰ μέν, τὰ δέ : see on ii.
1. 4.

32. ὅταν γίγνηται, ἂν εἴη : see on
31, and cf. G. 1437 ; H. 918. — βλα-
βερᾶς : disastrous. — μετασχόντες,
ἀπολειφθέντες : both participles, indi-
cating respectively sharing and sep-
aration, are const. with the preceding

genitives. — οὐδέν : sc. μᾶλλον ἀγαθὰ
ἢ κακά.

33. τί δαί : how so, expresses
ironical surprise. — Δαίδαλον : the
famous artificer, who built the Laby-
rinth for Minos, king of Crete. The
story of his escape by means of wings
fastened with wax to his shoulders,
and of the death of his son Icarus,
was a favorite with the ancients. Cf.
Ovid Met. viii. 157 ff. — Μίνω : for
the form, see on ἵλεῳ i. 1. 9. — ἐκείνῳ :

τε παῖδα ἀπώλεσε καὶ αὐτὸς οὐκ ἠδυνήθη σωθῆναι, ἀλλ᾽
280 ἀπενεχθεὶς εἰς τοὺς βαρβάρους πάλιν ἐκεῖ ἐδούλευεν;"
"Λέγεται νὴ Δί'," ἔφη, "ταῦτα." "Τὰ δὲ Παλαμήδους οὐκ
ἀκήκοας πάθη; τοῦτον γὰρ δὴ πάντες ὑμνοῦσιν ὡς διὰ
σοφίαν φθονηθεὶς ὑπὸ τοῦ Ὀδυσσέως ἀπόλλυται." "Λέ-
γεται καὶ ταῦτα," ἔφη. "Ἄλλους δὲ πόσους οἴει διὰ
285 σοφίαν ἀνασπάστους πρὸς βασιλέα γεγονέναι καὶ ἐκεῖ
δουλεύειν;" "Κινδυνεύει," ἔφη, "ὦ Σώκρατες, ἀναμφιλο-34
γώτατον ἀγαθὸν εἶναι τὸ εὐδαιμονεῖν." "Εἴ γε μή τις
αὐτό," ἔφη, "ὦ Εὐθύδημε, ἐξ ἀμφιλόγων ἀγαθῶν συντιθείη."
"Τί δ᾽ ἄν," ἔφη, "τῶν εὐδαιμονικῶν ἀμφίλογον εἴη;"
290 "Οὐδέν," ἔφη, "εἴ γε μὴ προσθήσομεν αὐτῷ κάλλος ἢ
ἰσχὺν ἢ πλοῦτον ἢ δόξαν ἤ καί τι ἄλλο τῶν τοιούτων."
"Ἀλλὰ νὴ Δία προσθήσομεν," ἔφη· "πῶς γὰρ ἄν τις
ἄνευ τούτων εὐδαιμονοίη;" "Νὴ Δί'," ἔφη, "προσθήσο-35
μεν ἄρα ἐξ ὧν πολλὰ καὶ χαλεπὰ συμβαίνει τοῖς ἀνθρώ-
295 ποις· πολλοὶ μὲν γὰρ διὰ τὸ κάλλος ὑπὸ τῶν ἐπὶ τοῖς
ὡραίοις παρακεκινηκότων διαφθείρονται, πολλοὶ δὲ διὰ
τὴν ἰσχὺν μείζοσιν ἔργοις ἐπιχειροῦντες οὐ μικροῖς κακοῖς
περιπίπτουσι, πολλοὶ δὲ διὰ τὸν πλοῦτον διαθρυπτόμενοί
τε καὶ ἐπιβουλευόμενοι ἀπόλλυνται, πολλοὶ δὲ διὰ δό-
300 ξαν καὶ πολιτικὴν δύναμιν μεγάλα κακὰ πεπόνθασιν."

*i.e.* Minos. See on i. 2. 3. — Παλα-
μήδους : one of the wisest of the
Greeks before Troy. The various
legends about him (many of them
later than Xenophon's time) gen-
erally agree in making him the object
of Odysseus's envy and malice. *Cf.*
Ovid *Met.* viii. 56–59. — ἀπόλλυται :
pres. tense, citing an event well
known in song and story. — ἀνα-
σπάστους γεγονέναι : *cf. ἀνάστατοι
γίγνονται* 29. — βασιλέα: see on iii. 5. 26.

34. κινδυνεύει : *is likely. Cf.* ii.
3. 17 ; iii. 13. 3. Euthydemus begins
abruptly, without acknowledging the
justice of what has just been said. —
εἴ γε μή τις συντιθείη : *unless, indeed,
we should compose it. — τῶν εὐδαιμο-
νικῶν : the elements of happiness.*

35. προσθήσομεν : *sc. ταῦτα.*
παρακεκινηκότων : "beside them-
selves." — οὐ μικροῖς : 'litotes.' —
πεπόνθασιν : for the rare 'gnomic'
pf., see G. 1295; H. 824 b.

"Ἀλλὰ μήν," ἔφη, "εἴ γε μηδὲ τὸ εὐδαιμονεῖν ἐπαινῶν 36
ὀρθῶς λέγω, ὁμολογῶ μηδὲ ὅ τι πρὸς τοὺς θεοὺς εὔχεσθαι
χρὴ εἰδέναι." "Ἀλλὰ ταῦτα μέν," ἔφη ὁ Σωκράτης,
"ἴσως διὰ τὸ σφόδρα πιστεύειν εἰδέναι οὐδ᾽ ἔσκεψαι·
305 ἐπεὶ δὲ πόλεως δημοκρατουμένης παρασκευάζῃ προεστά-
ναι, δῆλον ὅτι δημοκρατίαν γε οἶσθα τί ἐστι." "Πάντως
δήπου," ἔφη. "Δοκεῖ οὖν σοι δυνατὸν εἶναι δημοκρατίαν 37
εἰδέναι μὴ εἰδότα δῆμον;" "Μὰ Δί᾽, οὐκ ἔμοιγε." "Καὶ
δῆμον ἄρ᾽ οἶσθα τί ἐστιν;" "Οἶμαι ἔγωγε." "Καὶ τί
310 νομίζεις δῆμον εἶναι;" "Τοὺς πένητας τῶν πολιτῶν
ἔγωγε." "Καὶ τοὺς πένητας ἄρα οἶσθα;" "Πῶς γὰρ
οὔ;" "Ἆρ᾽ οὖν καὶ τοὺς πλουσίους οἶσθα;" "Οὐδέν γε
ἧττον ἢ καὶ τοὺς πένητας." "Ποίους δὲ πένητας καὶ
ποίους πλουσίους καλεῖς;" "Τοὺς μέν, οἶμαι, μὴ ἱκανὰ
315 ἔχοντας εἰς ἃ δεῖ τελεῖν πένητας, τοὺς δὲ πλείω τῶν
ἱκανῶν πλουσίους." "Καταμεμάθηκας οὖν ὅτι ἐνίοις μὲν 38
πάνυ ὀλίγα ἔχουσιν οὐ μόνον ἀρκεῖ ταῦτα, ἀλλὰ καὶ περι-
ποιοῦνται ἀπ᾽ αὐτῶν, ἐνίοις δὲ πάνυ πολλὰ οὐχ ἱκανά
ἐστι;" "Καὶ νὴ Δί᾽," ἔφη ὁ Εὐθύδημος, "ὀρθῶς γάρ με
320 ἀναμιμνήσκεις, οἶδα γὰρ καὶ τυράννους τινὰς οἳ δι᾽
ἔνδειαν ὥσπερ οἱ ἀπορώτατοι ἀναγκάζονται ἀδικεῖν."
"Οὐκοῦν," ἔφη ὁ Σωκράτης, "εἴ γε ταῦτα οὕτως ἔχει, τοὺς 39
μὲν τυράννους εἰς τὸν δῆμον θήσομεν, τοὺς δὲ ὀλίγα

---

36. πρὸς τοὺς θεούς : instead of
the simple dative. *Cf.* εὔχετο πρὸς
τὸν ἥλιον Hdt. vii. 54. — δημοκρατίαν :
'prolepsis.' So δῆμον in line 309.
See on i. 2. 13.

37. δυνατόν : *possible.* — μὴ εἰ-
δότα : *without knowing.* See on
ἁπτόμενον i. 3. 8. — εἰς ἃ δεῖ τελεῖν : *to
pay for the necessaries of life.*

38. ταῦτα : "that little." — καὶ

νὴ Δία, οἶδα γὰρ καί : *aye, by Zeus;
why, I also know of.* — ἀναγκάζονται
ἀδικεῖν : *cf.* κακουργεῖν in 14. For the
thought, *cf.* τῷ οὖν τυράννῳ τὰ πολλα-
πλάσια ἧττον ἱκανά ἐστιν εἰς τὰ ἀναγ-
καῖα δαπανήματα ἢ τῷ ἰδιώτῃ *Hiero*
iv. 9.

39. τοὺς μὲν τυράννους : as if
Euthydemus had spoken, not of
some princes, but of the princes as a

κεκτημένους, ἐὰν οἰκονομικοὶ ὦσιν, εἰς τοὺς πλουσίους."
325 καὶ ὁ Εὐθύδημος ἔφη · "Ἀναγκάζει με καὶ ταῦτα ὁμολο-
γεῖν δῆλον ὅτι ἡ ἐμὴ φαυλότης · καὶ φροντίζω μὴ κράτι-
στον ᾖ μοι σιγᾶν · κινδυνεύω γὰρ ἁπλῶς οὐδὲν εἰδέναι."
καὶ πάνυ ἀθύμως ἔχων ἀπῆλθε καὶ καταφρονήσας ἑαυτοῦ
καὶ νομίσας τῷ ὄντι ἀνδράποδον εἶναι.    πολλοὶ μὲν οὖν 40
330 τῶν οὕτω διατεθέντων ὑπὸ Σωκράτους οὐκέτι αὐτῷ προσ-
ῄεσαν, οὓς καὶ βλακοτέρους ἐνόμιζεν · ὁ δὲ Εὐθύδημος
ὑπέλαβεν οὐκ ἂν ἄλλως ἀνὴρ ἀξιόλογος γενέσθαι, εἰ μὴ
ὅτι μάλιστα Σωκράτει συνείη · καὶ οὐκ ἀπελείπετο ἔτι
αὐτοῦ, εἰ μή τι ἀναγκαῖον εἴη · ἔνια δὲ καὶ ἐμιμεῖτο ὧν
335 ἐκεῖνος ἐπετήδευεν · ὁ δέ, ὡς ἔγνω αὐτὸν οὕτως ἔχοντα,
ἥκιστα μὲν διετάραττεν, ἁπλούστατα δὲ καὶ σαφέστατα
ἐξηγεῖτο ἅ τε ἐνόμιζεν εἰδέναι δεῖν καὶ ἐπιτηδεύειν κρά-
τιστα εἶναι.

class. — **δῆλον ὅτι** : *evidently.* See
on iii. 7. 1. — **φαυλότης** : lit. *worth-
lessness,* here "lack of insight." —
**φροντίζω μὴ ᾖ** : for obj. clauses
with verbs of fearing, see on i. 2. 18.
— **κινδυνεύω γὰρ ἁπλῶς οὐδὲν εἰδέναι** :
*for I seem to know absolutely noth-
ing.* — **πάνυ ἀθύμως ἔχων** : *in a
very despondent frame of mind.* —
**τῷ ὄντι ἀνδράποδον** : *cf.* ἀνδραπο-
δώδεις 22, and ὅπως μὴ ἀνδράποδα
ὦμεν 23.
    40.  **τῶν οὕτω διατεθέντων** : *of those
thus treated.* — **ὅτι μάλιστα** : quam
frequentissime. — **διετάραττεν** :
sc. ἐλέγχων, as, *e.g.,* in 20, 33, 39. —
**ἁπλούστατα** : *quite simply,* without
irony. — **ἅ τε ἐνόμιζεν** : we should
expect the τέ after εἰδέναι. Its
position is due to the condensed
form of the sent., which, in full,
would read ἐξηγεῖτο ἅ τε ἐνόμιζεν

εἰδέναι δεῖν καὶ ἅ ἐνόμιζεν ἐπιτηδεύειν
κράτιστα εἶναι.
    3. *Socrates impresses on his fol-
lowers the necessity of* σωφροσύνη *in
our relations with the gods as well as
with men. He convinces Euthyde-
mus that the gods, who have given
to mortals all that they have, exer-
cise over them a constant providential
care. All other creatures are subject
to man, who enjoys the immense
advantages of reason and speech.
The gods are visible, not in their per-
sons but in their works. Moreover,
man can ascertain from the gods what
is best for him, if he will only rever-
ence, honor, and trust them.* See
Introd. § 20.
    This chapter forms the sequel to
i. 4, and serves to refute a charge
against Socrates which was only
touched in i. 2. 17 (οὐκ ἀντιλέγω).

Τὸ μὲν οὖν λεκτικοὺς καὶ πρακτικοὺς [καὶ μηχανι- 3
κούς] γίγνεσθαι τοὺς συνόντας οὐκ ἔσπευδεν, ἀλλὰ πρό-
τερον τούτων ᾤετο χρῆναι σωφροσύνην αὐτοῖς ἐγγενέσθαι.
τοὺς γὰρ ἄνευ τοῦ σωφρονεῖν ταῦτα δυναμένους ἀδικω-
5 τέρους τε καὶ δυνατωτέρους κακουργεῖν ἐνόμιζεν εἶναι.
πρῶτον μὲν δὴ περὶ θεοὺς ἐπειρᾶτο σώφρονας ποιεῖν
τοὺς συνόντας. ἄλλοι μὲν οὖν αὐτῷ πρὸς ἄλλους οὕτως 2
ὁμιλοῦντι παραγενόμενοι διηγοῦντο· ἐγὼ δέ, ὅτε πρὸς
Εὐθύδημον τοιάδε διελέγετο, παρεγενόμην. "Εἰπέ μοι," 3
10 ἔφη, "ὦ Εὐθύδημε, ἤδη ποτέ σοι ἐπῆλθεν ἐνθυμηθῆναι
ὡς ἐπιμελῶς οἱ θεοὶ ὧν οἱ ἄνθρωποι δέονται κατεσκευά-
κασι;" καὶ ὅς, "Μὰ τὸν Δί'," ἔφη, "οὐκ ἔμοιγε." "'Αλλ'
οἶσθά γ'," ἔφη, "ὅτι πρῶτον μὲν φωτὸς δεόμεθα, ὃ ἡμῖν οἱ
θεοὶ παρέχουσι;" "Νὴ Δί'," ἔφη, "ὅ γ' εἰ μὴ εἴχομεν,
15 ὅμοιοι τοῖς τυφλοῖς ἂν ἦμεν ἕνεκά γε τῶν ἡμετέρων
ὀφθαλμῶν." "'Αλλὰ μὴν καὶ ἀναπαύσεώς γε δεομένοις
ἡμῖν νύκτα παρέχουσι κάλλιστον ἀναπαυτήριον." "Πάνυ
γ'," ἔφη, "καὶ τοῦτο χάριτος ἄξιον." "Οὐκοῦν καί, 4

1. **λεκτικούς, πρακτικούς, μηχανικούς**: the development of these three qualities will be discussed in chaps. 6, 5, and 7 respectively. — **πρότερον, ἐγγενέσθαι**: see on i. 2. 17. —**σωφροσύνην**: lit. *soundness of soul;* in this chapter, a right attitude of mind. See Introd. § 20. — **ταῦτα δυναμένους**: sc. λέγειν καὶ πράττειν, briefly indicated in τὰ πολιτικά in i. 2.17.—**ἀδικωτέρους, δυνατωτέρους**: sc. than they were before acquiring the above-mentioned qualities (ταῦτα). — **πρῶτον, περὶ θεούς**: cf. 'the fear of the Lord is the beginning of wisdom.'
2. **οὕτως ὁμιλοῦντι**: *when conversing in this manner,* i.e. preaching

σωφροσύνη. —**ἐγὼ δέ**: Xenophon gives to this conversation the authority of an earwitness.
3. **σοὶ ἐπῆλθεν**: tibi in mentem venit. *Cf.* iv. 2. 4. — **ὡς**: *how.* — **ὧν**: i.e. ταῦτα, ὧν. — **καὶ ὅς**: see on i. 4. 3. — **ὅ γ' εἰ μὴ εἴχομεν**: the rel. ὅ repeats with force the rel. of the previous sentence. — **ἕνεκά γε τῶν ἡμετέρων ὀφθαλμῶν**: *so far as it depends on our eyes,* i.e. in spite of having eyes. *Cf.* ἀλλ' ἐξέσται ἡμῖν, ἐκείνου ἕνεκα, πρὸς τὸ ἡμέτερον συμφέρον πάντα τίθεσθαι but *it will be in our power, for anything that he can do, to arrange everything to our own advantage Cyr.* iii. 2. 30.

ἐπειδὴ ὁ μὲν ἥλιος φωτεινὸς ὢν τάς τε ὥρας τῆς ἡμέρας
20 ἡμῖν καὶ τἆλλα πάντα σαφηνίζει, ἡ δὲ νὺξ διὰ τὸ σκοτεινὴ
εἶναι ἀσαφεστέρα ἐστίν, ἄστρα ἐν τῇ νυκτὶ ἀνέφηναν, ἃ
ἡμῖν τῆς νυκτὸς τὰς ὥρας ἐμφανίζει, καὶ διὰ τοῦτο πολλὰ
ὧν δεόμεθα πράττομεν;" "Ἔστι ταῦτα," ἔφη. "Ἀλλὰ μὴν
ἥ γε σελήνη οὐ μόνον τῆς νυκτὸς ἀλλὰ καὶ τοῦ μηνὸς τὰ
25 μέρη φανερὰ ἡμῖν ποιεῖ." "Πάνυ μὲν οὖν," ἔφη.  "Τὸ δ', 5
ἐπεὶ τροφῆς δεόμεθα, ταύτην ἡμῖν ἐκ τῆς γῆς ἀναδιδόναι
καὶ ὥρας ἁρμοττούσας πρὸς τοῦτο παρέχειν, αἳ ἡμῖν οὐ
μόνον ὧν δεόμεθα πολλὰ καὶ παντοῖα παρασκευάζουσιν,
ἀλλὰ καὶ οἷς εὐφραινόμεθα;" "Πάνυ," ἔφη, "καὶ ταῦτα
30 φιλάνθρωπα." "Τὸ δὲ καὶ ὕδωρ ἡμῖν παρέχειν οὕτω 6
πολλοῦ ἄξιον ὥστε καὶ συμφύειν τε καὶ συναύξειν τῇ γῇ
καὶ ταῖς ὥραις πάντα τὰ χρήσιμα ἡμῖν, συντρέφειν δὲ καὶ

---

4. ἐπειδή : inasmuch as. — ὁ μὲν
ἥλιος, ἡ δὲ νύξ : while the sun, yet the
night.  Both clauses are grammatic-
ally equivalent parts of the general
reason introduced by ἐπειδή, but the
weight of the reason lies in ἡ δὲ νὺξ
κτλ. — τάς τε ὥρας τῆς ἡμέρας : for
the divisions of the day, see on i. 1.
10. — διὰ τὸ σκοτεινὴ εἶναι : change
in form of expression from φωτεινὸς
ὤν above.  For the case of σκοτεινή,
see on αὐτός ii. 3. 11. — ἀνέφηναν :
caused to shine. — τῆς νυκτὸς τὰς
ὥρας : the Greeks divided the night
into three watches (φυλακαί), the
Romans into four (vigiliae). —
διὰ τοῦτο : by means of this, refers
to ἄστρα . . . ἀνέφηναν. — πολλὰ
πράττομεν : sc. which we could not
do but for the help of moonlight and
starlight. — τοῦ μηνὸς τὰ μέρη : the
month had three divisions, the first
and last of which were called ἱσταμέ-

νου and φθίνοντος (μηνός), the days of
the middle division being reckoned
as πρώτη ἐπὶ δέκα etc.  The average
length of a lunar month is a little
over twenty-nine and a half days;
the Greeks took it at exactly twenty-
nine and a half days, and avoided
the fraction by making one month
of twenty-nine days and the next
of thirty.  See Gow, Companion to
School Classics, p. 79.

5. τὸ δ' ἀναδιδόναι : sc. as subj.
τοὺς θεούς.  The unexpressed question
may be translated "what say you
of that?"  Cf. i. 4. 7. — ὥρας :
seasons, of the year.

6. τὸ ὕδωρ : obj. of παρέχειν. —
συμφύειν κτλ. : unites with the earth
and the seasons in causing to spring
up and grow. καί before συμφύειν
corresponds to καί before μειγνύμενον,
and καί before ἐπειδή connects
ἀφθονέστατον παρέχειν with καὶ ὕδωρ

αὐτοὺς ἡμᾶς, καὶ μειγνύμενον πᾶσι τοῖς τρέφουσιν ἡμᾶς
εὐκατεργαστότερά τε καὶ ὠφελιμώτερα καὶ ἡδίω ποιεῖν
35 αὐτά, καὶ ἐπειδὴ πλείστου δεόμεθα τούτου, ἀφθονέστατον
αὐτὸ παρέχειν ἡμῖν ;" "Καὶ τοῦτο," ἔφη, "προνοητικόν."
"Τὸ δὲ καὶ τὸ πῦρ πορίσαι ἡμῖν, ἐπίκουρον μὲν ψύχους, 7
ἐπίκουρον δὲ σκότους, συνεργὸν δὲ πρὸς πᾶσαν τέχνην
καὶ πάντα ὅσα ὠφελείας ἕνεκα ἄνθρωποι κατασκευάζον-
40 ται ; ὡς γὰρ συνελόντι εἰπεῖν, οὐδὲν ἀξιόλογον ἄνευ πυρὸς
ἄνθρωποι τῶν πρὸς τὸν βίον χρησίμων κατασκευάζονται."
"'Υπερβάλλει," ἔφη, "καὶ τοῦτο φιλανθρωπίᾳ." "Τὸ δὲ 8
τὸν ἥλιον, ἐπειδὰν ἐν χειμῶνι τράπηται, προσιέναι τὰ μὲν
ἁδρύνοντα, τὰ δὲ ξηραίνοντα, ὧν καιρὸς διελήλυθεν, καὶ
45 ταῦτα διαπραξάμενον μηκέτι ἐγγυτέρω προσιέναι, ἀλλ'
ἀποτρέπεσθαι φυλαττόμενον μή τι ἡμᾶς μᾶλλον τοῦ
δέοντος θερμαίνων βλάψῃ, καὶ ὅταν αὖ πάλιν ἀπιὼν
γένηται ἔνθα καὶ ἡμῖν δῆλόν ἐστιν ὅτι εἰ προσωτέρω
ἄπεισιν, ἀποπαγησόμεθα ὑπὸ τοῦ ψύχους, πάλιν αὖ
50 τρέπεσθαι καὶ προσχωρεῖν, καὶ ἐνταῦθα τοῦ οὐρανοῦ

παρέχειν at the beginning of the
sentence. — πᾶσι τοῖς τρέφουσιν :
neuter. — εὐκατεργαστότερα : easier
of digestion. — αὐτά : i.e. πάντα τὰ
τρέφοντα. — ἀφθονέστατον : pred., in
the greatest profusion.

7. ἐπίκουρον ψύχους : a protection
against cold. Cf. ἐπικούρημα τῆς
χιόνος An. iv. 5. 13. — ὡς συνελόντι
εἰπεῖν : see on iii. 8. 10. — τῶν
χρησίμων : depends on οὐδέν. —
ὑπερβάλλει : intr., is preëminent. —
φιλανθρωπίᾳ : dat. of respect.

8. ἐπειδὰν ἐν χειμῶνι τράπηται :
sc. at the winter solstice, when the
sun begins to move northward, or
'toward us.' — ἁδρύνοντα : ripening.

— ὧν καιρὸς διελήλυθεν : whose time
of maturity has passed ; e.g., hay or
grain left standing in the fields. —
ἀποτρέπεσθαι : sc. at the summer
solstice. — γένηται ἔνθα : reaches that
point, where. — εἰ ἄπεισιν : most
vivid form of protasis. G. 1405 ; H.
899. This has the 'minatory' force
suggested by Gildersleeve ; see Trans.
Am. Philol. Assn., vii. p. 13. For
the pres. of εἰμι in fut. sense, see
G. 1257 ; H. 828 a. — ἀποπαγησό-
μεθα : for the second fut. pass., see G.
715 ; H. 474. — καὶ ἐνταῦθα : re-
fers to the position of the sun in
both winter and summer. Xeno-
phon's knowledge of astronomy was,

ἀναστρέφεσθαι ἔνθα ὢν μάλιστ᾽ ἂν ἡμᾶς ὠφελοίη;" "Νὴ
τὸν Δί᾽," ἔφη, "καὶ ταῦτα παντάπασιν ἔοικεν ἀνθρώπων
ἕνεκα γιγνομένοις." "Τὸ δ᾽, ἐπειδὴ καὶ τοῦτο φανερόν, ὅτι 9
οὐκ ἂν ὑπενέγκαιμεν οὔτε τὸ καῦμα οὔτε τὸ ψῦχος, εἰ ἐξα-
55 πίνης γίγνοιτο, οὕτω μὲν κατὰ μικρὸν προσιέναι τὸν ἥλιον,
οὕτω δὲ κατὰ μικρὸν ἀπιέναι, ὥστε λανθάνειν ἡμᾶς εἰς ἑκά-
τερα τὰ ἰσχυρότατα καθισταμένους;" "Ἐγὼ μέν," ἔφη ὁ
Εὐθύδημος, "ἤδη τοῦτο σκοπῶ, εἰ ἄρα τί ἐστι τοῖς θεοῖς
ἔργον ἢ ἀνθρώπους θεραπεύειν, ἐκεῖνο δὲ μόνον ἐμποδίζει
60 με, ὅτι καὶ τἆλλα ζῷα τούτων μετέχει." "Οὐ γὰρ καὶ 10
τοῦτ᾽," ἔφη ὁ Σωκράτης, "φανερόν, ὅτι καὶ ταῦτα ἀνθρώ-
πων ἕνεκα γίγνεταί τε καὶ ἀνατρέφεται; τί γὰρ ἄλλο
ζῷον αἰγῶν τε καὶ οἰῶν καὶ βοῶν καὶ ἵππων καὶ ὄνων καὶ
τῶν ἄλλων ζῴων τοσαῦτα ἀγαθὰ ἀπολαύει ὅσα ἄνθρωποι;
65 ἐμοὶ μὲν γὰρ δοκεῖ, πλείω ἢ τῶν φυτῶν· τρέφονται γοῦν
καὶ χρηματίζονται οὐδὲν ἧττον ἀπὸ τούτων ἢ ἀπ᾽ ἐκείνων·
πολὺ δὲ γένος ἀνθρώπων τοῖς μὲν ἐκ τῆς γῆς φυομένοις
εἰς τροφὴν οὐ χρῆται, ἀπὸ δὲ βοσκημάτων γάλακτι καὶ

---

of course, that of his time; but his
description is fairly correct. Even
modern astronomers conform to pop-
ular usage in speaking of the sun's
'rising and setting,' 'approaching'
and 'receding from' the earth. —
ἀναστρέφεσθαι: versari, stays, in
its apparent daily circuit round the
earth. — ἔοικε γιγνομένοις : "looks
like something taking place."
 9. τὸ δέ: const. with προσιέναι
τὸν ἥλιον. — εἰ γίγνοιτο : if it should
come upon us. — οὕτω κατὰ μικρόν :
thus, gradually. For the thought, cf.
διδάσκει δὲ καὶ ὁ θεός, ἀπάγων ἡμᾶς κατὰ
μικρὸν ἐκ τοῦ χειμῶνος εἰς τὸ ἀνέχεσθαι
ἰσχυρὰ θάλπη (intense heat) ἔκ τε τοῦ

θάλπους εἰς τὸν ἰσχυρὸν χειμῶνα Cyr.
vi. 2. 29. — λανθάνειν : i.e. imper-
ceptibly. For λανθάνω with supple-
mentary participle, see on i. 2. 34.
— εἰ ἄρα : see on ii. 5. 2. — τί ἐστι
τοῖς θεοῖς ἔργον : "the gods have any
(other) occupation." — θεραπεύειν :
to care for, as in i. 4. 10. — τούτων :
these benefits.

 10. ἀγαθά : advantages. — δοκεῖ :
sc. ἀπολαύειν τοὺς ἀνθρώπους, i.e. that
men derive more advantage from
animals than from plants. — τούτων :
i.e. animals. The dem. οὗτος is used
to denote the more important of two
objects, as that which is nearer to
the speaker's thought. See on i. 3.

τυρῷ καὶ κρέασι τρεφόμενοι ζῶσι· πάντες δὲ τιθασεύον-
70 τες καὶ δαμάζοντες τὰ χρήσιμα τῶν ζῴων εἴς τε πόλεμον
καὶ εἰς ἄλλα πολλὰ συνεργοῖς χρῶνται." "Ὁμογνωμονῶ
σοι καὶ τοῦτ'," ἔφη· "ὁρῶ γὰρ αὐτῶν καὶ τὰ πολὺ ἰσχυ-
ρότερα ἡμῶν οὕτως ὑποχείρια γιγνόμενα τοῖς ἀνθρώποις
ὥστε χρῆσθαι αὐτοῖς ὅ τι ἂν βούλωνται." "Τὸ δ', ἐπειδὴ 11
75 πολλὰ μὲν καλὰ καὶ ὠφέλιμα, διαφέροντα δὲ ἀλλήλων
ἐστί, προσθεῖναι τοῖς ἀνθρώποις αἰσθήσεις ἁρμοττούσας
πρὸς ἕκαστα δι' ὧν ἀπολαύομεν πάντων τῶν ἀγαθῶν· τὸ
δὲ καὶ λογισμὸν ἡμῖν ἐμφῦσαι, ᾧ περὶ ὧν αἰσθανόμεθα
λογιζόμενοί τε καὶ μνημονεύοντες καταμανθάνομεν ὅπῃ
80 ἕκαστα συμφέρει, καὶ πολλὰ μηχανώμεθα δι' ὧν τῶν τε
ἀγαθῶν ἀπολαύομεν καὶ τὰ κακὰ ἀλεξόμεθα· τὸ δὲ καὶ 12
ἑρμηνείαν δοῦναι, δι' ἧς πάντων τῶν ἀγαθῶν μεταδίδομέν
τε ἀλλήλοις διδάσκοντες καὶ κοινωνοῦμεν καὶ νόμους
τιθέμεθα καὶ πολιτευόμεθα;" "Παντάπασιν ἐοίκασιν, ὦ
85 Σώκρατες, οἱ θεοὶ πολλὴν τῶν ἀνθρώπων ἐπιμέλειαν
ποιεῖσθαι." "Τὸ δὲ καί, ᾗ ἀδυνατοῦμεν τὰ συμφέροντα
προνοεῖσθαι ὑπὲρ τῶν μελλόντων, ταύτῃ αὐτοὺς ἡμῖν
συνεργεῖν, διὰ μαντικῆς τοῖς πυνθανομένοις φράζοντας τὰ
ἀποβησόμενα καὶ διδάσκοντας ᾗ ἂν ἄριστα γίγνοιντο;"

---

13. — γένος, ζῶσι: for the pl. verb
with sing. collective subj., see on
ὡς παύσαντες ii. 2. 3. — συνεργοῖς
χρῶνται(sc.αὐτοῖς): use them as helpers.
For the pred. dat., see H. 777 a.
ὅ τι: in whatever way, sc. χρῆσθαι.
See on αὐτῇ χρῆσθαί τι i. 4. 6.

11. προσθεῖναι: sc. as subj. τοὺς
θεούς. — ἀπολαύομεν: the subj. ἡμεῖς is
readily supplied from ἀνθρώποις. —
λογισμόν: reason. — πολλά: cognate
accusative. — ἀλεξόμεθα: avert. On
this and the next section, cf. i. 4. 5–14.

12. ἑρμηνείαν: faculty of speech.
Hermes was messenger and inter-
preter for the gods; hence ἑρμηνεύς
interpreter. — διδάσκοντες: by im-
parting. — προνοεῖσθαι ὑπέρ: instead
of προνοεῖσθαι περί, the verb being
one of caring for. — ᾗ: in what way.
— γίγνοιντο: pl. with neut. subj.,
either, as Kühner suggests, because
τὰ ἀποβησόμενα is somewhat remote,
or because Xenophon wished to em-
phasize the idea of separate actions.
Cf. ἐνταῦθα ἦσαν τὰ Βελέσυος βασίλεια

90 " Σοὶ δ'," ἔφη, "ὦ Σώκρατες, ἐοίκασιν ἔτι φιλικώτερον ἢ
τοῖς ἄλλοις χρῆσθαι, εἴ γε μηδὲ ἐπερωτώμενοι ὑπὸ σοῦ
προσημαίνουσί σοι ἅ τε χρὴ ποιεῖν καὶ ἃ μή."  "Ὅτι δέ 13
γε ἀληθῆ λέγω, καὶ σὺ γνώσῃ, ἂν μὴ ἀναμένῃς ἕως ἂν
τὰς μορφὰς τῶν θεῶν ἴδῃς, ἀλλ' ἐξαρκῇ σοι τὰ ἔργα
95 αὐτῶν ὁρῶντι σέβεσθαι καὶ τιμᾶν τοὺς θεούς.  ἐννόει δὲ
ὅτι καὶ αὐτοὶ οἱ θεοὶ οὕτως ὑποδεικνύουσιν· οἵ τε γὰρ
ἄλλοι ἡμῖν τἀγαθὰ διδόντες οὐδὲν τούτων εἰς τοὐμφανὲς
ἰόντες διδόασι, καὶ ὁ τὸν ὅλον κόσμον συντάττων τε καὶ
συνέχων, ἐν ᾧ πάντα καλὰ καὶ ἀγαθά ἐστι, καὶ ἀεὶ μὲν
100 χρωμένοις ἀτριβῆ τε καὶ ὑγιᾶ καὶ ἀγήρατα παρέχων,
θᾶττον δὲ νοήματος ὑπηρετοῦντα ἀναμαρτήτως, οὗτος τὰ
μέγιστα μὲν πράττων ὁρᾶται, τάδε δὲ οἰκονομῶν ἀόρατος

An. i. 4. 10, where the idea of a mul-
titude of apartments in the palace
is helped by the pl.; also καὶ τὰ
ὑποδήματα περιεπήγνυντο An. iv. 5.
14, where the shoes of many individ-
uals are meant. — εἴ γε προσημαί-
νουσι : cf. i. 4. 15, where Aristode-
mus makes the same remark.

13. ὅτι δέ γε ἀληθῆ λέγω : sc. that
the δαιμόνιον (i. 1. 2) really gives me ad-
vice as to what I should and should
not do, a point on which the preceding
words of Euthydemus seem to cast
doubt.  The sense of the following
passage is " I do not mean to say that
the gods appear to me in bodily form.
If you observe what they accomplish
you will revere and honor them.  The
gods themselves give the hint that we
must not expect to see them, but must
be assured of their existence by the
blessings which they bestow : they
create and control, — that we see; but
how they do it, we do not see." — οἵ τε

ἄλλοι : sc. θεοί.  Socrates and those
who followed him, Plato, the Stoics,
Cicero, and others, supported the idea
that besides one supreme God, there
were other beings, far inferior to him,
but immortal and endowed with great
power.  Cf., in i. 4., §§ 5 and 7 with 11,
16 and 18.  The task of controlling the
universe, here assigned to the supreme
Deity, is elsewhere assigned τοῖς θεοῖς.
Cf. τοὺς ἀεὶ ὄντας καὶ πάντα δυναμένους,
οἳ καὶ τήνδε τῶν ὅλων τάξιν συνέχουσιν
ἀτριβῆ καὶ ἀγήρατον καὶ ἀναμάρτητον
(free from wear or age or error) Cyr.
viii. 7. 22. — ὑπηρετοῦντα : doing his
will. — τὰ μέγιστα πράττων ὁρᾶται : is
perceived to be performing his might-
iest works.  For the supplementary
participle with verbs of perceiving,
see on ζῶντα i. 2. 16. — τάδε : them,
i.e. τὰ μέγιστα, as present before
the eyes of the speaker. H. 696 a.
— οἰκονομῶν : circumstantial parti-
ciple of time.

ἡμῖν ἐστιν. ἐννόει δ᾽ ὅτι καὶ ὁ πᾶσι φανερὸς δοκῶν εἶναι 14
ἥλιος οὐκ ἐπιτρέπει τοῖς ἀνθρώποις ἑαυτὸν ἀκριβῶς ὁρᾶν,
105 ἀλλ᾽ ἐάν τις αὐτὸν ἀναιδῶς ἐγχειρῇ θεάσασθαι, τὴν ὄψιν
ἀφαιρεῖται. καὶ τοὺς ὑπηρέτας δὲ τῶν θεῶν εὑρήσεις
ἀφανεῖς ὄντας· κεραυνός τε γὰρ ὅτι μὲν ἄνωθεν ἀφίεται,
δῆλον, καὶ ὅτι οἷς ἂν ἐντύχῃ πάντων κρατεῖ, ὁρᾶται δ᾽
οὔτ᾽ ἐπιὼν οὔτ᾽ ἐγκατασκήψας οὔτε ἀπιών· καὶ ἄνεμοι
110 αὐτοὶ μὲν οὐχ ὁρῶνται, ἃ δὲ ποιοῦσι φανερὰ ἡμῖν ἐστι,
καὶ προσιόντων αὐτῶν αἰσθανόμεθα. ἀλλὰ μὴν καὶ
ἀνθρώπου γε ψυχή, ἥ εἴπερ τι καὶ ἄλλο τῶν ἀνθρωπίνων
τοῦ θείου μετέχει, ὅτι μὲν βασιλεύει ἐν ἡμῖν, φανερόν,
ὁρᾶται δὲ οὐδ᾽ αὐτή. ἃ χρὴ κατανοοῦντα μὴ καταφρο-
115 νεῖν τῶν ἀοράτων, ἀλλ᾽ ἐκ τῶν γιγνομένων τὴν δύναμιν
αὐτῶν καταμανθάνοντα τιμᾶν τὸ δαιμόνιον." "Ἐγὼ μέν, 15
ὦ Σώκρατες," ἔφη ὁ Εὐθύδημος, "ὅτι μὲν οὐδὲ μικρὸν ἀμε-
λήσω τοῦ δαιμονίου, σαφῶς οἶδα· ἐκεῖνο δὲ ἀθυμῶ, ὅτι
μοι δοκεῖ τὰς τῶν θεῶν εὐεργεσίας οὐδ᾽ ἂν εἷς ποτε
120 ἀνθρώπων ἀξίαις χάρισιν ἀμείβεσθαι." "Ἀλλὰ μὴ τοῦτο 16
ἀθύμει," ἔφη, "ὦ Εὐθύδημε· ὁρᾷς γὰρ ὅτι ὁ ἐν Δελφοῖς
θεός, ὅταν τις αὐτὸν ἐπερωτᾷ πῶς ἂν τοῖς θεοῖς χαρί-
ζοιτο, ἀποκρίνεται, ‘ Νόμῳ πόλεως.’ νόμος δὲ δήπου
πανταχοῦ ἐστι κατὰ δύναμιν ἱεροῖς θεοὺς ἀρέσκεσθαι·

---

14. **ἀκριβῶς** : *sharply.* — **καί, δέ** :
see on i. 1. 3. — **ὑπηρέτας** : *ministers.*
*Cf.* ‘ye ministers of his, that do his
pleasure’ *Ps.* ciii. 21. — **κεραυνός τε** :
corresponds to καὶ ἄνεμος below. —
**ἐπιών** : see on οἰκονομῶν 13. — **ἅ**
**ποιοῦσι** : "their effects." — **ἀλλὰ**
**μήν** : i a m v e r o. — **εἴπερ τι καὶ**
**ἄλλο** : as in iii. 6. 2. — **ὁρᾶται οὐδ᾽**
**αὐτή** : for the thought, *cf.* i. 4. 9;
*Cyr.* viii. 7. 17, 20. — **ἃ χρή** : see on
τοὺς τὰ τοιαῦτα i. 1. 9. — **τῶν ἀοράτων** :

neuter. — **τὸ δαιμόνιον** : here not the
daemonium of i. 1. 2, but that which
proceeds from the δαίμων. So in the
following section. See on i. 1. 2.

15. **οὐδὲ μικρόν** : *not even in the*
*slightest degree.* — **ἐκεῖνο ἀθυμῶ** : *I am*
*discouraged at this.* ἐκεῖνο is cognate
accusative. See on φροντίζοντας τὰ
τοιαῦτα i. 1. 11. — **οὐδ᾽ ἂν εἷς** : see on
i. 6. 2. — **ἂν ἀμείβεσθαι** : *could requite.*

16. **νόμῳ πόλεως** : *cf.* i. 3. 1. —
**ἀρέσκεσθαι** : *to propitiate*, usually

125 πῶς οὖν ἄν τις κάλλιον καὶ εὐσεβέστερον τιμῴη θεοὺς ἢ
ὡς αὐτοὶ κελεύουσιν, οὕτω ποιῶν; ἀλλὰ χρὴ τῆς μὲν δυνά-17
μεως μηδὲν ὑφίεσθαι· ὅταν γάρ τις τοῦτο ποιῇ, φανερὸς
δήπου ἐστὶ τότε οὐ τιμῶν θεούς· χρὴ οὖν μηδὲν ἐλλεί-
ποντα κατὰ δύναμιν τιμᾶν τοὺς θεοὺς θαρρεῖν τε καὶ
130 ἐλπίζειν τὰ μέγιστα ἀγαθά· οὐ γὰρ παρ᾽ ἄλλων γ᾽ ἄν
τις μείζω ἐλπίζων σωφρονοίη ἢ παρὰ τῶν τὰ μέγιστα
ὠφελεῖν δυναμένων, οὐδ᾽ ἂν ἄλλως μᾶλλον ἢ εἰ τούτοις
ἀρέσκοι· ἀρέσκοι δὲ πῶς ἂν μᾶλλον ἢ εἰ ὡς μάλιστα
πείθοιτο αὐτοῖς;"

135    Τοιαῦτα μὴν δὴ λέγων τε καὶ αὐτὸς ποιῶν εὐσεβεστέρους 18
τε καὶ σωφρονεστέρους τοὺς συνόντας παρεσκεύαζεν.

Ἀλλὰ μὴν καὶ περὶ τοῦ δικαίου γε οὐκ ἀπεκρύπτετο 4
ἣν εἶχε γνώμην, ἀλλὰ καὶ ἔργῳ ἀπεδείκνυτο, ἰδίᾳ τε πᾶσι
νομίμως τε καὶ ὠφελίμως χρώμενος καὶ κοινῇ ἄρχουσί

intr. except in Homer. — **πῶς οὖν ἄν
τις κτλ.** : *cf.* 'behold, to obey is bet-
ter than sacrifice, and to hearken
than the fat of rams' 1 *Sam.* xv. 22.

17. **τῆς μὲν δυνάμεως ὑφίεσθαι** :
for *μέν*, see on i. 1. 1. The implied
opposite is "we may well, however,
fall behind the offerings of our
richer neighbors." — **χρὴ οὖν μηδὲν
ἐλλείποντα κτλ.** : the sense of the
passage is simply "fear and honor
God with all your might, and then
be of good courage." — **οὐ γὰρ ἄν
ἐλπίζων** (equivalent to *εἴ τις ἐλπίζοι*)
**σωφρονοίη** : "for no one could
reasonably expect." — **οὐδ᾽ ἂν ἄλλως
μᾶλλον** : *sc. ἐλπίζων σωφρονοίη.*

4. *What Socrates thought of in-
tegrity (σωφροσύνη περὶ ἀνθρώπους)
was sufficiently shown in his life,
both private and public. We are
here, however, more immediately con-*
cerned with his treatment of the sub-
ject in his discourses: and this may
be learned from a conversation which
he once held with the sophist Hippias.
He there defines uprightness as obe-
dience: on the one hand, to the laws
of the state, on which rest all good
order, all prosperity, and all security;
on the other, to the unwritten divine
laws, which are everywhere a neces-
sary condition of man's social life,
and whose violation nature herself
punishes.

1. **οὐκ ἀπεκρύπτετο γνώμην** : di-
rected at the criticism uttered by
Hippias in 9. For the attraction of
the antec. into the rel. clause, see on
i. 2. 22. — **ἣν εἶχε** : here equivalent to
the art. *τήν* in the unemphatic pos-
sessive use. — **καὶ ἔργῳ** : "in his very
actions," contrasted with *καὶ ἔλεγε
δέ* in 5. — **ἄρχουσί τε πειθόμενος** :

τε ἃ οἱ νόμοι προστάττοιεν πειθόμενος καὶ κατὰ πόλιν
5 καὶ ἐν ταῖς στρατείαις οὕτως ὥστε διάδηλος εἶναι παρὰ
τοὺς ἄλλους εὐτακτῶν, καὶ ὅτε ἐν ταῖς ἐκκλησίαις ἐπι- 2
στάτης γενόμενος οὐκ ἐπέτρεψε τῷ δήμῳ παρὰ τοὺς
νόμους ψηφίσασθαι, ἀλλὰ σὺν τοῖς νόμοις ἠναντιώθη
τοιαύτῃ ὁρμῇ τοῦ δήμου ἣν οὐκ ἂν οἶμαι ἄλλον οὐδένα
10 ἄνθρωπον ὑπομεῖναι· καὶ ὅτε οἱ τριάκοντα προσέταττον 3
αὐτῷ παρὰ τοὺς νόμους τι, οὐκ ἐπείθετο· τοῖς τε γὰρ
νέοις ἀπαγορευόντων αὐτῶν μὴ διαλέγεσθαι καὶ προστα-
ξάντων ἐκείνῳ τε καὶ ἄλλοις τισὶ τῶν πολιτῶν ἀγαγεῖν
τινα ἐπὶ θανάτῳ, μόνος οὐκ ἐπείσθη, διὰ τὸ παρὰ τοὺς
15 νόμους αὐτῷ προστάττεσθαι.    καὶ ὅτε τὴν ὑπὸ Μελήτου 4
γραφὴν ἔφευγε, τῶν ἄλλων εἰωθότων ἐν τοῖς δικαστηρίοις

corresponds to καὶ ὅτε οὐκ ἐπέτρεψε
in 2. Strict adherence to 'concin-
nity' would require καὶ οὐκ ἐπιτρέ-
πων, but this would have occasioned
an accumulation of participles. —
ἃ οἱ νόμοι προστάττοιεν : in regard
to matters which the laws enjoined.
For the opt., see on νομίζοιεν i. 1.
6. — ὥστε εἶναι : for the inf., see
on ὥστε ἔχειν i. 2. 1. — παρὰ τοὺς
ἄλλους : beyond all others. See on
i. 4. 14.
　2. ἐν ταῖς ἐκκλησίαις κτλ. : for
the events alluded to, see on i. 1. 18.
ἐκκλησίαις should strictly be sing.,
as Socrates was ἐπιστάτης in only one
of the two sessions mentioned in
Hell. i. 7 : but Xenophon is speak-
ing loosely of an affair well known
and already described. — παρὰ τοὺς
νόμους : cf. i. 1. 18. — ὁρμῇ τοῦ δήμου :
"a tide of popular feeling." — ἥν :
instead of the more usual οἵαν after
τοιαύτῃ.

　3. τοῖς τε γὰρ νέοις κτλ. : cf. i. 2.
35. Note the difference between
the impf. ἀπαγορευόντων (cf. μηδὲ
διαλέγου i. 2. 35) and the aor. προσ-
ταξάντων. — ἀγαγεῖν τινα κτλ. : Leon,
a rich citizen, had fled to Salamis to
escape death at the hands of the
Thirty. Socrates, with four other
citizens, was commanded to proceed
to Salamis and arrest Leon : the
others obeyed, but Socrates reso-
lutely refused. Cf. Hell. ii. 3. 39 ;
Plato Apol. 32 c. — ἐπὶ θανάτῳ : to
put him to death, see on ἐφ' οἷς i.
3. 11.
　4. Μελήτου : i.e. the chief ac-
cuser. See Introd. § 5. — γραφὴν
ἔφευγε : was prosecuted, hence with
ὑπό. The active meaning is ex-
pressed by διώκειν. G. 1241 ; H.
820. Cf. μή πως ἐγὼ ὑπὸ Μελήτου
τοσαύτας δίκας φύγοιμι Plato Apol.
19 c. — τῶν ἄλλων εἰωθότων κτλ. :
these appeals to sympathy were a

πρὸς χάριν τε τοῖς δικασταῖς διαλέγεσθαι καὶ κολακεύειν
καὶ δεῖσθαι παρὰ τοὺς νόμους, καὶ διὰ τὰ τοιαῦτα πολ-
λῶν πολλάκις ὑπὸ τῶν δικαστῶν ἀφιεμένων, ἐκεῖνος οὐδὲν
20 ἠθέλησε τῶν εἰωθότων ἐν τῷ δικαστηρίῳ παρὰ τοὺς
νόμους ποιῆσαι, ἀλλὰ ῥᾳδίως ἂν ἀφεθεὶς ὑπὸ τῶν δικα-
στῶν, εἰ καὶ μετρίως τι τούτων ἐποίησε, προείλετο μᾶλλον
τοῖς νόμοις ἐμμένων ἀποθανεῖν ἢ παρανομῶν ζῆν.  καὶ 5
ἔλεγε δὲ οὕτως καὶ πρὸς ἄλλους μὲν πολλάκις, οἶδα δέ
25 ποτε αὐτὸν καὶ πρὸς Ἱππίαν τὸν Ἠλεῖον περὶ τοῦ δικαίου
τοιάδε διαλεχθέντα.  διὰ χρόνου γὰρ ἀφικόμενος ὁ
Ἱππίας Ἀθήναζε παρεγένετο τῷ Σωκράτει λέγοντι πρός
τινας ὡς θαυμαστὸν εἴη τὸ εἰ μέν τις βούλοιτο σκυτέα
διδάξασθαί τινα ἢ τέκτονα ἢ χαλκέα ἢ ἱππέα, μὴ ἀπορεῖν
30 ὅποι ἂν πέμψας τούτου τύχοι·  [φασὶ δέ τινες καὶ ἵππον
καὶ βοῦν τῷ βουλομένῳ δικαίους ποιήσασθαι πάντα
μεστὰ εἶναι τῶν διδαξόντων·]  ἐὰν δέ τις βούληται ἢ
αὐτὸς μαθεῖν τὸ δίκαιον ἢ υἱὸν ἢ οἰκέτην διδάξασθαι, μὴ
εἰδέναι ὅποι ἂν ἐλθὼν τύχοι τούτου.  καὶ ὁ μὲν Ἱππίας 6

common device in the courts of
Athens.  Socrates regarded such en-
treaties, though not formally pro-
hibited by law, as in themselves
παρὰ τοὺς νόμους, and refused to use
them.  Cf. Plato *Apol.* 38 D, E. —
ἀλλὰ ῥᾳδίως ἂν ἀφεθείς: but although
he would have been readily acquitted.
For the participle with ἄν, represent-
ing the same tense of the indic., see
G. 1308, 2; H. 987 b. — ἐμμένων, παρα-
νομῶν: see on στήσαντας i. 1. 9.

5. οὕτως : in this strain. —
Ἱππίαν : Hippias of Elis was one of
the most famous sophists of his day,
and was very popular as a teacher of
rhetoric, although his charges were

as high as those of Protagoras (see
on i. 2. 5).  He is a frequent figure
in the Platonic dialogues, where he
appears to better advantage than
here. — διὰ χρόνου : as in ii. 8. 1.
— παρεγένετο : happened upon. —
διδάξασθαί τινα : to have any one
trained.  For the causative mid., see
G. 1245 ; H. 815. — δικαίους : applied
to persons or things that are as
they should be (comme il faut); and
especially appropriate here, the dis-
cussion being on δικαιοσύνη.  Cf. οὔτε
γὰρ ἅρμα γένοιτ' ἂν δίκαιον ἀδίκων
(ἵππων) συνεζευγμένων Cyr. ii. 2. 26. —
τῶν διδαξόντων : const. like τῶν ἀπο-
λυσόντων ii. 1. 5.

35 ἀκούσας ταῦτα ὥσπερ ἐπισκώπτων αὐτόν, "Ἔτι γὰρ σύ," ἔφη, "ὦ Σώκρατες, ἐκεῖνα τὰ αὐτὰ λέγεις ἃ ἐγώ πάλαι ποτέ σου ἤκουσα;" καὶ ὁ Σωκράτης, "Ὁ δέ γε τούτου δεινότερον," ἔφη, "ὦ Ἱππία, οὐ μόνον ἀεὶ τὰ αὐτὰ λέγω, ἀλλὰ καὶ περὶ τῶν αὐτῶν· σὺ δ' ἴσως διὰ τὸ πολυμαθὴς
40 εἶναι περὶ τῶν αὐτῶν οὐδέποτε τὰ αὐτὰ λέγεις." "Ἀμέλει," ἔφη, "πειρῶμαι καινόν τι λέγειν ἀεί." "Πότερον," 7 ἔφη, "καὶ περὶ ὧν ἐπίστασαι; οἷον περὶ γραμμάτων ἐάν τις ἔρηταί σε πόσα καὶ ποῖα Σωκράτους ἐστίν, ἄλλα μὲν πρότερον, ἄλλα δὲ νῦν πειρᾷ λέγειν; ἢ περὶ ἀριθμῶν τοῖς
45 ἐρωτῶσιν εἰ τὰ δὶς πέντε δέκα ἐστίν, οὐ τὰ αὐτὰ νῦν ἃ καὶ πρότερον ἀποκρίνῃ;" "Περὶ μὲν τούτων," ἔφη, "ὦ Σώκρατες, ὥσπερ σὺ καὶ ἐγώ ἀεὶ τὰ αὐτὰ λέγω, περὶ μέντοι τοῦ δικαίου πάνυ οἶμαι νῦν ἔχειν εἰπεῖν πρὸς ἃ οὔτε σὺ οὔτ' ἂν ἄλλος οὐδεὶς δύναιτ' ἀντειπεῖν." "Νὴ τὴν 8
50 Ἥραν," ἔφη, "μέγα λέγεις ἀγαθὸν εὑρηκέναι, εἰ παύσονται μὲν οἱ δικασταὶ δίχα ψηφιζόμενοι, παύσονται δὲ οἱ πολῖται περὶ τῶν δικαίων ἀντιλέγοντές τε καὶ ἀντιδικοῦντες καὶ στασιάζοντες, παύσονται δὲ αἱ πόλεις διαφερόμεναι περὶ τῶν δικαίων καὶ πολεμοῦσαι. καὶ ἐγὼ μὲν οὐκ οἶδ' ὅπως

6. ὥσπερ ἐπισκώπτων: as mock-ing, with the accusative. For the intr. use of the verb, cf. i. 3. 7. — ἔτι γὰρ σὺ κτλ. : for γάρ, see on i. 3. 10, and for the thought, cf. ὡς ἀεὶ ταὐτὰ λέγεις, ὦ Σώκρατες. Οὐ μόνον γε, ὦ Καλλίκλεις, ἀλλὰ καὶ περὶ τῶν αὐτῶν Plato Gorg. 490 E. Cf., also, i. 2. 37. — διὰ τὸ πολυμαθὴς εἶναι : by reason of your being widely learned. For the case of the pred. adj., see on αὐτός ii. 3. 11. — ἀμέλει : as in i. 4. 7.

7. πότερον : sc. some alternative question like ἢ μή (or ἢ ἀεὶ) ταὐτὰ λέγεις, since the sent. ἢ . . . ἀποκρίνῃ is a new question, not opposed to the first. — οἷον : velut, for example. — πόσα καὶ ποῖα Σωκράτους ἐστίν : how many and what letters are in (the word) Socrates. Cf. Oec. viii. 14. — περὶ ἀριθμῶν τοῖς ἐρωτῶσιν : for the position of the art., see on τὴν σοφίαν τοὺς πωλοῦντας i. 6. 13. — περὶ μέν, περὶ μέντοι : correlative. — ὥσπερ, καί : with omission of οὕτω, as in ii. 2. 2.

8. νὴ τὴν Ἥραν : see on i. 5. 5. — λέγεις : "you claim." — ψηφιζόμενοι : for the supplementary parti-ciple, see on σκοπούμενος ii. 1. 24. —

55 ἂν ἀπολειφθείην σου πρὸ τοῦ ἀκοῦσαι τηλικοῦτον
ἀγαθὸν εὑρηκότος." "Ἀλλὰ μὰ Δί'," ἔφη, "οὐκ ἀκούσῃ, 9
πρίν γ' ἂν αὐτὸς ἀποφήνῃ ὅ τι νομίζεις τὸ δίκαιον εἶναι.
ἀρκεῖ γὰρ ὅτι τῶν ἄλλων καταγελᾷς ἐρωτῶν μὲν καὶ
ἐλέγχων πάντας, αὐτὸς δ' οὐδενὶ θέλων ὑπέχειν λόγον οὐδὲ
60 γνώμην ἀποφαίνεσθαι περὶ οὐδενός." "Τί δέ; ὦ Ἱππία," 10
ἔφη, "οὐκ ᾔσθησαι ὅτι ἐγὼ ἃ δοκεῖ μοι δίκαια εἶναι οὐδὲν
παύομαι ἀποδεικνύμενος;" "Καὶ ποῖος δή σοι," ἔφη,
"οὗτος ὁ λόγος ἐστίν;" "Εἰ δὲ μὴ λόγῳ," ἔφη, "ἀλλ'
ἔργῳ ἀποδείκνυμαι· ἢ οὐ δοκεῖ σοι ἀξιοτεκμαρτότερον
65 τοῦ λόγου τὸ ἔργον εἶναι;" "Πολύ γε νὴ Δί'," ἔφη·
"δίκαια μὲν γὰρ λέγοντες πολλοὶ ἄδικα ποιοῦσι, δίκαια
δὲ πράττων οὐδ' ἂν εἷς ἄδικος εἴη." "Ἤισθησαι οὖν 11
πώποτέ μου ἢ ψευδομαρτυροῦντος ἢ συκοφαντοῦντος ἢ
φίλους ἢ πόλιν εἰς στάσιν ἐμβάλλοντος ἢ ἄλλο τι ἄδικον
70 πράττοντος;" "Οὐκ ἔγωγε," ἔφη. "Τὸ δὲ τῶν ἀδίκων ἀπέ-
χεσθαι οὐ δίκαιον ἡγῇ;" "Δῆλος εἶ," ἔφη, "ὦ Σώκρατες,
καὶ νῦν διαφεύγειν ἐγχειρῶν τὸ ἀποδείκνυσθαι γνώμην,
ὅ τι νομίζεις τὸ δίκαιον· οὐ γὰρ ἃ πράττουσιν οἱ δίκαιοι,
ἀλλ' ἃ μὴ πράττουσι, ταῦτα λέγεις." "Ἀλλ' ᾤμην 12
75 ἔγωγε," ἔφη ὁ Σωκράτης, "τὸ μὴ θέλειν ἀδικεῖν ἱκανὸν
δικαιοσύνης ἐπίδειγμα εἶναι.   εἰ δέ σοι μὴ δοκεῖ, σκέψαι,

---

ὅπως ἂν ἀπολειφθείην σου κτλ. : *how
I could ever tear myself away from
you until I have heard of so great
a blessing, since you have discovered
it.*

9. πρὶν ἀποφήνῃ : for πρίν with
the subjv., see G. 1471, 2 ; H. 924.
—ἀρκεῖ, ὅτι τῶν ἄλλων καταγελᾷς :
*it is enough for you to laugh at
the others,* implying " you shall not
laugh at me." —ἐρωτῶν μὲν κτλ. : *cf.*
ἵνα Σωκράτης τὸ εἰωθὸς διαπράξηται,

αὐτὸς μὲν μὴ ἀποκρίνηται, ἄλλου δὲ
ἀποκρινομένου λαμβάνῃ λόγον καὶ
ἐλέγχῃ Plato *Rep.* 337 E.

10. τί δέ : " how so." — οὐδέν :
*in no respect, i.e. never.* — εἰ δὲ μὴ
λόγῳ κτλ. : " you ask me for words ;
but suppose I show you deeds." —
οὐδ' ἂν εἷς : as in i. 6. 2 ; iv. 3.
15.

11. γνώμην, ὅ τι νομίζεις : *cf.*
ἀπόφηναι γνώμην ὅ τι σοι δοκεῖ *An.*
i. 6. 9.

ἐὰν τόδε σοι μᾶλλον ἀρέσκῃ· φημὶ γὰρ ἐγὼ τὸ νόμιμον
δίκαιον εἶναι." "Ἆρα τὸ αὐτὸ λέγεις, ὦ Σώκρατες, νόμι-
μόν τε καὶ δίκαιον εἶναι;" "Ἔγωγε," ἔφη. "Οὐ γὰρ 13
80 αἰσθάνομαί σου ὁποῖον νόμιμον ἢ ποῖον δίκαιον λέγεις."
"Νόμους δὲ πόλεως," ἔφη, "γιγνώσκεις;" "Ἔγωγε," ἔφη.
"Καὶ τίνας τούτους νομίζεις;" "Ἃ οἱ πολῖται," ἔφη,
"συνθέμενοι ἅ τε δεῖ ποιεῖν καὶ ὧν ἀπέχεσθαι ἐγράψαντο."
"Οὐκοῦν," ἔφη, "νόμιμος μὲν ἂν εἴη ὁ κατὰ ταῦτα πολι-
85 τευόμενος, ἄνομος δὲ ὁ ταῦτα παραβαίνων;" "Πάνυ μὲν
οὖν," ἔφη. "Οὐκοῦν καὶ δίκαια μὲν ἂν πράττοι ὁ τούτοις
πειθόμενος, ἄδικα δ' ὁ τούτοις ἀπειθῶν;" "Πάνυ μὲν
οὖν." "Οὐκοῦν ὁ μὲν τὰ δίκαια πράττων δίκαιος, ὁ δὲ τὰ
ἄδικα ἄδικος;" "Πῶς γὰρ οὔ;" "Ὁ μὲν ἄρα νόμιμος
90 δίκαιός ἐστιν, ὁ δὲ ἄνομος ἄδικος." καὶ ὁ Ἱππίας, 14
"Νόμους δ'," ἔφη, "ὦ Σώκρατες, πῶς ἄν τις ἡγήσαιτο
σπουδαῖον πρᾶγμα εἶναι ἢ τὸ πείθεσθαι αὐτοῖς, οὕς γε
πολλάκις αὐτοὶ οἱ θέμενοι ἀποδοκιμάσαντες μετατίθεν-
ται;" "Καὶ γὰρ πόλεμον," ἔφη ὁ Σωκράτης, "πολλάκις
95 ἀράμεναι αἱ πόλεις πάλιν εἰρήνην ποιοῦνται." "Καὶ
μάλα," ἔφη. "Διάφορον οὖν τι οἴει ποιεῖν," ἔφη, "τοὺς
τοῖς νόμοις πειθομένους φαυλίζων, ὅτι καταλυθεῖεν ἂν οἱ
νόμοι, ἢ εἰ τοὺς ἐν τοῖς πολέμοις εὐτακτοῦντας ψέγοις, ὅτι
γένοιτ' ἂν εἰρήνη; ἢ καὶ τοὺς ἐν τοῖς πολέμοις ταῖς
100 πατρίσι προθύμως βοηθοῦντας μέμφῃ;" "Μὰ Δί' οὐκ

---

12. ἐὰν τόδε κτλ. : *if possibly
this will please you better.* See H.
907, 1016 c. *Cf.* σκέψαι ἐὰν καὶ σοὶ
ξυνδοκῇ Plato *Phaedo* 64 c. — γάρ :
as in i. 1. 6. — τὸ αὐτό : subj. of εἶναι.

13. σοῦ: for a similar 'pro-
lepsis,' see on θεῶν ᾔσθηται i. 4. 13.
— ὁποῖον, ποῖον : variation of form
without difference in meaning. *Cf.*

ὅπως, πῶς *Cyr.* i. 6. 43 ; ὅ τι, τί *Cyr.*
vii. 3. 10. — ἅ . . . ἐγράψαντο : *cf.* i.
2. 42 ff. — ἄρα : *then.*

14. σπουδαῖον πρᾶγμα : *a thing
of any importance.* — καὶ γάρ : "why,
for that matter." — διάφορον ποιεῖν :
*that you are acting otherwise.* — ἤ :
after διάφορον, as after διαφέρειν iii. 7.
7; iii. 11. 14. — προθύμως : "loyally."

ἔγωγ᾽," ἔφη.  "Λυκοῦργον δὲ τὸν Λακεδαιμόνιον," ἔφη ὁ 15
Σωκράτης, "καταμεμάθηκας ὅτι οὐδὲν ἂν διάφορον τῶν
ἄλλων πόλεων τὴν Σπάρτην ἐποίησεν, εἰ μὴ τὸ πείθεσθαι
τοῖς νόμοις μάλιστα ἐνειργάσατο αὐτῇ; τῶν δὲ ἀρχόντων
105 ἐν ταῖς πόλεσιν οὐκ οἶσθα ὅτι οἵτινες ἂν τοῖς πολίταις
αἰτιώτατοι ὦσι τοῦ τοῖς νόμοις πείθεσθαι, οὗτοι ἄριστοί
εἰσι, καὶ πόλις ἐν ᾗ μάλιστα οἱ πολῖται τοῖς νόμοις
πείθονται, ἐν εἰρήνῃ τε ἄριστα διάγει καὶ ἐν πολέμῳ
ἀνυπόστατός ἐστιν; ἀλλὰ μὴν καὶ ὁμόνοιά γε μέγιστόν 16
110 τε ἀγαθὸν δοκεῖ ταῖς πόλεσιν εἶναι, καὶ πλειστάκις ἐν
αὐταῖς αἵ τε γερουσίαι καὶ οἱ ἄριστοι ἄνδρες παρα-
κελεύονται τοῖς πολίταις ὁμονοεῖν, καὶ πανταχοῦ ἐν τῇ
Ἑλλάδι νόμος κεῖται τοὺς πολίτας ὀμνύναι ὁμονοήσειν,
καὶ πανταχοῦ ὀμνύουσι τὸν ὅρκον τοῦτον· οἶμαι δ᾽ ἐγὼ
115 ταῦτα γίγνεσθαι, οὐχ ὅπως τοὺς αὐτοὺς χοροὺς κρίνωσιν
οἱ πολῖται, οὐδ᾽ ὅπως τοὺς αὐτοὺς αὐλητὰς ἐπαινῶσιν, οὐδ᾽
ὅπως τοὺς αὐτοὺς ποιητὰς αἱρῶνται, οὐδ᾽ ἵνα τοῖς αὐτοῖς
ἥδωνται, ἀλλ᾽ ἵνα τοῖς νόμοις πείθωνται. τούτοις γὰρ
τῶν πολιτῶν ἐμμενόντων, αἱ πόλεις ἰσχυρόταταί τε καὶ
120 εὐδαιμονέσταται γίγνονται· ἄνευ δὲ ὁμονοίας οὔτ᾽ ἂν πόλις

---

15. **Λυκοῦργον καταμεμάθηκας,
ὅτι** κτλ. : Lycurgus was the famous
lawgiver of Sparta ; he is usually as-
signed to the eighth century B.C., but
in reality nothing is known definitely
of his date.  As to his legislation,
Holm (*Hist. of Greece,* i. 177) be-
lieves that ' it is impossible to dis-
tinguish what belongs to Lycurgus,
what is early Doric, and what is due
to the times after Lycurgus.  Only
one point seems certain, that the
work of Lycurgus was the consoli-
dation of the supreme power of an

aristocratic warrior caste.' — **οὐδὲν
διάφορον** κτλ. : see on iii. 5. 15, and
*cf. σὺ δὲ οὔτε Λακεδαίμονα προῃροῦ
οὔτε Κρήτην, ἃς δὴ ἑκάστοτε φῂς εὐνο-
μεῖσθαι* Plato *Crito* 52 E. — **ἄριστα
διάγει** : " is most flourishing."

16. The thought of the passage
is, that harmony, which is considered
the greatest good of a state, is the
result of obedience to the laws. —
**τοὺς αὐτοὺς χοροὺς κρίνωσιν** : *decide
on the same choruses, sc.* as prize
winners.  So *αἱρῶνται* just below. —
**οὐδ᾽ ἵνα** : "and, in general, not that."

εὖ πολιτευθείη οὔτ᾽ οἶκος καλῶς οἰκηθείη. ἰδίᾳ δὲ πῶς 17
μὲν ἄν τις ἧττον ὑπὸ πόλεως ζημιοῖτο, πῶς δ᾽ ἂν μᾶλλον
τιμῷτο, ἢ εἰ τοῖς νόμοις πείθοιτο; πῶς δ᾽ ἂν ἧττον ἐν
τοῖς δικαστηρίοις ἡττῷτο ἢ πῶς ἂν μᾶλλον νικῴη; τίνι
125 δ᾽ ἄν τις μᾶλλον πιστεύσειε παρακαταθέσθαι ἢ χρήματα
ἢ υἱοὺς ἢ θυγατέρας; τίνα δ᾽ ἂν ἡ πόλις ὅλη ἀξιοπιστό-
τερον ἡγήσαιτο τοῦ νομίμου; παρὰ τίνος δ᾽ ἂν μᾶλλον
τῶν δικαίων τύχοιεν ἢ γονεῖς ἢ οἰκεῖοι ἢ οἰκέται ἢ φίλοι
ἢ πολῖται ἢ ξένοι; τίνι δ᾽ ἂν μᾶλλον πολέμιοι πιστεύ-
130 σειαν ἢ ἀνοχὰς ἢ σπονδὰς ἢ συνθήκας περὶ εἰρήνης; τίνι
δ᾽ ἂν μᾶλλον ἢ τῷ νομίμῳ σύμμαχοι ἐθέλοιεν γίγνεσθαι;
τῷ δ᾽ ἂν μᾶλλον οἱ σύμμαχοι πιστεύσειαν ἢ ἡγεμονίαν
ἢ φρουραρχίαν ἢ πόλεις; τίνα δ᾽ ἄν τις εὐεργετήσας
ὑπολάβοι χάριν κομιεῖσθαι μᾶλλον ἢ τὸν νόμιμον; ἢ
135 τίνα μᾶλλον ἄν τις εὐεργετήσειεν ἢ παρ᾽ οὗ χάριν ἀπο-
λήψεσθαι νομίζει; τῷ δ᾽ ἄν τις βούλοιτο μᾶλλον φίλος
εἶναι ἢ τῷ τοιούτῳ ἢ τῷ ἧττον ἐχθρός; τῷ δ᾽ ἄν τις ἧττον
πολεμήσειεν ἢ ᾧ μάλιστα μὲν φίλος εἶναι βούλοιτο,
ἥκιστα δ᾽ ἐχθρός, καὶ ᾧ πλεῖστοι μὲν φίλοι καὶ σύμμαχοι
140 βούλοιντο εἶναι, ἐλάχιστοι δ᾽ ἐχθροὶ καὶ πολέμιοι; ἐγὼ 18
μὲν οὖν, ὦ Ἱππία, τὸ αὐτὸ ἀποδείκνυμαι νόμιμόν τε καὶ
δίκαιον εἶναι, σὺ δ᾽ εἰ τἀναντία γιγνώσκεις, δίδασκε."
καὶ ὁ Ἱππίας, "Ἀλλὰ μὰ τὸν Δία," ἔφη, "ὦ Σώκρατες, οὔ
μοι δοκῶ τἀναντία γιγνώσκειν οἷς εἴρηκας περὶ τοῦ
145 δικαίου." "Ἀγράφους δέ τινας οἶσθα," ἔφη, "ὦ Ἱππία, 19

---

17. τίνι δ᾽ ἄν τις μᾶλλον πιστεύ-
σειε παρακαταθέσθαι : "to whom
would anybody more confidently in-
trust." — τῶν δικαίων : *their rights.*
— ἀνοχάς, σπονδάς, συνθήκας : cog-
nate accs., after the analogy of
πιστεύειν πίστιν. Cf. ταῦτα δὲ τίς ἂν

ἄλλῳ πιστεύσειεν ἢ θεῷ i. 1. 5. The
πιστεύσειαν below, however, is equiva-
lent to *intrust*, like πιστεύσειε above.
— τῷ : for the contr. form, see G.
416, 1; H. 277.
18. τὸ αὐτό : as in 12. — ἀποδεί-
κνυμαι : *affirm.*

νόμους;" "Τούς γ' ἐν πάσῃ," ἔφη, "χώρᾳ κατὰ ταὐτὰ
νομιζομένους." "Ἔχοις ἂν οὖν εἰπεῖν," ἔφη, "ὅτι οἱ
ἄνθρωποι αὐτοὺς ἔθεντο;" "Καὶ πῶς ἄν," ἔφη, "οἵ γε
οὔτε συνελθεῖν ἅπαντες ἂν δυνηθεῖεν οὔτε ὁμόφωνοί εἰσι;"
150 "Τίνας οὖν," ἔφη, "νομίζεις τεθεικέναι τοὺς νόμους τού-
τους;" "Ἐγὼ μέν," ἔφη, "θεοὺς οἶμαι τοὺς νόμους
τούτους τοῖς ἀνθρώποις θεῖναι· καὶ γὰρ παρὰ πᾶσιν ἀν-
θρώποις πρῶτον νομίζεται θεοὺς σέβειν." "Οὐκοῦν καὶ 20
γονέας τιμᾶν πανταχοῦ νομίζεται;" "Καὶ τοῦτο," ἔφη.
155 "Οὐκοῦν καὶ μήτε γονέας παισὶ μείγνυσθαι μήτε παῖδας
γονεῦσιν;" "Οὐκέτι μοι δοκεῖ," ἔφη, "ὦ Σώκρατες, οὗτος
θεοῦ νόμος εἶναι." "Τί δή;" ἔφη. "Ὅτι," ἔφη, "αἰσθά-
νομαί τινας παραβαίνοντας αὐτόν." "Καὶ γὰρ ἄλλα 21
πολλά," ἔφη, "παρανομοῦσιν· ἀλλὰ δίκην γέ τοι διδόασιν
160 οἱ παραβαίνοντες τοὺς ὑπὸ τῶν θεῶν κειμένους νόμους, ἣν
οὐδενὶ τρόπῳ δυνατὸν ἀνθρώπῳ διαφυγεῖν, ὥσπερ τοὺς
ὑπ' ἀνθρώπων κειμένους νόμους ἔνιοι παραβαίνοντες
διαφεύγουσι τὸ δίκην διδόναι, οἱ μὲν λανθάνοντες, οἱ δὲ
βιαζόμενοι." "Καὶ ποίαν," ἔφη, "δίκην, ὦ Σώκρατες, οὐ 22
165 δύνανται διαφεύγειν γονεῖς τε παισὶ καὶ παῖδες γονεῦσι
μειγνύμενοι;" "Τὴν μεγίστην, νὴ Δί'," ἔφη· "τί γὰρ ἂν

---

19. τούς γ' ἐν πάσῃ κτλ. : "you
mean those which in every land are
recognized as in force on the same
points." For νομιζομένους, see on i.
I. 1. — ἔθεντο : established for them-
selves. Note the force of the mid. as
contrasted with the act. τεθεικέναι
and θεῖναι following. — πῶς ἄν: sc. οἱ
ἄνθρωποι θεῖντο. — οὔτε ὁμόφωνοί εἰσι:
nor (granting that they could come
together) are they of one speech. — τοὺς
νόμους τούτους : obviously repeated
for emphasis. — νομίζεται: i.e. νόμος

ἐστίν. — σέβειν: 'the most general
expression for religious veneration'
(Classen), in prose a rare substitute for
σέβεσθαι. Cf. θεοὺς σέβοιεν Ages. i. 27.

20. οὐκέτι : as in iii. 4. 10.—οὗτος
(i.e. τὸ μὴ μείγνυσθαι) : attracted into
agreement with νόμος. H. 632 a. —
τί δή: how so, expresses surprise.

21. καὶ γάρ : as in 14. — γέ τοι:
assuredly. — κειμένους: equivalent
to τεθειμένους. — οἱ μέν, οἱ δέ : parti-
tive appos. with ἔνιοι. — λανθάνοντες·
by remaining undiscovered.

μεῖζον πάθοιεν ἄνθρωποι τεκνοποιούμενοι τοῦ κακῶς
τεκνοποιεῖσθαι;" "Πῶς οὖν," ἔφη, "κακῶς οὗτοι τεκνο-23
ποιοῦνται, οὕς γε οὐδὲν κωλύει ἀγαθοὺς αὐτοὺς ὄντας ἐξ
170 ἀγαθῶν παιδοποιεῖσθαι;" "Ὅτι νὴ Δί'," ἔφη, "οὐ μόνον
ἀγαθοὺς δεῖ τοὺς ἐξ ἀλλήλων παιδοποιουμένους εἶναι,
ἀλλὰ καὶ ἀκμάζοντας τοῖς σώμασιν· ἢ δοκεῖ σοι ὅμοια
τὰ σπέρματα εἶναι τὰ τῶν ἀκμαζόντων τοῖς τῶν μήπω
ἀκμαζόντων ἢ τῶν παρηκμακότων;" "Ἀλλά, μὰ Δί',"
175 ἔφη, "οὐκ εἰκὸς ὅμοια εἶναι." "Πότερα οὖν," ἔφη, "βελ-
τίω;" "Δῆλον ὅτι," ἔφη, "τὰ τῶν ἀκμαζόντων." "Τὰ
τῶν μὴ ἀκμαζόντων ἄρα οὐ σπουδαῖα." "Οὐκ εἰκὸς μὰ
Δί'," ἔφη. "Οὐκοῦν οὕτω γε οὐ δεῖ παιδοποιεῖσθαι."
"Οὐ γὰρ οὖν," ἔφη. "Οὐκοῦν οἵ γε οὕτω παιδοποιούμενοι
180 ὡς οὐ δεῖ παιδοποιοῦνται;" "Ἔμοιγε δοκεῖ," ἔφη. "Τίνες
οὖν ἄλλοι," ἔφη, "κακῶς ἂν παιδοποιοῖντο, εἴ γε μὴ οὗτοι;"
"Ὁμογνωμονῶ σοι," ἔφη, "καὶ τοῦτο." "Τί δέ; τοὺς εὖ24
ποιοῦντας ἀντευεργετεῖν οὐ πανταχοῦ νόμιμόν ἐστι;"
"Νόμιμον," ἔφη· "παραβαίνεται δὲ καὶ τοῦτο." "Οὐκοῦν
185 καὶ οἱ τοῦτο παραβαίνοντες δίκην διδόασι φίλων μὲν ἀγα-
θῶν ἔρημοι γιγνόμενοι, τοὺς δὲ μισοῦντας ἑαυτοὺς ἀναγ-
καζόμενοι διώκειν; ἢ οὐχ οἱ μὲν εὖ ποιοῦντες τοὺς
χρωμένους ἑαυτοῖς ἀγαθοὶ φίλοι εἰσίν, οἱ δὲ μὴ ἀντευεργε-
τοῦντες τοὺς τοιούτους διὰ μὲν τὴν ἀχαριστίαν μισοῦνται

---

22. **τοῦ κακῶς τεκνοποιεῖσθαι** :
*i.e.* producing imbecile or deformed
children.

23. **ὅτι νὴ Δία κτλ.** : Hugo
Grotius, the famous writer on inter-
national law, in his treatise *De jure
belli ac pacis* expresses surprise at
Socrates for condemning incestuous
marriages on the ground only of
disparity of age. But it has been
well observed (by Winans) that Soc-
rates is only attempting to set forth
the physiological reason for the fact
mentioned in 22. — **δῆλον ὅτι, ἔφη** :
as in iii. 7. 1. — **σπουδαῖα** : *vigorous*.
— **οὕτω** : *i.e.* by such intermarriages.
— **γὰρ οὖν** : see on iii. 3. 2.

24. **παραβαίνεται δέ** : without a
preceding *μέν*, a forcible opposition.
— **διώκειν** : *to seek the company of*,

190 ὑπ᾽ αὐτῶν, διὰ δὲ τὸ μάλιστα λυσιτελεῖν τοῖς τοιούτοις
χρῆσθαι τούτους μάλιστα διώκουσι;" "Νὴ τὸν Δί᾽, ὦ
Σώκρατες," ἔφη, "θεοῖς ταῦτα πάντα ἔοικε· τὸ γὰρ τοὺς
νόμους αὐτοὺς τοῖς παραβαίνουσι τὰς τιμωρίας ἔχειν βελ-
τίονος ἢ κατ᾽ ἄνθρωπον νομοθέτου δοκεῖ μοι εἶναι."
195 "Πότερον οὖν, ὦ Ἱππία, τοὺς θεοὺς ἡγῇ τὰ δίκαια νομο-25
θετεῖν ἢ ἄλλα τῶν δικαίων;" "Οὐκ ἄλλα μὰ Δί᾽," ἔφη·
"σχολῇ γὰρ ἂν ἄλλος γέ τις τὰ δίκαια νομοθετήσειεν, εἰ
μὴ θεός." "Καὶ τοῖς θεοῖς ἄρα, ὦ Ἱππία, τὸ αὐτὸ δίκαιόν
τε καὶ νόμιμον εἶναι ἀρέσκει."
200   Τοιαῦτα λέγων τε καὶ πράττων δικαιοτέρους ἐποίει τοὺς
πλησιάζοντας.

Ὡς δὲ καὶ πρακτικωτέρους ἐποίει τοὺς συνόντας ἑαυτῷ, 5
νῦν αὖ τοῦτο λέξω. νομίζων γὰρ ἐγκράτειαν ὑπάρχειν
ἀγαθὸν εἶναι τῷ μέλλοντι καλόν τι πράξειν, πρῶτον μὲν

---

as in ii. 8. 6. — **διὰ δὲ τὸ λυσιτελεῖν
κτλ.** : *yet on account of the special ad-
vantage of associating with such men,
they constantly seek their company.*
— **θεοῖς ταῦτα πάντα ἔοικε** : *all that
seems very much like gods,* by which
Hippias confirms what he has al-
ready (19) in general admitted. The
comparison is a condensed one
(*comparatio compendiaria*); *i.e.* with
the gods instead of with their works.
See on πρὸς τοὺς Ἀθηναίους iii. 5. 4,
and *cf.* ὁμοίαν ταῖς δούλαις εἶχε τὴν
ἐσθῆτα *Cyr.* v. 1. 4. — **τὸ τοὺς νόμους
τὰς τιμωρίας ἔχειν** : *the fact that the
laws carry with them their own pen-
alties.*

25. **ἄλλα τῶν δικαίων** : " some-
thing different from righteousness."
For the gen. of distinction, see on
ὁδοῦ ii. 3. 16. — **σχολῇ** : as in iii. 14.

3. — **καὶ τοῖς θεοῖς κτλ.** : correlative
to the thought of 18, which is here
taken up and extended. In 18, men
agree that τὸ αὐτὸ νόμιμόν τε καὶ
δίκαιόν ἐστι, and here the gods too
hold the same opinion. — **τοὺς πλησιά-
ζοντας** : *i.e.* not only Hippias, but
the circle of Socrates's friends, who
eagerly listened to this and similar
discussions.

**5.** *Closely connected with* εὐσέβεια
*and* δικαιοσύνη, *which should form the
foundations of human training, is*
ἐγκράτεια (self-mastery), *which alone
enables a man to keep a practical grasp
of life.   Self-mastery enables a man
not only to work successfully but also
to enjoy thoroughly all true pleasures.*

1. **ἐγκράτειαν ὑπάρχειν ἀγαθὸν
εἶναι** : *it was a good thing for self-con-
trol to belong to.*   **ἐγκράτειαν ὑπάρχειν**

αὐτὸς φανερὸς ἦν τοῖς συνοῦσιν ἠσκηκὼς αὐτὸν μάλιστα
5 πάντων ἀνθρώπων, ἔπειτα διαλεγόμενος προετρέπετο πάν-
των μάλιστα τοὺς συνόντας πρὸς ἐγκράτειαν. ἀεὶ μὲν 2
οὖν περὶ τῶν πρὸς ἀρετὴν χρησίμων αὐτός τε διετέλει
μεμνημένος καὶ τοὺς συνόντας πάντας ὑπομιμνήσκων·
οἶδα δέ ποτε αὐτὸν καὶ πρὸς Εὐθύδημον περὶ ἐγκρατείας
10 τοιάδε διαλεχθέντα· "Εἰπέ μοι," ἔφη, "ὦ Εὐθύδημε, ἆρα
καλὸν καὶ μεγαλεῖον νομίζεις εἶναι καὶ ἀνδρὶ καὶ πόλει
κτῆμα ἐλευθερίαν;" "Ὡς οἷόν τέ γε μάλιστα," ἔφη.
"Ὅστις οὖν ἄρχεται ὑπὸ τῶν διὰ τοῦ σώματος ἡδονῶν 3
καὶ διὰ ταύτας μὴ δύναται πράττειν τὰ βέλτιστα, νομί-
15 ζεις τοῦτον ἐλεύθερον εἶναι;" "Ἥκιστα," ἔφη. "Ἴσως
γὰρ ἐλευθέριον φαίνεταί σοι τὸ πράττειν τὰ βέλτιστα,
εἶτα τὸ ἔχειν τοὺς κωλύσοντας τὰ τοιαῦτα ποιεῖν ἀνελεύ-
θερον νομίζεις;" "Παντάπασί γε," ἔφη. "Παντάπασιν 4
ἄρα σοι δοκοῦσιν οἱ ἀκρατεῖς ἀνελεύθεροι εἶναι;" "Νὴ
20 τὸν Δί', εἰκότως." "Πότερα δέ σοι δοκοῦσιν οἱ ἀκρατεῖς
κωλύεσθαι μόνον τὰ κάλλιστα πράττειν, ἢ καὶ ἀναγκάζε-
σθαι τὰ αἴσχιστα ποιεῖν;" "Οὐδὲν ἧττον ἔμοιγ'," ἔφη,
"δοκοῦσι ταῦτα ἀναγκάζεσθαι ἢ ἐκεῖνα κωλύεσθαι."

---

is subj. of εἶναι. — μάλιστα πάντων :
*above all men*, belongs to the subj.,
while πάντων μάλιστα below is equiv-
alent to *above everything*, and is con-
nected with ἐγκράτειαν.

2. ἀεὶ μὲν οὖν κτλ. : "he both
himself always kept in mind the
things conducive to virtue." Const.
περί with μεμνημένος, and for the par-
ticiple with διατελέω, see on iv. 2. 4.
— κτῆμα ἐλευθερίαν : note the em-
phatic juxtaposition of this pred. and
subject. — οἷόν τέ γε : see on iv. 2. 11.
— μάλιστα : *sc.* καλὸν καὶ μεγαλεῖον.

3. τῶν διὰ τοῦ σώματος ἡδονῶν :
see on i. 5. 6. — ἥκιστα : "far from
it." — ἐλευθέριον : pred., *fitting a
freeman.* — εἶτα : see on ii. 2. 14. —
τοὺς κωλύσοντας : for τούς with the
fut. participle, see on τοὺς τάξοντας
iii. 4. 4. — ποιεῖν : for the inf. with
verbs of hindering, see on πορεύε-
σθαι i. 6. 6.

4. εἰκότως : *naturally.* — οὐδὲν
ἧττον ἤ : *just as much as.* — ταῦτα,
ἐκεῖνα : *sc.* ποιεῖν. But *cf.* τὰ κάκιστα
ἀναγκάζοντας in 5, and see on φροντί-
ζοντας i. 1. 11.

234    ΞΕΝΟΦΩΝΤΟΣ ΑΠΟΜΝΗΜΟΝΕΥΜΑΤΑ Δ. 5.

"Ποίους δέ τινας δεσπότας ἡγῇ τοὺς τὰ μὲν ἄριστα 5
25 κωλύοντας, τὰ δὲ κάκιστα ἀναγκάζοντας;"  "Ὡς δυνατὸν
νὴ Δί'," ἔφη, "κακίστους."  "Δουλείαν δὲ ποίαν κακίστην
νομίζεις εἶναι;"  "Ἐγὼ μέν," ἔφη, "τὴν παρὰ τοῖς κακί-
στοις δεσπόταις."  "Τὴν κακίστην ἄρα δουλείαν οἱ ἀκρα-
τεῖς δουλεύουσιν;"  "Ἔμοιγε δοκεῖ," ἔφη.  "Σοφίαν δὲ τὸ 6
30 μέγιστον ἀγαθὸν οὐ δοκεῖ σοι ἀπείργουσα τῶν ἀνθρώπων
ἡ ἀκρασία εἰς τοὐναντίον αὐτοὺς ἐμβάλλειν; ἢ οὐ δοκεῖ
σοι προσέχειν τε τοῖς ὠφελοῦσι καὶ καταμανθάνειν αὐτὰ
κωλύειν ἀφέλκουσα ἐπὶ τὰ ἡδέα καὶ πολλάκις αἰσθανο-
μένους τῶν ἀγαθῶν τε καὶ τῶν κακῶν ἐκπλήξασα ποιεῖν
35 τὸ χεῖρον ἀντὶ τοῦ βελτίονος αἱρεῖσθαι;"  "Γίγνεται
τοῦτ'," ἔφη.  "Σωφροσύνης δέ, ὦ Εὐθύδημε, τίνι ἂν φαῖ- 7
ημεν ἧττον ἢ τῷ ἀκρατεῖ προσήκειν; αὐτὰ γὰρ δήπου
τὰ ἐναντία σωφροσύνης καὶ ἀκρασίας ἔργα ἐστίν."
"Ὁμολογῶ καὶ τοῦτο," ἔφη.  "Τοῦ δ' ἐπιμελεῖσθαι
40 ὧν προσήκει οἴει τι κωλυτικώτερον εἶναι ἀκρασίας;"
"Οὔκουν ἔγωγε," ἔφη.  "Τοῦ δὲ ἀντὶ τῶν ὠφελούντων τὰ
βλάπτοντα προαιρεῖσθαι ποιοῦντος, καὶ τούτων μὲν ἐπιμε-
λεῖσθαι, ἐκείνων δὲ ἀμελεῖν πείθοντος, καὶ τοῖς σωφρονοῦσι

5. ποίους τινάς : see on τοιάδε τις i. 1. 1. — ἡγῇ : sc. εἶναι. — παρά : lit. with, at the house of; here (to follow Eng. idiom), under. — δουλείαν δουλεύουσιν : suffer slavery. For the cognate acc., see on ἀγῶνας ἐνίκων ii. 6. 26.
6. σοφίαν, τὸ μέγιστον ἀγαθόν : for the views of Socrates on the summum bonum, see Introd. § 19. — ἢ οὐ δοκεῖ σοι κτλ. : const. ἢ οὐ δοκεῖ σοι (ἡ ἀκρασία) κωλύειν καὶ ποιεῖν. — προσέχειν τοῖς ὠφελοῦσι : from attending to useful things. — αἰσθανο- μένους : even when they have a per-

ception. — ἐκπλήξασα : by bewildering them. Cf. ἐξίστησιν i. 3. 12.
7. σωφροσύνης τίνι ἧττον προσή- κειν : who has a less share of dis- cretion? For the gen. with verbs of sharing, see G. 1097, 2 ; H. 737. — αὐτὰ τὰ ἐναντία : pred., the direct op- posites (of each other). — τοῦ ἐπιμε- λεῖσθαι : objective gen. with κωλυ- τικώτερον. — ὧν προσήκει : "duties." — τοῦ ποιοῦντος, πείθοντος, ἀναγκά- ζοντος : for the participle used sub- stantively, see on τὸ κρατοῦν i. 2. 43. — τοῖς σωφρονοῦσι τὰ ἐναντία : the opposite of what prudent men do.

τὰ ἐναντία ποιεῖν ἀναγκάζοντος οἴει τι ἀνθρώπῳ κάκιον
45 εἶναι;" "Οὐδέν," ἔφη. "Οὐκοῦν τὴν ἐγκράτειαν τῶν 8
ἐναντίων ἢ τὴν ἀκρασίαν εἰκὸς τοῖς ἀνθρώποις αἰτίαν
εἶναι;" "Πάνυ μὲν οὖν," ἔφη. "Οὐκοῦν καὶ τῶν ἐναν-
τίων τὸ αἴτιον εἰκὸς ἄριστον εἶναι;" "Εἰκὸς γάρ," ἔφη.
"Ἔοικεν ἄρα," ἔφη, "ὦ Εὐθύδημε, ἄριστον ἀνθρώπῳ
50 ἐγκράτεια εἶναι;" "Εἰκότως γάρ," ἔφη, "ὦ Σώκρατες."
"Ἐκεῖνο δέ, ὦ Εὐθύδημε, ἤδη πώποτε ἐνεθυμήθης;" 9
"Ποῖον;" ἔφη. "Ὅτι καὶ ἐπὶ τὰ ἡδέα ἐφ᾽ ἅπερ μόνα
δοκεῖ ἡ ἀκρασία τοὺς ἀνθρώπους ἄγειν, αὐτὴ μὲν οὐ
δύναται ἄγειν, ἡ δ᾽ ἐγκράτεια πάντων μάλιστα ἥδεσθαι
55 ποιεῖ." "Πῶς;" ἔφη. "Ὥσπερ ἡ μὲν ἀκρασία οὐκ ἐῶσα
καρτερεῖν οὔτε λιμὸν οὔτε δίψος οὔτε ἀφροδισίων ἐπιθυ-
μίαν οὔτε ἀγρυπνίαν, δι᾽ ὧν μόνων ἔστιν ἡδέως μὲν
φαγεῖν τε καὶ πιεῖν καὶ ἀφροδισιάσαι, ἡδέως δ᾽ ἀναπαύ-
σασθαί τε καὶ κοιμηθῆναι, [καὶ] περιμείναντας καὶ ἀνα-
60 σχομένους ἕως ἂν ταῦτα ὡς ἔνι ἥδιστα γένηται, κωλύει
τοῖς ἀναγκαιοτάτοις τε καὶ συνεχεστάτοις ἀξιολόγως
ἥδεσθαι· ἡ δ᾽ ἐγκράτεια μόνη ποιοῦσα καρτερεῖν τὰ
εἰρημένα μόνη καὶ ἥδεσθαι ποιεῖ ἀξίως μνήμης ἐπὶ

For the condensed form of expres-
sion, see on θεοῖς ταῦτα πάντα ἔοικε
iv. 4. 24. — οἴει τι : the τί shows
that the preceding participles are
neuter.

8. οὐκοῦν κτλ. : const. οὐκοῦν
εἰκὸς (ἐστὶ) τὴν ἐγκράτειαν αἰτίαν εἶναι
τῶν ἐναντίων ἢ τὴν ἀκρασίαν. — τῶν
ἐναντίων ἢ : of the opposite of what.
— ἄριστον : for the gender, see on
χρησιμώτερον ii. 3. 1.

9. ὅτι καὶ ἐπὶ τὰ ἡδέα κτλ. : that
even to those pleasures to which alone
intemperance seems to lead men,
it really cannot lead them. ἀκρασία

is lack of self-control, the exact op-
posite of ἐγκράτεια.— πῶς : how so?—
ὥσπερ : inasmuch as. — ἔστιν : it is
possible. — περιμείναντας, ἀνασχομέ-
νους : circumstantial participles of
manner, explaining καρτερεῖν, and
belonging to its subj. (sc. ἀνθρώπους).
— ὡς ἔνι ἥδιστα : see on iii. 8. 4.
From οὐκ ἐῶσα to γένηται may be
regarded as a parenthesis explana-
tory of κωλύει. — τοῖς ἀναγκαιοτάτοις
τε καὶ συνεχεστάτοις : the most nat-
ural and most continuous pleasures.
— ἥδεσθαι ἀξίως μνήμης : to have
any pleasure worth recalling.

τοῖς εἰρημένοις." "Παντάπασιν," ἔφη, "ἀληθῆ λέγεις."
65 "Ἀλλὰ μὴν τοῦ μαθεῖν τι καλὸν καὶ ἀγαθὸν καὶ τοῦ ἐπι- 10
μεληθῆναι τῶν τοιούτων τινὸς δι᾽ ὧν ἄν τις καὶ τὸ ἑαυτοῦ
σῶμα καλῶς διοικήσειε καὶ τὸν ἑαυτοῦ οἶκον καλῶς οἰκο-
νομήσειε καὶ φίλοις καὶ πόλει ὠφέλιμος γένοιτο καὶ
ἐχθροὺς κρατήσειεν, ἀφ᾽ ὧν οὐ μόνον ὠφέλειαι, ἀλλὰ καὶ
70 ἡδοναὶ μέγισται γίγνονται, οἱ μὲν ἐγκρατεῖς ἀπολαύουσι
πράττοντες αὐτά, οἱ δ᾽ ἀκρατεῖς οὐδενὸς μετέχουσι. τῷ
γὰρ ἂν ἧττον φήσαιμεν τῶν τοιούτων προσήκειν ἢ ᾧ
ἥκιστα ἔξεστι ταῦτα πράττειν, κατεχομένῳ ἐπὶ τῷ σπου-
δάζειν περὶ τὰς ἐγγυτάτω ἡδονάς;" καὶ ὁ Εὐθύδημος, 11
75 "Δοκεῖς μοι," ἔφη, "ὦ Σώκρατες, λέγειν ὡς ἀνδρὶ ἥττονι
τῶν διὰ τοῦ σώματος ἡδονῶν πάμπαν οὐδεμιᾶς ἀρετῆς
προσήκει." "Τί γὰρ διαφέρει," ἔφη, "ὦ Εὐθύδημε, ἄνθρω-
πος ἀκρατὴς θηρίου τοῦ ἀμαθεστάτου; ὅστις γὰρ τὰ
μὲν κράτιστα μὴ σκοπεῖ, τὰ ἥδιστα δ᾽ ἐκ παντὸς τρόπου
80 ζητεῖ ποιεῖν, τί ἂν διαφέροι τῶν ἀφρονεστάτων βοσκημά-
των; ἀλλὰ τοῖς ἐγκρατέσι μόνοις ἔξεστι σκοπεῖν τὰ κρά-
τιστα τῶν πραγμάτων, καὶ λόγῳ καὶ ἔργῳ διαλέγοντας
κατὰ γένη τὰ μὲν ἀγαθὰ προαιρεῖσθαι, τῶν δὲ κακῶν ἀπέ-
χεσθαι." καὶ οὕτως ἔφη ἀρίστους τε καὶ εὐδαιμονεστά- 12
85 τους ἄνδρας γίγνεσθαι καὶ διαλέγεσθαι δυνατωτάτους.
ἔφη δὲ καὶ τὸ διαλέγεσθαι ὀνομασθῆναι ἐκ τοῦ συνιόντας

---

10. **ἀλλὰ μήν** : see on i. 1. 6. —
**τοῦ μαθεῖν, τοῦ ἐπιμελεηθῆναι** : gens. of
source with ἀπολαύουσι. G. 1130 ;
H. 750. — **πράττοντες αὐτά** : "in the
very act of practicing them" (sc. τὸ
μαθεῖν καὶ τὸ ἐπιμελεῖσθαι). — **προσή-
κειν** : as in 7. — **κατεχομένῳ ἐπὶ τῷ
σπουδάζειν περί** : "wholly occupied
in the pursuit of." — **τὰς ἐγγυτάτω
ἡδονάς** : i.e. pleasures of the moment.

*Cf.* αἱ ἐκ τοῦ παραχρῆμα ἡδοναί ii. 1. 20.

11. **ἥττονι τῶν ἡδονῶν** : *under sub-
jection to the pleasures. Cf.* ἥττω
γαστρὸς i. 5. 1. — **τί γάρ** : (sc. quite
right,) *for in what respect.* — **ἀλλά** :
atqui.

12. **οὕτως** : *i.e.* by self-control,
and that discretion which carefully
distinguishes the good from the bad,
and cherishes it. — **διαλέγεσθαι**,

κοινῇ βουλεύεσθαι διαλέγοντας κατὰ γένη τὰ πράγματα·
δεῖν οὖν πειρᾶσθαι ὅτι μάλιστα πρὸς τοῦτο ἑαυτὸν ἕτοιμον
παρασκευάζειν καὶ τούτου μάλιστα ἐπιμελεῖσθαι· ἐκ τού-
90 του γὰρ γίγνεσθαι ἄνδρας ἀρίστους τε καὶ ἡγεμονικωτά-
τους καὶ διαλεκτικωτάτους.

Ὡς δὲ καὶ διαλεκτικωτέρους ἐποίει τοὺς συνόντας, 6
πειράσομαι καὶ τοῦτο λέγειν. Σωκράτης γὰρ τοὺς μὲν
εἰδότας τί ἕκαστον εἴη τῶν ὄντων ἐνόμιζε καὶ τοῖς ἄλλοις
ἂν ἐξηγεῖσθαι δύνασθαι, τοὺς δὲ μὴ εἰδότας οὐδὲν ἔφη
5 θαυμαστὸν εἶναι αὐτούς τε σφάλλεσθαι καὶ ἄλλους σφάλ-
λειν· ὧν ἕνεκα σκοπῶν σὺν τοῖς συνοῦσι τί ἕκαστον εἴη
τῶν ὄντων οὐδέποτ' ἔληγε. πάντα μὲν οὖν ᾗ διωρίζετο
πολὺ ἔργον ἂν εἴη διεξελθεῖν, ἐν ὅσοις δὲ τὸν τρόπον τῆς
ἐπισκέψεως δηλώσειν οἶμαι, τοσαῦτα λέξω. πρῶτον δὲ 2
10 περὶ εὐσεβείας ὧδέ πως ἐσκόπει· "Εἰπέ μοι," ἔφη, "ὦ
Εὐθύδημε, ποῖόν τι νομίζεις εὐσέβειαν εἶναι;" καὶ ὅς,
"Κάλλιστον, νὴ Δί'," ἔφη. "Ἔχεις οὖν εἰπεῖν ὁποῖός τις ὁ

---

**διαλέγοντας**: in the act. form, this verb
means *to pick out, select*; διαλέγεσθαι
is *to converse*, then, specifically, "to
arrive at truth by discussion." For
the lofty estimate placed on 'dialec-
tic' by Plato, *cf.* ἆρ' οὖν δοκεῖ σοι, ἔφην
ἐγώ, ὥσπερ θριγκὸς (*a coping stone*)
τοῖς μαθήμασιν ἡ διαλεκτικὴ ἡμῖν ἐπάνω
κεῖσθαι, καὶ οὐκέτ' ἄλλο τούτου μάθημα
ἀνωτέρω ὀρθῶς ἂν ἐπιτίθεσθαι, ἀλλ'
ἔχειν ἤδη τέλος τὰ τῶν μαθημάτων;
Ἐμοιγ', ἔφη *Rep.* 534 Ε.

**6.** *An exposition of the Socratic
method of discussion, the aim of
which was always to arrive at the real
essence of things through an accu-
rate analysis of concepts. Xenophon
gives his definition of the following:*
εὐσέβεια (*piety*), δικαιοσύνη (*righteous-*

*ness*), σοφία (*wisdom*), τὸ ἀγαθόν and
τὸ καλόν (*the good and the beautiful*),
ἀνδρεία (*manliness*), βασιλεία (*royalty*),
τυραννίς (*autocracy*), ἀριστοκρατία (*ar-
istocracy*), πλουτοκρατία (*plutocracy*),
δημοκρατία (*democracy*). *In case of
contradiction, Socrates knew how to
bring the question back to the funda-
mental conception of the point at
issue; and based his discussion on
generally recognized truths.*

1. **διαλεκτικωτέρους**: see on iv.
5. 12. — **ὧν ἕνεκα**: *wherefore.* — **σκο-
πῶν**: supplementary participle with
ἔληγε. — **διωρίζετο**: *cf.* ὁρίσατε i. 2.
35. — **τὸν τρόπον**: *his method.*

2. **ὧδέ πως, ποῖόν τι**: see on
τοιάδε τις i. 1. 1. — **καὶ ὅς**: for the rel.
as dem., see on i. 4. 3.

εὐσεβής ἐστιν;" "Ἐμοὶ μὲν δοκεῖ," ἔφη, "ὁ τοὺς θεοὺς
τιμῶν." "Ἔξεστι δὲ ὃν ἄν τις βούληται τρόπον τοὺς
15 θεοὺς τιμᾶν;" "Οὔκ, ἀλλὰ νόμοι εἰσὶ καθ᾽ οὓς δεῖ τοῦτο
ποιεῖν." "Οὐκοῦν ὁ τοὺς νόμους τούτους εἰδὼς εἰδείη ἂν 3
ὡς δεῖ τοὺς θεοὺς τιμᾶν;" "Οἶμαι ἔγωγ᾽," ἔφη. "Ἆρ᾽
οὖν ὁ εἰδὼς ὡς δεῖ τοὺς θεοὺς τιμᾶν οὐκ ἄλλως οἴεται
δεῖν τοῦτο ποιεῖν ἢ ὡς οἶδεν;" "Οὐ γὰρ οὖν," ἔφη.
20 "Ἄλλως δέ τις θεοὺς τιμᾷ ἢ ὡς οἴεται δεῖν;" "Οὐκ
οἶμαι," ἔφη. "Ὁ ἄρα τὰ περὶ τοὺς θεοὺς νόμιμα εἰδὼς 4
νομίμως ἂν τοὺς θεοὺς τιμῴη;" "Πάνυ μὲν οὖν." "Οὐκ-
οῦν ὅ γε νομίμως τιμῶν ὡς δεῖ τιμᾷ;" "Πῶς γὰρ οὔ;"
"Ὁ δέ γε ὡς δεῖ τιμῶν εὐσεβής ἐστι;" "Πάνυ μὲν οὖν,"
25 ἔφη. "Ὁ ἄρα τὰ περὶ τοὺς θεοὺς νόμιμα εἰδὼς ὀρθῶς ἂν
ἡμῖν εὐσεβὴς ὡρισμένος εἴη;" "Ἐμοὶ γοῦν," ἔφη, "δοκεῖ."
"Ἀνθρώποις δὲ ἆρα ἔξεστιν ὃν ἄν τις τρόπον βούλη- 5
ται χρῆσθαι;" "Οὔκ, ἀλλὰ καὶ περὶ τούτους [ὁ εἰδὼς ἅ]
ἐστι νόμιμα, καθ᾽ ἃ δεῖ ἀλλήλοις χρῆσθαι[, νόμιμος ἂν
30 εἴη]." "Οὐκοῦν οἱ κατὰ ταῦτα χρώμενοι ἀλλήλοις ὡς
δεῖ χρῶνται;" "Πῶς γὰρ οὔ;" "Οὐκοῦν οἵ γε ὡς δεῖ
χρώμενοι καλῶς χρῶνται;" "Πάνυ μὲν οὖν," ἔφη.
"Οὐκοῦν οἵ γε τοῖς ἀνθρώποις καλῶς χρώμενοι καλῶς
πράττουσι τἀνθρώπεια πράγματα;" "Εἰκός γ᾽," ἔφη.
35 ["Οὐκοῦν οἱ τοῖς νόμοις πειθόμενοι δίκαια οὗτοι ποιοῦσι;"
"Πάνυ μὲν οὖν," ἔφη.] "Δίκαια δὲ οἶσθα," ἔφη, "ὁποῖα 6
καλεῖται;" "Ἃ οἱ νόμοι κελεύουσιν," ἔφη. "Οἱ ἄρα
ποιοῦντες ἃ οἱ νόμοι κελεύουσι δίκαιά τε ποιοῦσι καὶ ἃ

---

3. οὐ γὰρ οὖν : see on iv. 4. 23.

4. τὰ νόμιμα : "what is required
by the law." — ἡμῖν : as in iv. 2. 14.

5. ἀνθρώποις : placed first, as
being the contrast word between
this question and the one at the end
of 2. — ἀλλήλοις χρῆσθαι : "to act
towards one another." — In this and
the following section, we see again
Socrates's assumption that he who
knows the right will do it. See on
iv. 2. 20.

δεῖ;"  "Πῶς γὰρ οὔ;"  "Οὐκοῦν οἵ γε τὰ δίκαια ποιοῦν-
40 τες δίκαιοί εἰσιν;"  "Οἶμαι ἔγωγ'," ἔφη.  "Οἴει οὖν τινας
πείθεσθαι τοῖς νόμοις μὴ εἰδότας ἃ οἱ νόμοι κελεύουσιν;"
"Οὐκ ἔγωγ'," ἔφη.  "Εἰδότας δὲ ἃ δεῖ ποιεῖν οἴει τινὰς
οἴεσθαι δεῖν μὴ ποιεῖν ταῦτα;"  "Οὐκ οἶμαι," ἔφη.
"Οἶδας δέ τινας ἄλλα ποιοῦντας ἢ ἃ οἴονται δεῖν;"
45 "Οὐκ ἔγωγ'," ἔφη.  "Οἱ ἄρα τὰ περὶ ἀνθρώπους νόμιμα
εἰδότες οὗτοι τὰ δίκαια ποιοῦσιν;"  "Πάνυ μὲν οὖν," ἔφη.
"Οὐκοῦν οἵ γε τὰ δίκαια ποιοῦντες δίκαιοί εἰσι;"  "Τίνες
γὰρ ἄλλοι;" ἔφη.  "Ὀρθῶς ἂν ποτε ἄρα ὁριζοίμεθα
ὁριζόμενοι δικαίους εἶναι τοὺς εἰδότας τὰ περὶ ἀνθρώπους
50 νόμιμα;"  "Ἔμοιγε δοκεῖ," ἔφη.

"Σοφίαν δὲ τί ἂν φήσαιμεν εἶναι; εἰπέ μοι, πότερά 7
σοι δοκοῦσιν οἱ σοφοὶ ἃ ἐπίστανται ταῦτα σοφοὶ εἶναι,
ἢ εἰσί τινες ἃ μὴ ἐπίστανται σοφοί;"  "Ἃ ἐπίστανται,
δῆλον ὅτι," ἔφη· "πῶς γὰρ ἄν τις ἅ γε μὴ ἐπίσταιτο,
55 ταῦτα σοφὸς εἴη;"  "Ἆρ' οὖν οἱ σοφοὶ ἐπιστήμῃ σοφοί
εἰσι;"  "Τίνι γὰρ ἄν," ἔφη, "ἄλλῳ τις εἴη σοφός, εἴ γε
μὴ ἐπιστήμῃ;"  "Ἄλλο δέ τι σοφίαν οἴει εἶναι ἢ ᾧ σοφοί
εἰσιν;"  "Οὐκ ἔγωγε."  "Ἐπιστήμη ἄρα σοφία ἐστίν;"
"Ἔμοιγε δοκεῖ."  "Ἆρ' οὖν δοκεῖ σοι ἀνθρώπῳ δυνατὸν
60 εἶναι τὰ ὄντα πάντα ἐπίστασθαι;"  "Οὐδὲ μὰ Δί' ἔμοιγε
πολλοστὸν μέρος αὐτῶν."  "Πάντα μὲν ἄρα σοφὸν οὐχ

---

6. **οἶδας**: *cf.* οἴδασιν *Oec.* xx. 14,
οἴδαμεν *An.* ii. 4. 6, Ionic forms rare
in Attic. *Cf.* εἶπα ii. 2. 8.  Xeno-
phon's use of these forms may be
explained by his long residence
among non-Attic Greeks. — **ὀρθῶς
κτλ.** : *cf.* the conclusion reached in 4.
— **ποτέ** : "finally," after this long dis-
cussion.  *Cf.* μόγις οὖν ποτε ἡμῖν ἄνθρω-
πος ἀνέῳξε τὴν θύραν Plato *Prot.* 314 E.

7. **σοφίαν** : see on i. 2. 23. — **ἃ
ἐπίστανται, ταῦτα** : *in regard to these
things which they know.* — **ἢ ᾧ σοφοί
εἰσιν** : *than that by which they* (*sc.*
ἄνθρωποι, implied by the previous τὶς)
*are wise.* — **τὰ ὄντα πάντα ἐπίστα-
σθαι** : *cf.* Lord Bacon's saying that
he had 'taken all knowledge for his
province.' — **οὐδὲ πολλοστόν** : see on
iii. 1. 6.

οἷόν τε ἄνθρωπον εἶναι;"   "Μὰ Δί᾽ οὐ δῆτα," ἔφη.   "Ὃ
ἄρα ἐπίσταται ἕκαστος, τοῦτο καὶ σοφός ἐστιν;"
"Ἔμοιγε δοκεῖ."

65   "Ἆρ᾽ οὖν, ὦ Εὐθύδημε, καὶ τἀγαθὸν οὕτω ζητητέον  8
ἐστί;"   "Πῶς;" ἔφη.   "Δοκεῖ σοι τὸ αὐτὸ πᾶσιν ὠφέ-
λιμον εἶναι;"   "Οὐκ ἔμοιγε."   "Τί δέ; τὸ ἄλλῳ ὠφέλι-
μον οὐ δοκεῖ σοι ἐνίοτε ἄλλῳ βλαβερὸν εἶναι;"   "Καὶ
μάλα," ἔφη.   "Ἄλλο δ᾽ ἄν τι φαίης ἀγαθὸν εἶναι ἢ
70 τὸ ὠφέλιμον;"   "Οὐκ ἔγωγ᾽," ἔφη.   "Τὸ ἄρα ὠφέλιμον
ἀγαθόν ἐστιν ὅτῳ ἂν ὠφέλιμον ᾖ;"   "Δοκεῖ μοι," ἔφη.

"Τὸ δὲ καλὸν ἔχοις ἄν πως ἄλλως εἰπεῖν τί ἐστιν; ἢ  9
ὀνομάζεις καλὸν ἢ σῶμα ἢ σκεῦος ἢ ἄλλ᾽ ὁτιοῦν, ὃ οἶσθα
πρὸς πάντα καλὸν ὄν;"   "Μὰ Δί᾽ οὐκ ἔγωγ᾽," ἔφη.
75 "Ἆρ᾽ οὖν πρὸς ὃ ἂν ἕκαστον χρήσιμον ᾖ, πρὸς τοῦτο
ἑκάστῳ καλῶς ἔχει χρῆσθαι;"   "Πάνυ μὲν οὖν," ἔφη.
"Καλὸν δὲ πρὸς ἄλλο τί ἐστιν ἕκαστον ἢ πρὸς ὃ ἑκάστῳ
καλῶς ἔχει χρῆσθαι;"   "Οὐδὲ πρὸς ἓν ἄλλο," ἔφη.   "Τὸ
χρήσιμον ἄρα καλόν ἐστι πρὸς ὃ ἂν ᾖ χρήσιμον;"
80 "Ἔμοιγε δοκεῖ," ἔφη.

"Ἀνδρείαν δέ, ὦ Εὐθύδημε, ἆρα τῶν καλῶν νομίζεις 10
εἶναι;"   "Κάλλιστον μὲν οὖν ἔγωγ᾽," ἔφη.   "Χρήσιμον

---

8. **οὕτω**: *i.e.* so that τὸ ἀγαθόν,
like σοφός, will prove to be a term
of relative application. — **τὸ ἄλλῳ
ὠφέλιμον** (*sc.* ὄν) κτλ. : "one man's
meat is another man's poison." The
'good' of which Socrates here speaks
must be understood as practical ad-
vantage, not as the highest ideal good.

9. **ἄλλως**: *otherwise, sc.* than as
τὸ ἀγαθόν was defined in 8, *i.e.* rela-
tively. — **ἤ**: "or possibly." — **πρὸς
τοῦτο ἑκάστῳ καλῶς ἔχει χρῆσθαι** : *it
is well to use each thing to that end*
(for which it is useful).

10. **ἀνδρείαν** : see on i. 1. 16 ; iii.
9. 1.   Plato discusses the term
ἀνδρεία in his *Protagoras* and *Laches*,
Socrates being the chief speaker, as
here, and the line of argument being
the same.   *Cf.* ταύτην (τὴν ἀνδρείαν
φημὶ εἶναι) ἔγωγε τὴν τῶν δεινῶν καὶ
θαρραλέων ἐπιστήμην καὶ ἐν πολέμῳ καὶ
ἐν τοῖς ἄλλοις ἅπασιν *Laches* 195 A,
a definition given as by Nicias,
but claimed by him to proceed
from Socrates. — **μὲν οὖν** : "much
rather."

ἆρα οὐ πρὸς τὰ ἐλάχιστα νομίζεις τὴν ἀνδρείαν;" "Νὴ
Δί'," ἔφη, "πρὸς τὰ μέγιστα μὲν οὖν." "Ἆρ' οὖν δοκεῖ
85 σοι πρὸς τὰ δεινά τε καὶ ἐπικίνδυνα χρήσιμον εἶναι τὸ
ἀγνοεῖν αὐτά;" "Ἥκιστά γ'," ἔφη. "Οἱ ἄρα μὴ φοβού-
μενοι τὰ τοιαῦτα διὰ τὸ μὴ εἰδέναι τί ἐστιν, οὐκ ἀνδρεῖοί
εἰσιν;" "Νὴ Δί'," ἔφη· "πολλοὶ γὰρ ἂν οὕτω γε τῶν τε
μαινομένων καὶ τῶν δειλῶν ἀνδρεῖοι εἶεν." "Τί δὲ οἱ καὶ
90 τὰ μὴ δεινὰ δεδοικότες;" "Ἔτι γε νὴ Δία," ἔφη, "ἧττον."
"Ἆρ' οὖν τοὺς μὲν ἀγαθοὺς πρὸς τὰ δεινὰ καὶ ἐπικίνδυνα
ὄντας ἀνδρείους ἡγῇ εἶναι, τοὺς δὲ κακοὺς δειλούς;"
"Πάνυ μὲν οὖν," ἔφη. "Ἀγαθοὺς δὲ πρὸς τὰ τοιαῦτα 11
νομίζεις ἄλλους τινὰς ἢ τοὺς δυναμένους αὐτοῖς καλῶς
95 χρῆσθαι;" "Οὔκ, ἀλλὰ τούτους," ἔφη. "Κακοὺς δὲ ἄρα
τοὺς οἵους τούτοις κακῶς χρῆσθαι;" "Τίνας γὰρ ἄλ-
λους;" ἔφη. "Ἆρ' οὖν ἕκαστοι χρῶνται ὡς οἴονται
δεῖν;" "Πῶς γὰρ ἄλλως;" ἔφη. "Ἆρα οὖν οἱ μὴ δυνά-
μενοι καλῶς χρῆσθαι ἴσασιν ὡς δεῖ χρῆσθαι;" "Οὐ
100 δήπου γε," ἔφη. "Οἱ ἄρα εἰδότες ὡς δεῖ χρῆσθαι, οὗτοι
καὶ δύνανται;" "Μόνοι γ'," ἔφη. "Τί δέ; οἱ μὴ διη-
μαρτηκότες ἆρα κακῶς χρῶνται τοῖς τοιούτοις;" "Οὐκ
οἴομαι," ἔφη. "Οἱ ἄρα κακῶς χρώμενοι διημαρτήκασιν;"
"Εἰκός γ'," ἔφη. "Οἱ μὲν ἄρα ἐπιστάμενοι τοῖς δεινοῖς τε
105 καὶ ἐπικινδύνοις καλῶς χρῆσθαι ἀνδρεῖοί εἰσιν, οἱ δὲ δια-
μαρτάνοντες τούτου δειλοί;" "Ἔμοιγε δοκοῦσιν," ἔφη.

— οὐ : belongs to πρὸς τὰ ἐλάχιστα,
hence the following νὴ Δία is assur-
edly. Similarly οὐκ with ἀνδρεῖοι in
line 87. —οἱ τὰ μὴ δεινὰ δεδοικότες :
cf. τοὺς μὲν οὐδὲ τὰ δεινὰ δεδιέναι, τοὺς
δὲ καὶ τὰ μὴ φοβερὰ φοβεῖσθαι i. 1.
14. — ἔτι ἧττον : sc. ἀνδρεῖοι. — κα-
κούς : sc. πρὸς τὰ δεινὰ καὶ ἐπικίνδυνα
ὄντας.

11. ἀλλά : "only." — οἵους χρῆ-
σθαι : equivalent to τοιούτους ὥστε
χρῆσθαι. See on i. 4. 6. — οὗτοι : as
in 6. — μόνοι : they only. — οἱ μὴ διη-
μαρτηκότες : who have made no fail-
ure. — οἱ διαμαρτάνοντες τούτου :
those who fail utterly of this. For
the gen. with verbs of missing, see
G. 1099 ; H. 748.

Βασιλείαν δὲ καὶ τυραννίδα ἀρχὰς μὲν ἀμφοτέρας 12
ἡγεῖτο εἶναι, διαφέρειν δὲ ἀλλήλων ἐνόμιζε. τὴν μὲν γὰρ
ἑκόντων τε τῶν ἀνθρώπων καὶ κατὰ νόμους τῶν πόλεων
110 ἀρχὴν βασιλείαν ἡγεῖτο, τὴν δὲ ἀκόντων τε καὶ μὴ κατὰ
νόμους, ἀλλ' ὅπως ὁ ἄρχων βούλοιτο, τυραννίδα. καὶ
ὅπου μὲν ἐκ τῶν τὰ νόμιμα ἐπιτελούντων αἱ ἀρχαὶ καθί-
στανται, ταύτην μὲν τὴν πολιτείαν ἀριστοκρατίαν ἐνόμιζεν
εἶναι, ὅπου δ' ἐκ τιμημάτων, πλουτοκρατίαν, ὅπου δ' ἐκ
115 πάντων, δημοκρατίαν.

Εἰ δέ τις αὐτῷ περί του ἀντιλέγοι μηδὲν ἔχων σαφὲς 13
λέγειν, ἀλλ' ἄνευ ἀποδείξεως ἤτοι σοφώτερον φάσκων
εἶναι ὃν αὐτὸς λέγοι ἢ πολιτικώτερον ἢ ἀνδρειότερον ἢ
ἄλλο τι τῶν τοιούτων, ἐπὶ τὴν ὑπόθεσιν ἐπανῆγεν ἂν
120 πάντα τὸν λόγον ὧδέ πως·  "Φῂς σὺ ἀμείνω πολίτην εἶναι 14
ὃν σὺ ἐπαινεῖς ἢ ὃν ἐγώ;"  "Φημὶ γὰρ οὖν."  "Τί οὖν
οὐκ ἐκεῖνο πρῶτον ἐπεσκεψάμεθα, τί ἐστιν ἔργον ἀγαθοῦ
πολίτου;"  "Ποιῶμεν τοῦτο."  "Οὐκοῦν ἐν μὲν χρημάτων
διοικήσει κρατοίη ἂν ὁ χρήμασιν εὐπορωτέραν τὴν πόλιν
125 ποιῶν;"  "Πάνυ μὲν οὖν," ἔφη.  "Ἐν δέ γε πολέμῳ ὁ
καθυπερτέραν τῶν ἀντιπάλων;"  "Πῶς γὰρ οὔ;"  "Ἐν

12. ἀρχάς : forms of government.
— ἀνθρώπων, πόλεων : objective gen.
with ἀρχήν. — κατὰ νόμους : cf. i. 2.
41 ff.; iv. 4. 13. — τῶν τὰ νόμιμα
ἐπιτελούντων : those who discharged
the obligations imposed by law, a very
different meaning from that involved
in the modern word 'aristocracy.'
— ἐκ τιμημάτων : on the basis of
property valuations.

13. ἤτοι, ἤ : see on iii. 12. 2. —
σοφώτερον (sc. τινὰ) εἶναι ὃν αὐτὸς
λέγοι : sc. ἢ ὃν Σωκράτης λέγοι. — ἐπὶ
τὴν ὑπόθεσιν : "to the fundamental

question," i.e. to the essential mean-
ing of the quality under discussion.—
ἐπανῆγεν ἄν : for the iterative indic.
with ἄν, see on ἔφη ἄν iv. 1. 2.—
ὧδέ πως : the narrative now passes
from general (περί του) to particular
cases.

14. φημὶ γὰρ οὖν : cf. ἔστι γὰρ
οὖν iii. 3. 2. — τί οὖν οὐκ ἐπεσκε-
ψάμεθα : for the tense, see on iii.
11. 15. — χρημάτων : "finances."
— κρατοίη (equivalent to κρείττων
εἴη) : with reference to ἀγαθοῦ πολί-
του. — καθυπερτέραν : sc. τὴν πόλιν

δὲ πρεσβείᾳ ἆρ' ὃς ἂν φίλους ἀντὶ πολεμίων παρα-
σκευάζῃ;" "Εἰκός γε." "Οὐκοῦν καὶ ἐν δημηγορίᾳ ὁ
στάσεις τε παύων καὶ ὁμόνοιαν ἐμποιῶν;" "Ἔμοιγε
130 δοκεῖ." οὕτω δὲ τῶν λόγων ἐπαναγομένων καὶ τοῖς ἀντι-
λέγουσιν αὐτοῖς φανερὸν ἐγίγνετο τἀληθές. ὁπότε δὲ 15
αὐτός τι τῷ λόγῳ διεξίοι, διὰ τῶν μάλιστα ὁμολογουμένων
ἐπορεύετο, νομίζων ταύτην τὴν ἀσφάλειαν εἶναι λόγου.
τοιγαροῦν πολὺ μάλιστα ὧν ἐγὼ οἶδα, ὅτε λέγοι, τοὺς
135 ἀκούοντας ὁμολογοῦντας παρεῖχεν· ἔφη δὲ καὶ Ὅμηρον
τῷ Ὀδυσσεῖ ἀναθεῖναι τὸ ἀσφαλῆ ῥήτορα εἶναι, ὡς ἱκανὸν
αὐτὸν ὄντα διὰ τῶν δοκούντων τοῖς ἀνθρώποις ἄγειν τοὺς
λόγους.

ποιῶν. — ἐπαναγομένων : sc. ἐπὶ τὴν
ὑπόθεσιν.
15. ὁπότε διεξίοι : for the mode,
see on διομολογήσαιτο i. 2. 57. — διὰ
τῶν μάλιστα ὁμολογουμένων ἐπο-
ρεύετο : "he proceeded from propo-
sitions generally admitted as true."
Cf. ἄρτι γὰρ δὴ καταμανθάνω, ᾗ με
ἐπηρώτησας ἕκαστα· ἄγων γάρ με δι' ὧν
ἐγὼ ἐπίσταμαι, ἀναπείθεις Oec. xix. 15.
— ταύτην τὴν ἀσφάλειαν εἶναι λόγου :
that this was the truly safe method of
reasoning. — τοιγαροῦν : and so it
was, that. Cf. the use of this par-
ticle in An. i. 9. — ὧν ἐγὼ οἶδα :
equivalent to τούτων οὓς οἶδα.
Ὅμηρον : cf. Hom. θ 171, where Odys-
seus, apparently describing himself,
says ὁ δ' ἀσφαλέως ἀγορεύει. Cf., also,
καὶ Ὅμηρος δ' εἶπε· ὁ δ' ἀσφαλέως ἀγο-
ρεύει· τῇ ἀποδείξει τῶν ὁμολογουμένων
ἀμφισβητούμενον λύειν δυνάμενος (being
able to solve a vexed problem by his
luminous statement of generally ad-
mitted propositions). τοῦτο καὶ Ξενοφῶν
καὶ Πλάτων λέγουσι περὶ Σωκράτους,

ὅτι διὰ τῶν ὁμολογουμένων ἐπορεύετο,
ἐπεὶ διδάσκειν ἐβούλετο Dionys. Hal.
de Arte Rhet. xi. 8. — ἀναθεῖναι τὸ
εἶναι : "conferred the title." — ὡς
ἱκανὸν ὄντα : we might expect ἱκανῷ
ὄντι, to agree with Ὀδυσσεῖ. The
acc. is due to the attraction of the
nearer ῥήτορα. — διὰ τῶν δοκούντων
τοῖς ἀνθρώποις : repeats διὰ τῶν ὁμο-
λογουμένων above.

7. Socrates also desired for his
friends an acquaintance with cer-
tain branches of practical knowledge;
but urged them to observe moderation
even in these. Geometry, astronomy,
and arithmetic are to be studied only
so far as they will subserve some use-
ful purpose in life; and we should
not be diverted by them from other
more needful things. Health should
always be carefully conserved. What-
ever cannot be solved by human in-
sight should be referred to the gods
for advice.

This chapter forms a sequel to
i. 1. 6–9.

Ὅτι μὲν οὖν ἁπλῶς τὴν ἑαυτοῦ γνώμην ἀπεφαίνετο 7
Σωκράτης πρὸς τοὺς ὁμιλοῦντας αὐτῷ, δοκεῖ μοι δῆλον ἐκ
τῶν εἰρημένων εἶναι, ὅτι δὲ καὶ αὐτάρκεις ἐν ταῖς προσ-
ηκούσαις πράξεσιν αὐτοὺς εἶναι ἐπεμελεῖτο, νῦν τοῦτο
5 λέξω. πάντων μὲν γὰρ ὧν ἐγὼ οἶδα μάλιστα ἔμελεν
αὐτῷ εἰδέναι ὅτου τις ἐπιστήμων εἴη τῶν συνόντων αὐτῷ·
ὧν δὲ προσήκει ἀνδρὶ καλῷ κἀγαθῷ εἰδέναι, ὅ τι μὲν αὐτὸς
εἰδείη, πάντων προθυμότατα ἐδίδασκεν, ὅτου δὲ αὐτὸς
ἀπειρότερος εἴη, πρὸς τοὺς ἐπισταμένους ἦγεν αὐτούς.
10 ἐδίδασκε δὲ καὶ μέχρι ὅτου δέοι ἔμπειρον εἶναι ἑκάστου 2
πράγματος τὸν ὀρθῶς πεπαιδευμένον· αὐτίκα γεωμετρίαν
μέχρι μὲν τούτου ἔφη δεῖν μανθάνειν, ἕως ἱκανός τις
γένοιτο, εἴ ποτε δεήσειε, γῆν μέτρῳ ὀρθῶς ἢ παραλαβεῖν
ἢ παραδοῦναι ἢ διανεῖμαι ἢ ἔργον ἀποδείξασθαι· οὕτω
15 δὲ τοῦτο ῥᾴδιον εἶναι μαθεῖν ὥστε τὸν προσέχοντα τὸν
νοῦν τῇ μετρήσει ἅμα τήν τε γῆν ὁπόση ἐστὶν εἰδέναι καὶ
ὡς μετρεῖται ἐπιστάμενον ἀπιέναι. τὸ δὲ μέχρι τῶν 3
δυσσυνέτων διαγραμμάτων γεωμετρίαν μανθάνειν ἀπεδο-
κίμαζεν. ὅ τι μὲν γὰρ ὠφελοίη ταῦτα, οὐκ ἔφη ὁρᾶν·
20 καίτοι οὐκ ἄπειρός γε αὐτῶν ἦν· ἔφη δὲ ταῦτα ἱκανὰ
εἶναι ἀνθρώπου βίον κατατρίβειν καὶ ἄλλων πολλῶν τε καὶ

---

1. **ὅτι μὲν οὖν ἁπλῶς** κτλ.: cf.
ἁπλούστατα ἐξηγεῖτο iv. 2. 40. —
**αὐτοὺς εἶναι ἐπεμελεῖτο**: "strove to
have them," a rare const. with
ἐπιμελέομαι, instead of ὅπως εἶεν or
ἔσονται, or τοῦ εἶναι. — **ὧν δὲ εἰδέναι**:
equivalent to τούτων δὲ ἃ εἰδέναι.
— **ἦγεν** (sc. περὶ τούτων): "in re-
gard to these matters he directed
them."

2. **μέχρι ὅτου**: quo usque. —
**αὐτίκα**: for example; a peculiar use
of the adv., perhaps a condensed

expression for αὐτίκα λέξω I will at
once mention. Cf. Plato Prot. 359
E; Rep. 420 c. — **ἔργον ἀποδείξασθαι**:
"to prove the correctness of a calcu-
lation in land surveying." — **ἀπιέναι**:
see on ποιῶν i. 2. 61. Cf. the Lat.
discedere victorem.

3. **δυσσυνέτων**: hard to compre-
hend. — **οὐκ ἄπειρός γε αὐτῶν ἦν**: see
on Θεόδωρος iv. 2. 10. In the Clouds,
Aristophanes represents geometry
as being taught in the school of Soc-
rates. — **ἱκανά**: "calculated."

ὠφελίμων μαθημάτων ἀποκωλύειν. ἐκέλευε δὲ καὶ ἀστρο- 4
λογίας ἐμπείρους γίγνεσθαι, καὶ ταύτης μέντοι μέχρι
τοῦ νυκτός τε ὥραν καὶ μηνὸς καὶ ἐνιαυτοῦ δύνασθαι
25 γιγνώσκειν ἕνεκα πορείας τε καὶ πλοῦ καὶ φυλακῆς, καὶ
ὅσα ἄλλα ἢ νυκτὸς ἢ μηνὸς ἢ ἐνιαυτοῦ πράττεται, πρὸς
ταῦτ' ἔχειν τεκμηρίοις χρῆσθαι, τὰς ὥρας τῶν εἰρημένων
διαγιγνώσκοντας. καὶ ταῦτα δὲ ῥᾴδια εἶναι μαθεῖν παρά
τε νυκτοθηρῶν καὶ κυβερνητῶν καὶ ἄλλων πολλῶν οἷς
30 ἐπιμελὲς ταῦτα εἰδέναι. τὸ δὲ μέχρι τούτου ἀστρονομίαν 5
μανθάνειν, μέχρι τοῦ καὶ τὰ μὴ ἐν τῇ αὐτῇ περιφορᾷ
ὄντα καὶ τοὺς πλάνητάς τε καὶ ἀσταθμήτους ἀστέρας
γνῶναι, καὶ τὰς ἀποστάσεις αὐτῶν ἀπὸ τῆς γῆς καὶ τὰς
περιόδους καὶ τὰς αἰτίας αὐτῶν ζητοῦντας κατατρίβεσθαι,
35 ἰσχυρῶς ἀπέτρεπεν. ὠφέλειαν μὲν γὰρ οὐδεμίαν οὐδ' ἐν
τούτοις ἔφη ὁρᾶν· καίτοι οὐδὲ τούτων γε ἀνήκοος ἦν.
ἔφη δὲ καὶ ταῦτα ἱκανὰ εἶναι κατατρίβειν ἀνθρώπου βίον
καὶ πολλῶν καὶ ὠφελίμων ἀποκωλύειν. ὅλως δὲ τῶν 6

---

4. ἀστρολογίας : does not differ
from ἀστρονομίας. Cf. iv. 2. 10. —
καὶ ταύτης μέντοι : and yet this
too (like geometry). — μέχρι τοῦ
δύνασθαι : so far as to be able.
— ὥραν : with νυκτός, equivalent
to hour ; with μηνός, equivalent to
day ; with ἐνιαυτοῦ, equivalent
to season or month. — νυκτός (with
πράττεται) : for the gen. of time,
see on ἀγορᾶς i. 1. 10. — τεκμηρίοις :
as signs, sc., as obj. of χρῆσθαι,
the observed facts of ἀστρολογία. —
τῶν εἰρημένων : i.e. νυκτός, μηνός,
ἐνιαυτοῦ.

5. τὸ μανθάνειν : obj. of ἀπέτρε-
πεν. — μέχρι τοῦ κτλ. : in appos. with
μέχρι τούτου, with emphatic repeti-
tion of the μέχρι. — καί (in line 31) :

even. — τὰ μὴ ἐν τῇ αὐτῇ περιφορᾷ :
i.e. planets, comets, etc., having
motions in a different plane from the
general apparent movement of the
stars ; cf. the 'cycle and epicycle,
orb in orb' of Raphael's speech to
Adam in Milton's Paradise Lost,
viii. 84. — πλάνητας : planets, lit.
wanderers. — ἀσταθμήτους ἀστέρας :
prob. comets, as having no apparent
fixed place. — ζητοῦντας κατατρίβε-
σθαι : to wear ourselves out investigat-
ing. For the supplementary partici-
ple, see G. 1580 ; H. 983. — ἰσχυρῶς
ἀπέτρεπεν : he strongly dissuaded
from. — οὐδὲ τούτων ἀνήκοος ἦν :
Archelaus, a pupil of Anaxagoras,
is said to have taught Socrates
astronomy. — ἱκανά : as in 3.

οὐρανίων, ᾗ ἕκαστα ὁ θεὸς μηχανᾶται, φροντιστὴν γίγνε-
40 σθαι ἀπέτρεπεν· οὔτε γὰρ εὑρετὰ ἀνθρώποις αὐτὰ ἐνόμιζεν
εἶναι οὔτε χαρίζεσθαι θεοῖς ἂν ἡγεῖτο τὸν ζητοῦντα ἃ
ἐκεῖνοι σαφηνίσαι οὐκ ἐβουλήθησαν.   κινδυνεῦσαι δ' ἂν
ἔφη καὶ παραφρονῆσαι τὸν ταῦτα μεριμνῶντα οὐδὲν ἧττον
ἢ 'Αναξαγόρας παρεφρόνησεν ὁ μέγιστον φρονήσας ἐπὶ
45 τῷ τὰς τῶν θεῶν μηχανὰς ἐξηγεῖσθαι.   ἐκεῖνος γὰρ λέγων  7
μὲν τὸ αὐτὸ εἶναι πῦρ τε καὶ ἥλιον ἠγνόει ὡς τὸ μὲν πῦρ
οἱ ἄνθρωποι ῥᾳδίως καθορῶσιν, εἰς δὲ τὸν ἥλιον οὐ
δύνανται ἀντιβλέπειν, καὶ ὑπὸ μὲν τοῦ ἡλίου καταλαμ-
πόμενοι τὰ χρώματα μελάντερα ἔχουσιν, ὑπὸ δὲ τοῦ πυρὸς
50 οὔ·   ἠγνόει δὲ καὶ ὅτι τῶν ἐκ τῆς γῆς φυομένων ἄνευ μὲν
ἡλίου αὐγῆς οὐδὲν δύναται καλῶς αὔξεσθαι, ὑπὸ δὲ τοῦ
πυρὸς θερμαινόμενα πάντα ἀπόλλυται·   φάσκων δὲ τὸν
ἥλιον λίθον διάπυρον εἶναι καὶ τοῦτο ἠγνόει, ὅτι λίθος
μὲν ἐν πυρὶ ὢν οὔτε λάμπει οὔτε πολὺν χρόνον ἀντέχει, ὁ
55 δὲ ἥλιος τὸν πάντα χρόνον πάντων λαμπρότατος ὢν δια-
μένει.   ἐκέλευε δὲ καὶ λογισμοὺς μανθάνειν·  καὶ τούτων  8
δὲ ὁμοίως τοῖς ἄλλοις ἐκέλευε φυλάττεσθαι τὴν μάταιον
πραγματείαν, μέχρι δὲ τοῦ ὠφελίμου πάντα καὶ αὐτὸς

---

6. **οὐρανίων** : objective gen. with
*φροντιστήν.*  Obs. the ' prolepsis.' —
**ὁ θεός** : but *θεοῖς* without the art.
just below. See on iv. 3. 13. —
**ταῦτα μεριμνῶντα** : see on *φροντί-
ζοντας τὰ τοιαῦτα* i. 1. 11. — **'Αναξα-
γόρας** : of Clazomĕnae, a contempo-
rary of Pericles (about 440 B.C.),
famous as a physical philosopher.
He taught that the sun was a mass
of incandescent matter and that the
moon was made of earth.   Accused of
impiety, he was banished and retired
to Lampsacus.  Cf. Plato *Apol.* 26 E,

where Socrates characterizes as
*ἄτοπα* these views of Anaxagoras.

7. **τὸ αὐτὸ εἶναι πῦρ τε καὶ ἥλιον** :
for *τε καί*, see on iii. 4. 3.  Cf. *οὗτος*
('Αναξαγόρας) *ἔλεγε τὸν ἥλιον μύδρον
εἶναι διάπυρον (was a glowing mass of
red-hot metal) καὶ μείζω τῆς Πελοποννή-
σου* Diog. Laert. ii. 8. — **ἠγνόει ὡς** :
*ignored the fact that.*

8. **λογισμούς**: *the art of reckon-
ing, i.e.* practical arithmetic. — **τού-
των** : objective gen. with *πραγματείαν.*
— **ὁμοίως τοῖς ἄλλοις** : *equally with
the other subjects.*

συνεσκόπει καὶ συνδιεξῄει τοῖς συνοῦσι. προέτρεπε δὲ 9
60 σφόδρα καὶ ὑγιείας ἐπιμελεῖσθαι τοὺς συνόντας, παρά τε
τῶν εἰδότων μανθάνοντας ὁπόσα ἐνδέχοιτο καὶ ἑαυτῷ ἕκα-
στον προσέχοντα διὰ παντὸς τοῦ βίου τί βρῶμα ἢ τί
πῶμα ἢ ποῖος πόνος συμφέροι αὐτῷ, καὶ πῶς τούτοις
χρώμενος ὑγιεινότατ' ἂν διάγοι· τοῦ γὰρ οὕτω προσέχον-
65 τος ἑαυτῷ ἔργον ἔφη εἶναι εὑρεῖν ἰατρὸν τὰ πρὸς ὑγί-
ειαν συμφέροντα αὐτῷ μᾶλλον διαγιγνώσκοντα [ἑαυτοῦ].
εἰ δέ τις μᾶλλον ἢ κατὰ τὴν ἀνθρωπίνην σοφίαν ὠφελεῖ- 10
σθαι βούλοιτο, συνεβούλευε μαντικῆς ἐπιμελεῖσθαι· τὸν
γὰρ εἰδότα δι' ὧν οἱ θεοὶ τοῖς ἀνθρώποις περὶ τῶν
70 πραγμάτων σημαίνουσιν, οὐδέποτ' ἔρημον ἔφη γίγνεσθαι
συμβουλῆς θεῶν.

9. μανθάνοντας : circumstantial participle of manner with ἐπιμελεῖσθαι τοὺς συνόντας. — ἐνδέχοιτο : *was possible.* — ἑαυτῷ ἕκαστον προσέχοντα : *each individual by observing his own case.* — τί βρῶμα κτλ. : objs. of μανθάνοντα understood. — τοῦ γὰρ οὕτω κτλ. : *for he said that it would be a difficult matter to find a physician who could tell better than a man that had thus attended to himself what was conducive to his health.* τοῦ προσέχοντος is gen. of comparison with μᾶλλον, and is placed at the beginning as involving the main question. For the thought, *cf.* Tiberius solitus erat eludere medicorum artes, atque eos qui post tricesimum aetatis annum ad internoscenda corpori suo utilia vel noxia alieni consilii indigerent (*availed themselves of*) Tacitus *Ann.* vi. 46.

10. σημαίνουσι : as in i. 1. 9. The thought serves as an introduction to the concluding chapter.

8. *Those who think that, because Socrates suffered the death penalty, his utterances as to the δαιμόνιον are thereby discredited, are in error. For Socrates did not, like them, regard death as an evil. With tranquillity and even cheerfulness he died a noble and happy death. That he himself was assured of this is shown in his conversation with Hermogenes. He refused to adopt the usual form of defense, regarding his life as his best defense; and moreover his δαιμόνιον warned him against an elaborate speech. He died at the right time, before age had impaired his powers of mind and body; and the reproach of his taking-off lies not on him, but on those who condemned him. All who knew him mourned him sorely; for in Socrates died the noblest and happiest of men.*

Εἰ δέ τις, ὅτι φάσκοντος αὐτοῦ τὸ δαιμόνιον ἑαυτῷ 8
προσημαίνειν ἅ τε δέοι καὶ ἃ μὴ δέοι ποιεῖν ὑπὸ τῶν
δικαστῶν κατεγνώσθη θάνατος, οἴεται αὐτὸν ἐλέγχεσθαι
περὶ τοῦ δαιμονίου ψευδόμενον, ἐννοησάτω πρῶτον μὲν
5 ὅτι οὕτως ἤδη τότε πόρρω τῆς ἡλικίας ἦν ὥστ᾽ εἰ καὶ μὴ
τότε, οὐκ ἂν πολλῷ ὕστερον τελευτῆσαι τὸν βίον, εἶτα
ὅτι τὸ μὲν ἀχθεινότατον τοῦ βίου καὶ ἐν ᾧ πάντες τὴν
διάνοιαν μειοῦνται ἀπέλιπεν, ἀντὶ δὲ τούτου τῆς ψυχῆς
τὴν ῥώμην ἐπιδειξάμενος εὔκλειαν προσεκτήσατο, τήν τε
10 δίκην πάντων ἀνθρώπων ἀληθέστατα καὶ ἐλευθεριώτατα
καὶ δικαιότατα εἰπὼν καὶ τὴν κατάγνωσιν τοῦ θανάτου
πρᾳότατα καὶ ἀνδρωδέστατα ἐνεγκών. ὁμολογεῖται γὰρ 2
οὐδένα πω τῶν μνημονευομένων ἀνθρώπων κάλλιον θάνα-
τον ἐνεγκεῖν. ἀνάγκη μὲν γὰρ ἐγένετο αὐτῷ μετὰ τὴν
15 κρίσιν τριάκοντα ἡμέρας βιῶναι διὰ τὸ Δήλια μὲν ἐκείνου
τοῦ μηνὸς εἶναι, τὸν δὲ νόμον μηδένα ἐᾶν δημοσίᾳ ἀπο-
θνήσκειν ἕως ἂν ἡ θεωρία ἐκ Δήλου ἐπανέλθῃ· καὶ τὸν
χρόνον τοῦτον ἅπασι τοῖς συνήθεσι φανερὸς ἐγένετο οὐδὲν

---

1. **ὅτι φάσκοντος αὐτοῦ, κατε-
γνώσθη θάνατος :** " because he
asserted, and then was condemned
to death."—**περὶ τοῦ δαιμονίου
ψευδόμενον** : inasmuch as, according
to his critics, he would have con-
ducted himself differently in regard
to appearing at his trial if the
δαιμόνιον had predicted his death
to him. — **ἀχθεινότατον** : a poetic
word. — **τὴν διάνοιαν μειοῦνται** : are
weakened in intellect. Socrates was
over seventy years of age ; cf.
νῦν ἐγὼ πρῶτον ἐπὶ δικαστήριον ἀνα-
βέβηκα, ἔτη γεγονὼς ἑβδομήκοντα Plato
Apol. 17 D. — **τὴν δίκην εἰπών** : by
pleading his case. δίκην is cognate

accusative. Plato's Apology is re-
garded as a fairly correct report of
the speech of Socrates before his
judges.

2. **Δήλια** : not to be confused
with the ὁ εἰς Δῆλον πεμπόμενος χορός
of iii. 3. 12, which was sent every
four years. The Δήλια here men-
tioned was a solemn embassy sent
annually to Delos with thank offer-
ings to Apollo, in commemoration of
the victory of Theseus over the
Minotaur, by which Athens was
freed from the terrible tribute of
seven youths and seven maidens.
Cf. Plato Phaedo 58 A. — **τὸν νόμον
ἐᾶν** : also governed by διά. —

ἀλλοιότερον διαβιοὺς ἢ τὸν ἔμπροσθεν χρόνον· καίτοι
20 τὸν ἔμπροσθέν γε πάντων ἀνθρώπων μάλιστα ἐθαυμάζετο
ἐπὶ τῷ εὐθύμως τε καὶ εὐκόλως ζῆν. καὶ πῶς ἄν τις κάλ- 3
λιον ἢ οὕτως ἀποθάνοι; ἢ ποῖος ἂν εἴη θάνατος καλλίων
ἢ ὃν κάλλιστά τις ἀποθάνοι; ποῖος δ' ἂν γένοιτο θάνα-
τος εὐδαιμονέστερος τοῦ καλλίστου; ἢ ποῖος θεοφιλέστε-
25 ρος τοῦ εὐδαιμονεστάτου; λέξω δὲ καὶ ἃ Ἑρμογένους τοῦ 4
Ἱππονίκου ἤκουσα περὶ αὐτοῦ. ἔφη γάρ, ἤδη Μελήτου
γεγραμμένου αὐτὸν τὴν γραφήν, αὐτὸς ἀκούων αὐτοῦ
πάντα μᾶλλον ἢ περὶ τῆς δίκης διαλεγομένου λέγειν αὐτῷ
ὡς χρὴ σκοπεῖν ὅ τι ἀπολογήσεται, τὸν δὲ τὸ μὲν πρῶτον
30 εἰπεῖν· "Οὐ γὰρ δοκῶ σοι τοῦτο μελετῶν διαβεβιωκέναι;"
ἐπεὶ δὲ αὐτὸν ἤρετο ὅπως, εἰπεῖν αὐτὸν ὅτι οὐδὲν ἄλλο
ποιῶν διαγεγένηται ἢ διασκοπῶν μὲν τά τε δίκαια καὶ τὰ
ἄδικα, πράττων δὲ τὰ δίκαια καὶ τῶν ἀδίκων ἀπεχόμενος,
ἥνπερ νομίζοι καλλίστην μελέτην ἀπολογίας εἶναι. αὐτὸς 5
35 δὲ πάλιν εἰπεῖν· "Οὐχ ὁρᾷς, ὦ Σώκρατες, ὅτι οἱ Ἀθήνησι
δικασταὶ πολλοὺς μὲν ἤδη μηδὲν ἀδικοῦντας λόγῳ πα-
ραχθέντες ἀπέκτειναν, πολλοὺς δὲ ἀδικοῦντας ἀπέλυσαν;"

---

διαβιούς : for second aors. of the -μι
form, see G. 799; H. 489, 14. — For
the demeanor of Socrates during the
last hours in his cell, see the conclud-
ing chapters of Plato's *Phaedo.*

3. οὕτως : *i.e.* εὐθύμως τε καὶ
εὐκόλως. — θεοφιλέστερος : the noble
and happy death of Socrates showed
that he was beloved of the gods; and
it does not follow from his death,
either that his δαιμόνιον deceived him,
or that what he had said of the
δαιμόνιον was false. *Cf.* Plato *Apol.*
40 A–C, 41 D.

4. Ἑρμογένους : see on ii. 10. 3.
— Μελήτου : see on i. 1. 1. — γε-
γραμμένου αὐτὸν τὸν γραφήν : for the
accs., see G. 1076 ; H. 725. — πάντα
μᾶλλον : see on ii. 4. 1. — λέγειν : its
subj. is the word with which αὐτός
agrees, attracted into the nom. under
the usual rule for indirect discourse. —
τοῦτο μελετῶν διαβεβιωκέναι : *to have
passed my whole life in the prepara-
tion of this* (my defense). — ποιῶν
διαγεγένηται : "that all his life he
had done," the participle containing
the main idea. — πράττων δίκαια,
ἀδίκων ἀπεχόμενος : obs. the 'chias-
mus.'

5. αὐτός, εἰπεῖν : *sc.* ἔφη, as in
4. — παραχθέντες : *persuaded.* —

"Ἀλλὰ νὴ τὸν Δία," φάναι αὐτόν, "ὦ Ἑρμόγενες, ἤδη μου
ἐπιχειροῦντος φροντίσαι τῆς πρὸς τοὺς δικαστὰς ἀπο-
40 λογίας ἠναντιώθη τὸ δαιμόνιον." καὶ αὐτὸς εἰπεῖν· 6
"Θαυμαστὰ λέγεις." τὸν δέ, "Θαυμάζεις," φάναι, "εἰ τῷ
θεῷ δοκεῖ βέλτιον εἶναι ἐμὲ τελευτᾶν τὸν βίον ἤδη; οὐκ
οἶσθ' ὅτι μέχρι μὲν τοῦδε τοῦ χρόνου ἐγὼ οὐδενὶ ἀνθρώ-
πων ὑφείμην ἂν οὔτε βέλτιον οὔθ' ἥδιον ἐμοῦ βεβιωκέναι;
45 ἄριστα μὲν γὰρ οἶμαι ζῆν τοὺς ἄριστα ἐπιμελομένους τοῦ
ὡς βελτίστους γίγνεσθαι, ἥδιστα δὲ τοὺς μάλιστα αἰσθα-
νομένους ὅτι βελτίους γίγνονται. ἃ ἐγὼ μέχρι τοῦδε τοῦ 7
χρόνου ᾐσθανόμην ἐμαυτῷ συμβαίνοντα, καὶ τοῖς ἄλλοις
ἀνθρώποις ἐντυγχάνων καὶ πρὸς τοὺς ἄλλους παραθεωρῶν
50 ἐμαυτὸν οὕτω διατετέλεκα περὶ ἐμαυτοῦ γιγνώσκων· καὶ
οὐ μόνον ἐγώ, ἀλλὰ καὶ οἱ ἐμοὶ φίλοι οὕτως ἔχοντες περὶ
ἐμοῦ διατελοῦσιν, οὐ διὰ τὸ φιλεῖν ἐμέ, καὶ γὰρ οἱ [τοὺς]
ἄλλους φιλοῦντες οὕτως ἂν εἶχον πρὸς τοὺς ἑαυτῶν φίλους,
ἀλλὰ διόπερ καὶ αὐτοὶ ἂν οἴονται ἐμοὶ συνόντες βέλτιστοι
55 γίγνεσθαι. εἰ δὲ βιώσομαι πλείω χρόνον, ἴσως ἀναγκαῖον 8
ἔσται τὰ τοῦ γήρως ἐπιτελεῖσθαι, καὶ ὁρᾶν τε καὶ ἀκούειν
ἧττον, καὶ διανοεῖσθαι χεῖρον, καὶ δυσμαθέστερον ἀπο-
βαίνειν καὶ ἐπιλησμονέστερον, καὶ ὧν πρότερον βελτίων
ἦν, τούτων χείρω γίγνεσθαι· ἀλλὰ μὴν ταῦτά γε μὴ

---

ἠναντιώθη τὸ δαιμόνιον: cf. καὶ δὶς
ἤδη ἐπιχειρήσαντός μου σκοπεῖν περὶ τῆς
ἀπολογίας, ἐναντιοῦταί μοι τὸ δαιμόνιον
Apol. 4. Cf. also Plato Apol. 31 D,
40 A, B.

6. ὑφείμην ἄν: I would concede.
— βεβιωκέναι (sc. αὐτόν): that he had
lived.

7. ἅ: equivalent to καὶ ταῦτα.
— πρὸς τοὺς ἄλλους: see on πρὸς
ἑαυτόν i. 2. 52. — παραθεωρῶν: like
παραβάλλων in 11. — οὕτω διατετέ-

ληκα γιγνώσκων: I have constantly
been of this mind. — οὕτως ἔχοντες
περὶ ἐμοῦ διατελοῦσιν: constantly
have this opinion of me. — οὐ διὰ
τὸ φιλεῖν ἐμέ: not because they love
me.

8. τὰ τοῦ γήρως ἐπιτελεῖσθαι: to
pay the debts of old age, i.e. to suffer
the weakening of sight, hearing, and
intellect. — ὁρᾶν, ἀκούειν, διανοεῖσθαι:
with their advs., in appos. with τὰ
τοῦ γήρως. — ἀποβαίνειν: to turn out,

60 αἰσθανομένῳ μὲν ἀβίωτος ἂν εἴη ὁ βίος, αἰσθανόμενον δὲ
πῶς οὐκ ἀνάγκη χεῖρόν τε καὶ ἀηδέστερον ζῆν; ἀλλὰ μὴν 9
εἴ γε ἀδίκως ἀποθανοῦμαι, τοῖς μὲν ἀδίκως ἐμὲ ἀποκτείνα-
σιν αἰσχρὸν ἂν εἴη τοῦτο· [εἰ γὰρ τὸ ἀδικεῖν αἰσχρόν
ἐστι, πῶς οὐκ αἰσχρὸν καὶ τὸ ἀδίκως ὁτιοῦν ποιεῖν;] ἐμοὶ
65 δὲ τί αἰσχρὸν τὸ ἑτέρους μὴ δύνασθαι περὶ ἐμοῦ τὰ δίκαια
μήτε γνῶναι μήτε ποιῆσαι; ὁρῶ δ' ἔγωγε καὶ τὴν δόξαν 10
τῶν προγεγονότων ἀνθρώπων ἐν τοῖς ἐπιγιγνομένοις οὐχ
ὁμοίαν καταλειπομένην τῶν τε ἀδικησάντων καὶ τῶν
ἀδικηθέντων· οἶδα δὲ ὅτι καὶ ἐγὼ ἐπιμελείας τεύξομαι ὑπ'
70 ἀνθρώπων, καὶ ἐὰν νῦν ἀποθάνω, οὐχ ὁμοίως τοῖς ἐμὲ
ἀποκτείνασιν· οἶδα γὰρ ἀεὶ μαρτυρήσεσθαί μοι ὅτι ἐγὼ
ἠδίκησα μὲν οὐδένα πώποτε ἀνθρώπων οὐδὲ χείρω ἐποίησα,
βελτίους δὲ ποιεῖν ἐπειρώμην ἀεὶ τοὺς ἐμοὶ συνόντας."
τοιαῦτα μὲν πρὸς Ἑρμογένην τε διελέχθη καὶ πρὸς τοὺς
75 ἄλλους.  τῶν δὲ Σωκράτην γιγνωσκόντων οἷος ἦν οἱ ἀρε- 11
τῆς ἐφιέμενοι πάντες ἔτι καὶ νῦν διατελοῦσι πάντων μά-
λιστα ποθοῦντες ἐκεῖνον, ὡς ὠφελιμώτατον ὄντα πρὸς
ἀρετῆς ἐπιμέλειαν.  ἐμοὶ μὲν δὴ τοιοῦτος ὢν οἷον ἐγὼ
διήγημαι, εὐσεβὴς μὲν οὕτως ὥστε μηδὲν ἄνευ τῆς τῶν

---

"to become." — **μὴ αἰσθανομένῳ
κτλ.** : the thought is "if I should
not notice it, that itself would be
a proof of dullness, and such a life
would be no life; and if I should
notice it, life would naturally lose its
joy."

9. **εἰ γὰρ τὸ ἀδικεῖν αἰσχρόν ἐστι
κτλ.** : the thought seems to be, that
a wrong act cannot successfully hide
behind the forms of law; but the
sent. is bracketed by some editt. as
meaningless.  On the section, *cf.*
*Apol. 26.*

10. **τῶν τε, καὶ τῶν** : see on **τὲ
καὶ** iii. 4. 3. — **ἐπιμελείας τεύξομαι
ὑπό** : *I shall enjoy consideration
from.* See on **ὑπό** iii. 4. 1.—**μαρτυρή-
σεσθαι** : mid. as passive. — **βελτίους
δὲ ποιεῖν τοὺς ἐμοὶ συνόντας** : con-
cludes and confirms the propositions
laid down in i. 3. 1 and iv. 1. 1, after
which the book comes to an end
with a brief recapitulation of the
contents of the entire work.

11. **Σωκράτην γιγνωσκόντων οἷος
ἦν** : for the 'prolepsis,' see on i. 2.
13. — **ἐμοὶ μὲν δή** : mihi quidem.

80 θεῶν γνώμης ποιεῖν, δίκαιος δὲ ὥστε βλάπτειν μὲν μηδὲ
μικρὸν μηδένα, ὠφελεῖν δὲ τὰ μέγιστα τοὺς χρωμένους
αὐτῷ, ἐγκρατὴς δὲ ὥστε μηδέποτε προαιρεῖσθαι τὸ ἥδιον
ἀντὶ τοῦ βελτίονος, φρόνιμος δὲ ὥστε μὴ διαμαρτάνειν
κρίνων τὰ βελτίω καὶ τὰ χείρω, μηδὲ ἄλλου προσδεῖσθαι,
85 ἀλλ᾽ αὐτάρκης εἶναι πρὸς τὴν τούτων γνῶσιν, ἱκανὸς δὲ
καὶ λόγῳ εἰπεῖν τε καὶ διορίσασθαι τὰ τοιαῦτα, ἱκανὸς δὲ
καὶ ἄλλους δοκιμάσαι τε καὶ ἁμαρτάνοντας ἐξελέγξαι καὶ
προτρέψασθαι ἐπ᾽ ἀρετὴν καὶ καλοκἀγαθίαν, ἐδόκει τοιοῦ-
τος εἶναι οἷος ἂν εἴη ἄριστός τε ἀνὴρ καὶ εὐδαιμονέστα-
90 τος.   εἰ δέ τῳ μὴ ἀρέσκει ταῦτα, παραβάλλων τὸ ἄλλων
ἦθος πρὸς ταῦτα οὕτω κρινέτω.

igitur. — ἄνευ γνώμης: cf. ἄνευ
τούτων (τῶν νόμων) μηδὲν πράττειν
πειρᾶσθε Hell. i. 7. 29. — τοὺς χρωμέ-
νους αὐτῷ: those who associated with

him. — ταῦτα: "this my description
of the character of Socrates." —
πρός: as in 7.

# APPENDIX

## A.  MANUSCRIPTS

The manuscripts of the *Memorabilia* have come down to us in a less satisfactory condition than that of the MSS. of the other major Xenophontine writings (*Anabasis*, *Hellenica*, and *Cyropaedia*).  They are sometimes divided by scholars into three classes, as follows:

I.  *Codex* A, *Parisinus* 1302.  Written on cotton paper, about 1278 A.D.  The oldest, and generally regarded as best; but unfortunately it contains only books i and ii.

II.  *Codex* B, *Parisinus* 1740.  Written on cotton paper, about the close of the 13th century.  (Schenkl regards this, in spite of its many arbitrary alterations, as of more authority than Parisinus A.)  With B the following MSS. agree more or less closely:

    *Codex Urbinas* 63, of the 14th century,

    *Codex Vaticanus* 1619, and

    *Codex Vaticanus* 1336 : both these latter of the 15th century.

III.  *Codex* C, *Parisinus* 1642, of the 15th century.

    *Codex Vaticanus* 1950, of the 14th century.

    *Codex Laurentianus* (in the library of San Lorenzo, Florence), written on parchment, of the 14th century.

    *Codex Urbinas* 93, of the 15th century.

Most of the other MSS. date from the 15th century and are of less importance than those mentioned above.

## B.  EDITIONS

### I.  Complete Editions of Xenophon

E. Boninus : Florence (P. Giunta), 1516.  The *Editio princeps*.

Andreas Asulanus : Venice (Aldus), 1525.

H. Stephanus : Paris, 1561 (2d ed., 1581).

Wells (1664–1727) : Leipzig, 1763–1764.  New ed., 1801–1804, 6 vols., with dissertations and notes (*virorum doctorum*) compiled by

C. A. Thieme, a preface by J. A. Ernesti, and a Latin translation. Vol. IV contains the *Memorabilia*.

WEISKE : Leipzig, 1798–1804, 6 vols., with full commentary.   Vol. V contains the *Memorabilia*.

J. G. SCHNEIDER : Leipzig, 1790–1849, 6 vols.   Vol. IV contains the *Memorabilia* and *Apologia Socratis*.

J. B. GAIL : Paris, 1808–1815, 7 vols., Greek and French, with critical notes.

F. A. BORNEMANN, R. KÜHNER, and L. BREITENBACH : Gotha, 1828–1854, 4 vols., with Latin commentary.   New ed., 1838–1863 (now published by Teubner of Leipzig).   Vol. II (by Kühner, 1841, 1857) contains the *Memorabilia*.

L. DINDORF : Leipzig (Teubner), 1849–1851.   New ed., 1873–1875. An important series of text editions.

L. DINDORF : Oxford, 1852–1866, with full critical and exegetical notes.   The volumes of this valuable series (in addition to the *Memorabilia*, mentioned in II below) are as follows : *Historia Graeca* (1852) ; *Expeditio Cyri* (1855) ; *Institutio Cyri* (1857) ; *Opuscula* (1866).

G. SAUPPE : Leipzig (B. Tauchnitz), 1865–1867 (later ed., 1867–1870), 5 vols.   Vol. III contains the *Memorabilia*.

## II.   SOME SEPARATE EDITIONS OF THE MEMORABILIA

J. A. ERNESTI : *Apomnemoneumata seu Memorabilium Socratis dictorum libri iv.*   5th ed., Leipzig, 1772.

G. A. HERBST : *Xenophontis Memorabilium Socratis libri iv.*   Halle, 1827.   *Recensuit et illustravit* G. A. SAUPPE : Leipzig, 1834.

F. A. BORNEMANN : *Xenophontis Commentarii Socratis.*   Leipzig, 1829.

E. LEFRANC : *Entretiens mémorables de Socrate.*   Paris, 1845, 4 vols., Greek and French.

RAPHAEL KÜHNER : *De Socrate Commentarii.*   Gotha, 1857.   Text, with Latin notes and introduction.   (The work mentioned in I above.)

L. DINDORF : *Xenophontis Memorabilia Socratis.*   Oxford, 1862 (later ed., 1875).   With critical and exegetical notes.

C. SCHENKL : *Xenophontis Opera* (only 2 vols. published).   Berlin (Weidmann), 1876.   Text ed., with brief critical notes.   Vol. II contains the *Memorabilia*.

S. R. WINANS : *Xenophon's Memorabilia.* Boston (Allyn), 1880.

E. WEISSENBORN : *Xenophons Memorabilien.* Gotha (Perthes), 1885–1887. "School edition," with German notes.

W. GILBERT : *Xenophontis Commentarii.* Leipzig (Teubner), 1888. An authoritative text edition.

L. BREITENBACH : *Xenophons Memorabilien.* 6th ed. revised by Rudolf Mücke, Berlin (Weidmann), 1889. "School edition," with German notes. (The basis of the present edition.)

## C. AUXILIARIES

F. W. STURZ : *Lexicon Xenophonteum.* Leipzig, 1801–1804, 4 vols.

G. SAUPPE : *Lexilogus Xenophonteus sive index Xenophontis grammaticus.* Leipzig, 1869.

G. A. KOCH : *Vollständiges Wörterbuch zu Xenophons Memorabilien.* Leipzig, 1870.

KATHARINE M. GLOTH and MARY F. KELLOGG : *Index in Xenophontis Memorabilia.* New York (Macmillan), 1900. (Vol. XI of Cornell Studies in Classical Philology.)

C. G. COBET : *Variae lectiones* (Leyden, 1854), and *Novae lectiones* (Leyden, 1858). Cobet was an editor of the periodical *Mnemosyne*, in which most of his acute critical work appeared (Vols. VI–IX). For a review of his emendations of Xenophon, see an article by B. Büchsenschütz in *Philologus*, xviii. 251 ff.

A. KROHN : *Socrates und Xenophon.* Halle, 1875.

C. SCHENKL : *Xenophontische Studien. Beiträge zur Kritik der Apomnemoneumata.* Vienna, 1875.

K. JOEL : *Der echte und der Xenophontische Socrates.* Berlin, 1893.

J. J. HARTMAN : *Analecta Xenophontea.* Leyden, 1887.

A. DÖRING : *Die Lehre des Socrates als soziales Reformsystem.* Munich, 1895.

H. G. DAKYNS : *The Works of Xenophon,* translated. London and New York, 1890–1897, 3 vols. A full account of Xenophon is given in the Introduction to Vol. I. The *Memorabilia* is contained in Vol. III, Part I.

# INDEX OF PROPER NAMES

257

# GRAMMATICAL INDEX

Genitive,
of source, ii. 4. 1; iv. 5.
10.
of time, i. 1. 10; iv. 7. 4.
part., i. 1. 14, 2. 46, 4.
4; ii. 1. 18; iv. 2.
6, 7.
pred., of characteristic,
i. 2. 10; ii. 1. 5, 8;
iii. 4. 6 ; of measure,
i. 2. 40 ; part., i. 2.
31, 3. 9 ; of posses-
sion, i. 6. 23.
subjective, i. 4. 5; ii. 1. 3.
w. adjs., i. 2. 1, 60, 3. 4,
4. 16, 6. 8 ; ii. 1. 23 ;
iii. 1. 6 ; iv. 1. 4.
w. advs., i. 2. 60, 6. 10 ;
ii. 1. 23.
w. verbs, alone w.
δέομαι, ii. 6. 2 ; com-
pounded w. κατά, i.
3. 4, 10, 4. 2 ; of dis-
puting, ii. 1. 1, 7 ;
of emotion, ii. 6. 33 ;
of failing or deceiv-
ing, iv. 2. 26, 6. 11 ;
of forgetting, i. 2.
21 ; of inferiority,
iii. 5. 13 ; of judicial
action, i. 2. 49; of
perception or mental
action, i. 1. 11; ii. 1.
24, 6. 33; of sharing,
ii. 6. 23; iv. 5. 7; of
touching, i. 4. 12, 7.
4; ii. 1. 20; of
wanting, i. 2. 11, 3.
5 ; ii. 4. 6.

Hyperbăton, i. 5. 1.
Hysteron proteron, iii. 5.
10.

Imperfect,
indic. in past unful-
filled cond., i. 1. 5, 2.
59, 4. 14.
in independent clauses
of indirect discourse,
i. 3. 3.
of attempted action
(conative), i. 2. 29, 3.
4.
of habitual action, i.
6. 2.
participle, ii. 6. 7 ; iii.
5. 4.
Incorporation, of antec., i.
2. 22 ; iv. 4. 1.
Indicative,
fut. w. εἰ in expressions
of uncertainty, i. 1.
8.
fut. w. pres. intention,
i. 6. 3 ; ii. 1. 12, 17,
6. 30.
in expressions of wish-
ing, i. 2. 46.
in fut. cond. of more
vivid form, i. 2. 52.
in simple logical cond.,
i. 2. 13, 26, 28.
in subord. clauses of
indirect discourse,
iv. 1. 5.
in unfulfilled cond., i.
1. 5, 2. 59, 4. 5, 14.
iterative, ii. 9. 4 ; iv. 1.
2, 6. 13.
potential, i. 2. 2 ; iii. 4.
7.
w. verbs of fearing, ii.
3. 10.
Indirect discourse, i. 2. 15 ;
ii. 6. 13, 7. 11 ; iv. 1.
5.

Indirect question, i. 1. 1, 2.
33 ; ii. 6. 8 ; iii. 9. 9 ;
iv. 2. 30.
w. intensive particle
ποτέ, i. 1. 1, 12.
Infinitive,
abs., iii. 8. 10, 10. 13.
aor. w. ᾤμην, iii. 4. 7.
articular, i. 1. 12, 2. 1,
3, 55, 3. 5, 7, 11, 6.
8, 15 ; ii. 1. 15, 3. 9,
14 ; iii. 3. 1, 11, 6. 2,
13. 1.
by assimilation in in-
direct discourse, i. 1.
8, 13, 14 ; iii. 11. 1;
iv. 1. 4.
fut. w. μέλλω (peri-
phrastic), i. 1. 7.
its predicate,
attracted into nom.,
i. 2. 1, 3, 45, 55 ;
iii. 11. 14 ; iv. 3. 4.
its subject,
attracted into nom.,
ii. 3. 11; iv. 8. 4.
omitted, ii. 6. 6.
obj., i. 3. 6.
of purpose, i. 5. 2 ; iii.
4. 8.
of result, i. 2. 1, 3. 5; iii.
12. 6 ; iv. 4. 1.
w. adjs., i. 2. 15, 6. 9 ;
ii. 1. 22 ; iii. 8. 8,
13. 3.
w. αἰσχύνομαι, iii. 1. 11,
7. 5.
w. ἄν in indirect dis-
course, i. 1. 6, 14, 16,
3. 10, 15, 4. 16 ; ii.
1. 4, 2. 7; iii. 5. 2, 13.
1; iv. 2. 33.
w. ἐπιμελέομαι, iv. 7. 1.

# GREEK INDEX

269

$$\frac{150}{35}$$

$$\frac{144}{35}$$